Arnaud Bongrand       Claire Delabre       Angela Rickard

# MOSAÏQUE

## HIGHER LEVEL
## LEAVING CERTIFICATE FRENCH

### 3rd Edition

**Edco**
The Educational Company of Ireland

First published 2015

The Educational Company of Ireland
Ballymount Road
Walkinstown
Dublin 12

www.edco.ie

A member of the Smurfit Kappa Group plc

**ISBN:** 978-1-84536-466-3

The paper used in this book comes from Managed Forests in Northern Europe For every tree felled, at least one new tree is planted

**Editor:** Denise Dwyer

**Design and Layout:** Liz White Designs

**Proofreader:** Claude Ducloud; Frenchmatters

**Cover Design:** Redrattle Design

**Illustrators:** Beatrice Bencivenni, Ann Marie Burke, O'Kif, Mike Phillips, Kim Shaw, Q2A Media Services Pvt. Ltd.

**Commissioned photographs:** Luke Danniells

**Studio:** Avenue33 Studios

**Voices:** Enora Aspirot, Arnaud Bongrand, François Crozat, Carole Dhoste, Diane Kennedy, Edward McDonagh, Emily Nolan, David Nouvion, Renaud Puyou

# Les symboles dans *Mosaïque*

 Compréhension écrite
(texte journalistique)

 Compréhension auditive
(CD du professeur et de l'élève)

 Compréhension écrite
(texte littéraire)

 Compréhension auditive
(CD du professeur uniquement)

 Expression orale

 Films français et francophones

 Expression écrite

 **Au fait**

Faits culturels ou d'actualité

**Phrases utiles**

Pour enricher votre
vocabulaire !

 **Attention aux faux amis !**

Pour vous aider à éviter les mots trompeurs !

**Lexique**

Vocabulaire difficile
expliqué ou traduit

 Ressources supplémentaires en linge

**Consultez**
l'aide-mémoire

Pour accèder aux points de
grammaire et aux conseils à
propos de l'examen du bac.

**Note !** Dans les lexiques des compréhensions écrites, les adjectifs sont présentés au masculin singulier sauf quand la forme féminine est irrégulière.

*Please note that any links to external websites should not be construed as an endorsement by EDCO of the content or view of the linked material.*

# Table des matières

## Module A : La carte d'identité

## Module B : Les jeunes

# Module C : L'éducation

# Module D : Les vacances / L'environnement

# Module E : Notre monde

# Module F : Le mode de vie

# Module G : Les inégalités

## Aide-mémoire

# Préface

Since its first appearance in 2006 *Mosaïque* has become the most widely used textbook for Higher Level Leaving Certificate French. It has been completely revised and updated in this current edition whilst retaining all of the features that has made it popular with teachers and students.

Structured around seven modules, each of which is divided into four thematic units, *Mosaïque* is communicative and highly engaging. Instructions are in the target language and a wide range of imaginative individual, pair and group work activities are presented throughout. All four language skills are carefully balanced: listening and reading comprehension texts, writing and speaking activities all mirror the style and format of the Leaving Certificate exam, giving students ample opportunity to develop fluency in French.

*Mosaïque* is written to reflect modern, multi-cultural French and Francophone society and the choice of journalistic texts, songs, films and literary extracts aim to convey that social and linguistic diversity.

An *Aide-mémoire* section at the end of each module contains a rich variety of additional supports for student revision, exam preparation and grammar practice. Cross-reference to these supports can be found throughout the book.

Interactive digital resources and activities are available to teachers and students free online at **www.edco.ie/mosaique**. These resources will help with exam preparation, homework and revision, as well as assisting students with all four language skills. They include:

- **Interactive grammar exercises** to revise key grammar points;
- **Interactive listening exercises**, which provide additional practice for the aural section of the exam and improve listening accuracy;
- **Video interviews** with French-speaking teenagers, plus corresponding worksheets, to allow students to engage with the spoken language in an authentic and interesting way.

The e-book version of this new edition is accessible to teachers online on **www.edcodigital.ie**, plus a bank of free digital resources, including:

- **Solutions** for all aural and reading comprehensions in each unit, as well as every grammar exercise and written activity in the *Aide-mémoire* sections;
- Authentic and contemporary French language **videos**, with follow-up worksheets;
- All **audio** tracks;
- **Links to relevant websites** (with corresponding activity suggestions);
- **Biographical information** about the authors of literary texts with **suggestions for further reading**.

# MODULE A
## La carte d'identité

## Table des matières

### Aide-mémoire

# Salut, c'est moi !

## 1 La carte d'identité

 **1.1** **Regardez cette carte d'identité française.**

1 Quelles sont les informations mentionnées sur ce document officiel ?

2 Quelles sont les différences entre la carte d'identité française et votre passeport ?

3 Êtes-vous en faveur d'une carte d'identité en Irlande ? Pourquoi ? / Pourquoi pas ?

**Au fait**

La carte nationale d'identité, valable dix ans, est gratuite. Elle est délivrée en mairie et dans les consulats pour les citoyens français résidant hors de France. Elle a été imposée par le Maréchal Pétain en octobre 1940 à tous les Français de plus de seize ans.

 **1.2** **Écoutez ces quatre adolescents à la recherche de correspondant(e)s puis complétez leurs fiches dans votre cahier.**

**Prénom :** Émilie

**Sexe :** fille
**Âge :** .......
**Habite à :** Paris
**Langue parlée à la maison :** français
**Recherche :** échange ou séjour payant
**Langue(s) cible(s) :** ....... ou espagnol
**Partenaire d'échange linguistique :** .......
**Durée du séjour :** une semaine à .......
**Intérêts :** vélo ; randonnée ; .......

**Sexe :** garçon
**Âge :** 16 ans
**Habite à :** Lille
**Langue parlée à la maison :** français ; .......
**Recherche :** échange seulement
**Langue(s) cible(s) :** .......
**Partenaire d'échange linguistique :** .......
**Durée du séjour :** deux semaines
**Intérêts :** ....... ; musique ; .......

**Prénom :** Samir

**Prénom :** Antoine

**Sexe :** garçon
**Âge :** .......
**Habite à :** .......
**Langue parlée à la maison :** français
**Recherche :** échange ou .......
**Langue(s) cible(s) :** allemand
**Partenaire d'échange linguistique :** .......
**Durée du séjour :** .......
**Intérêts :** VTT ; kayak ; .......

**Sexe :** fille
**Âge :** 17 ans
**Habite à :** Bastia
**Langue parlée à la maison :** ....... et corse
**Recherche :** séjour payant uniquement
**Langue(s) cible(s) :** ....... et espagnol
**Partenaire d'échange linguistique :** .......
**Durée du séjour :** un mois
**Intérêts :** ....... ; manga ; .......

**Prénom :** Rebecca

**1.3** **Répondez oralement aux questions suivantes en vous aidant du vocabulaire donné.**

1 Avez-vous un(e) correspondant(e) ? Donnez des détails.

2 Si non, aimeriez-vous en avoir un/une ? Pourquoi ? / Pourquoi pas ?

3 Parmi les correspondants de l'activité 1.2, lequel/laquelle choisiriez-vous ? Pourquoi ?

| **Phrases utiles** |
| --- |
| Je choisirais … parce qu'il/elle … |
| Il/elle aime … |
| Il/elle parle … |
| Il/elle fait … |
| Il/elle habite … |

 **1.4** **Et maintenant, avec un de vos camarades de classe, posez-vous les questions ci-dessous. Ensuite présentez la personne à un autre groupe.**

1 Comment tu t'appelles ?

2 Tu as quel âge ?

3 Tu es né(e) en quelle année ? / C'est quand, ton anniversaire ?

4 Quelle est ta nationalité / Tu es de quelle nationalité ?

5 Tu habites où ?

6 Quels sont tes centres d'intérêt et tes loisirs ?

7 C'est quoi, ton rêve, pour l'avenir ?

| **Phrases utiles** |
| --- |
| Je m'appelle Andrew/Sarah. |
| J'ai dix-sept / dix-huit ans. |
| Je suis né(e) en 1996 (*mille neuf cent quatre-vingt-seize*). |
| Ma date de naissance, c'est le 12 janvier 1997 (*mille neuf cent quatre-vingt-dix-sept*) / Mon anniversaire, c'est le 12 janvier. |
| Mon anniversaire est en avril. |
| Je suis irlandais(e). |
| J'habite à Tipperary. |
| J'adore le golf / le taekwondo / les jeux vidéo / jouer de la guitare. |
| Mon rêve, c'est de devenir infirmière / de faire le tour du monde. |

 **1.5** **Écoutez Audrey, Arthur, Bérangère, Youssef et Laure nous parler de ce qu'ils font pour leur anniversaire. Notez le nom de la personne correspondant à chacune des phrases suivantes.**

| | Name | Birthday activities |
| --- | --- | --- |
| 1 | | Doesn't celebrate his/her birthday and usually gets a voucher from his/her mum. |
| 2 | | Goes out with school friends or stays at a friend's house for a takeaway. |
| 3 | | Goes out for a meal with his/her family. |
| 4 | | Spends time with his/her half-sister baking his/her birthday cake. |
| 5 | | Gets a surprise from his/her family and goes out with friends. |

**1.6** Et toi, qu'est-ce que tu fais pour ton anniversaire ? Répondez à cette question en vous aidant du vocabulaire ci-dessous.

| Phrases utiles |
| --- |
| acheter un billet de concert |
| s'acheter / recevoir des cadeaux |
| aller au cinéma / restaurant |
| commander un plat à emporter |
| économiser mon argent |
| faire les magasins |
| faire un tour en ville |
| s'offrir quelque chose |
| organiser une fête à la maison |
| prendre des photos |
| regarder un DVD / la télé |
| rester en famille |
| sortir en boîte avec les copains/copines |

*Consultez l'aide-mémoire*

Pour les verbes au présent, voir pp. 45-48.

## 2 Le caractère

**2.1** Lisez les adjectifs dans les bulles ci-dessous, puis, dans votre cahier, groupez les synonymes comme dans l'exemple.

**Exemple :** amusant = drôle ; marrant

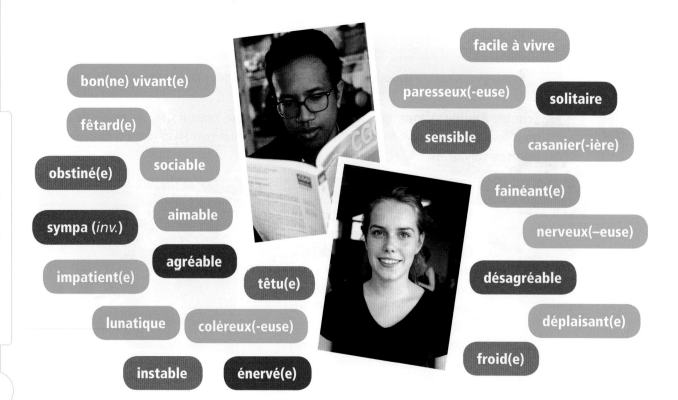

facile à vivre

bon(ne) vivant(e)

paresseux(-euse)

solitaire

fêtard(e)

sensible

casanier(-ière)

obstiné(e)

sociable

fainéant(e)

sympa (*inv.*)

aimable

nerveux(–euse)

agréable

impatient(e)

têtu(e)

désagréable

lunatique

coléreux(-euse)

déplaisant(e)

froid(e)

instable

énervé(e)

## Attention aux faux amis !

| | |
|---|---|
| sympathique = *nice, friendly* | *sympathetic* = compatissant, bienveillant |
| sensible = *sensitive* | *sensible* = raisonnable, sensé, intelligent |
| susceptible = *likely to, easily offended* | *susceptible* = sensible, impressionnable, crédule, prédisposé |
| versatile = *moody, erratic* | *versatile* = polyvalent |

**2.2** Travaillez par groupes de deux ou trois : pour chacun des adjectifs suivants, donnez une définition puis notez-la dans votre cahier. Dites-la au reste de la classe.

> **Exemple :** egoïste = une personne qui n'aime ni donner aux autres ni partager avec eux

1. bavard(e)
2. boudeur(-euse)
3. compréhensif(-ive)
4. généreux(-euse)
5. rêveur(-euse)
6. sérieux(-euse)

**2.3** Expressions idiomatiques

Trouvez l'équivalent des expressions de la colonne A dans la colonne B. Vous pouvez utiliser votre dictionnaire.

| A | | B | |
|---|---|---|---|
| 1 | Je suis dans la lune. | a | J'oublie tout. |
| 2 | J'ai une mémoire d'éléphant. | b | Je n'oublie rien. |
| 3 | J'ai un caractère de chien. | c | Je suis paresseux(-euse). |
| 4 | Je suis têtu(e) comme une mule. | d | Je suis rêveur(-euse). |
| 5 | J'ai un poil dans la main. | e | Je suis désagréable. |
| 6 | Je suis tête en l'air. | f | Je suis de caractère agréable. |
| 7 | Parfois, je suis casse-pieds. | g | Je suis généreux(-euse). |
| 8 | J'ai le cœur sur la main. | h | Je suis réaliste. |
| 9 | Je suis facile à vivre. | i | Je suis très obstiné(e). |
| 10 | J'ai la tête sur les épaules. | j | Je peux être agaçant(e). |

**2.4** **Répondez oralement aux questions suivantes.**

1 D'après la liste ci-dessous, quel est votre signe astrologique / signe du zodiaque ?
2 Lisez-vous votre horoscope dans les magazines ? Pourquoi ? / Pourquoi pas ?
3 Vous reconnaissez-vous dans votre signe astrologique ? Pourquoi ? / Pourquoi pas ?

|  |  |  |
|---|---|---|
| **BALANCE**<br>(23 septembre–22 octobre) | **SCORPION**<br>(23 octobre–21 novembre) | **SAGITTAIRE**<br>(22 novembre–21 décembre) |
|  |  |  |
| **CAPRICORNE**<br>(22 décembre–19 janvier) | **VERSEAU**<br>(20 janvier–18 février) | **POISSONS**<br>(19 février–20 mars) |
|  |  |  |
| **BÉLIER**<br>(21 mars–19 avril) | **TAUREAU**<br>(20 avril–20 mai) | **GÉMEAUX**<br>(21 mai–20 juin) |
|  |  |  |
| **CANCER**<br>(21 juin–22 juillet) | **LION**<br>(23 juillet–22 août) | **VIERGE**<br>(23 août–22 septembre) |

**Phrases utiles**

En général, on dit de moi que je suis assez / plutôt / très …
Mes parents / ami(e)s / profs disent que je suis …
Je ne pense pas être … parce que …

**2.5** **Écoutez cinq adolescents décrire leurs réactions dans certaines situations.**
**Notez-les dans votre cahier.**

| Name | Feeling | Situation |
|---|---|---|
| Martin | | |
| Élodie | | |
| Stefan | | |
| Farrida | | |
| Jules | | |

**2.6** Et vous, comment réagissez-vous dans les situations suivantes ? Répondez oralement ou par écrit dans votre cahier.

1 Quand votre frère / sœur vous prend vos affaires sans vous le demander.
2 Quand vous avez de mauvais résultats dans une matière.
3 Quand vos parents vous interdisent de sortir le samedi soir.
4 Quand vous avez une compétition sportive importante.
5 Quand vous partez en vacances avec vos ami(e)s.
6 Quand c'est le jour de la rentrée.

> **Consultez**
> l'aide-mémoire
> Pour les adjectifs,
> voir pp. 53-60.

# 3 Le physique

**3.1** Lisez le témoignage de Sandrine puis répondez aux questions qui suivent.

### Les tatouages éphémères

« Toute ma vie, j'ai rêvé de me faire tatouer sur l'épaule une tête de mort bien rock 'n' roll, ou un slogan genre *No Future*. Mais, trop douillette et/ou par peur de le regretter, je n'ai jamais sauté le pas. Alors, j'ai opté pour un tatouage éphémère. Cet été, il y en a pour tous les goûts à moindre coût (entre 9 et 15€ la planche). D'accord, parfois, ça frise davantage le tatouage Malabar* qu'une œuvre de Tintin – célèbre tatoueur parisien. Mais certaines marques comme Tink-it font appel à des collectifs d'artistes, pour griffer des planches de tickets aux designs ultra branchés et arty. »

© Bayard Presse, *Phosphore*, Sandrine Pouverreau, juillet 2013

> **Lexique**
> le tatouage Malabar = Malabar est une marque française de chewing gum. On trouve une vignette tatouage dans l'emballage.

### Questions

1 Sur quelle partie du corps Sandrine aimerait-elle avoir un tatouage ?
2 Pour quelles raisons n'a-t-elle pas réalisé son rêve ? Donnez-en une.
3 Trouvez un synonyme de « ne pas oser ».
4 Relevez une expression qui indique qu'il existe beaucoup de choix.
5 Les tatouages éphémères sont à la mode. Vrai ou faux ? Justifiez votre réponse.

**3.2** Répondez d'abord oralement aux questions suivantes puis par écrit dans votre cahier.

1 Avez-vous un tatouage ? Pouvez-vous le décrire ?
2 Quand l'avez-vous fait ?
3 Si vous n'avez pas de tatouages, pourquoi pas ?
4 Que pensez-vous des tatouages éphémères ?
5 Les tatouages et les piercings ne sont qu'une mode. Qu'en pensez-vous ?

## Phrases utiles

### Taille / poids

Il/elle est petit(e) / grand(e) / de taille moyenne

Il mesure 1 mètre 65.

Elle fait 1 mètre 55.

Il/elle pèse 58 kilos.

### Cheveux / yeux

Il/elle a les cheveux bruns / blonds / châtains / roux.

Il/elle a les cheveux longs / courts / mi-longs / frisés.

Il/elle a les yeux verts / noisette / bleu clair, etc.

Il/elle est brun(e) / blond(e) / roux/rousse.

### Description générale

beau/belle

jeune

mignon(-onne)

mince

noir(e)

rond(e)

vieux/vieille

 **3.3** **Vous venez de recevoir la photo de votre nouveau/nouvelle correspondant(e) belge. Écrivez-lui un email où vous vous présentez et vous décrivez votre personnalité et votre physique.**

# 4 Mon idole

 **4.1** Qui admirez-vous ?

**Écoutez le témoignage de quatre jeunes qui nous parlent de la personne qu'ils admirent le plus. Répondez aux questions suivantes.**

1 Why does Nicolas admire Banksy? Give one reason.
2 Who is Adrien's hero?
3 What does he say about this person's attitude?
4 What quality does Marie admire in Abigail Breslin?
5 Julie admires author Stéphane Hessel for identifying the values of her generation. Name both of the values she mentions.

 **4.2** **Et vous, qui admirez-vous et pourquoi ? Notez votre réponse dans votre cahier.**

**Consultez**
l'aide-mémoire
Pour les verbes au présent, voir pp. 45–48.

## Phrases utiles

Il/elle représente …

C'est quelqu'un de ….

À mes yeux, il/elle …

Je l'admire parce que …

**4.3** Lisez les paroles de la chanson « Soulman » chantée par Ben l'Oncle Soul puis répondez aux questions qui suivent. Vous pouvez également chercher « Soulman » par Ben l'Oncle Soul pour voir le clip original de cette chanson en ligne.

## Soulman

J'ai pas le regard de Spike Lee
J'ai pas le génie de da Vinci
J'ai pas les pieds sur terre
La patience de ma banquière
J'ai pas ces choses-là.
J'ai pas la sagesse de Gandhi
L'assurance de Mohamed Ali
J'ai pas l'âme d'un gangster
La bonté de l'Abbé Pierre
Ni le ra de Guevara.

*Refrain :*

Je ne suis qu'un soul man
Écoute ça baby.
Je suis pas un superman
Loin de là.
Juste moi, mes délires
Je n'ai rien d'autre à offrir
Mais je sais qu'en vrai, c'est déjà ça.
J'ai pas le physique des magazines
J'ai pas l'humour de Charlie Chaplin
J'ai pas la science infuse

Le savoir-faire de Bocuse
Non je n'ai pas ces choses-là.
J'ai pas la chance de Neil Armstrong
J'ai pas la carrure de King Kong
Plusieurs cordes à mon arc
La ferveur de Rosa Parks
Ni le courage de Mandela.

*(Refrain x 2)*

Moi j'aurais aimé être comme eux;
Être hors du commun.
J'ai bien essayé
J'ai fait de mon mieux,
Mais quoi que je fasse
À la fin :

*(Refrain x 2)*

Non, non, non, non
Juste moi,
Mes délires.
Mais je sais qu'en vrai, c'est déjà ça !

© « Soulman » paroles et musique de Ben l'Oncle Soul. *Ben L'Oncle Soul* (Motown/Universal, 2010)

## Questions

1 Relevez dans le texte autant de différentes structures négatives que possible.

2 Donnez pour chacun des noms suivants les adjectifs correspondants selon l'exemple.

**Exemple :** génie → génial(e)

| a | la patience | d | l'humour |
|---|---|---|---|
| b | la sagesse | e | la chance |
| c | la bonté | f | le courage |

**3** Trouvez l'équivalent des expressions de la colonne de gauche dans la colonne de droite.

| | | | |
|---|---|---|---|
| 1 | J'ai pas les pieds sur terre. | a | C'est mieux que rien. |
| 2 | J'ai pas le physique des magazines. | b | Je ne suis pas réaliste. |
| 3 | J'ai pas la science infuse. | c | Je ne suis pas super beau. |
| 4 | J'ai pas la carrure de … | d | avoir différentes possibilités |
| 5 | avoir plusieurs cordes à son arc | e | J'ai fait tout mon possible. |
| 6 | C'est déjà ça. | f | Je ne connais pas tout. |
| 7 | être hors du commun | g | Je ne suis pas très musclé. |
| 8 | J'ai fait de mon mieux. | h | être extraordinaire |

**4.4** **Lisez le portrait de l'actrice française Marion Cotillard, puis complétez le texte avec les verbes suivants au présent. Attention : certains verbes sont utilisés plus d'une fois.**

| amener | avoir | donner | être | obtenir | travailler | venir |
|---|---|---|---|---|---|---|

Marion Cotillard a passé son enfance dans la banlieue parisienne. Elle ……. d'une famille de comédiens et a étudié le théâtre au lycée. Ses deux frères jumeaux ……. également dans le milieu artistique. En 2007, elle ……. de nombreux prix dont le Golden Globe et le César pour son rôle d'Édith Piaf dans le film *La Môme*. Au fil des années, sa carrière hollywoodienne l' ……. à jouer au côté de Johnny Depp, Daniel Day-Lewis, Leonardo DiCaprio, Kate Winslet et Michael Fassbender. Marion ……. également chanteuse par intermittence avec le groupe Yodelice sous le pseudonyme Simone. Militante écologique engagée, elle ……. son soutien à plusieurs organisations : elle ……. marraine de la Fondation Maud Fontenoy dont le but ……. de sensibiliser les enfants à la biodiversité marine. Marion Cotillard ……. la compagne de Guillaume Canet, ensemble depuis 2007. Ils ……. un petit garçon, prénommé Marcel.

**4.5a** « Théo »

**Lisez le texte littéraire ci-dessous, extrait de *Les autres* d'Alice Ferney, puis répondez aux questions.**

*La famille proche et quelques amis se réunissent lors de la soirée d'anniversaire de Théo. Ils apprennent tous à mieux se connaître à travers un jeu de société, révélateur de secrets de famille.*

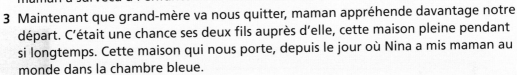

1   Je suis né à 18h18, un dimanche, à la clinique Roseraie, il y a de cela vingt ans, jour pour jour. Maman vient de le rappeler. Maman se souvient de tout ce qui concerne ses enfants. Elle a consigné dans un carnet nos émois et nos rébellions. Elle sait ce que la vie a fait pour elle à travers nous. C'est une mère russe : l'âme artiste et le cœur passionné.

2   Je mesurais cinquante et un centimètres. Je pesais trois kilos cinq cent cinquante, ce qui est le poids de naissance moyen chez les garçons en France. Poids moyen, c'était un mauvais départ ! Mon frère Niles, lui, dépassait les cinq kilos. Par sa faute, j'aurais pu perdre ma génitrice et ma naissance. Mais maman a survécu à l'enfantement de ce dinosaure.

3   Maintenant que grand-mère va nous quitter, maman appréhende davantage notre départ. C'était une chance ses deux fils auprès d'elle, cette maison pleine pendant si longtemps. Cette maison qui nous porte, depuis le jour où Nina a mis maman au monde dans la chambre bleue.

Alice Ferney, *Les autres* © Actes Sud, 2006

**Questions**

1   Quel âge a le narrateur ? (Section 1)

2   a   Trouvez une phrase qui indique que la mère du narrateur garde des notes sur les actions de ses enfants. (Section 1)

     b   Trouvez un adjectif décrivant la mère de Théo. (Section 1)

3   Trouvez une expression qui indique que le frère aîné du narrateur était un gros bébé. (Section 2)

4   Théo et Niles habitent toujours dans la maison familiale. Vrai ou faux ? (Section 3)

5   D'après la troisième section, Nina est …

     i)   leur sœur cadette                    iii)  leur mère

     ii)  leur grand-mère maternelle      iv)  leur tante.

6   The narrator appears quite nostalgic and shows that he has strong ties with his family. Write in support of this statement making reference to the above text. (*50 words*)

**4.5b**   **À vous. Écrivez un petit paragraphe donnant le plus de détails possibles sur quand vous étiez bébé : mentionnez l'heure, le jour, le lieu de votre naissance et ajoutez un autre détail de votre choix.**

Consultez l'aide-mémoire

Pour la compréhension écrite, voir p. 360.

# La famille

## 1 Ma famille

**1.1** Regardez l'arbre généalogique ci-dessous et écrivez un paragraphe pour présenter un des membres de la famille Carpentier, comme dans l'exemple donné ci-dessous :

> **Consultez** l'aide-mémoire
>
> Pour les verbes au présent, voir pp. 45-48.

**Exemple :** Xavier Carpentier a 50 ans et il est fonctionnaire. Il travaille comme commissaire de police dans le quartier des Minimes à Toulouse. Il est marié à Julie et ils ont deux enfants, Marig et Jérôme, qui ont presque le même âge que leurs cousins Sophie et Mathieu. Xavier a deux sœurs un peu plus jeunes que lui, Marine et Delphine. Ses parents sont à la retraite maintenant.

### La famille Carpentier

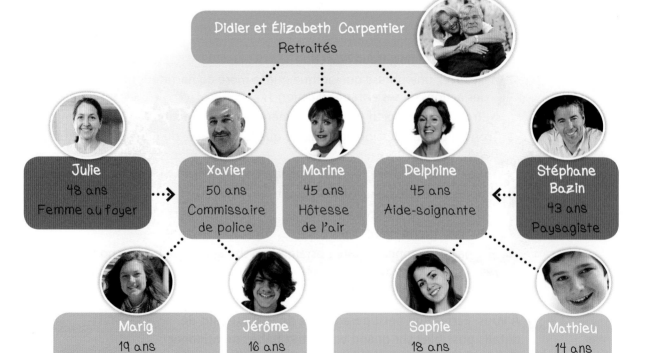

Didier et Élizabeth Carpentier
Retraités

Julie
48 ans
Femme au foyer

Xavier
50 ans
Commissaire de police

Marine
45 ans
Hôtesse de l'air

Delphine
45 ans
Aide-soignante

Stéphane Bazin
43 ans
Paysagiste

Marig
19 ans
Étudiante en commerce

Jérôme
16 ans
Lycéen

Sophie
18 ans
Étudiante en arts plastiques

Mathieu
14 ans
Collégien

**1.2a** **Répondez oralement aux questions suivantes.**

1 Vous êtes combien dans votre famille ?
2 Vous avez des sœurs et des frères ?
3 Que font vos frères et sœurs ? Ils vont à l'école / l'université ? Ils travaillent ?
4 Décrivez votre/vos frère(s) et sœur(s) ?
5 Quelle est la profession de vos parents ?
6 Avez-vous un animal domestique ? Donnez des détails.


**Consultez** l'aide-mémoire
Pour présentér le document à l'épreuve orale, voir p. 244.

 **1.2b** **Apporter une photo de votre famille / sœur / frère. Faites une presentation comme pour le document pour l'épreuvre orale du bac.**

 **1.3** **Écoutez les deux extraits suivants puis répondez aux questions.**

**Steven**

1 Why does Steven never feel lonely?
2 What job does Steven's dad do?
3 How does he describe his dad? Give two details.
4 What does he do some weekends with his dad?
5 What job does his mum do?
6 What pets does he have? Give three details.

**Lucie**

7 What age are Lucie's brother and sister?
8 When did Roméo start doing judo?
9 Why do people say Lucie and Esther look alike?
10 Name one thing Esther would like to have when she is older like Lucie.
11 How does Lucie describe her mother?
12 What does she have in common with her dad?

**Lexique**
une vraie mère-poule =
*a real mother hen*

 **1.4** **Lisez les conversations suivantes entendues dans la famille Janiec entre le beau-père, Yve ; la mère, Valérie ; la fille, Marine ; la demi-sœur, Kathy et le petit frère, Jordan. Identifiez au moins six verbes pronominaux et notez-les dans votre cahier.**

1 **Yves :** On pourrait aller se balader au bord de la mer dimanche avec les enfants.

**Valérie :** Bonne idée ! Ta mère voudra peut-être nous rejoindre. Je vais tout de suite lui téléphoner pour lui demander.

2 **Marine :** Coucou ! Tu t'amuses à quel jeu, Jordan ?

**Jordan :** Mais, non ! Je me connecte sur Skype avec Mamie ! Maman m'a donné l'autorisation. Je t'appelle quand j'ai fini.

**Marine :** D'accord, ça marche ! →

Module A | **2** | La famille

13

**3** **Kathy :** Tu te déguises pour le carnaval le week-end prochain ?

**Marine :** Oh, je sais pas encore si j'y vais. L'année dernière, c'était pas génial !

**Kathy :** Tous les copains et copines y vont et on se déguise tous ! Viens avec nous ! Moi, je vais me maquiller et m'habiller dans le style japonais avec un kimono, du maquillage Geisha et puis des accessoires dans les cheveux ! La totale !!

**4** **Valérie :** Que se passe-t-il ? Vous vous disputez encore ?

**Jordan :** Mais, non, pas du tout ! Kathy se plaint parce qu'elle doit s'occuper du chat de la voisine demain soir mais elle vient de se rappeler qu'elle a donné rendez-vous à Manue pour aller au cinéma !

> **Consultez**
> l'aide-mémoire
> Pour les verbes pronominaux,
> voir pp. 48-50.

 **1.5** Utilisez un verbe pronominal pour compléter les phrases suivantes sur votre famille.

> **Exemple :** se reconnaître
> Tu te reconnais sur cette photo → C'était en vacances à Nice et tu avais presque deux ans !

s'énerver   se fâcher   s'ennuyer

s'intéresser   se ressembler

s'entendre   se rencontrer   se détendre

se relaxer   se confier   se marier   s'aider

se rappeler   s'appeler   se comprendre

s'endormir   s'inquiéter   se réunir

se disputer   se connaître

**1** Tu …

**2** Je …

**3** Mon père / frère, il …

**4** Ma sœur / grand-mère / belle-mère, elle …

**5** Mes frères et moi, nous …

**6** Mes parents, ils …

**7** Mes cousines, elles …

# 2 Les relations familiales

**2.1** Lisez le texte ci-dessous à propos des sœurs Haim et répondez aux questions qui suivent.

Originaire de Los Angeles en Californie, les trois sœurs Haim ont la musique dans le sang. Issues d'une famille de musiciens passionnés, leurs parents enrôlent très tôt leurs filles dans le groupe familial *Rockenhaïm* qui joue dans des concerts de quartier et pour des œuvres de charité. Este, l'aînée, a un diplôme en musicologie de UCLA et joue de la guitare et de la basse. Elle est connue pour sa présence sur scène et son humour décapant. Danielle, 24 ans, chante, écrit les paroles des chansons et joue de la guitare tout comme ses sœurs mais elle joue également de la batterie. Alana, la cadette, est inspirée par sa famille. Elle remarque lors d'un entretien que « personne d'autre ne sera jamais autant là pour toi que ta famille. J'aime ma famille plus que tout au monde. Je suis très heureuse d'avoir deux sœurs qui comptent autant pour moi et qui me font confiance. Il faut aimer sa famille, aimer ses frères et sœurs et les chérir ». Ainsi, ce n'est pas par hasard que les trois sœurs aux cheveux longs ont choisi pour nom de groupe leur nom de famille.

**Questions**

1  Trouvez une expression qui signifie « avoir un don pour ».
2  Les trois sœurs ont étudié la musique. Vrai ou faux ?
3  Alana pense que rien n'est plus important que la famille. Pour quelle raison ?
4  Quelle caractéristique physique les trois sœurs ont-elles en commun ?
5  Relevez un verbe au futur.

**2.2** Écoutez les entretiens avec Karel et Lorraine puis répondez aux questions.

**Karel**

1  Who is the youngest in Karel's family?
2  What does Karel think is not true in relation to his parents?
3  Who helps Karel with his maths problems?
4  What is the cause of tension between Karel and his mum?
5  What does Karel do on Thursdays with his dad?
   Give two points.

**Lorraine**

6  What age are Lorraine's stepbrothers?
7  What do they do at the weekend when Lorraine's parents go out?
8  Why could Lorraine not go to a birthday party?
9  What does Lorraine's mother reproach her for?
10 Why does she like shopping with her mum?

**2.3** **Répondez aux questions suivantes en vous aidant des phrases utiles données.**

1 Est-ce que vous vous entendez bien avec vos parents ? (Avez-vous de bons rapports avec vos parents ?)

2 Qu'est-ce que vous appréciez le plus ou le moins chez eux ?

3 Qu'est-ce qui vous énerve le plus chez vos parents ?

4 Est-ce que vos parents sont stricts ? Pourquoi ? / Pourquoi pas ?

5 Si vous n'avez pas de frère ou sœur, est-ce que vous aimeriez en avoir ? Pourquoi ? / Pourquoi pas ?

6 Est-ce que vous préférez être fils/fille unique ? Pourquoi ? / Pourquoi pas ?

7 Quels centres d'intérêt est-ce que vous avez en commun avec vos frères et sœurs ?

8 Quand est-ce que vous vous disputez avec eux/elles ?

| **Phrases utiles** | |
| --- | --- |
| Dans l'ensemble, je pense que mes parents sont assez … | Ce qui m'agace / m'énerve le plus, c'est … |
| Je trouve mes parents plutôt … | faire confiance à |
| Je m'entends mieux avec mon père / ma mère car … | Ils s'inquiètent quand … |
| Je me confie à … quand … | Je leur parle de … |
| Ce que j'aime le plus / le moins chez elle/lui, c'est … | Mon frère / ma sœur m'agace quand … |
| | On se dispute à propos du … / On se chamaille au sujet de … |

**2.4** **Écoutez deux parents, Christelle et Laurent, nous parler de leur vie de famille, puis dites si les phrases suivantes sont vraies ou fausses. Justifiez vos réponses.**

Christelle

1 Christelle has two daughters and one son.

2 The twins fight about shoes.

3 Renaud, Christelle's husband, never helps at home.

4 The kids clean their own bedrooms.

5 Christelle and her husband take it easy at the weekend.

Laurent

6 Mathilde is at university in Dijon.

7 Brian is sitting his French *baccalauréat* this year.

8 Brian and his sister fight less now.

9 Laurent's wife is an actress.

10 Next year, Brian will also leave home.

**2.5** Un(e) ami(e) vous a invité(e) à une fête d'anniversaire, mais en rentrant du lycée, votre mère vous annonce que vous devez aller à un repas de famille chez vos grands-parents ce jour-là. Vous êtes très déçu(e).

Que notez-vous dans votre journal intime ? (*75 mots environ*)

**Consultez** l'aide-mémoire

Pour le journal intime, voir pp. 42-44.

**2.6** Lisez ce forum en ligne sur différents types de famille et dans votre cahier faites correspondre les phrases (1–10) aux paragraphes (a–d) comme dans l'exemple.

> **Exemple :** 1 C'est souvent difficile d'assumer les deux rôles de parents. = a (Salma)

### Questions

1 C'est souvent difficile d'assumer les deux rôles de parents.
2 Grâce à l'ordinateur, on reste connecté.
3 Le temps passe vite quand on fait des activités en semaine.
4 Je vais parfois en Belgique pour retrouver ma mère.
5 Mon père a dû faire beaucoup de route pour venir nous rendre visite.
6 C'est difficile de décider quand le mari n'est pas là.
7 C'est important de faire des activités de loisir ensemble quand tout le monde se retrouve le week-end.
8 Travailler à plein-temps et élever un enfant, ce n'est pas toujours évident.
9 C'est important pour les enfants de passer du temps avec leur père.
10 J'ai décidé d'emménager chez mon père.

**http://forum**

**a** Mon mari est militaire, il vit du lundi au vendredi à la caserne, à 200 kilomètres de chez nous. Nous avons un petit garçon de 12 mois. Je suis donc obligée de m'en occuper seule toute la semaine en plus de mon travail à plein temps, ce qui n'est pas toujours facile. J'ai beaucoup de pression et de responsabilités car je dois prendre toutes les décisions seule. À bientôt.

**Salma, 32 ans**

→

**b** Mes parents étaient pacsés* et ils se sont séparés il y a cinq ans. Pendant quatre ans, j'ai habité avec ma mère et ma petite sœur mais il y a un an, j'ai décidé d'aller habiter avec mon père. Ça a été dur de quitter ma petite sœur mais je m'entends mieux avec mon père. De plus, mon père était assez triste de nous voir qu'une fois par mois, comme il devait faire plus de 400 kilomètres pour venir nous voir. Il vit en Bretagne et c'est une région qui bouge plus que le Limousin. Maintenant, je vois ma mère et ma sœur pendant les vacances scolaires. On se parle aussi beaucoup sur Skype.

**Mathieu, 15 ans**

### Lexique

\* être pacsé = *to be in a civil partnership*

**c** Bonjour, j'ai deux ados qui ont 14 ans et 16 ans et mon compagnon est conducteur routier international. Il part en général toute la semaine et parfois pour 15 jours quand il va en Belgique ou en Allemagne. Quand il est là, on discute beaucoup et on fait des activités en famille. Mais quelquefois, comme les enfants ont leurs habitudes avec moi la semaine, ils ont un petit temps d'adaptation avec leur père le week-end. Il s'occupe alors beaucoup d'eux et, à chaque fois, les enfants sont ravis de le retrouver. Il leur manque beaucoup et à tendance a les gâter ! Moi, de mon côté, j'en profite parfois pour retrouver mes amies, aller boire un café et faire les magasins. Ça me change un peu les idées.

**Patricia, 50 ans**

**d** Moi, j'habite à Paris mais ma mère est fonctionnaire à Bruxelles, donc parfois elle part pratiquement toute la semaine, et je trouve ça dur, mais on se parle pas mal au téléphone. Mon père est comptable et travaille deux jours par semaine à la maison. On s'entend bien et on cuisine à tour de rôle pendant la semaine. Parfois, on se fait un petit resto et après on va au cinéma. On aime tous les deux les films d'action. Il nous est arrivé de prendre le train pour rejoindre ma mère à Bruxelles pour passer du temps ensemble. J'adore. C'est tellement différent de Paris !

**Aurélie, 17 ans**

 **Au fait**

Le PACS – pacte civil de solidarité – a été voté par le Parlement français en novembre 1999. Il est conclu entre deux personnes majeures, de sexe différent ou de même sexe, pour organiser leur vie ensemble.

**Lisez le texte suivant à propos de souvenirs d'enfance en famille puis répondez aux questions.**

*Simon, Garance et Lola quittent une fête de mariage éprouvante pour aller retrouver en voiture leur frère cadet, Vincent, guide saisonnier à la campagne.*

1 Lola et Simon ont connu la Grande Époque. Celle de Villiers. Quand nous habitions tous au fin fond de la cambrousse* et que les parents étaient heureux ensemble. Pour eux, le monde commençait devant la maison et s'arrêtait au bout du village.

Ensemble, ils ont détalé devant des taureaux qui n'en étaient pas et visité des maisons hantées pour de vrai.

Ils ont tiré la sonnette de la mère Margeval jusqu'à ce qu'elle soit mûre pour l'asile* et détruit des pièges, […] volé des pétards […] et pêché des petits chats qu'un salaud* avait enfermés vivants dans un sac en plastique.

Boum. Sept chatons d'un coup. C'est not' Pop qui était content !

2 Et le jour où le Tour de France est passé dans le village … Ils sont allés acheter cinquante baguettes et ont vendu des sandwichs à tour de bras. Avec les sous, ils se sont acheté des farces et attrapes, soixante Malabar,* une corde à sauter pour moi, une petite trompette pour Vincent (déjà !) et le dernier *Yoko Tsuno*.

Oui, c'était une autre enfance … Eux savaient ce qu'était une dame de nage,* fumaient des lianes et connaissaient le goût des groseilles à maquereau. D'ailleurs, l'évènement qui les a le plus marqués a été consigné en secret derrière la porte de la remise : « Aujourd'hui le 8 avril on a vu l'abé en chorte »*

3 Et puis ils ont vécu ensemble le divorce des parents. Vincent et moi étions trop petits. Nous, on a vraiment réalisé l'arnaque le jour du déménagement. Eux, au contraire, ont eu l'occasion de profiter pleinement du spectacle. Ils se relevaient la nuit et allaient s'asseoir côte à côte en haut de l'escalier pour les entendre « se discuter ». Un soir, Pop a fait tomber l'énorme armoire de la cuisine et Maman est partie avec la voiture.

Ils suçaient leur pouce dix marches plus haut.

C'est idiot de raconter tout ça, leur complicité tient à beaucoup plus qu'à ce genre de moments un peu lourds. Mais enfin …

C'est tout à fait différent pour Vincent et moi. Nous, on a été minots* à la ville. Moins de vélo et plus de télé. On était incapables de coller une rustine mais on savait comment gruger les contrôleurs, entrer dans les cinémas par la sortie de secours ou réparer une planche de skate.

Et puis Lola est partie en pension et il n'y a plus eu personne pour nous souffler des idées de bêtises et nous courser dans le jardin … →

**4** Nous nous écrivions toutes les semaines. Elle était ma grande sœur chérie. Je l'idéalisais, je lui envoyais des dessins et lui écrivais des poèmes. Quand elle rentrait, elle me demandait si Vincent s'était bien comporté pendant son absence. Bien sûr que non, lui répondais-je, bien sûr que non. Et je racontais dans le détail toutes les infamies dont j'avais été la victime la semaine passée. À ce moment-là, et à ma grande satisfaction, elle le trainait jusque dans la salle de bains pour le cravacher.*

Plus mon frère hurlait, mieux je bichais.*

Et puis un jour, pour que ce soit meilleur encore, j'ai voulu le voir souffrir. Et là, horreur, ma sœur donnait des coups de cravache dans un polochon pendant que Vincent beuglait en rythme et en lisant un *Boule et Bill*.* Ce fut une affreuse déception. Ce jour-là, Lola est tombée de son piédestal.

Ce qui s'avéra être une bonne chose. Nous étions désormais à la même hauteur.

Anna Gavalda, *L'Échappée belle* © Le Dilettante, 2009

## Lexique

| |
|---|
| la cambrousse (*familier*) = la campagne |
| mûre pour l'asile = elle devenait folle |
| un salaud (*vulgaire*) = un mauvais homme |
| Malabar = une marque de gros chewing gum |
| une dame de nage = espace sur le bord d'un bateau où l'on met une rame |
| vu l'abé en chorte = « on a vu l'abbé en short » dans l'écriture des enfants |
| minots (*familier*) = petits enfants |
| coller une rustine = réparer un pneu de vélo |
| cravacher = donner des coups de fouet |
| bichais (bicher) = être content et fier |
| *Boule et Bill* = BD belge ; Boule est un jeune garçon et Bill, son chien |

### Questions

**1 a** Relevez une expression qui montre que Lola et Simon ont connu une meilleure période dans l'histoire de la famille. (Section 1)

  **b** Enfants, Lola et Simon avaient beaucoup de liberté, habitant à la campagne. Vrai ou faux ? Justifiez votre réponse. (Section 1)

**2** D'après la deuxième section, le jour du Tour de France, Lola et Simon …

   i) ne pouvaient pas passer dans le village à cause des cyclistes

  ii) ont mangé beaucoup de sandwichs

  iii) se sont fait beaucoup d'argent

  iv) avaient tous les deux mal au bras.

**3 a** Trouvez un verbe pronominal. (Section 3)

  **b** Relevez une phrase qui indique que Lola et Simon savaient que leurs parents ne s'entendaient plus. (Section 3)

**4** **a** Comment sait-on que l'auteur et Vincent n'ont pas passé leur enfance à la campagne ? (Section 3)

**b** Trouvez une expression qui montre que les deux sœurs ont gardé le contact même quand Lola est partie. (Section 4)

**5** Citez une phrase qui montre que la grande sœur, Lola, ne frappait pas son petit frère pour de vrai. (Section 4)

**6** The author describes the different childhood she and her brother Vincent had compared to that of their older siblings, Lola and Simon. Support this statement with reference to the text. (*50 words*)

**2.8** **Quel type de frère ou sœur êtes-vous ? Par groupes de deux ou trois, lisez les situations ci-dessous et notez vos réponses dans votre cahier. Puis consultez le résultat et dites si vous êtes d'accord ou non.**

Quiz

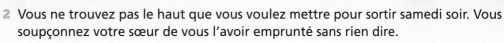

**1** Votre petit frère vous demande de lui prêter dix euros.
★ Vous acceptez sans condition.
○ Impossible : vous êtes fauché !
■ Vous refusez car il est toujours en train de vous taxer.

**2** Vous ne trouvez pas le haut que vous voulez mettre pour sortir samedi soir. Vous soupçonnez votre sœur de vous l'avoir emprunté sans rien dire.
★ Vous décidez d'en choisir un autre : le violet avec des paillettes fera l'affaire.
○ Elle est vraiment énervante !
■ Vous la confrontez et finissez par vous disputer avec elle.

**3** Votre chat, Mistigri, a disparu et votre petite sœur est vraiment bouleversée.
★ Vous faites des posters et lancez un avis de recherche dans votre quartier et sur Facebook.
○ Vous la consolez et lui promettez de le retrouver.
■ Vous lui dites de ne pas s'inquiéter, le chat reviendra sûrement.

**4** C'est bientôt l'anniversaire de votre grand frère : il va avoir 18 ans.
★ Vous allez lui préparer un gâteau surprise !
○ Il vous tarde de fêter son anniversaire en famille.
■ Vous ne savez pas quoi lui offrir.

Résultats :

● **Vous avez une majorité de : ★**
Vous êtes le frère ou la sœur idéal(e), toujours de bonne humeur, plein(e) de bonnes idées. Vous êtes ouvert(e), dynamique et facile à vivre.

● **Vous avez une majorité de : ○**
Vous vous entendez bien avec votre/vos frère(s) et sœur(s) mais vous aimez avoir votre espace à vous. La famille, c'est sympa, mais avec modération parfois.

● **Vous avez une majorité de : ■**
Vous avez un caractère plutôt solitaire et tête en l'air. « On choisit ses amis mais on ne choisit pas sa famille ! »

**Voici quelques chiffres sur la famille en France et en Europe. Remplissez les blancs avec les mots ci-dessous.**

enfant  naissance  vivent  moins

beau-parent  femmes  mariage  divorcer

personnes  monoparentale  enfants

1 La Croatie est le pays d'Europe qui a le plus de familles composées de cinq ....... ou plus.

2 En France, une famille sur cinq est une famille ....... .

3 9% des enfants de ....... de 18 ans vivent dans une famille recomposée.

4 En France, le nombre d'hommes vivant seuls est d'environ 4 millions, alors que les ....... vivant seules représentent 5,5 millions.

5 2,01 : c'est le nombre moyen d'....... par femme en France, la moyenne de l'Union Européenne se situant à 1,62.

6 76% : c'est le pourcentage d'enfants qui ....... avec leurs deux parents.

7 Selon des statistiques récentes, le ....... belge est le moins solide d'Europe. À un taux de plus de 70% plus d'un ....... belge sur dix est élevé dans une famille recomposée.

8 30,1 : c'est l'âge moyen des mères à la ....... des enfants.

9 Parmi les professions ayant le plus de risque de ....... on trouve les danseurs-chorégraphes (43,05%), alors que les ingénieurs agronomes ont le moins de risque de divorcer (2%).

10 800 000 mineurs vivent avec un parent et un ......., le plus souvent un beau-père.

 **2.10 Donnez votre opinion sur l'un des arguments ci-dessous. (75 mots environ)**

A « Se sentir entouré(e), passer du temps ensemble, voilà le vrai bonheur de la vie de famille. »

B « On a perdu le sens de la famille. »

Consultez
l'aide-mémoire
Pour écrire un essai,
voir pp. 298–301.

# Chez moi

## 1 À la maison

**1.1a** Lisez les quatre paragraphes ci-dessous puis trouvez à quelle personne est associée chacune de ces phrases.

1 J'habite en dehors du centre-ville.
2 Je trouve que c'est un peu loin de tout.
3 On peut cuisiner dehors quand il fait beau.
4 C'est très passant dans ma rue avec toujours beaucoup de voitures et de piétons.
5 J'habite en pleine campagne.
6 Les relations avec le voisinage sont minimes.

7 Autour de chez moi, toutes les maisons sont identiques.
8 Chez moi, c'est très fleuri !
9 J'habite à deux pas de mon lycée ! Trop pratique !
10 Nous avons quelques dépendances attenantes à la maison.

**Guillaume :** Moi, j'habite dans une ferme de taille moyenne dans le nord de la France. Mon père est exploitant agricole céréalier donc il y a plusieurs bâtiments comme des hangars de stockage pour les deux tracteurs et machines agricoles et, de l'autre côté de la cour, des silos de stockage de grains. Nous avons aussi une ancienne grange utilisée plutôt comme garage et aussi un poulailler avec une dizaine de poules. Nous sommes entourés de champs et au loin on peut voir quelques vaches et le village d'à côté avec son clocher. J'aide mon père pendant le week-end et les vacances scolaires avec les travaux de la ferme. Parfois, je me sens un peu isolé mais bon, j'ai un scooter donc je peux aller voir les copains qui n'habitent pas trop loin quand je veux.

**Cassandre :** J'habite dans une maison mitoyenne à un étage dans une petite ville de Bretagne. Nous avons un petit jardin devant et derrière. Ma mère aime bien jardiner donc elle plante des fleurs partout ! Elle met parfois une jardinière sur le rebord de la fenêtre de la cuisine. Mon père a fait une petite terrasse derrière, comme ça maintenant, l'été, quand il fait chaud, nous faisons un barbecue. J'adore ! Ah, dehors, il y a la niche du chien aussi ; nous avons un labrador donc c'est plus pratique qu'il soit dehors.

**Margot :** Moi, j'habite dans une petite maison individuelle située en ville dans un nouveau lotissement, avec un jardin tout autour. Nous avons emménagé ici il y a deux ans maintenant. Notre maison est dans un quartier vivant donc il y a pas mal de circulation et de gens en semaine. Ça peut être bruyant parfois. Nous avons un grand sous-sol qui sert de garage, et un grenier que mes parents ont transformé en bureau et salle de jeux. C'est super et c'est là où je fais mes devoirs car c'est au calme ! Ce qui est pratique, c'est que je suis juste à un quart d'heure à pied de mon lycée !

**Arthur :** J'habite dans un appartement au 6ème étage dans une cité HLM située dans la banlieue de Tours, dans la région Centre. C'est assez grand avec trois chambres mais il y a juste un petit balcon auquel on accède à partir du salon. Ce qui m'énerve, c'est quand l'ascenseur ne marche pas et que je dois monter les courses du supermarché par l'escalier. Quelle galère ! Je mets un temps fou ! Entre voisins, on ne se parle pas vraiment sauf avec la voisine du palier mais bon, c'est juste bonjour, bonsoir.

**1.1b** Maintenant identifiez la description qui vous correspond le plus. Notez ensuite à l'écrit deux ou trois différences et ressemblances avec chez vous. Vous pouvez vous aider d'un dictionnaire.

 **1.2** Écoutez ces adolescents nous parler d'une habitation. Notez de quel type de logement il s'agit et donnez un détail.

 **1.3** Lisez les questions ci-dessous puis répondez oralement en donnant un maximum de détails.

    **1** Dans quel type de logement habitez-vous ?

    **2** Où est-il situé ?

    **3** Comment est-il ? Neuf ? Ancien ? Donnez des détails.

    **4** Préférez-vous habiter dans un logement individuel ou dans un immeuble ? Pourquoi ?

## Attention aux faux amis !

| | |
|---|---|
| une pièce = *a room (also a coin or a theatrical play)* | *a piece* = un morceau |
| une terrasse = *a patio or roof garden (also an area with tables outside a café)* | *a terraced house* = une maison mitoyenne |
| un pavillon = *a detached house (usually suburban) (also the flag on a ship)* | *a pavilion* = une salle d'exposition *(marquee or tent)* |
| un conservatoire = *a music school* | *a conservatory* = une véranda |
| un bungalow = *a holiday chalet or a mobile home in a campsite* | *a bungalow* = une maison de plain-pied (c'est-à-dire sans étage) |

 **1.4** Vos parents décident de louer une maison de vacances en France pour l'été. Il y a le choix entre ces quatre types de maison. Laquelle préféreriez-vous louer et pourquoi ? Donnez vos raisons oralement ou par écrit.

**1** Maison bretonne avec son toit en ardoise et ses pierres en granit, située près des plages.

**2** Maison en pierre typique de Provence avec ses volets bleus et tuiles rouges, en pleine campagne.

**3** Maison en brique rose, typique du sud-ouest de la France, avec piscine, à environ 20 kilomètres de Toulouse.

**4** Un chalet en bois typique des régions montagneuses, avec deux étages et vue sur le Mont-Blanc.

**Phrases utiles**

| | |
|---|---|
| une grande / petite maison avec … | agréable |
| un appartement | isolé(e) |
| une maison de plain-pied / jumelée / individuelle … | avec vue sur … |
| | Il/elle est situé(e) près de … à |
| neuf/neuve | Tout autour, on trouve / on peut voir … |
| ancien(-ienne) | loin du monde |
| spacieux(-ieuse) | proche de tout |

# 2 Les intérieurs

**2.1** **Lisez la description de la maison de Lydia puis relevez toutes les pièces mentionnées. Notez une caractéristique pour chacune des pièces.**

Ma maison se situe dans un quartier résidentiel pas très loin du centre-ville. En entrant, on arrive dans un hall lumineux et sur la droite, on découvre le salon et de l'autre côté du hall, la cuisine–salle à manger avec une porte-fenêtre qui donne sur le jardin. De la cuisine, on accède à une buanderie où il y a la machine à laver et le sèche-linge et aussi des meubles de rangement. En bas, nous avons également des toilettes. Le salon est assez moderne avec un canapé en cuir en forme de L, un tapis traditionnel tunisien et des meubles, comme notamment une bibliothèque remplie de livres et de bibelots et à gauche de la cheminée, un meuble bas pour la télé grand écran plat et le lecteur de DVD.

Au premier étage, on trouve trois chambres et la salle de bains. Ma chambre se trouve juste en face de la salle de bains en fait. C'est bien pratique car j'y passe des heures ! Juste à côté, c'est la chambre de mon petit frère. Elle a une décoration thème marin et son lit est même en forme de bateau ! Et enfin, la chambre de mes parents : elle est simple et spacieuse et ils ont un écran plat mural ! Chez moi, c'est chaleureux et confortable et pour rien au monde je ne déménagerais car je m'y sens trop bien.

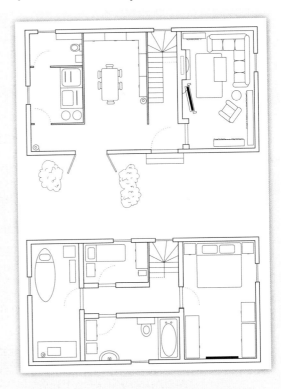

**2.2** **Écoutez Pierre nous décrire sa maison et répondez par écrit aux questions suivantes.**

1 Who used to live in Pierre's house?
2 Where is the house located?
3 In the garden, they have … i) a kennel for the dog   ii) a fish pond   iii) a swing.
4 What room is off the kitchen?
5 Name the rooms that are on the left-hand side of the corridor.

Module A | 3 | Chez moi

25

**2.3** **Lisez la description de cet appartement parisien puis notez dans votre cahier les avantages pour une éventuelle location de vacances entre copains ou échange d'appartement.**

> Notre appartement est aménagé de façon simple mais il est agréable à vivre. Il se trouve en plein centre-ville dans un quartier commerçant. Nous avons une grande cuisine équipée ouverte sur le salon, donc c'est spacieux et pratique. Et puis, surtout le balcon permet de se mettre dehors dès qu'il fait beau. Il y a deux chambres avec lit double et dressing, la mienne et celle de mes parents. Dans le salon : un canapé qui sert de lit d'appoint si besoin est, une table basse et des étagères le long d'un mur. Au-dessus du canapé, Cathy, ma belle-mère, a mis une grande peinture abstraite représentant un paysage. Nous avons une connexion internet et aussi le wifi donc pas donc pas besoin d'avoir un bureau. La salle de bains est petite mais il y a une baignoire. Juste en bas de chez nous, il y a une station de vélos et un arrêt de bus.

 **2.4** **À vous maintenant ! Décrivez comment c'est chez vous en utilisant les questions ci-dessous.**

1  Combien de pièces y a-t-il ? Nommez-les.
2  Quelle est votre pièce préférée ? Pourquoi ?
3  Votre maison a-t-elle quelque chose de distinctif ou de particulier comparée à celle de vos voisins (couleurs, forme, lieu, jardin, balcon, etc.) ? Donnez des détails.

 **2.5** **Réagissez en 75 mots environ à la phrase suivante : « Qu'est-ce qu'on est bien chez soi ! »**

| Phrases utiles |
| --- |
| Il/elle comprend … pièces |
| Je préfère …. parce que / car |
| agréable |
| La pièce est confortable / moderne / spacieuse / lumineuse. |
| … qui donne sur … |
| C'est tout à fait vrai car … |
| On se sent … |

**Consultez** l'aide-mémoire
Pour les adjectifs qualificatifs, voir pp. 53–57.

**2.6** **Lisez les descriptions des quatre chambres ci-dessous et associez-les à la personnalité de leur propriétaire.**

**1** Ma chambre, c'est mon espace préféré ! Elle est assez grande et bien éclairée. Au coin à gauche en entrant, on voit mon bureau et une chaise et à droite mon lit. Il y a aussi une petite table de nuit, où je range quelques affaires perso comme des médailles de sport et mon argent de poche. Sur mon bureau, j'ai mes livres de cours et mes notes empilés, une lampe de bureau, une calculatrice et trois coupes gagnées lors de tournois de sports. Sur un mur, j'ai accroché plusieurs posters de mes groupes préférés et des photos de mes potes aussi. Derrière ma porte de chambre, j'ai une patère pour accrocher mon blouson. J'ai aussi un vieux pouf en cuir marron. Souvent, j'y entasse plein de vêtements dessus ; c'est un peu le bazar dans ma chambre et ma mère se fâche parfois !

**2** Je partage ma chambre avec ma sœur. Il y a deux lits de chaque côté du mur. Entre les deux, on a mis une longue table basse avec deux lampes, et des paniers en osier en dessous pour ranger nos bouquins et des petits trucs comme des boîtes avec bijoux, du maquillage et des peluches. Le mur du fond est peint en mauve avec quelques étagères pour ranger nos livres de cours et mettre des cadres-photos. Nos bureaux sont presque côte à côte. Derrière la porte, il y a une armoire avec un miroir de plein pied et des portes coulissantes. Nous avons également une petite commode avec trois tiroirs chacune. J'aime bien ma chambre : je m'y sens bien et je m'entends bien avec ma sœur donc c'est sympa.

**3** Ma chambre, c'est un grand carré avec un recoin là où il y a la fenêtre. Du coup, j'ai mis une petite table qui me sert de bureau et puis surtout, comme je suis au dernier étage, j'ai une vue superbe sur Paris. Sur le rebord de ma fenêtre, j'ai une collection de mini-flacons de parfum. J'ai un lit douillet de deux personnes avec une housse de couette Marilyn Monroe. Il y a une grosse armoire incorporée sur laquelle j'ai mis des posters de mode et des photos récentes. Par terre, juste à côté de mon lit, j'ai une pile de magazines, des BD, des livres de poche et aussi mon ordinateur portable. Au dessus de ma commode, j'ai accroché un miroir comme ca, c'est pratique pour me maquiller ! Á côté de ce meuble, j'ai mis une vieille chaise avec un coussin fuchsia en forme de cœur. Ah j'allais oublier : mon lustre chandelier avec pampilles.* Mes parents me l'ont offert pour mon anniversaire et je l'adore !

**4** Ma chambre est située au rez de chaussée. Elle est peinte en vert pale et il y a une moquette rayée vert, écru et rouge. J'ai mis mon lit sous la fenêtre pour avoir plus de place et juste à côté, il y a un petit tabouret pliable qui me sert de table de nuit avec une lampe et un mini-lecteur MP3. Par terre, quelques livres et des vêtements et sous mon lit, deux grands tiroirs sur roulette où je mets des tas de trucs comme par exemple mes skates et ma guitare. Ça déborde presque mais bon, c'est pas grave ! Je n'ai pas de bureau parce que je préfère me mettre sur mon lit adossé au mur pour travailler. C'est bien plus pratique !

**Lexique**
les pampilles
= *drops*

**A** **Alexia** est une grande romantique. Elle adore la mode et tout ce qui est vintage. Elle aime s'entourer de souvenirs et de choses auxquelles elle tient. Elle est un peu désordonnée mais ça, c'est son côté artiste et rêveur à la fois !

**B** **Abdel** aimer bouger. C'est un sportif plutôt désorganisé. Il aime aussi faire la fête avec ses amis et souhaiterait voyager plus tard.

**C** **Paco** est un calme du genre minimaliste. Il aime les choses simples. Sa chambre est comme un refuge où il aime se relaxer en écoutant de la musique.

**D** **Bénédicte** est disciplinée et méthodique. Elle aime beaucoup lire et elle est aussi très studieuse. En fait, elle aime bien partager son espace personnel et n'en changerait pour rien au monde !

**2.7** « La vie, quoi »

**Lisez cet extrait de la nouvelle *La vie, quoi*, d'Annie Saumont, puis répondez aux questions qui suivent.**

*Un jeune couple amoureux mène une vie rythmée par le travail, les loisirs et la routine quotidienne.*

**1** Ils cherchent un appartement. Trois pièces-cuisine-bains, elle désire que la chambre s'ouvre à l'est. Elle exige une cuisine spacieuse. L'assurance que les voisins ne sont pas mélomanes.* N'ont pas de chien qui resterait toute la journée enfermé hurlant sa solitude pendant que les maîtres vont au travail. Elle souhaiterait, dit-elle, habiter à proximité d'un square ou d'un parc. Le rêve serait une maison avec un jardin privé. Ils lisent les annonces immobilières, ils notent, fixent un rendez-vous, visitent. Parfois elle est d'humeur bucolique,* Si on allait vivre à la campagne ? Lui craint par-dessus tout, dit-il, les longs trajets entre leur gîte et son bureau, Je voudrais rentrer déjeuner avec toi.

**2** Ils ont trouvé. En très proche banlieue un petit pavillon avec pelouse et massifs, quelle chance. Un arbre. Le logis comprend un salon et deux chambres, l'une ouvrant à l'est. Elle bat des mains, l'embrasse. Ils s'aiment, ils se le disent chaque jour et plusieurs fois par jour. La maison sera confortable. Elle y veillera. Des meubles simples et pratiques. Elle projette de recevoir des invités. Bon, de temps à autre. Mariette et Jo, ton copain et sa nouvelle femme, la quatrième. Puisqu'on a une chambre d'amis. […]

**3** Ils s'aiment. Le dimanche ils vont au restaurant. Boivent une bonne bouteille. Lui seul commande un dessert après une entrée et un plat du jour.

Il prend un peu d'embonpoint. Elle dit Ça ne te va pas mal.

Elle traîne dans la maison en jean délavé,* pull trop large, les mailles s'effilent au poignet. Elle dit, un genre.

Lui (tendrement moqueur), Un genre débraillé.*

Elle laisse sur la table du salon un programme d'exercices pour homme qui veut ignorer le tableau des calories.

Annie Saumont, « La vie, quoi » *Encore une belle journée* © Éditions Robert Laffont

**Questions**

1 a D'après la première section, relevez deux choses que la narratrice souhaiterait dans son nouveau logement.

   b Trouvez un verbe au conditionnel présent. (Section 1)

2 a Quel serait le logement idéal pour la jeune femme ? (Section 1)

   b Relevez une phrase ou expression qui indique pourquoi l'homme ne veut pas habiter à la campagne. (Section 1)

3 a Trouvez une phrase qui montre que la femme est contente. (Section 2)

   b De quoi la femme va-t-elle s'assurer par rapport à leur maison ? (Section 2)

4 a Relevez une phrase qui indique que l'homme est gourmand. (Section 3)

   b Comment sait-on que la femme souhaiterait que l'homme perde du poids ?

5 The woman seems to be quite demanding and a bit controlling. Support this statement with reference to the text. (*50 words*)

**Lexique**

mélomane = qui aime la musique

bucolique = qui évoque la vie champêtre et pastorale

délavé = décoloré

débraillé = habillé de façon négligée ou désordonnée

# 3 Les tâches ménagères

**3.1** Lisez les phrases ci-dessous puis complétez-les avec les mots appropriés.

fais   débarrasse   prépare   tond   étendre   ranger

sortir   partageons   lessive   passer   remplit   repasse

1 Chez nous, c'est bien équilibré, nous ....... les tâches ménagères.
2 En rentrant de mon entraînement de camogie, j'organise une ....... .
3 S'il fait beau, alors on peut ....... le linge dehors.
4 Avant d'aller au lycée, je ....... mon lit en général.
5 Chaque week-end, je dois ....... ma chambre.
6 À la maison, c'est mon père qui ....... la pelouse.
7 Après chaque repas, ma sœur ....... la table et elle ....... le lave-vaisselle.
8 Moi, j'ai horreur de ....... l'aspirateur et de ....... les poubelles.
9 Quelquefois, si j'ai le temps, je ....... le repas le dimanche midi avec ma mère.
10 Quand je sors, c'est moi qui ....... mes affaires, par exemple un T-shirt et un jean.

**3.2a** D'abord lisez les phrases ci-dessous. D'après vous, quelle est la réponse que vous allez entendre ?

**3.2b** Maintenant écoutez les résultats du sondage et vérifiez si vos réponses étaient les bonnes.

1 Parmi les tâches ménagères préférées des Français, passer l'aspirateur ou ....... sont les plus populaires.
   i) faire la vaisselle   ii) faire les courses   iii) faire la cuisine
2 ....... des Français pensent que trois ou quatre heures de ménage par semaine sont suffisantes.
   i) 27%   ii) 37%   iii) 57%
3 Sept femmes sur dix pensent qu'elles font ....... de tâches ménagères que les hommes.
   i) plus   ii) autant   iii) moins
4 ....... ou faire la salle de bains sont les deux activités les moins populaires chez les ménages.
   i) laver par terre   ii) nettoyer les vitres   iii) donner à manger aux animaux

**3.3** Enquête : Qui fait quoi chez toi ?

**En classe, chaque élève demande à son/sa voisin(e) qui fait les tâches ménagères mentionnées ci-dessous.**

> **Exemple :** Qui sort les poubelles chez toi ?
> → Chez moi, c'est mon père qui sort les poubelles, en général le mardi matin.

> sortir les poubelles
> faire les courses
> préparer un panier-repas pour l'école
> débarrasser la table
> passer l'aspirateur
> nettoyer la salle de bains
> faire la cuisine
> arroser les plantes
> promener le chien
> allumer un feu de cheminée

**Consultez** l'aide-mémoire
Pour les adjectifs possessifs, voir pp. 58–59.

**3.4** **À vous maintenant ! Répondez aux questions suivantes à propos du partage des tâches ménagères chez vous.**

1 Que faites-vous pour aider à la maison en général ?
2 Que font vos parents, vos frères et sœurs ?
3 Est-ce que tout le monde participe aux tâches ménagères chez vous ? Pourquoi ? / Pourquoi pas ?
4 Quelle(s) tâche(s) ménagère(s) détestez-vous faire ? Pourquoi ?
5 Combien de temps passez-vous à faire les tâches ménagères par semaine / jour ?

**3.5** **Regardez le tableau ci-dessous puis réagissez oralement ou par écrit.**

Utilisation du temps des femmes et des hommes de 25-44 ans dans les pays de l'Union européenne (minutes par jour)

Total vie sociale
Total soins enfants
Total emploi
Total loisirs
Total travaux domestiques
Total soins personnels*

0  100  200  300  400  500  600  700

■ Femmes
■ Hommes

*Sont compris dans les soins personnels : le temps consacré au sommeil, à la nourriture ou encore aux soins corporels

**Phrases utiles**

Je suis d'accord / je ne suis pas d'accord parce que ...

Chez moi, c'est différent / la même chose

C'est juste / injuste / inégal car ...

Je trouve / pense / crois que ...

Les femmes font plus / moins / autant ... que les hommes

s'occuper de / du / de la / des ...

en général

en moyenne

avoir du temps libre

travailler plus / moins / autant que

# Mon quartier

## 1 Où habitez-vous ?

  **Mettez-vous en groupes de deux ou trois et trouvez un maximum de bâtiments en l'espace de cinq minutes. Classez-les selon les catégories suivantes :**

1. bâtiments administratifs (ex : l'hôtel de ville)
2. monuments historiques (ex : la cathédrale)
3. les magasins (ex : la librairie)
4. équipements collectifs (ex : la patinoire).

  **Et maintenant, notez dans quel(s) endroit(s) en France on peut, en général, …**

1. trouver un distributeur automatique de billets
2. acheter un paquet de cigarettes / des timbres
3. acheter une ampoule basse-consommation
4. acheter le magazine *Marie Claire* ou encore *L'Équipe*
5. consulter les excursions organisées dans la région
6. se faire faire une coupe et une permanente
7. prendre un rendez-vous médical
8. consulter les annonces pour louer une maison
9. essayer une paire de baskets
10. faire du roller ou de la trottinette
11. voir une exposition.

**Consultez l'aide-mémoire**

Pour écrire un email, voir pp. 411-412.

  **Lisez ce petit article publié dans un journal local concernant les petits commerces et services de proximité. Pour vous inscrire au concours, vous devez :**
**– donner le nom et l'adresse de ce magasin ou service proche de chez vous**
**– les raisons de votre choix (au moins trois).**
**Adressez votre email à : Sylvie Abdera**

## C'est gagné !

LA SUPÉRETTE DU COIN, le tabac d'à côté, la boulangerie la plus proche, le ciné-club …

Les commerces et services de proximité trouvent un nouveau souffle et tentent de faire face aux grandes surfaces. Les clients apprécient le contact chaleureux, les conseils, l'aide et la priorité donnée aux produits locaux ou régionaux. Simple mode ou réel changement des habitudes de vie et de consommation, notre sondage révèle que cette tendance se confirme de plus en plus.

Nous lançons un concours pour connaître les raisons pour lesquelles vous préférez faire vos achats dans des petits commerces et soutenir les services disponibles localement.

## Attention aux faux amis !

| | |
|---|---|
| une librairie = *a bookshop* | *a library* = une bibliothèque |
| une place = *a square (i.e. town square);* *also a seat (bus, train, cinema)* | *a place* = un endroit |
| | *a barracks* = une caserne |
| une baraque = *a shack or hut (also slang* *for 'house')* | *a clinic* = un dispensaire |
| | *a fabric* = un tissu |
| une clinique = *a private hospital* | *a station* = une gare (*train*), une gare routière (*bus*) |
| une fabrique = *a factory* | |
| une station = *a stop (e.g. metro or bus);* *also a resort as in* une station de ski / une station balnéaire (*seaside*) | *a police station* = un poste de police |
| | *inhabited* = habité(e) |
| inhabité(e) = *not lived in* | *proper* = bon/bonne, correct(e), nécessaire |
| propre = *clean (also 'own' as in* ma propre chambre = *my own room vs* ma chambre propre = *my clean room)* | *popular* = répandu(e) (sport, loisirs, profession), en vogue (produit, couleur, lieu), populaire (personne célèbre) |
| populaire = *working class (adj.; e.g.* un quartier populaire) | |

**1.3** **Lisez les commentaires suivants, puis dans votre cahier classez-les selon qu'ils sont positifs ou négatifs, ainsi que les avantages et les inconvénients.**

**A** Moi, j'adore mon quartier car tout est à portée de main. En plus, nous avons beaucoup d'espaces verts avec des aires de jeux pour les enfants, donc c'est plutôt sympa.

**B** J'habite en plein centre-ville et c'est un vrai cauchemar de circuler en voiture. Il y a des bouchons sans arrêt. À cause de ça, l'air est irrespirable sans parler du bruit constant.

**C** J'habite dans la banlieue mais mon quartier est assez bien desservi par les bus : ils passent environ toutes les 12 minutes en semaine et, le week-end, entre 20 et 30 minutes. L'année prochaine, on aura un tramway donc ça ira encore plus vite.

**D** Mon village est très pittoresque, assez touristique l'été et plutôt bien entretenu. Nous n'avons plus qu'un seul café et une seule boulangerie-épicerie. L'hiver, c'est plutôt mort et il n'y a pas grand-chose à faire pour les jeunes mis à part du VTT ou de l'équitation.

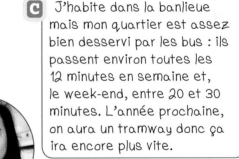

| | Positif / négatif | Avantage / inconvénient |
|---|---|---|
| **A** | | |
| **B** | | |
| **C** | | |
| **D** | | |

**1.4** **Lisez les questions ci-dessous puis répondez oralement.**

1 Où habitez-vous ?

2 Pouvez-vous nommer la majorité des bâtiments autour de chez vous ?

3 Qu'y a-t-il à faire pour les jeunes ? Et les moins jeunes ?

4 Habitez-vous loin de votre lycée ? Combien de temps mettez-vous pour y aller ?

5 Est-ce un quartier plutôt vivant ou assez tranquille ? Expliquez.

6 Qu'est-ce que vous aimeriez y trouver ou y changer ?

Consultez l'aide-mémoire

Pour le conditionnel présent, voir pp. 187–188.

---

### Phrases utiles

J'habite au nord de / au sud de / à l'est de / à l'ouest de …

Le quartier est à … kilomètres du centre-ville.

dans la banlieue de …

Je pense qu'il y a environ … habitants.

On y accède facilement / difficilement en …

être à proximité de tout

C'est à … minutes à pied / en voiture / en bus / en train de …

Je mets … minutes pour aller …

C'est tout près du / de la / des / de l'…

C'est assez loin du / de la / des / de l' …

C'est à côté du / de la / de l' / des …

Près de chez moi, il y a / on trouve / nous avons …

les heures (*f. pl.*) de pointe

les embouteillages (*m. pl.*)

une autoroute

---

**1.5** **Écoutez les deux extraits suivants puis dites si les phrases sont vraies ou fausses. Quand elles sont fausses, corrigez-les.**

**Antoine**

1 Antoine lives right in the centre of Grenoble.

2 His favourite shop, *la* FNAC, is a clothes shop.

3 He meets his friends at the cinema on Sundays.

4 Antoine needs to take the tram or the bus to go to a nightclub.

5 He takes public transport to school.

**Liza**

6 Liza lives on a small island off La Rochelle.

7 During the school semester, she is a boarder.

8 It takes her two hours to get back home at the weekend.

9 She prefers shopping in La Rochelle.

10 During the summer, the island is packed with tourists.

# 2 En ville ou à la campagne ?

**2.1** **Lisez les paragraphes ci-dessous, puis répondez aux questions en notant vos réponses dans votre cahier.**

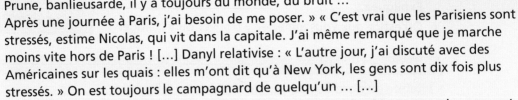

**A** Ils sont stressés. Ah, la joie du métro aux heures de pointe ! « Le rythme parisien peut être pesant, admet Prune, banlieusarde, il y a toujours du monde, du bruit … Après une journée à Paris, j'ai besoin de me poser. » « C'est vrai que les Parisiens sont stressés, estime Nicolas, qui vit dans la capitale. J'ai même remarqué que je marche moins vite hors de Paris ! […] Danyl relativise : « L'autre jour, j'ai discuté avec des Américaines sur les quais : elles m'ont dit qu'à New York, les gens sont dix fois plus stressés. » On est toujours le campagnard de quelqu'un … […]

Ils vivent au grand air. Ariane envie parfois ses copains des Cévennes qui « peuvent profiter de la nature, se baigner dans les rivières, prendre le soleil et le temps de vivre … » À Dax, Charlotte est heureuse d'avoir un jardin et de vivre entre la mer, la montagne et la frontière espagnole. Mais elle apprécie malgré tout d'habiter en ville : « Je ne vis pas loin de la campagne, mais je ne suis pas perdue au beau milieu de nulle part. » […]

© Bayard Presse, *Phosphore*, novembre 2013

### Questions

1 Trouvez dans la section ci-dessus une expression qui décrit la période de la journée pendant laquelle le trafic est le plus important.

2 Trouvez un synonyme de « chargé » ou « lourd ».

3 Donnez un exemple de vie au grand air.

4 Relevez une expression qui signifie « totalement isolé ».

**B** Ils vivent dans un melting-pot. En banlieue, il y aurait plus d'immigrés, de pauvres, de chômeurs … Mais ça dépend des endroits, et ça ne veut pas dire qu'on se fréquente. « Il y a des cités dans ma ville, observe Maya, mais on ne côtoie pas leurs habitants, car on ne vit pas à côté, on ne les voit pas. » Kelly, elle, vit dans une cité et aime sa mixité : « mes amis sont maliens, algériens, français … Grâce à eux, je découvre d'autres cultures, des nourritures différentes comme les bricks, les pastels … » […]

Ils ont des galères* de transport . Il y a ceux qui vivent en ville … et les autres. Marie doit marcher « vingt minutes pour choper un bus qui passe au mieux toutes les demi-heures », Paul-Luc va au lycée à une heure de chez lui, une heure trente minutes pour Anne-Laure … « Je suis interne, explique-t-elle. Le lundi, on fait du covoiturage, le vendredi, je rentre en bus, et pour sortir le week-end, on y va en voiture, en bus ou on s'arrange avec des amis. » Résultat ? « Il faut toujours prévoir, et les parents ne sont pas toujours disponibles … » […]

Ils ne sont pas aimables. « À Paris, on se sent extra-terrestre quand on dit bonjour à la boulangerie », affirme Charlotte, de Dax. Pour Aurélien, c'est un défaut spécifique aux grandes villes : « À Annemasse, tous les chauffeurs de bus disent bonjour en souriant. Moins à Lyon ou Genève. » […]

© Bayard Presse, *Phosphore*, novembre 2013

### Lexique

\* une galère (*familier*)
= une difficulté

5 Trouvez un synonyme de « qui est sans emploi ».

6 Maya parle de cités dans sa ville. Elle fait référence à :

   i) une grande ville   iii) un groupement de logements ou immeubles

   ii) un quartier   iv) un monument historique.

7 Trouvez un synonyme de « pensionnaire ».

8 D'après Charlotte, « À Paris, on se sent extra-terrestre » dans les magasins. Pourquoi ?

C Ils sont ouverts d'esprit. Alyciane en est convaincue : ce serait plus facile pour sa copine gothique d'assumer son look à Paris que dans son village auvergnat : « Ici, on lui lance : 'Tu dors dans ton cercueil ?' » « Les Parisiens acceptent mieux les différences, considère Paul-Luc. On n'est pas dévisagé quand on n'est pas comme tout le monde. » Plus proche de Paris, Jeanne tempère : « Il y a peut-être davantage de tolérance à Paris, mais pas entre jeunes. Au lycée, tout le monde se regarde, se juge, et on se retrouve vite à l'écart. Ce n'est pas comme à Londres ou Berlin, où les jeunes sont indifférents à ton style, ils vivent leur vie. » […]

Ils sont cernés par les tours. On imagine les barres d'immeubles, le béton, les bouchons … Mais de nombreux banlieusards l'assurent : chez eux, c'est plus tranquille, moins bruyant et moins pollué qu'à Paris. Et la campagne n'est jamais bien loin. Melvin pique-nique dans des parcs aux alentours du Blanc-Mesnil, Kelly se balade en forêt près de Clichy, Mata fait des soirées en bord de Marne … En banlieue, il y a aussi plus de maisons que dans la capitale : « Mes cousines parisiennes vivent en appartement, dit Ariane. Moi, j'ai un chat, un jardin, et je peux m'allonger dans l'herbe après les cours ! »

© Bayard Presse, *Phosphore*, novembre 2013

9 Les personnes qui sont différentes sont mal acceptées par les autres à la campagne. Vrai ou faux ?

10 Les jeunes londoniens ou berlinois sont plus tolérants en matière de style que les jeunes parisiens. Vrai ou faux ?

11 Trouvez un synonyme d'« embouteillage ».

12 Donnez un exemple d'activité extérieure possible en banlieue.

 **Au fait**

**Un(e) banlieusard(e)** est une personne qui habite dans la banlieue.

**Un(e) provincial(e) / les provinciaux** habitent en province.

**La province** réfère à l'ensemble de la France à l'exception de Paris et sa région.

**La Provence** est une région du sud-est de la France.

 2.2 **En groupes de deux ou trois, répondez oralement aux questions suivantes.**

1 Êtes-vous d'accord avec les stéréotypes évoqués ci-dessus ? Pourquoi ? / Pourquoi pas ?

2 Ces stéréotypes existent-ils en Irlande ? Expliquez.

3 Les mentalités et attitudes sont-elles différentes selon que l'on habite dans la capitale, en banlieue de grandes villes ou à la campagne ?

**Allez sur un moteur de recherche en ligne et tapez « À la campagne » et « Bénabar ». Écoutez la chanson par Bénabar, auteur, compositeur et interprète français. Répondez aux questions sur la page suivante.**

### À la campagne

À la campagne
Y a toujours un truc à faire
Aller aux champignons
Couper du bois, prendre l'air
À la campagne
On se fout des horaires
Comme les maisons du même nom
C'est secondaire

À la campagne
Y a toujours un truc à voir
Des sangliers, des hérissons
Des vieux sur des tracteurs
À la campagne
Y a des lieux pleins d'Histoire
Des châteaux tout cassés
Et des arbres centenaires

À la campagne
Quand on est citadin
À la campagne
On demande aux paysans
Le temps qu'il fera demain

À la campagne
On veut de l'authentique
Du feu de cheminée
Et du produit régional
À la campagne
Il nous faut du rustique
Un meuble qui n'est pas en bois
Ça nous ruine le moral

À la campagne
On dit qu'on voudrait rester
Quitter Paris, le bruit,
Le stress et la pollution
À la campagne
C'est la fête aux clichés
La qualité de vie
Et le rythme des saisons

À la campagne
On se prête des pulls
Quand on traîne sur la terrasse
À la campagne
Y a des jeux de société
Auxquels il manque des pièces

À la campagne
La nuit on ferme les volets
Y a des bruits dans la maison
Et dehors dans la forêt
À la campagne
Dans mon lit, plutôt que rêver,
Je préfère pas fermer l'œil et flipper*

À la campagne
En principe on se lève tôt
Pas moi, je dors encore
Pour des raisons que vous savez

À la montagne,
Y a des chalets, des chamois*
Mais c'est pas l'objet
De cette chanson …
J' voulais juste voir si vous suiviez

À la campagne
Quand arrive le dimanche soir
À la campagne
Pour éviter les bouchons
On va p't-êt'* pas rentrer trop tard

À la campagne
J'ai envie d'être campagnard
D'avoir une grosse moustache
Et un gilet en velours
À la campagne
J'ai envie de parler terroir*
« J' m'en vas cercler l' calanchet* »
Pour pas qu'il vente
Dans les labours »

Ça me donne envie
D'être robuste et taiseux
Le patriarche bourru
D'une série de l'été de France2
L'histoire d'une famille
Qui lutte pour son domaine
Mais j'ai jamais le temps
Parce que j' reste que le week-end

À la campagne
Entends-tu au loin le cri
De la grivette cendrée ?
À la campagne
S'il neige à la Noël,
Je rentrerai les bistouquets* dans
    l'étable …

« À la campagne » de Bénabar, paroles et musique de Nicolini Bruno, adapté de Commere Bertrand. *Infréquentable* (2008)

## Lexique

flipper = avoir peur

un chamois = une espèce de chèvre que l'on trouve dans les Alpes

p't-êt' = abréviation de « peut-être »

parler terroir = parler des choses qui concernent la campagne

je m'en vas cercler l' calanchet = ici, le chanteur imite le parler paysan

un bistouquet (*langage régional*) = une chèvre

### Questions

1 Name one activity that one can do in the countryside at the weekend.
2 Name one thing that you might see in the country.
3 What do city people usually ask farmers?
4 Name two reasons why one would leave Paris.
5 What prevents the narrator from sleeping at night-time?
6 Why does he go back home to Paris early on Sunday evening?
7 When in the country, the narrator would like to be like the locals. True or false?

  **2.4** **Lisez le texte ci-dessous à propos du mariage de Keira Knightley puis répondez aux questions qui suivent.**

1 C'est dans un petit village de Provence à quelques kilomètres de Carpentras, que Keira Knightley s'est mariée au claviériste du groupe Klaxons, James Righton. Le maire de Mazan, Aimé Navello, mis dans la confidence depuis des mois, avait tenu le secret bien gardé sans jamais mentionner quoi que ce soit ni à son entourage ni à son conseil municipal ! C'est en toute simplicité et dans la plus grande intimité que le couple s'est dit « oui » au cours d'une cérémonie classique délivrée en français, langue que Kiera comprend et parle, mais également en anglais pour le tout petit nombre présent, à savoir la proche famille et les témoins.

2 Égérie* de Chanel depuis 2007 pour le parfum Coco Mademoiselle, la svelte et élégante Keira portait une robe-bustier cousue de paillettes avec une petite veste en tweed et de simples ballerines. La jolie brune avait confié ne pas aimer les « grands mariages » insistant « Je n'ai pas besoin de ça du tout. » C'est le sourire aux lèvres que le jeune couple est sorti de la mairie et s'est rendu en simple Renault Clio à la maison de vacances familiale pour la suite des festivités. En effet, les jeunes mariés attendaient une cinquantaine d'invités tout au plus pour célébrer leur union, parmi eux de rares stars dont l'actrice Sienna Miller et le mannequin Alexa Chung.

3 Pour leur lune de miel, le couple a choisi de rester dans le magnifique hôtel cinq étoiles « La Signoria » à quelques kilomètres de Calvi en Corse. Cet ancien domaine du 18ème siècle offre une vue spectaculaire sur les montagnes bordant la côte : un endroit des plus idylliques. L'ex-*Pirate des Caraïbes* est partie à la découverte de la côte à bord d'un voilier, a marché main dans la main sur la plage avec son amoureux, sans oublier de se faire bronzer sous le soleil méditerranéen : un programme d'une grande simplicité. Ceux qui ont eu la chance de les croiser à Calvi gardent une excellente impression : humbles, agréables et accessibles. Sans tralala.

## Lexique

une égérie = une muse

**Questions**

1 a Relevez une phrase qui montre que, mis à part le maire, personne au village ne savait que Keira Knightley allait se marier là. (Section 1)

   b Qui était présent pour la cérémonie à la mairie, hormis les jeunes mariés ? (Section 1)

2 Trouvez deux adjectifs qui décrivent l'actrice. (Section 2)

3 a D'après le texte, le couple est allé dans un petit hôtel familial pour le repas du mariage. Vrai ou faux ? Justifiez votre réponse. (Section 2)

   b Citez une expression qui indique qu'il y avait environ 50 personnes pour le repas de noce. (Section 2)

4 Comment sait-on que le jeune couple est resté dans un hôtel de luxe en Corse ? (Section 3)

5 Durant son séjour en Corse Kiera Knightley …

   i) a tourné un autre film dans la série *Pirates des Caraïbes*

   ii) a souvent regardé des émissions en français

   iii) a fait une sortie en bateau autour de l'île

   iv) a préféré se faire bronzer à la plage tout le temps.

6 Kiera Knightley succeeded in having a simple, 'non-celebrity' wedding in France. Support this statement with reference to the text. (*50 words*)

Consultez
l'aide-mémoire
Pour la compréhension écrite, voir p. 360.

---

 **2.5** **Lisez les questions ci-dessous et répondez oralement.**

1 Une personne célèbre est-elle déjà venue dans votre ville / quartier / village / région ? Si oui, quelle était la raison de sa visite ?

2 Quelle impression avez-vous eu de cette personne ?

3 Lui avez-vous demandé un autographe ? Pourquoi ? / Pourquoi pas ?

4 Si non, qui aimeriez-vous inviter ? Pourquoi ?

---

 **2.6** **Aujourd'hui a eu lieu un grand événement dans votre ville / village : une star y est passée dans la matinée et y est restée quelques heures. Vous êtes totalement aux anges ! Que notez-vous dans votre journal intime ? (*75 mots environ*)**

Consultez
l'aide-mémoire
Pour le journal intime, voir pp. 42–44.

# 3 Les voisins/voisines

**3.1** **Lisez cette introduction puis répondez oralement aux questions qui suivent.**

*La fête des voisins*, également appelée *Immeubles en fête*, est une fête à l'origine française, lancée à Paris en 1999 par Atanase Périfan. Elle permet aux habitants d'un même quartier de se rencontrer autour d'un repas, de rompre l'isolement notamment des personnes âgées et de créer un sentiment d'appartenance au quartier. Elle a lieu fin mai début juin à travers toute la France. C'est un moment convivial mais aussi une occasion de briser la glace et de mieux connaître ceux qui vivent à côté de chez soi.

© Voisins Solidaires

**Questions**

1. La fête des voisins existe-t-elle dans votre quartier ou village ?
2. Si oui, qui l'organise et quand a-t-elle lieu ?
3. Y avez-vous participé et avec qui y êtes-vous allé(e) ?
4. Si non, pourquoi pas ?
5. Vous entendez-vous bien avec vos voisins ? Donnez quelques détails.

**3.2** **Écoutez cette enquête menée auprès d'environ un millier de personnes à propos des relations de voisinage puis complétez le texte avec les mots entendus.**

**Journaliste :** Juste avant que la fête des voisins ne commence à la fin du mois, nous avons mené une enquête pour savoir ce que les Français ont à dire de leurs voisins ou voisines. Des résultats des plus intéressants si ce n'est parfois surprenant ou amusant !

(1) ....... des Français vont à la fête des voisins pour régler leurs comptes ! 41% aimeraient avoir l'opportunité de mieux (2) ....... leurs voisins tandis que (3) ....... n'ont pas l'intention de se rendre à la fête. 15% des personnes interrogées décrivent leur quartier comme (4) ....... alors qu'une grande majorité évoque un quartier neutre ou (5) ....... Les voisins communiquent souvent par mots punaisés sur le tableau d'affichage dans le hall d'entrée des immeubles ou par des invitations glissées dans les (6) ........ Une personne sur cinq considère être plutôt (7) ....... avec ses voisins et (8) ....... sont prêts à rendre service à leur entourage. Beaucoup souhaiteraient inviter une personne célèbre et ainsi créer un évènement un peu spécial pour que cette personne sponsorise une œuvre de charité située dans leur voisinage.

**3.3** Lisez la fiche ciné du film *Chacun cherche son chat*. D'après la description, aimeriez-vous voir ce film ? Pourquoi ? / Pourquoi pas ? Quelle est l'originalité de ce film ?

Consultez
l'aide-mémoire
Pour la production écrite, voir pp. 298-300.

### CinéClub : *Chacun cherche son chat* (1996), comédie française de Cédric Klapisch

C'est l'histoire de Chloé qui part en vacances et confie son chat Gris-gris à une vieille dame du quartier, Madame Renée. Gris-gris disparait un beau jour et c'est la panique ! Tout le quartier part alors à sa recherche.

À travers ce film, Cédric Klapisch évoque la vie d'un quartier parisien du 11ème arrondissement où plusieurs mondes cohabitent, se confrontent, se rencontrent et s'organisent en réseaux de communication complexes pour retrouver le chat de Chloé. Un vrai quartier et ses vrais habitants : Madame Renée est bel et bien Madame Renée. Cédric Klapisch l'a filmée dans son appartement, telle qu'il l'avait trouvée et les mots qu'elle prononce sont les siens. Il en est de même concernant Madame Odile ou encore Madame Ménard … La moitié des acteurs de ce film n'en sont pas, tout comme les décors : des gens et des endroits authentiques.

Vous pouvez visionner des extraits du film sur le site Dailymotion. Bon film !

# Aide-mémoire

## Un brin de causette*

*Niall et Rachel sont deux lycéens irlandais qui viennent juste d'arriver dans un lycée français pour un séjour de deux mois. Le premier jour, ils répondent tous les deux aux questions de leurs camarades de classe en France, à propos d'eux-mêmes et de leur famille.*

**Écoutez les deux extraits, puis dites si les phrases ci-dessous sont vraies ou fausses.**

**Niall**

**Rachel**

1 Niall's birthday is during the holidays.
2 He always celebrates his birthday with friends.
3 He weighs 84 kilos.
4 He can be a little stubborn.
5 Niall is the youngest in his family.
6 Niall gets on well with his sister, Aoife.
7 He doesn't go out with Aoife's friends.
8 His brother Conor comes home at the weekend.
9 Conor is into computers.

1 Rachel's parents don't trust her.
2 Her father travels a lot to Asia.
3 Her mother works for a German company.
4 Her mother gets annoyed when Rachel spends too much time on Facebook.
5 The kitchen is Rachel's favourite room in the house.
6 They have a guest bedroom downstairs.
7 She has her own bedroom.
8 Rachel shares a bathroom with her sister.
9 Her father spends a lot of time gardening.

*faire un brin de causette = *to have a chat*

# Préparation pour le bac

## Le journal intime

**Le journal intime** is a diary entry exercise and may appear in Question 2 of the written expression (*Expression écrite*) section of the paper. Marks are awarded for language (15 marks) and communication (15 marks). The style expected is informal and you will be asked to write around 75 words about an incident from your day.

> **Some guidelines**
> - Start with **Cher journal,**.
> - Use the **je** form to answer the questions.
> - You can include the date but there are no marks for layout.
> - In particular, use expressions and phrases that express feelings.

### Le vocabulaire

| Introduction |
| --- |

**Include the day or the date and begin with** Cher journal, …

| | |
| --- | --- |
| Quelle journée intéressante je viens de passer ! | Devine ce qui m'est arrivé cet après-midi ? |
| Ce matin, tout a mal commencé pour moi ! | En lisant un magazine … |
| Ce soir, je n'ai pas sommeil car … | En regardant la télé … |
| Quel week-end je viens de passer ! | Je viens de lire un article intéressant à propos de … |
| Aujourd'hui, j'ai eu une journée vraiment pénible … | J'ai plein de bonnes / mauvaises nouvelles aujourd'hui. |

| Expression des sentiments | |
| --- | --- |
| **Positifs :** | **Négatifs :** |
| J'ai été ravi(e) de (+ *infinitif*) | Je suis très déçu(e) de (+ *nom ou infinitif*) |
| Qu'est-ce que je suis content(e) ! | Quelle déception ! |
| Tout va pour le mieux ! | J'étais triste de (+ *infinitif*) |
| Je n'ai pas à me plaindre. | Je m'en fiche / Ça m'est égal ! |
| Quelle surprise ! | Quel dommage ! |
| Je suis fou (folle) de joie ! | Ça m'énerve ! |
| Ça me fait / ça m'a fait énormément plaisir. | Tant pis ! |
| | Je suis complètement déprimé(e). |
| | Je suis de mauvaise humeur. |
| | Je me sens mal dans ma peau. |
| | Ça ne va pas fort en ce moment. |

| Une dispute avec vos parents | |
| --- | --- |
| Qu'est-ce qu'ils sont énervants / agaçants, les parents ! | J'en ai marre de ma mère / mon père. |
| Ils ne me font pas confiance. | Il/elle m'a grondé(e). |
| Ils ne comprennent rien. | Ils refusent / ne veulent pas que je (+ *subjonctif*) |
| Je n'ai jamais le droit de sortir. | Ils ne m'autorisent pas à (+ *infinitif*) |
| Aujourd'hui, je me suis disputé(e) avec ma mère à cause de … | Ils m'interdisent / m'ont interdit de (+ *infinitif*) |

## Quelques projets pour l'avenir

| | |
|---|---|
| J'avais prévu de (+ *infinitif*) | J'ai envie de … |
| Je voulais / veux / voudrais … | Ça me plairait de … |
| J'avais l'intention de (+ *infinitif*) | J'aimerais bien partir mais … |

## Un match / une fête

| | |
|---|---|
| J'ai assisté à un match de … | J'ai passé une soirée géniale. |
| On a gagné ! | La musique était super. |
| Il y avait une superbe ambiance. | J'ai dansé toute la nuit. |
| Il y avait une foule énorme. | J'ai rencontré … / j'ai fait la connaissance de … |
| Je suis sorti(e) en boîte. | J'ai pris un taxi pour rentrer. |
| Je suis allé(e) à une fête d'anniversaire. | |

## Conclusion

| | |
|---|---|
| C'est tout pour aujourd'hui / ce soir. | Ça ira mieux demain j'espère. |
| Je me sauve ! (*I'm off!*) Je dois … | Vivement demain / le week-end / les vacances ! |
| Je suis fatigué(e). Je vais me coucher. | Tout est bien qui finit bien. |
| J'attends demain avec impatience. | Espérons que ça s'arrange. |
| J'ai hâte de… (*I'm looking forward to …*) | La nuit porte conseil ! (*Sleep on it!*) |

## Exemples de journal intime

1. **Samedi, vous allez au concert de votre groupe favori avec votre meilleur(e) ami(e) et vous espérez qu'un garçon/qu'une fille que vous aimez bien y sera. Que notez-vous dans votre journal intime ? (*75 mots environ*)**

Jeudi après-midi

Cher journal,

Encore deux jours à attendre avant samedi !! Il me tarde vraiment d'aller au concert d'Hosier avec Chloé. Ça va être génial et on va s'éclater. Depuis le temps que j'attends ce moment !!

Je rejoins Chloé chez elle à quatre heures et ça nous laisse le temps de nous préparer. Je crois que je vais mettre mon haut noir à paillettes avec un jean noir. Je vais lui demander qu'elle me prête ses ballerines violette. Il faut qu'elle me donne des conseils de mode car Michael va sans doute venir au concert … Ah, je dois être au top !!

Bon, je vais me mettre à mon devoir de biologie maintenant !

À toute !!

Emma

**2. Vous êtes en voyage scolaire à Bruges en Belgique et le lendemain de votre arrivée, vous vous sentez malade et souhaitez rester à l'auberge de jeunesse. Que notez-vous dans votre journal intime?**

Mardi, 5h du matin

Cher journal,

Quelle galère ! On est arrivé hier en Belgique et me voilà déjà malade ! Je ne sais pas si c'est le voyage ou un truc que j'ai mangé hier mais là, j'ai mal à la tête et au ventre et je ne peux pas dormir. Si ça ne va pas mieux au petit déjeuner, je vais demander à un prof si je peux rester ici pour la journée et me reposer. J'en profiterai pour écouter de la musique, parler avec les autres jeunes ici et puis aussi vérifier ce qui se passe sur Facebook !!

Je vais essayer de m'endormir en attendant huit heures et surtout ne pas réveiller les autres !

Paul

## Entraînez-vous pour le bac !

### Exercice 1

Un copain/une copine vous a invité(e) à une fête d'anniversaire le week-end prochain et vous ne pouvez malheureusement pas y aller car vos cousins américains vous rendent visite à ce moment-là. Que notez-vous dans votre journal intime ? (*75 **mots environ***)

### Exercice 2

Vous venez de rencontrer la famille pour qui vous allez faire du baby-sitting de temps en temps le week-end et pendant les vacances. Vous êtes enthousiaste à l'idée d'avoir un petit boulot. Que notez-vous dans votre journal intime ? (*75 **mots environ***)

# Grammaire

## 1 Le présent

French has only one form of the present tense, whereas in English there are three different ways to translate it! Depending on the context, a simple expression like **je vais** can mean 'I go', 'I am going' or 'I do go'.

### Les verbes réguliers

The present tense of regular verbs is formed by taking away the last two letters of the infinitive (**-er**, **-ir**, **-re**) and adding the endings as shown below.

**Exemples :**

| parler | finir | descendre |
|---|---|---|
| je parle | je finis | je descends |
| tu parles | tu finis | tu descends |
| il/elle/on parle | il/elle/on finit | il/elle/on descend |
| nous parlons | nous finissons | nous descendons |
| vous parlez | vous finissez | vous descendez |
| ils/elles parlent | ils/elles finissent | ils/elles descendent |

**Exercice 3**

**Write the following sentences in your copy using the appropriate form of the verb.**

1 Il (jouer) au basket depuis plus d'un an.

2 Vous (choisir) toujours des vêtements de qualité.

3 Elle (descendre) du bus vers 8 heures 45.

4 Quand je viens à Paris, nous (réussir) toujours à nous voir !

5 Cette année, ma fille et ma nièce (étudier) dans la même université.

6 On (punir) les élèves qui n'écoutent pas en classe.

7 Est-ce que tu (habiter) toujours à la même adresse ?

8 Ils (bâtir) de nouveaux locaux pour les sans-abris.

9 Nous (répondre) à vos questions après la session.

10 Vous (penser) qu'ils vont venir à la fête ?

11 Je (entendre) un bruit qui vient de la cuisine.

12 Tu (donner) des nouvelles dès que tu arrives, d'accord ?

13 Elles (défendre) le droit de porter ce qu'elles veulent.

14 Ce chien (obéir) toujours à son maître.

15 Je (rendre) toujours mon devoir de maths avec un jour de retard !

## –er verbs with slight irregularities in the stem of the verb

- Verbs ending in **-yer** change **y** to **i** before silent endings (**-e, -es, -ent**).

  **Exemples :** essayer, nettoyer, s'ennuyer, envoyer, aboyer (*to bark*)

| essayer | nettoyer | ennuyer |
|---|---|---|
| j'essaie | je nettoie | je m'ennuie |
| tu essaies | tu nettoies | tu ennuies |
| il/elle/on essaie | il/elle/on nettoie | il/elle/on ennuie |
| nous essayons | nous nettoyons | nous nous ennuyons |
| vous essayez | vous nettoyez | vous vous ennuyez |
| ils/elles essaient | ils/elles nettoient | ils/elles s'ennuient |

- Verbs ending in **-eter** and **-eler** double the consonant before a silent e (**-es, -e, -ent**).

  **Exemples :** jeter, projeter, rappeler, appeler, renouveler

| jeter | rappeler | renouveler |
|---|---|---|
| je jette | je rappelle | je renouvelle |
| tu jettes | tu rappelles | tu renouvelles |
| il/elle/on jette | il/elle/on rappelle | il/elle/on renouvelle |
| nous jetons | nous rappelons | nous renouvelons |
| vous jetez | vous rappelez | vous renouvelez |
| ils/elles jettent | ils/elles rappellent | ils/elles renouvellent |

- Verbs ending in **-ger** add a mute **e** before an **a** or an **o** to keep the soft *g* sound.

  **Exemples :** manger, changer, voyager, nager, corriger, partager

| manger | corriger | partager |
|---|---|---|
| je mange | je corrige | je partage |
| tu manges | tu corriges | tu partage |
| il/elle/on mange | il/elle/on corrige | il/elle/on partages |
| nous mangeons | nous corrigeons | nous partageons |
| vous mangez | vous corrigez | vous partagez |
| ils/elles mangent | ils/elles corrigent | ils/elles partagent |

- Verbs ending in **-cer** change **c** to **ç** in front of an **a** or an **o** to keep the soft *s* sound.

  **Exemples :** lancer, avancer, commencer, prononcer, remplacer

| lancer | commencer | remplacer |
|---|---|---|
| je lance | je commence | je remplace |
| tu lances | tu commences | tu remplaces |
| il/elle/on lance | il/elle/on commence | il/elle/on remplace |
| nous lançons | nous commençons | nous remplaçons |
| vous lancez | vous commencez | vous remplacez |
| ils/elles lancent | ils/elles commencent | ils/elles remplacent |

- Verbs with a silent **e** in the infinitive change **e** to **è** when the next syllable also contains a silent **e**, as is the case when the verbs below are conjugated.

**Exemples :** acheter, se lever, se promener

| acheter |
| --- |
| j'achète |
| tu achètes |
| il/elle/on achète |
| nous achetons |
| vous achetez |
| ils/elles achètent |

| se lever |
| --- |
| je me lève |
| tu te lèves |
| il/elle/on se lève |
| nous nous levons |
| vous vous levez |
| ils/elles lèvent |

| se promener |
| --- |
| je me promène |
| tu te promènes |
| il/elle/on se promène |
| nous promenons |
| vous promenez |
| ils/elles se promènent |

- Verbs with an **é** in the last syllable in the infinitive change **é** to **è** for each person (except **nous** and **vous**).

| espérer |
| --- |
| j'espère |
| tu espères |
| il/elle/on espère |
| nous espérons |
| vous espérez |
| ils/elles espèrent |

| considérer |
| --- |
| je considère |
| tu considères |
| il/elle/on considère |
| nous considérons |
| vous considérez |
| ils/elles considèrent |

| répéter |
| --- |
| je répète |
| tu répètes |
| il/elle/on répète |
| nous répétons |
| vous répétez |
| ils/elles répètent |

**Exercice 4**

**Write the following sentences in your copy using the appropriate form of the verb given in brackets.**

1 Quand il fait beau l'été, nous (nager) dans la rivière.

2 Ils (appeler) la gendarmerie : c'est une urgence.

3 Vous (espérer) avoir votre bac du premier coup ?

4 À quelle heure est-ce que tu (se lever) demain ?

5 Cette année, nous (remplacer) toutes les fenêtres de la maison.

6 Je (corriger) les copies pendant la semaine.

7 Est-ce que tu (renouveler) ton abonnement à ce magazine ?

8 Mes parents (promener) le chien chaque soir après le repas.

9 D'habitude, je (préférer) partir plus tôt pour éviter la circulation.

10 Dis-moi, tu (s'ennuyer) chez Mamie Jeanne ?

## Les verbes irréguliers

Some verbs have no specific pattern and are called irregular. The verb table at the end of this book shows the present tense of the most common irregular verbs in French.

### Exercice 5

**For each sentence below, choose the correct form of the verb in the present tense.**

1 Ils (sommes – sont – est) à Nice pour une semaine.
2 Vous (faites – faisaient – fait) la cuisine ou vous achetez des plats à emporter ?
3 Nous (prendrons – prenions – prenons) des vacances chaque été.
4 Je (lire – lise – lis) un roman policier par mois.
5 Elles (croient – croit – croyez) encore au père Noël.
6 Vous (buvez – buvons – boirez) avec modération.
7 Tu (veulent – veux – veut) rester ici ou tu préfères bouger ?
8 Nous (sortions – sortirons - sortons) en ville pratiquement chaque week-end.
9 Elle (vienne – vient – venu) à six heures et demie.
10 Je (connaisse – connaisses – connais) le restaurant qui est à côté de chez toi.

### Exercice 6

**Write out the following sentences in your copy using the appropriate form of the verb in the present tense.**

1 Il (aller) au théâtre ce soir avec Sylvie.
2 Je (mettre) mon radio réveil le matin à six heures.
3 Tu (faire) du sport le week-end ?
4 Elle (devoir) s'excuser auprès de son frère.
5 Nous (connaître) le chanteur belge Stromae.
6 Ils ne (voir) pas le panneau sur la route.
7 Vous (écrire) à vos grands-parents pendant les vacances ?
8 Tu (avoir) une tablette ?
9 Il (partir) à Nantes pour la semaine.
10 Nous (être) des lycéens en terminale.

## Les verbes pronominaux

Reflexive verbs are the same as ordinary verbs except that they take an extra pronoun in front of the verb.

**Exemple :**

| se laver *(to wash oneself)* | s'amuser *(to have fun)* |
|---|---|
| je **me** lave | je **m**'amuse |
| tu **te** laves | tu **t**'amuses |
| il/elle/on **se** lave | il/elle/on **s**'amuse |
| nous **nous** lavons | nous **nous** amusons |
| vous **vous** lavez | vous **vous** amusez |
| ils/elles **se** lavent | ils/elles **s**'amusent |

The extra words (**me**, **nous**, **se** …) are called reflexive pronouns. Though we often leave them out in English, in certain contexts they can translate as 'myself','yourself', etc.

| **Exemples :** | Elle s'investit. | *She is deeply involved.* |
| --- | --- | --- |
| | Je m'amuse. | *I am enjoying myself.* |
| | Ils se promènent. | *They are going for a walk.* |

Reflexive verbs also convey the idea of 'each other', as well as 'ourselves', 'yourselves', 'themselves'.

| **Exemples :** | Ils se cachent. | *They are hiding* (*they hide themselves*). |
| --- | --- | --- |
| | Ils s'aiment. | *They love each other* (*they love themselves*). |

The reflexive pronoun is essential to the meaning of the sentence. Compare these examples:

| **Exemples :** | Je m'entends avec mon professeur. | *I get on with my teacher.* |
| --- | --- | --- |
| | J'entends mon professeur. | *I hear my teacher.* |

Whenever you use a part of the body with a reflexive verb, the definite articles **le**, **la**, **les**, **l'** are used instead of the possessive adjectives **mon**, **ma**, **mes**.

| **Exemple :** | Je **me** brosse **les** dents. | I brush **my** teeth. |
| --- | --- | --- |

**Exercice 7**

**Write the following sentences in your copy using appropriate form of the verb in the present tense.**

1. Elles (se promener) dans le parc tous les soirs.
2. Excusez-moi, comment vous (s'appeler) ?
3. Nous (se rencontrer) pendant la pause déjeuner à midi.
4. Je (se disputer) de temps en temps avec ma belle-mère.
5. Tu (s'habiller) de façon habillée pour le spectacle ?
6. Vous (se dépêcher) sinon nous allons être en retard !
7. Ils (s'intéresser) plus aux sports qu'aux examens en ce moment.
8. Je (se réveiller) de bonne heure car j'entends passer le train.
9. Tu (se coucher) vers quelle heure le soir d'habitude ?
10. Elle (se reposer) un peu car elle vient de finir un marathon.

**Exercice 8**

**Write a paragraph describing your routine at the weekend using as many reflexive verbs as possible.**

### Exercice 9

**Working in pairs, take turns to ask each other the following questions. Write your answers in your copy.**

1 Comment est-ce que vous vous appelez ?
2 À quelle heure vous levez-vous le matin ?
3 Vous vous couchez à quelle heure ?
4 Est-ce que vous vous disputez souvent avec votre frère/sœur ?
5 Vous vous changez quand vous revenez de l'école ?
6 Est-ce que vous vous dépêchez le matin ?
7 Est-ce que vous vous entendez bien avec vos parents ?
8 Est-ce que vous vous reposez le week-end ?
9 Est-ce que vous vous intéressez à la musique ?
10 Vous vous ennuyez pendant les vacances ?

## 2 Les formes interrogatives

There are three ways of asking questions in French. All the examples here refer to 'closed' questions – i.e. ones that ask for a simple 'yes' or 'no'.

### La question informelle avec intonation montante

In conversational French, you can form questions by simply raising your voice on the last word of a statement.

**Exemples :**  Vous êtes de Galway. (*statement*) ➔ Vous êtes de Galway ?
Il a des frères. (*statement*) ➔ Il a des frères ?
Vous travaillez le samedi. (*statement*) ➔ Vous travaillez le samedi ?
Vous aimez les frites. (*statement*) ➔ Vous aimez les frites ?
Vous vous levez à sept heures. (*statement*) ➔ Vous vous levez à sept heures ?
Elle a des cours de piano le samedi. (*statement*) ➔ Elle a des cours de piano le samedi ?

### La question informelle avec **Est-ce que** (**Est-ce qu'** when followed by a vowel)

You can also put **est-ce que** at the beginning of the sentence. This is the most common way of asking questions in both written and spoken French.

**Exemples :**  Vous êtes de Galway. (*statement*) ➔ **Est-ce que** vous êtes de Galway ?
Il a des frères. (*statement*) ➔ **Est-ce qu'**il a des frères ?
Vous travaillez le samedi. (*statement*) ➔ **Est-ce que** vous travaillez le samedi ?
Vous aimez les frites. (*statement*) ➔ **Est-ce que** vous aimez les frites ?
Vous vous levez à sept heures. (*statement*) ➔ **Est-ce que** vous vous levez à sept heures ?
Elle a des cours de piano le samedi (statement) ➔ **Est-ce qu'**elle a des cours de piano le samedi ?

## La question formelle avec inversion (reversal of the word order)

Take the statement and reverse the verb and the subject and place a hyphen in between them. This form is more common in written French.

**Exemples :**

Vous êtes de Galway. (*statement*) → **Êtes-vous** de Galway ?

Il a des frères. (*statement*) → **A-t-il** des frères ?

Vous travaillez le samedi. (*statement*) → **Travaillez-vous** le samedi ?

Vous aimez les frites. (*statement*) → **Aimez-vous** les frites ?

Vous vous levez à sept heures. (*statement*) → **Vous levez-vous** à sept heures ?

Elle a des cours de piano. (*statement*) → **A-t-elle** des cours de piano ?

When the verb ends in a vowel, a **t** must be added in for pronunciation reasons.

**Exemples :**

A-t-il des frères ?

A-t-elle des cours de piano ?

One verb is completely different when reversed in this formal question style – **pouvoir**.

**Exemple :**

Je peux (*I can*) → Puis-je ? (*Can I?*)

Note the changes in structure for questions in a compound tense:

| Futur proche |
| --- |
| **Tu vas** aller au cinéma ? |
| Est-ce que **tu vas** aller au cinéma ? |
| **Vas-tu** aller au cinéma ? |

| Passé composé |
| --- |
| **Elle est** allée en France ? |
| Est-ce qu'**elle est** allée en France ? |
| **Est-elle** allée en France ? |

**Exercice 10**

**Write out the question that would be asked in each of the following situations making sure to use the appropriate interrogative form.**

Vous demandez …

1   ……. de la monnaie dans la boulangerie.
2   ……. de l'aide de vos camarades de classe.
3   ……. à votre professeur s'il parle allemand.
4   ……. à votre voisin s'il aime le sport.
5   ……. à votre mère si elle peut vous réveiller demain à sept heures.
6   ……. à une touriste si elle aime l'Irlande.
7   ……. à la personne au guichet du cinéma si le film a commencé.

**For each of the sentences below, find the two other ways of asking the question.**

 1  Vous connaissez la ville de Nantes ?
 2  Est-ce qu'il est végétarien ?
 3  Est-ce que vous allez faire les magasins samedi après-midi ?
 4  Sortent-elles souvent le week-end ?
 5  Vous restez en étude après les cours ?
 6  Tu as travaillé dans un camping l'été dernier ?
 7  Tu fais un jogging le dimanche matin?
 8  Sont-ils américains ou australiens ?
 9  Est-ce qu'elle veut téléphoner à son père ?
10  Nous partons à midi ?

# 3 Les pronoms interrogatifs

There are many question words in French:

- **Que ?** (*what*) (or **qu'** when followed by a vowel)

| **Exemples :** | Que veux-tu pour ton anniversaire ?<br>Qu'attendais-tu pour partir ? |
| --- | --- |

- **Qui ?** (*who*)

| **Exemple :** | Qui fait les courses chez vous ? |
| --- | --- |

- **Où ?** (*where*)

| **Exemple :** | Où avez-vous garé la voiture ? |
| --- | --- |

- **Quand ?** (*when*)

| **Exemple :** | Quand iras-tu voir le film au cinéma ? |
| --- | --- |

- **Pourquoi ?** (*why*)

| **Exemple :** | Pourquoi voulez-vous étudier les sciences ? |
| --- | --- |

- **Comment ?** (*how*)

| **Exemple :** | Comment allez-vous à l'école ? À pied ? |
| --- | --- |

- **Combien ?** (*how much / how many*)

| **Exemples :** | Combien coûte ce parfum, s'il vous plaît ?<br>Combien de matières étudiez-vous pour le bac ? |
| --- | --- |

In general, question words come at the start of the sentence. You use this style of question when you are looking for specific information (i.e. for open questions).

**Translate the following sentences into French.**

1 What are you saying?
2 Where did you see Anna?
3 When are you going on your holidays?
4 Why do they want to leave now?
5 Who is coming to the party on Sunday?
6 How many hours will you do?
7 How do I get to the city centre from here?
8 What time is the film starting at tonight?
9 How much is a return ticket to Belfast, please?
10 Who brought this cake?

> In spoken or informal French the question word comes after the verb (and *que* becomes *quoi*).
>
> **Exemples :**
>
> Tu veux **quoi** pour ton anniversaire ?
> Vous allez **où** en vacances ?
> Elle a **combien** de frères ou sœurs ?

**Exercice 13**

**Use the following question words to complete the sentences below.**

| pourquoi | combien | comment | que (qu') | quand | qui | où |

1 ....... sont mes clés ? Tu les as vues ?
2 ....... s'est-il passé hier soir chez Didier ?
3 ....... préfères-tu que je te contacte ? Par téléphone ou email ?
4 Pendant ....... de temps est-elle restée inconsciente ?
5 ....... était à la porte tout à l'heure ?
6 ....... avez-vous acheté comme cadeau de mariage ?
7 ....... étaient-ils au total pour le repas de fête ?
8 ....... a-t-elle annulé le rendez-vous ?
9 Dis-moi, ....... d'argent de poche reçois-tu par semaine ?
10 ....... as-tu téléphoné à Géraldine ?

# 4 Les adjectifs qualificatifs

These are adjectives that are used to describe a quality or trait of a person or thing.

**Exemples :** | Sylvie est **grande** et **mince**.
Le **petit** garçon a trouvé un chat **gris**.
L'homme, **fatigué**, s'est arrêté au bord du chemin.

## L'accord en genre

- The adjective agrees in gender with the noun it describes. As a general rule, if the noun is masculine, the adjective does not change; if it is feminine, an e is added to the end of the adjective.

  **Exemples :** Le jardin est agréable et spacieux.
  Ma cousine a mis sa jolie robe à pois.

- Other feminine ending patterns:

  | Masculine | Feminine |
  | --- | --- |
  | -el (cruel) | -elle (cruelle) |
  | -en (ancien) | -enne (ancienne) |
  | -er (premier) | -ère (première) |
  | -et (muet) | -ette (muette) |
  | -eur (rieur) | -euse (rieuse) |
  | -eux (heureux) | -euse (heureuse) |
  | -f (sportif) | -ve (sportive) |
  | -on (bon) | -onne (bonne) |

- There are many irregular feminine forms that are frequently used and therefore you should learn them off by heart.

  | Masculine | Feminine | English |
  | --- | --- | --- |
  | bas | basse | *low* |
  | beau | belle | *beautiful* |
  | blanc | blanche | *white* |
  | bon | bonne | *good / right* |
  | doux | douce | *gentle* |
  | épais | épaisse | *thick* |
  | faux | fausse | *false / wrong* |
  | favori | favorite | *favourite* |
  | fou | folle | *mad* |
  | frais | fraîche | *fresh* |

  | Masculine | Feminine | English |
  | --- | --- | --- |
  | gentil | gentille | *nice / kind* |
  | gras | grasse | *fat (of meat)* |
  | gros | grosse | *large / fat* |
  | long | longue | *long* |
  | mou | molle | *soft* |
  | nouveau | nouvelle | *new* |
  | public | publique | *public* |
  | roux | rousse | *red-headed* |
  | vieux | vieille | *old* |

When an adjective describes more than one noun (masculine and feminine together), it is put in the masculine plural.

**Exemple :** Le voyageur et **les hôtesses** semblaient étonnés par cette nouvelle.

- Adjectives that derive from the names of flowers*, fruit or precious stones do not follow the general rules of agreement.

  **Exemples :** Elles ont toutes les deux les yeux noisette.
  J'adore nager dans les eaux turquoise.

***Rose** (*pink*) is an exception to this rule:

**Exemple :** Elle porte toujours des vêtements roses.

- The agreement of **compound adjectives** depends on the original words that go to make them up:
    - If the compound adjective is formed from two adjectives, both agree in gender and number with the noun.

        **Exemple :** J'adore la sauce aigre-dou**ce**. (*sweet-and-sour sauce*)

    - If the compound adjective is made up of an invariable word and an adjective, only the adjective follows the agreement rule.

        **Exemple :** Mon ami Thierry est inscrit à plusieurs activités extra-scolaires.

    - If the compound adjective describes a colour, there is no agreement.

        **Exemples :** Elle porte souvent des chemises rouge foncé.
        La moquette du salon est vert pomme.

## Exercice 14

**Find the feminine form of the adjectives in brackets to complete the sentences.**

1  Elle porte une (joli) robe à pois. Ça fait (jeune) !
2  Cette glace au chocolat est vraiment (délicieux) : je peux en reprendre ?
3  Ouf ! C'est ma (dernier) semaine avant les vacances !
4  Ma demi-sœur est très (sportif).
5  La décoration chez eux est tout à fait (original).
6  Tu es de nationalité (canadien), c'est ça ?
7  Ma cousine peut parfois être assez (jaloux).
8  Il a enfin décidé de changer sa voiture : il va en acheter une (neuf) !
9  C'est faux ! Je trouve que ta copine est une (menteur) !
10  La location d'appartement est bien plus (cher) en ville.

## Exercice 15

**In your copy replace the irregular adjectives with their feminine form.**

1  Aujourd'hui, j'ai une (long) journée : je finis à huit heures.
2  Je préfère de loin la veste (blanc) et (violet) pour sortir ce soir.
3  C'est une très (beau) bague que tu as eu !
4  Cette boisson à la menthe est très (frais) : c'est agréable quand il fait chaud.
5  Regarde ! On dirait une (faux) pièce d'identité.
6  Je dois préparer une (nouveau) collection pour le mois prochain !
7  Ils viennent d'acheter une (vieux) armoire chez un antiquaire.
8  La route pour aller chez ta mère est vraiment (long).

## L'accord en nombre

- The adjective agrees in number with the noun it describes. An **s** is added to the adjective.

  **Exemple :** Ces fleurs sont magnifiques.

- Other plural ending patterns:
  - Adjectives ending in -**s** or -**x** do not change in the plural.

    **Exemples :** un pantalon gris → des pantalons gris
    un homme heureux → des hommes heureux

  - Adjectives ending in -**au** add an -**x** in the plural.

    **Exemple :** le nouveau professeur → les nouveaux professeurs

  - Most adjectives ending in -**al** turn into -**aux** in the plural

    **Exemple :** un évènement national → des évènements nationaux

---

The following adjectives have an irregular ending in the plural:

| banal / banals | bancal / bancals | fatal / fatals | glacial / glacials | natal / natals | naval / navals |

---

### Exercice 16

**Write out the following phrases in the plural form.**

1 un manteau neuf
2 un club local
3 une chaise bleue
4 un chien peureux
5 une fille rousse

6 un accident fatal
7 une montre cerise
8 un fromage épais
9 un vent glacial
10 une étudiante prétentieuse

## La position des adjectifs

- Most adjectives come **after** the noun they describe.

  **Exemples :** Un chat **noir** dormait sur le canapé.
  L'enfant **fatigué** commençait à se frotter les yeux.
  On annonce une grève des transports **aériens**.

- Some adjectives are placed **before** the noun :

| autre | dernier | jeune | mauvais | petit | vilain |
|-------|---------|-------|---------|-------|--------|
| beau | gros | joli | méchant | premier | vrai |
| bon | grand | large | nouveau | vaste | |
| faux | haut | long | même | vieux | |

  **Exemple :** Il fait **mauvais** temps.

The following adjectives change when placed before a singular masculine word that starts with a vowel or a silent h: **beau**, **nouveau**, **vieux**. They become **bel**, **nouvel**, **vieil**.

**Exemple :** Ce **bel** immeuble est situé dans un quartier proche du centre-ville.

- Sometimes the adjective can be placed before the noun for emphasis.

  **Exemple :** C'était un **merveilleux** voyage.

- Adjectives of number are always placed before the noun.

  **Exemple :** Son bureau se trouve au **dixième** étage.

- The meaning of some adjectives may change depending on whether they are placed before or after the noun.

|         | Before the noun                             | After the noun                               |
|---------|---------------------------------------------|----------------------------------------------|
| ancien  | une ancienne école (*a former school*)      | une école ancienne (*an old school*)         |
| brave   | un brave homme (*a nice man*)               | un homme brave (*a brave man*)               |
| certain | une certaine idée (*a certain idea*)        | une idée certaine (*a definite idea*)        |
| cher    | ce cher quartier (*this dear area*)         | ce quartier cher (*this costly area*)        |
| curieux | une curieuse femme (*a strange woman*)      | une femme curieuse (*a curious woman*)       |
| drôle   | une drôle d'histoire (*a bizarre story*)    | une histoire drôle (*a funny story*)         |
| grand   | une grande actrice (*a talented actress*)   | une actrice grande (*a tall actress*)        |
| jeune   | un jeune diplômé (*a recent graduate*)      | un diplômé jeune (*a young graduate*)        |
| pauvre  | un pauvre étudiant (*a pitiful student*)    | un étudiant pauvre (*a poor student*)        |
| petit   | un petit garçon (*a young boy*)             | un garçon petit (*a small boy* (*in height*))|
| propre  | ma propre chambre (*my own bedroom*)        | ma chambre propre (*my clean bedroom*)       |

**Exercice 17**

**Translate the following sentences into French.**

1. My brother works for a big Japanese company.
2. Why don't you go to this little French café on the main street?
3. I ordered 12 white roses for her birthday.
4. Somebody left a heavy box for you at reception.
5. You will recognise her straight away: she has pink hair!
6. Julie, what a nice surprise! How are you?
7. Her new apartment is the third door on your left on the ground floor.
8. His sister shares a house with other students but she has her own room.
9. My granny is a former school teacher. She is quite old now and lives in a lovely nursing home.
10. My dear friend has just moved to Canada.

# 5 Les adjectifs possessifs

- Unlike in English, possessive adjectives agree in gender and number with the noun placed immediately after them.

**Exemple :** Mon chien s'appelle Elvis.

**Chien** is masculine in gender and singular in number. It belongs to me, regardless of whether I am a female or male person.

| Masculine singular | Feminine singular | Plural |
|---|---|---|
| mon | ma | mes |
| ton | ta | tes |
| son | sa | ses |
| notre | notre | nos |
| votre | votre | vos |
| leur | leur | leurs |

- Feminine nouns beginning with a vowel or silent h take the masculine form of the possessive adjective – **mon**, **ton** and **son** – rather than **ma**, **ta** and **sa**.

**Exemples :** C'est mon habitude de me lever à sept heures.
Son amie habite dans le sud.

## Exercice 18

**Choose the right possessive adjective from the three options given.**

1 Il fait froid dehors : tu devrais prendre ....... manteau. (ses/ton/ma)

2 Elle pourra me prêter ....... chaussures noires ? (sa/ses/notre)

3 ....... chocolats sont tous faits maison ? (vos/leur/nos)

4 Anne et Ahmel ont ouvert ....... boutique de mode en septembre. (leur/votre/son)

5 Justine ? ....... oncle habite en Suisse maintenant. (sa/ma/son)

## Exercice 19

**Complete the sentences with the right possessive adjective. In some cases, more than one option is possible.**

1 ....... bureau se trouve à une demi-heure de chez moi en tramway.

2 Allô ! Police ? ....... maison a été cambriolée dans la nuit.

3 Madame Pradoux ! Ouvrez ....... porte, s'il vous plaît.

4 Nous avons un remplaçant. ....... professeur de biologie est en congé maternité.

5 Papa, je crois que j'ai trouvé ....... portable !

6 Martin, c'est dommage que ....... cousines habitent si loin !

7 Dis donc, il n'est pas un peu stressé ....... frère ?

8 Je peux prendre ....... voiture mardi prochain ?

9 Ils sont vraiment bizarres, ces gens-là ! ....... enfants s'appellent Tulipe, Bégonia et Jasmine !

10 Félicitations ! ....... femme vient d'être élue pour représenter ....... ville !

## Possession

The idea of possession or ownership in English can be conveyed by adding an apostrophe **s** ('s) after the owner of an item. In French this is always conveyed by using **de** or **d'** followed by the noun (i.e. the person or thing that 'owns' the item you are referring to).

| **Exemples :** | C'est la voiture de Marc. | *That is Marc's car* |
| | C'est la maison de ma sœur. | *It is my sister's house.* |
| | C'est le fils des Durand. | *He is the son of the Durands.* |

When followed by a noun, **de** is combined with **le**, **la**, **l'** or **les**, and the following changes occur:

- **de + le = du** in front of a masculine noun: la voiture **du** directeur (*the director's car*)
- **de + la = de la** in front of a feminine noun: l'écharpe **de la** dame (*the lady's scarf*)
- **de + l' = de l'** in front of a vowel or silent h: la carte **de l'**étudiant (*the student's card*)
- **de + les = des** in front of a plural noun: les livres **des** étudiants (*the students' books*)

### Exercice 20

**Fill in the blanks in the following sentences using de, du, de la, de l' or des.**

1. C'est la maison ....... Durand, tu crois ?
2. Il a l'impression de connaître les parents ....... Chloé.
3. Le bureau ....... jeune homme était vraiment en désordre.
4. Tu as vu le sac à main ....... nouvelle secrétaire ? C'est un Dior !
5. Les peintures ....... artiste Amaxti sont très abstraites.
6. Le parfum ....... Johnny est plutôt fort, tu ne trouves pas ?

# 6 Les adjectifs interrogatifs

- **Quel** (the French equivalent of 'which' or 'what') is used in questions in which you are trying to find the answer to the question 'Which one?' or 'Exactly what?' and is always based on a noun or noun phrase.

- Because it is an adjective, **quel** has to agree in gender and number with the noun it modifies. Look at the different forms of **quel**:
  - **Quel** est votre nom ? (*masculine*)
  - **Quelle** est votre musique préférée ? (*feminine*)
  - **Quels** sports pratiquez-vous ? (*masculine plural*)
  - **Quelles** sont vos matières préférées ? (*feminine plural*)

- Basically, **quel** is used whenever you want specific information about a noun.

| **Exemple :** | Sophie m'a prêté un CD. Quel CD ? | *Sophie lent me a CD. Which CD?* |

- Like most question words, **quel** can be used with all types of questions, but it is mainly used with **Est-ce que** or inversion.

- **Quel** can be used after a preposition.

**Exemples :** 
> À quelle heure veux-tu partir ?
> De quels professeurs est-ce qu'il parle ?

- **Quel** can stand alone, followed by **être**.

**Exemples :**
> Quel est le problème ?
> Quelle est la différence ?

- **Quel** can also be used as an exclamatory adjective.

**Exemples :** 
| Quel dommage ! | What a pity! |
| Quelle surprise ! | What a surprise! |

## Exercice 21

**Write questions to which these sentences could be the answers, using either quel, quelle, quels or quelles.**

1. Mon groupe favori, c'est Beyrouth. Tu connais ?
2. Elle préfère partir vers les huit heures.
3. C'est dans la direction de Montpellier.
4. Mon chien ? Il aura bientôt 12 ans.
5. Je déteste le chou-fleur.
6. Ils aimeraient habiter à Barcelone.
7. Elle a cours le mercredi et le samedi matin.
8. Mes numéros de chance au loto sont le 4 et le 27 !
9. J'adore l'orange et le bleu en vernis à ongles !
10. Mes cousines arrivent de Londres lundi prochain.

## Exercice 22

**Complete the sentences with the appropriate form of quel.**

1. ....... soirée ! On a dansé jusqu'à trois heures du matin !
2. Il n'arrêtait pas de raconter des histoires drôles. ....... fou rire on a pris !
3. Pour Halloween, j'ai regardé un film d'épouvante. ....... peur ! J'ai fermé les yeux pendant la moitié du film !
4. ....... horreur ! Il y avait une énorme araignée dans ma chambre.
5. Ah ! ....... idiots ! Ils ont oublié de fermer les fenêtres de la voiture !
6. On a passé deux semaines en Grèce cet été : ....... vacances de rêve ! Ah, la nourriture, ....... délice !

# 7 Les articles

## Les articles indéfinis

- There are **three** indefinite articles in French. The singular indefinite articles **un** and **une** correspond to 'a', 'an' or 'one' in English. The plural, **des**, corresponds to the word 'some'. It is essential to learn the gender of nouns: you will need to know which articles to use and how to form the agreement of adjectives, pronouns and so on.

| Article indéfini | Exemples |
|---|---|
| un (*masc. sing.*) | un bateau, un appartement |
| une (*fem. sing.*) | une maison, une armoire |
| des (*masc./fem. pl.*) | des maisons, des appartements |

- The indefinite article usually refers to an unspecified person or thing.

| **Exemples :** | J'ai trouvé un parapluie. | *I found an umbrella.* |
|---|---|---|
| | J'ai parlé à une femme. | *I talked to a woman.* |

- The indefinite article can also refer to just one thing or person out of many.

| **Exemples :** | Il y a un étudiant dans la salle. | *There is one student in the room.* |
|---|---|---|
| | Il n'y avait qu'une chambre de libre. | *There was only one bedroom left.* |

- The plural indefinite article (**des**) means 'some', which is often left out in English.

| **Exemple :** | J'ai acheté des haricots verts. | *I bought some green beans. / I bought green beans.* |
|---|---|---|

- When refering to a person's profession, the indefinite article is not used in French, although it is used in English.

| **Exemple :** | Je suis professeur. | *I am a teacher.* |
|---|---|---|

- In a negative construction, the indefinite article changes to **de** on its own (or **d'** if followed by a vowel or mute h), meaning 'any'.

| **Exemples :** | J'ai une sœur. | *I have one sister.* |
|---|---|---|
| | Je n'ai pas **de** sœur. | *I don't have any sisters.* |
| | J'ai un appartement. | *I have an apartment.* |
| | Je n'ai pas **d'**appartement. | *I don't have an apartment.* |

- When an adjective precedes a noun in the plural form, **des** is replaced by **de**.

| **Exemple :** | J'ai acheté **de** jolies fleurs. | *I bought some pretty flowers.* |
|---|---|---|

## Les articles définis : le/la/les/l'

- The French definite articles (**le**, **la**, **l'** and **les**) all correspond to 'the' in English.

| Article défini | Exemples |
|---|---|
| le (*masc. sing.*) | le bateau |
| la (*fem. sing.*) | la maison |
| l' (*masc./fem. before vowel or mute h*) | l'appartement |
| les (*masc./fem. pl.*) | les chaussures |

- The definite article refers to a specific noun.

| **Exemples :** | **Le gâteau** de Julie est meilleur. | *Julie's cake is better.* |
|---|---|---|
| | C'est **la maison** que j'ai visitée. | *It is the house I visited.* |

- The definite article is also used in French to indicate the general sense of a noun, and to express a taste or a feeling about something (often with **aimer**, **adorer**, **détester**, **préférer**). The article is not used in this sense in English.

| **Exemples :** | Je n'aime pas **les légumes**. | *I don't like vegetables.* |
|---|---|---|
| | Elle adore étudier **le français**. | *She loves studying French.* |

- When using the singular definite article, you need to pay attention to which letter the noun begins with. If it begins with a vowel or a silent h, **le** and **la** become **l'**. When using the plural definite article, there is no change.

| **Exemples :** | **L'amie** de Pauline est ici. | *Pauline's friend is here.* |
|---|---|---|
| | Je connais **les amies** de Pauline. | *I know Pauline's friend.* |

## Les articles partitifs : du / de la / des / de l'

- The partitive articles in French correspond to the words 'some' or 'any' in English.

  There are four partitive articles (or three, if you don't include **des**, which is actually the plural indefinite article).

| Masculine singular | Feminine singular | Before vowel or mute h | Plural |
|---|---|---|---|
| du | de la | de l' (*masc./fem.*) | des |
| du fromage | de la confiture | de l'eau | des fruits |
| du thé | de la glace | de l'huile | des pommes |

- The partitive article indicates an unknown quantity (usually food or drink), and is also used with the verb **faire** when referring to activities or topics. It is often omitted in English.

| **Exemples :** | Avez-vous bu **du** café ? | *Did you drink any coffee?* |
|---|---|---|
| | Tous les jours, je mange **de la** salade. | *Every day I eat some salad.* |
| | Je fais **du** foot chaque week-end. | *I play football every weekend.* |
| | L'année dernière, j'ai fait **de la** comptabilité. | *Last year I did accountancy.* |

> **de/d'** and not **des** should be used with an adjective before a plural noun.
>
> **Exemple :** J'ai visité **de** grands bâtiments modernes.

- The form **de/d'** is used after expressions of quantity (and nothing else).

| | | |
|---|---|---|
| assez de/d' | trop de/d' | une quantité de/d' |
| beaucoup de/d' | un kilo de/d' | une semaine de/d' |
| combien de/d' | un grand nombre de/d' | un verre de/d' |
| énormément de/d' | un tas de/d' | |
| peu de/d' | une douzaine de/d' | |

**Exemples :** Il y a beaucoup de monde à l'exposition.
J'ai un tas de devoirs à faire ce week-end.
Elle n'a pas assez d'argent pour partir en vacances.
Un grand nombre d'entre nous ne parlait pas espagnol.

## Exercice 23

**Complete the sentences using one indefinite article.**

1 Pierre, il y a ....... personne qui t'attend à la réception.

2 Tu as vu, il y a ....... maisons toutes neuves dans ce quartier.

3 J'ai enfin reçu ....... email de ma sœur qui habite en Australie !

4 Tu veux bien acheter ....... chips pour le pique-nique ?

5 J'ai emprunté ....... DVD mais il ne marchait pas.

6 Il y a ....... fille qui attend devant la vitrine de chez Marilou.

## Exercice 24

**Complete the sentences using a definite article.**

1 Je n'aime pas ....... personne qui vient d'entrer.

2 Tu peux me rendre ....... livre que je t'ai prêté ?

3 Vous êtes montés en haut de la tour Eiffel par ....... escaliers ou ....... ascenseur ?

4 En général, je déteste ....... sport mais j'aime bien ....... athlétisme.

5 ....... gâteau d'anniversaire était vraiment excellent.

6 Vous avez vu ....... livres qui étaient sur la table ?

**Complete the sentences using a partitive article.**

1 Excuse-moi, mais j'ai besoin ....... table et ....... chaises pour la réunion de ce soir.

2 Vous buvez ....... chocolat ou ....... café au petit déjeuner ?

3 Tu as ....... chance de pouvoir partir en vacances pour un mois !

4 J'ai oublié de mettre ....... eau dans la bouilloire électrique.

5 Tu fais ....... sport dans ton lycée ?

6 Je crois que tu as encore fait trop ....... erreurs de conduite.

**Ressources supplémentaires en ligne**

Consultez le site **www.edco.ie/mosaique** pour tester plus amplement vos connaissances et pratiquer votre français en utilisant les ressources suivantes :

- activités auditives interactives
- activités grammaticales interactives
- entretiens sous forme de vidéos, avec fiches pédagogiques correspondantes.

# MODULE B
## Les jeunes

## Table des matières

**Aide-mémoire**

## Mes potes

Unité **1**

### 1 L'amitié

**1.1** Choisissez quatre des mots-clés ci-dessous pour décrire par écrit vos amis/amies comme dans l'exemple.

> **Exemple :** Avec mes amis/amies, nous avons les mêmes centres d'intérêt : la musique surtout et aussi la mode.

**souvenirs** prêter **amitié**

proche **bande** personnalité **copains** rire **partage**

caractère goûts **rire** fraternité

**intérêt** goûts **confiance**

**1.2** L'amitié, c'est quoi ? Lisez les phrases ci-dessous puis dites si vous êtes d'accord et pourquoi. Par groupes de deux ou trois, définissez l'amitié en quelques mots.

**A** C'est être présent dans les bons et les mauvais moments.

**B** C'est partir en vacances ensemble.

**E** C'est passer du temps ensemble le plus souvent possible.

**C** C'est s'entraider avec les devoirs et les examens.

**D** C'est discuter de tout et de rien.

**1.3** Écoutez Naoufel et Inez nous parler de leur meilleur(e) copain/copine, puis répondez aux questions suivantes.

**Naoufel**

1 How old is Mathias?
2 Mathias lives in the same area as Naoufel. True or false?
3 Name one thing Naoufel likes that Mathias doesn't.
4 What do Naoufel and Mathias fight about and why?
5 Mention one thing Naoufel says about Mathias's personality.

**Inez**

6 How did Inez and Delphine meet?
7 How do they communicate?
8 How often do they meet?
9 How different are Inez and Delphine? (Two points)
10 What does Inez really like about her?

  **1.4** Travaillez à deux pour répondre aux questions suivantes en vous aidant des phrases utiles ci-dessous. Ensuite notez vos réponses dans votre cahier.

1 Avez-vous un(e) meilleur(e) ami(e) ? Donnez son nom et son âge.
2 Comment vous êtes-vous rencontré(e)s ? Pour quelle occasion ?
3 Depuis combien de temps vous connaissez-vous ?
4 Quel caractère a-t-il/elle ?
5 Quelles différences y a-t-il entre vous et lui/elle ?
6 Quels points communs avez-vous avec lui/elle ?
7 Quelles activités partagez-vous ?

> ### Phrases utiles
>
> Je le/la connais depuis …
> On s'est rencontré(e)s …
> Nous avons grandi ensemble.
> Nous habitons le même quartier.
> Nous avons le même âge.
> Il/elle est plus vieux/vieille / âgé(e) / jeune que moi
> Nous sommes dans la même classe.
> se détendre / s'amuser / partager des problèmes / s'entraider
> Avec lui/elle, je passe des heures à … (+ *infinitif*)
> Ensemble, nous adorons …
> Nous avons les mêmes goûts, comme …

**1.5** Sélectionnez une des citations mentionnées puis réagissez par écrit. (*75 mots environ*)

A

« Un ami est celui qui vous laisse l'entière liberté d'être vous-même. »

Jim Morrison, chanteur américain, (1945–71)

**Consultez** l'aide-mémoire

Pour écrire un essai, voir pp. 298–301.

B

« Plusieurs personnes entrent et sortent de nos vies, seuls les vrais amis laissent une empreinte sur nos cœurs. »

**Antoine Chuquet, écrivain français (1905–82)**

« ON NE CONNAÎT PERSONNE SINON PAR L'AMITIÉ. »

C

SAINT-AUGUSTIN, PHILOSOPHE (354–430)

## Phrases utiles

se confier, dire ce que l'on a sur le cœur

rire, rigoler, avoir un fou rire

(se) réconforter / s'épauler / se serrer les coudes / se remonter le moral

être complice / être comme les deux doigts de la main

être à l'écoute / disponible

être franc(he)

partager les bons moments / les joies

partager les mauvais moments / les ennuis / les pépins / les galères

échanger des petits secrets / des potins / des blagues

être sur la même longueur d'onde

délirer

**1.6** Lisez les situations ci-dessous puis choisissez pour chacune d'elle la réponse qui vous correspond le mieux. Consultez alors les résultats pour connaître votre profil.

## Psycho-test

**1** Ta copine et toi, vous êtes amoureuse de la même personne ! Que faire ?

- ○ Vous faites pile ou face avec une pièce de deux euros.
- ■ C'est chacune pour soi.
- ★ Pas de soucis ! Il y a le choix autour de moi.

**2** Samedi soir, tu dois sortir en boîte avec ton/ta meilleur(e) ami(e) mais tu n'as pas trop le moral.

- ○ Tu l'appelles pour lui dire et espère qu'il/elle comprendra.
- ■ Tu lui dis que tu es malade.
- ★ Tu y vas quand même. Ce n'est pas cool d'annuler à la dernière minute !

**3** Quand on te parle de Coralie ou de Dylan :

- ○ Tu connais sa famille, ses coups de cœurs, ses points faibles, enfin tout quoi !
- ■ Coralie ? Dylan ? Tu la/le croises dans les couloirs du lycée ou en ville.
- ★ Oui, tu t'entends bien avec elle/lui. Elle/il est dans ta bande.

**4** Hier, tu t'es disputé(e) avec ton/ta meilleur(e) ami(e).

- ○ Ça a duré environ cinq minutes et après ça, vous avez éclaté de rire tellement c'était ridicule !
- ■ Tu ne lui parles pas depuis. Envoyer un texto pour t'excuser ou pas ?
- ★ Vous vous êtes contacté(e)s via Facebook pour vous expliquer.

**5** L'année prochaine, votre copain/copine déménage dans une autre région.

- ○ Heureusement qu'il y a Skype pour discuter pas cher !
- ■ On pourra toujours se voir pendant les vacances.
- ★ Facebook nous permettra de rester en contact. C'est sûr.

### Résultats

- **Vous avez un maximum de ○ :** Les amis sont essentiels à votre vie. Vous passez beaucoup de temps avec eux, que ce soit pour des virées* shopping, des soirées ou des matchs de foot ! Ils sont là pour vous et vous êtes là pour eux à tout moment. Votre meilleur(e) ami(e) est votre âme-sœur.

- **Vous avez un maximum de ■ :** L'amitié est un sentiment fort quand on est adolescent et les relations entre copains et copines ne sont pas toujours faciles ! Vous faites plein de trucs ensemble, mais la compétition est là malgré tout.

- **Vous avez un maximum de ★ :** Les copains/copines sont là pour vous épauler et vice versa. Vous partagez de bons moments avec la bande que ce soit au lycée ou le week-end. Vous aimez aussi voir de nouvelles têtes plutôt que de vivre une amitié trop exclusive.

**1.7** Écoutez cette présentation des trois comédies dramatiques de Cédric Klapisch, *L'Auberge espagnole*, sortie en 2002, *Les Poupées russes* (2005) et *Casse-tête chinois* (2013) ; puis répondez aux questions ci-dessous en anglais.

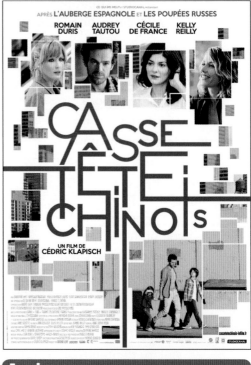

### Section 1

1  Why does Xavier decide to go to Barcelona? Give two reasons.
2  How long has he been living with Martine?
3  What characterises his new flatmates?

### Section 2

4  How does Xavier meet Wendy?
5  What type of work does he do?
6  Who lives in St Petersburg?

### Section 3

7  What does Isabelle ask Xavier before going to New York?
8  How old is Xavier now?
9  Why does Xavier move to New York?
10  Name two of the themes that feature in *Casse-tête chinois*.

**Lexique**

\* L'expression « un casse-tête chinois » signifie une situation compliquée.

**1.8**  « La ronde »

**Lisez le texte ci-dessous puis répondez aux questions qui suivent.**

*Martine et son amie Titi se retrouvent pendant la pause déjeuner. Ensemble, elles vont faire une épreuve dangereuse pour être acceptées par la bande.*

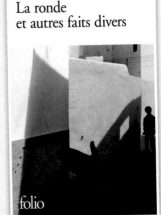

J.M.G. Le Clézio
La ronde
et autres faits divers

folio

1  Les deux jeunes filles ont décidé de se rencontrer là, à l'endroit où la rue de la Liberté s'élargit pour former une petite place. Elles ont décidé de se rencontrer à une heure, parce que l'école de sténo commence à deux heures, et que ça leur laisse tout le temps nécessaire. Et puis, même si elles arrivaient en retard ? Et quand bien même elles seraient renvoyées de l'école, qu'est-ce que ça peut faire ? C'est ce qu'a dit Titi, la plus âgée, qui a des cheveux rouges, et Martine a haussé les épaules, comme elle fait toujours quand elle est d'accord et qu'elle n'a pas envie de le dire. Martine a deux ans de moins que Titi, c'est-à-dire qu'elle aura dix-sept ans dans un mois, bien qu'elle ait l'air d'avoir le même âge. Mais elle manque un peu de caractère, comme on dit, et elle cherche à dissimuler sa timidité sous un air renfrogné, en haussant les épaules pour un oui pour un non, par exemple. […]

→

**2** Pourtant quand elle est arrivée dans la rue de la Liberté, près de la place, Martine a senti son cœur tout d'un coup qui paniquait. C'est drôle, un cœur qui a peur, ça fait « *boum, boum, boum* », très fort au centre du corps, et on a tout de suite les jambes molles, comme si on allait tomber. Pourquoi a-t-elle peur ? Elle ne sait pas très bien, sa tête est froide, et ses pensées sont indifférentes, même un peu ennuyées ; mais c'est comme si à l'intérieur de son corps il y avait quelqu'un d'autre qui s'affolait. En tout cas, elle serre les lèvres et elle respire doucement, pour que les autres ne voient pas ce qui se passe en elle.

**3** Titi et son ami sont là, à califourchon* sur les vélomoteurs.* Martine n'aime pas l'ami de Titi ; elle ne s'approche pas de lui pour ne pas avoir à l'embrasser. Titi, ce n'est pas pareil. Martine et elle sont vraiment amies, surtout depuis un an, et pour Martine, tout a changé depuis qu'elle a une amie. Maintenant elle a moins peur des garçons, et elle a l'impression que plus rien ne peut l'atteindre, puisqu'elle a une amie. Titi n'est pas jolie, mais elle sait rire, et elle a de beaux yeux gris-vert ; évidemment ses cheveux rouges sont un peu excentriques, mais c'est un genre qui lui va. Elle protège toujours Martine contre les garçons. Comme Martine est jolie fille, elle a souvent des problèmes avec les garçons, et Titi lui vient en aide, quelquefois elle sait donner des coups de pieds et des coups de poing.*

J.M.G. Le Clézio, *La ronde et d'autres faits divers* © Éditions Gallimard

> **Lexique**
> à califourchon = *astride*
> un vélomoteur = *a moped*
> un coup de poing = *a punch*

### Questions

**1** **a** Titi et Martine doivent être de retour à l'école pour deux heures. Vrai ou faux ? (Section 1)

   **b** Comment peut-on distinguer Titi des autres filles ? (Section 1)

**2** Dans la première section, trouvez un synonyme de « de mauvaise humeur ».

**3** Trouvez un verbe au passé composé dans la deuxième section.

**4** Dans la deuxième section, Martine entre dans la rue de la Liberté et elle …

    i) sent qu'elle est suivie par quelqu'un

    ii) sent son cœur s'arrêter un instant

    iii) est effrayée sans savoir pourquoi

    iv) ne veut pas voir ses amis.

**5** **a** Dans la troisième section, relevez une expression qui indique que Titi est une personne très importante dans la vie de Martine.

   **b** Comment sait-on que Titi est comme un ange gardien pour Martine ? (Section 3)

**6** Titi and Martine have different physical and personality traits. Find references from the text to support your answer. (*75 words*)

## 2 Le/la petit(e) ami(e)

**2.1** Allez sur un moteur de recherche en ligne et tapez « Non, Non, Non » et « Camélia Jordana » pour écoutez cette chanson dans laquelle la narratrice a un coup de blues suite à une rupture avec son petit ami. Remplissez les blancs (dans vos cahiers) avec les mots entendus.

**Non, non, non**
Combien de fois faut-il
Vous le dire avec style
Je ne veux pas (1) ....... au Baron ?

*Refrain :*
Non, non, non, non
Je ne veux pas prendre l'air
Non, non, non, non
Je ne veux pas (2) .......
Non, non, non, non
Je ne veux pas l'oublier
Non, non, non, non
Je ne veux pas m'en (3) .......
Je veux juste
Aller (4) ....... et y'a pas de mal à ça
Trainer, manger que dalle
Écouter Barbara
Peut-être il (5) .......

Non, je ne veux pas faire un tour
À quoi ça sert de faire un tour
Non, je ne veux pas me défaire
De ce si bel enfer
Qui commence à me plaire
Je ne veux pas quitter (6) .......

(*Refrain*)

Non, je ne veux pas aller mieux
À quoi ça sert d'aller mieux
Non, je ne veux pas (7) .......
Non plus me maquiller
Laissez-moi m'ennuyer
Arrêtez avec (8) .......

(*Refrain*)

« Non, Non, Non » de Camélia Jordana, paroles et musique de Edouard Ficat, N. Cosnerfroy, Laurent Lescarret. *Camélia Jordana* (2010)

**2.2** Lisez les descriptions des huit personnes suivantes, puis formez des couples en disant quelles personnes sont compatibles et lesquelles ne le sont pas. Justifiez vos choix, à l'écrit ou à l'oral.

# Les filles

### Léa

Les études, c'est pas mon truc ! Après le bac, je veux voyager un an ou deux, découvrir le monde. Je sors presque chaque week-end et j'adore organiser des fêtes. J'adore le ciné et promener mon chien, D'Artagnan.

### Galafée

Passionnée d'écriture, j'ai créé le magazine d'ado de mon lycée. Plus tard, je voudrais être écrivaine. Je ne peux pas me passer de réseaux sociaux et je vérifie constamment mon portable. Comme musique, j'écoute de tout sauf de la musique classique.

### Natacha

Je suis fana de sport et je fais des randonnées presque chaque week-end avec mon père. Je déteste rester à l'intérieur. Un jour, j'aimerais bien devenir guide de haute montagne. Le mercredi, je vais promener des chiens de la SPA.

### Margot

Je m'intéresse beaucoup à la musique et également à la mode. J'ai créé un blog de mode. J'écris des petits articles deux ou trois fois par semaine, sur les tendances mode, je donne des astuces maquillage. Le week-end, j'adore faire les boutiques avec ma meilleure copine Jenny. Pour manger, c'est uniquement bio !

# Les garçons

### Fred

Dans mon lycée, je suis le champion des jeux vidéo ! J'ai gagné un concours régional et plus tard, j'aimerais concevoir des jeux. Mes parents viennent de m'acheter le dernier iPad Air que j'emmène partout avec moi pour l'instant.

### Martin

La musique, c'est ma vie ! Je joue du piano et de la guitare et espère passer à l'émission *Popstar* un jour. Toujours bien habillé, j'aime avoir un style bien à part. Une fois par mois je joue en concert dans un café avec mon groupe rock.

### Matthieu

Toujours blagueur et optimiste, j'aime la nature et les sports de glisse comme le surf. Également très écolo, je participe à une campagne de promotion pour une communauté plus verte. Je fais également partie d'une association locale de solidarité avec les jeunes réfugiés.

### Kamil

Je suis fou de photographie et j'aimerais faire un tour d'Europe en train avec des copains pour prendre un maximum de photos. Je fais partie du club d'aïkido de mon quartier. L'été, je suis moniteur dans un camp pour enfants handicapés.

## Phrases utiles

À mon avis, X et Y sont compatibles car …

être incompatible

Ils sont le plus / le moins compatibles parce que …

Côté sport / musique / caractère, je crois que …

Ils sont / aiment tous les deux …

Il/elle est plutôt / assez …

avoir les mêmes goûts

Ils partagent les mêmes intérêts.

Ils n'ont rien en commun.

être identique / similaire

**2.3** Écrivez un paragraphe d'environ 75 mots répondant aux questions ci-dessous.

- Avez-vous un(e) petit(e) ami(e) ?
- Si oui, comment vous êtes-vous rencontrés ?
- Qu'est-ce qui vous attire chez lui/elle ?
- Si non, quel type de personne recherchez-vous ?

**Consultez**
l'aide-mémoire

Pour le passé composé,
voir pp. 123–127.

**2.4** Écoutez les deux extraits dans lesquels Carole et Luke nous parlent de leur petit(e) ami(e), puis répondez aux questions ci-dessous.

### Carole

1 At what event did Carole meet Elio?
2 Elio is older than Carole. True or false?
3 Elio is in the same school as Carole. True or false?
4 What did they talk about when they first met?
5 Give one detail about Elio.
6 How do Carole and Elio keep in touch?

### Luke

7 Where did Luke meet Emma?
8 How long ago did they meet?
9 Luke knew Emma before the trip. True or false?
10 Give two details about Emma.
11 Why couldn't Luke meet Emma in the evenings?
12 What did Emma get Luke at the end of the trip?

**2.5** Courrier du cœur : lisez la lettre de P.F. puis répondez-lui en lui donnant des conseils par écrit. (*75 mots environ*)

Je pars à 20 000 km de mon copain ... J'habite la Nouvelle-Calédonie et je vais rejoindre la métropole pour un an. Le problème, c'est que je suis très amoureuse de lui, et penser que je ne le verrai plus pendant si longtemps me ronge de l'intérieur ... Y a-t-il une autre solution qu'une rupture ? Est-ce possible d'aimer quelqu'un sans le voir ? N'aimerai-je pas le souvenir de lui et non ce qu'il sera devenu ? [...] Je ne sais plus quoi faire ...
P.F.

© Bayard Presse,
*Phosphore*,
juin / juillet 2013

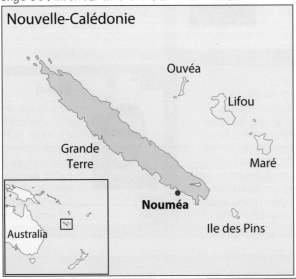

Nouvelle-Calédonie

Ouvéa
Lifou
Grande Terre
Maré
**Nouméa**
Australia
Ile des Pins

**Consultez**
l'aide-mémoire

Pour réviser comment écrire une lettre informelle, voir pp. 178–81 ; pour réviser comment écrire un journal intime, voir pp. 42–44.

**Phrases utiles**

être attiré(e) par
se demander pourquoi
être courageux(-euse), avoir le courage de
renforcer les sentiments
garder espoir, ne pas désespérer
communiquer
mieux comprendre
une relation à distance

**2.6** Vous avez fait un stage de langue à Bordeaux pendant les dernières grandes vacances, et vous êtes tombé(e) amoureux(-euse) d'un garçon / d'une fille du groupe. Ça a été le coup de foudre et vous espérez vous revoir aux vacances de Noël. Vous écrivez un mot dans votre journal intime : décrivez cette personne, comment vous vous êtes rencontrés, et quels sentiments vous ressentez. (*75 mots environ*)

# Que faire de son temps libre ?

## 1 Mes loisirs

**1.1** Choisissez deux ou trois de vos activités préférées de la liste ci-dessous, puis oralement ou par écrit, dites avec qui, quand et où vous pratiquez ces activités.

**Exemple :** écouter de la musique

Moi, j'écoute de la musique sur mon portable pratiquement tous les jours dans le bus, quand je vais au lycée ou sinon quand je suis chez moi.

jouer sur l'ordinateur / à la console / sur la Wii

faire du lèche-vitrines / du sport / des balades

télécharger de la musique

s'entraîner

VISITER UN MUSÉE

envoyer un email / des textos

tchatter en ligne

assister à un concert

aller voir une exposition / un match

surfer sur Internet

écouter de la musique

lire un magazine / un roman

téléphoner aux copains/copines

aller au cinéma / en boîte / au théâtre / au club de ...

louer un DVD

### Phrases utiles

| | |
|---|---|
| une / deux fois par semaine / mois | J'en fais ... / Je n'en fais pas ... |
| trois heures par jour | Il m'arrive d'en faire surtout ... |
| Je ne joue jamais ... | Je passe deux heures à ... |

**1.2** Lisez la bande dessinée (BD) de Claire Brétecher ci-dessous. D'abord, décrivez ce qui se passe sur chaque vignette. Ensuite, notez les activités proposées et les réactions qu'elles provoquent.

**Consultez**
l'aide-mémoire

Pour la négation,
voir pp. 118–121.

**Exemple :** Dans la première case, ...

Agrippine est entourée de ses amis. Tous sont assis par terre au milieu des détritus du déjeuner. Ils s'ennuient et se demandent que faire. Quelqu'un propose de regarder la télé. Une personne n'est pas d'accord parce qu'il n'y a que des émissions pour enfants.

**Lexique**

on s'embête = on
s'ennuie

**1.3** Écoutez deux adolescents parler des activités qu'ils pratiquent, puis répondez aux questions dans votre cahier.

### Denis

1 Name two sports Denis likes to do.
2 When did his friend Vincent start skateboarding?
3 Why is it important for Denis to spend time outdoors?
4 Besides listening to music, name one thing he likes doing at home.
5 What does Denis say about music?

### Sarah

6 Sarah buys fashion magazines. True or false? Give a reason for your answer.
7 What does she do in the evenings after finishing her homework?
8 Who does she go shopping with?
9 What activity does she do regularly in the evenings?
10 Sarah likes going to the cinema, but what other comment does she make about going out to the cinema?

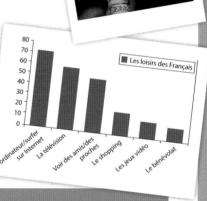

**1.4a** Lisez les résultats d'un sondage récent à propos des loisirs des Français. Réagissez oralement ou par écrit en vous aidant des phrases utiles données.

| Phrases utiles | |
|---|---|
| D'après le sondage … | Pour moi, … |
| Je suis étonné(e) / surpris(e) par … | Mon loisir préféré, c'est … |
| Ce sondage / cette enquête montre que … | Il est intéressant de voir que … |

**1.4b** Par groupes de deux ou trois, réalisez un sondage dans votre classe selon les catégories ci-dessus et comparez les réponses obtenues.

 **Attention aux faux amis !**

| | |
|---|---|
| un conservatoire = *a music academy* | *a conservatory* = une véranda |
| disposer de = *to have* | *to dispose of* = se débarrasser de |
| une partie (de cartes, de pétanque, etc.) = *a game (of cards,* pétanque, *etc.)* | *a party* = une fête |
| un programme (de cinéma, de théâtre, de télé) = *a guide* | *a TV or radio programme* = une émission de télé, de radio |
| une séance = *time of a film (cinema)* | *a seance* = une rencontre avec un(e) voyant(e) |
| supporter = *to bear, stand, endure, put up with, to support (e.g. a football team or political party)* | *to support* = soutenir, aider, encourager, parrainer |
| visiter = *to visit a place* | *to visit* = rendre visite à un ami, un proche ; visiter un endroit ; consulter (un docteur) |

# 2 Qu'est que qu'il y a à la télé ?

**2.1a** Dans un premier temps, lisez les questions 1 à 8 puis reliez-les aux réponses correspondantes.

**1** Regardez-vous la télévision ?

**2** Quel support utilisez-vous ?

**3** Quels types d'émissions préférez-vous ?

**4** Pourquoi regardez-vous ces émissions ?

**5** Discutez-vous de certaines émissions de télé avec vos amis ?

**6** En moyenne, combien d'heures passez-vous devant la télé en semaine et le week-end ?

**7** Combien de télévisions avez-vous chez vous ?

**8** Pourriez-vous vous passer de la télévision ? Pourquoi? / Pourquoi pas ?

**a** J'aime bien les émissions de télé-réalité et les comédies américaines.

**b** Je pense que non en fait parce que ça me permet de me déstresser et de me tenir au courant de ce qui se passe aussi.

**c** Oui, on parle des émissions de musique comme *Popstars* et des émissions de cuisine et de défi comme *Top chef*. On discute surtout des candidats.

**d** Oui, bien sûr, comme tout le monde je crois !

**e** Environ deux heures en semaine et aux alentours de six le week-end

**f** Nous en avons deux : une télé grand écran plat dans le salon et une autre, plus petite, dans la cuisine.

**g** Il m'arrive de regarder une émission en différé sur mon portable car j'ai un réseau haut débit ou parfois sur mon ordinateur. Je préfère quand même la télé car l'écran est plus grand.

**h** Elles sont assez prenantes parfois et marrantes mais surtout distrayantes.

**2.1b** Ensuite, donnez vos réponses personnelles oralement ou par écrit.

| Phrases utiles | |
|---|---|
| une chaîne de télé / une chaîne câblée | rester devant la télé / être collé / scotché devant l'écran |
| un satellite | Je suis fana de … / accro de … |
| une rediffusion | Je suis fou/folle de … |
| enregistrer une émission | |
| suivre un feuilleton | Pour me divertir / me reposer / rigoler / échapper à … |
| allumer / éteindre | |
| Cette émission passe le mardi soir à 20h30, sur … | Cette émission est drôle / amusante / captivante / intéressante |

**Écoutez les différentes conversations puis répondez aux questions ci-dessous.**

### Un homme à la retraite

1 This retired man watches the breakfast TV news show *Télématin*. What happens every half-hour during the show?

2 What comment does he make about the presenter? Give two details.

3 What other type of programme is he fond of?

### Hadrien

4 Hadrien watches the channel *L'Équipe 21*. What type of channel is it?

5 What does he like about this particular channel?

6 Why does Hadrien watch television? Give two details.

7 How many hours of TV does he watch each week?

### Mina

8 Why can it be a problem to watch TV in Mina's home?

9 Give three details about the programme she follows at the moment, *Nos chers voisins*.

10 Why does she not like reality TV?

11 What does she like doing with her friends at the weekend?

### Céline

12 For what reason(s) does Céline enjoy watching TV?

13 What type of programmes is she interested in? Name two.

14 What does she do with her daughter, Pauline, at the weekend?

15 Why does she prefer to watch French series rather than American ones?

**2.3** **Lisez le texte ci-dessous puis répondez par écrit aux questions qui suivent.**

1 Aux origines. « Tout est parti de cette idée : mettre en scène des jeunes scientifiques très intelligents mais qui ne comprennent rien aux relations sociales et ajouter une fille ordinaire comme Penny, pour voir comment ils vont interagir et grandir ensemble », raconte Steven Molaro, coproducteur et scénariste de la série. Le personnage principal, Sheldon Cooper, apparaît d'abord antipathique mais se révèle vite touchant de maladresse. « Les gens qui l'entourent prennent soin de lui. Ils se rendent compte qu'il dit plein de choses qui le dépassent, sans volonté de blesser. J'adore regarder l'évolution de sa relation avec Penny. Au début, ce sont vraiment deux étrangers qui n'ont rien à se dire. Elle devient peu à peu comme une mère ou une sœur pour lui. Le message de la série, c'est : soyons plus tolérants avec les gens qui ne sont pas doués pour les conventions sociales, qui ne savent pas toujours comment s'y prendre avec les autres. »

→

**2** L'alchimie. « Je pense que les créateurs ont su dès le début qu'il y avait une alchimie incroyable entre Jim Parsons (Sheldon) et Johnny Galecki (son colocataire, Leonard), puis avec l'ensemble des acteurs » estime Steven Molaro. À la fin du premier épisode, ils sont tous dans la voiture. À l'arrière, Howard chantonne* quelque chose à Penny qui commence à rigoler toute seule. « Je venais de rejoindre la série quand j'ai vu cette scène, poursuit le scénariste. Je me suis dit : « Dans quelle histoire je m'embarque ? Qui sont ces allumés* ? Mais ce rire spontané, c'était le signe que les acteurs prenaient la bonne direction. »

**3** L'explosion. Les récompenses (*Emmy Awards*, *Golden Globes* …) arrivent dès la deuxième saison mais le succès explose après la cinquième. Aux États-Unis, *The Big Bang Theory* est en passe de détrôner le record d'audience de *Friends*. Sûrement parce ce qu'il est le digne successeur. On retrouve les ingrédients communs : le groupe d'amis autour de deux colocataires, des thématiques sur les balbutiements* de la vie adulte … « Les épisodes sont devenus de plus en plus forts avec l'apparition de nouveaux personnages, comme Bernadette et Amy. » Saison après saison, on devient addict à ces geeks, drôles malgré eux, capables de développer des théories à partir d'un détail du quotidien. Un peu comme nous, finalement, non ?

© Bayard Presse, *Phosphore*, Apolline Guichet, janvier 2014

## Questions

**1** D'après la première section, comment les personnages de la série sont-ils différents des autres jeunes ?

**2** Dans la première section, le scénariste dit de Sheldon Cooper qu'il …

  i) est plutôt drôle

  ii) a l'air idiot

  iii) manque d'aisance ou de tact

  iv) est amoureux de Penny.

**3 a** Sheldon et Penny s'entendent vraiment bien tout de suite. Vrai ou faux ? (Section 1)

  **b** Relevez dans la première section un verbe à l'impératif.

**4** Trouvez une phrase qui indique que le scénariste n'était pas sûr du succès de cette nouvelle série. (Section 2)

**5 a** Relevez une expression qui montre que la série a un succès énorme auprès des téléspectateurs. (Section 3)

  **b** Trouvez dans la troisième section un synonyme pour « une personne qui partage le même logement ».

**6** The actors in *The Big Bang Theory* get on really well and the success of the show is thanks to the dynamic that exists between them. Support this statement with reference to the text. (*50 words*)

### Lexique

chantonner = *to hum*

un(e) allumé(e) = *a crazy person*

les balbutiements de la vie adulte = *first hesitant steps into adulthood*

**2.4** Écoutez ce reportage sur l'émission *Nouvelle Star* réalisé par Apolline Guichet pour le magazine *Phosphore*. Puis répondez aux questions qui suivent.

1 Why didn't Isaac make it through to the next round of *Nouvelle Star*?
2 What does the show's stylist try to do?
3 According to the show's director, what type of singers are they looking for? Give two details.

4 What are the criteria to participate in *Nouvelle Star*?
5 According to one of the participants, Sophie-Tith, being selected is really tough. What points does she make?
6 Julie Solia thinks she left at the right time. What reasons does she give?
7 What advice does she give at the end of the interview?

 **2.5** Lisez les questions ci-dessous puis répondez oralement en vous aidant des phrases utiles.

1 Aimeriez-vous participer à une émission de télé-réalité ?
2 Si oui, dans quelle émission aimeriez-vous tenter votre chance ? Pourquoi ? Si non, pourquoi pas ?
3 Connaissez-vous une personne parmi vos proches qui a participé à une émission de ce type ? Donnez des détails.
4 Si oui, cette expérience était-elle positive ?
5 Pourquoi, à votre avis, les gens regardent-ils ce genre d'émissions ?
6 Que recherchent les candidats qui y participent ?

> **Consultez**
> l'aide-mémoire
>
> Pour le conditionnel
> présent voir pp. 187–188.

**Phrases utiles**

| | |
|---|---|
| participer à / faire partie de / être un(e) des participant(e)s | la première/deuxième saison |
| | être la cible de … |
| être diffusé(e) | être reconnu(e) / célèbre |
| l'enregistrement (*m.*) d'une émission | un plateau de télévision |
| la pré-sélection / la sélection / le vote | la vie publique / privée |
| être un spectateur/une spectatrice | une intrusion dans … |
| devenir populaire / célèbre | une célébrité / une personne connue |
| avoir du succès / du talent | gagner de l'argent |

 **2.6** Lisez les résultats d'une enquête ci-dessous puis réagissez par écrit. (*75 mots environ*)

Ordinateur, télévision, tablette, console de jeux, etc. Les jeunes passent autant de temps que les adultes devant les écrans : en effet, ils utilisent plus souvent leurs ordinateurs ou tablettes alors que les plus de 24 ans regardent davantage la télévision.

Les écrans occupent les loisirs des Français de tous les âges. 46% des jeunes de 18 à 24 ans passent entre deux et quatre heures par jour devant un écran en dehors de leurs études et travail (soir et week-end).

# 3 En avant la musique

**3.1** Lisez ci-dessous l'entretien de la chanteuse française HollySiz pour *Paris Match* puis répondez aux questions qui suivent.

## Cécile Cassel : en avant la musique !

**1** *Sous le nom de HollySiz la comédienne sort un premier album très rock dont le single «Come Back to Me»* a *fait le buzz de l'été. Une nouvelle corde à son arc.*

**Paris Match: Ce premier album était-il en gestation depuis longtemps et avec qui l'avez-vous réalisé ?**

**HollySiz :** Je m'amuse à dire qu'il est un peu la photographie des trente premières années de ma vie. Certains textes existaient sous d'autres formes, j'ai des carnets remplis depuis toujours. J'ai écrit la totalité des paroles mais également composé 70% des musiques. [...]

**HollySiz, votre nom de scène, qu'est-ce que ça signifie ?**

Siz est mon surnom depuis que je suis toute petite mais Siz seul, cela faisait vraiment trop chanteuse de rap. Holly, ça veut dire le houx en anglais, et le houx, c'est rouge et ça pique, ce qui correspond à mon projet artistique. [...] Je trouvais que cela sonnait bien, féminin et aiguisé. [...]

**2 Pourquoi n'interprétez-vous que des chansons en anglais ?**

J'ai commencé à les écrire, il y a cinq ans, alors que je vivais en Angleterre. Il m'a semblé que cette langue s'adaptait mieux, du point de vue rythmique, à la musique que je voulais produire. Et puis c'est une forme de pudeur : ce que j'ai pu exprimer en anglais, je n'aurais jamais pu le dire en français. [...]

**Vous dites avoir eu une formation à la comédie musicale, était-ce pour suivre l'exemple de votre père ?**

Le milieu dans lequel je suis née m'a forcément influencée. J'ai grandi en regardant des comédies musicales avec mon père. J'ai adoré Fred Astaire, Gene Kelly, Cyd Charisse. J'ai vu des dizaines de fois *Mary Poppins*, *West Side Story*. Du plus loin que je me souvienne, j'ai toujours pris des cours de danse. J'ai reçu également un solide enseignement de piano classique et de chant. J'ai d'ailleurs intégré l'école d'Alice Dona quand j'avais 14 ans. J'ai poussé un jour la porte d'un cours de théâtre uniquement pour compléter mon apprentissage. Le cinéma m'a rattrapée en premier mais, au fond de moi, je suis d'abord une chanteuse. [...]

**3 Vous suivez à la lettre les conseils de votre père : bosse dur et n'attends pas qu'on vienne te chercher, nourris-toi sans cesse …**

C'est venu à un moment de ma vie où je me suis dit : « Si je devais mourir demain, qu'est-ce que je regretterais de ne pas avoir fait ? » La réponse était : la musique. Je me suis retroussé les manches* et je m'y suis mise. C'est une façon de reprendre mon destin en main [...] Chanter c'est, enfin, une façon de raconter les choses avec mes mots.

**« J'ai ton rythme dans le sang / Je ne peux pas te sortir de ma tête » : « *Come Back to Me* » est un hommage émouvant à votre père. Dans quel état d'esprit l'avez-vous écrit ?**

Je parle de lui, mais c'est presque métaphorique. Je m'adresse à tous ceux qui m'ont fait rêver : Michael Jackson, Fred Astaire et, oui, Jean-Pierre Cassel aussi. C'est plus large qu'une chanson qui lui serait seulement adressée.

**4 Il y a une autre déclaration d'amour dans « *Better Than Yesterday* ». La faites-vous à l'homme qui partage votre vie, Raphaël Hamburger [le fils de France Gall et de Michel Berger] ?**

Tout ce que je peux vous dire, et je ne dirai rien de plus, c'est que cette chanson est dédiée à quelqu'un qui a changé ma vie et qui me rend plus heureuse que je ne l'étais avant. [...]

**Votre père serait-il fier de ce travail accompli ?**

Je ne me pose pas la question parce que je suis triste qu'il ne soit pas là pour écouter mon album. Je crois cependant qu'il serait heureux de voir que je me sens à ma place.

> **Lexique**
>
> se retrousser les manches
> = *to roll up one's sleeves*

© *Paris Match*, 19–25 septembre 2013, numéro 3 357 (G.Loustalot/*Paris Match*, Scoop)

### Questions

**1** a Comment sait-on que Cécile Cassel a plus de trente ans ? (Section 1)

   b Dans la première section, relevez une phrase qui indique qu'elle écrit des textes depuis longtemps ?

**2** Pourquoi a-t-elle choisi « HollySiz » comme nom de scène ? (Section 1)

**3** D'après la deuxième section, HollySiz écrit et chante en anglais parce que …

     i) elle est née en Angleterre

     ii) elle voulait copier les comédies musicales anglaises

     iii) elle exprime mieux certaines choses en anglais qu'en français

     iv) son père lui avait conseillé de le faire.

**4** a Relevez une phrase qui indique qu'elle était actrice avant de commencer à chanter. (Section 2)

   b Trouvez dans la troisième section un verbe à l'imparfait.

**5** a Citez une phrase qui veut dire « gérer son propre futur ». (Section 3)

   b La chanson « *Come Back to Me* » est une dédicace à son père Jean-Pierre Cassel. Vrai ou faux ? (Section 3)

**6** Citez une phrase qui indique qu'elle ne veut pas parler avec trop de détails de son amoureux. (Section 4)

**7** HollySiz had a strong musical education when she was growing up. Support this statement with reference to the text. (*50 words*)

 **3.2** **Écoutez trois adolescents interviewés à propos de la musique. Répondez aux questions dans votre cahier.**

#### Jamie

**1** What type of music does Jamie listen to?

**2** Why doesn't he like to listen to the radio?

**3** How many songs does he have on his mobile phone?

#### Juliette

**4** When did she start playing the clarinet?

**5** What band is she a member of?

**6** When does she rehearse?

#### Martin

**7** Where did the Stromae concert take place?

**8** For what occasion was Martin given the concert ticket?

**9** When is he hoping to get to another Stromae concert?

**3.3** **Lisez les questions ci-dessous puis répondez-y à l'oral.**

1 Écoutez-vous de la musique ? Si oui, quelle sorte de musique ?

2 Quel support utilisez-vous pour écouter de la musique ?

3 Où et quand l'écoutez-vous ?

4 Achetez-vous souvent des CD ou téléchargez-vous de la musique ?

5 Combien d'argent dépensez-vous en moyenne en musique ?

6 Jouez-vous d'un instrument de musique ?

7 En jouez-vous depuis longtemps ?

8 Faites-vous partie d'un groupe ? Depuis combien de temps ? Quel genre de musique jouez-vous ?

9 Quelles émissions de musique regardez-vous à la télé ?

10 Allez-vous souvent à des concerts ou des festivals de musique ? Donnez des détails.

### Phrases utiles

| | |
|---|---|
| jouer du / de la / de l' … | répéter |
| J'en joue depuis que j'ai … ans | faire partie d'un groupe / d'une chorale |
| le solfège | aller / assister à des concerts |
| une école de musique / le conservatoire | |

**3.4** **Your French penpal Alex/Léna has organised for his/her band to play during the *Fête de la Musique* in his/her town. He/she has invited you to travel over for the event on 21 June. You reply to him/her, making the following points:**

- you have just got the dates for your Leaving Cert. exams and your last exam is on 19 June
- you would love to visit and are very excited about the invitation
- you hope your parents will let you go
- you will bring your guitar with you so that you can all play a few songs together during the festival
- ask him/her about the other music events organised for the festival in his/her town. (*75 words*)

Consultez
l'aide-mémoire

Pour les lettres informelles, voir pp. 178-81.

 **Au fait**

Le ministère de la Culture décide de lancer la première Fête de la Musique le 21 juin 1982, jour du solstice d'été.

**3.5** **Répondez oralement aux questions suivantes.**

1 La fête de la musique existe-elle aussi en Irlande ?

2 Y avez-vous déjà participé ? Si oui, donnez des détails.

3 Si non, quel projet de concert aimeriez-vous proposer ?

4 Quel type de festival de musique trouve-t-on en Irlande ?

**3.6** « Rose »

**Lisez l'extrait de *Et rester vivant* de Jean-Philippe Blondel puis répondez aux questions qui suivent.**

*À quatre ans d'intervalle, Jean-Philippe Blondel perd sa mère et son frère aîné puis son père dans des accidents de voiture. Après avoir vendu l'appartement familial, il décide de partir en Californie en compagnie de Laure, son ex-petite amie et Samuel, son meilleur ami.*

1 Rose – je n'ai jamais rencontré quelqu'un qui s'appelle comme ça. Ce n'est presque pas un prénom. C'est une fleur, une couleur […]

Elle dit : « Venez, nous allons prendre le petit déjeuner. » J'hésite. Je pense que je devrais attendre Samuel et Laure, mais finalement non. Je fais ce voyage pour trouver mon itinéraire singulier, alors, en marge, je trace mon sentier.

Il n'y a pas d'autre client. Nous mangeons en face l'un de l'autre. Je remarque un piano dans un coin de la pièce. Elle suit mon regard et sourit. Elle explique qu'elle s'ennuie parfois. Alors elle prend des cours. Par correspondance, parce que personne ne joue du piano par ici. […] « Vous voulez que je vous joue un morceau ? »

2 Je suis poli. Je hoche la tête énergiquement alors qu'au fond de moi, je renâcle.* Mes parents m'ont forcé à apprendre le piano très tôt. J'avais six ans. Ils voyaient un Mozart en moi. Au lieu de ça, j'ai décortiqué la *Méthode Rose*, puis j'ai massacré tout ce qui me tombait sous la main. Bach, Satie. Et Mozart, plus encore que les autres.

Tous les dimanches, mes parents viennent « écouter mes progrès ». Ils sont certains que j'en fais, et espère que je me rends compte de la chance que j'ai de pouvoir jouer d'un instrument alors qu'eux n'ont jamais pu en approcher un. Les cours particuliers coûtent les yeux de la tête. Ils attendent un retour sur investissement. Ils sont vraiment déçus.

Le piano, c'est ça pour moi, avant tout. La déception qui se lit sur le visage de mes parents […]

Plus tard, j'abandonne. Nous abandonnons ensemble. C'est l'adolescence. « C'est un âge difficile », dit ma mère à la voisine. Un adolescent, c'est souvent décevant. Je n'échappe pas à la règle. […]

3 Rose devant le clavier.

Elle regarde par la fenêtre le décor devenu uniformément jaune – il n'y a pas un nuage au-dessus de Mojave. Elle pose ses mains sur les touches. Les notes viennent doucement vers elle. Elles sont une pommade, un onguent.* Elles se déversent et coulent vers moi. Elles détendent les muscles, montent le long des jambes, s'attardent sur les cuisses et poursuivent leur escapade vers la colonne vertébrale et les omoplates.* Elles se lovent dans le cou et s'accrochent entre elles pour former un collier. Un collier scintillant. Deux ou trois d'entre elles, plus hardies, s'aventurent jusqu'aux paupières. Elles ferment les yeux avec douceur. […] →

**4** Le morceau se termine et je suis abasourdi.

On m'a déjà traîné à des concerts de musique classique. On m'a déjà demandé d'écouter des disques et des retransmissions radiophoniques. On m'a déjà forcé à assister aux représentations données par mes professeurs. Jamais je n'ai été aussi ému. Mon cœur bat la chamade. J'applaudis à tout rompre. [...]

Je bafouille,* Rose c'est magnifique, vraiment, comment pouvez-vous, comment savez-vous ? Rose rosit deux secondes puis éclate de rire. Elle me presse le bras, elle dit que je suis très gentil, mais qu'elle est tout à fait consciente de n'être qu'une pianiste du dimanche, une amatrice.

Jean-Philippe Blondel, Et rester vivant © Libella, Paris, 2011

### Lexique

| | |
|---|---|
| renâcler = *to grumble* | une omoplate = *a shoulder blade* |
| un onguent = *an ointment* | bafouiller = *to stammer, to splutter* |

### Questions

**1** D'après la première section, le narrateur décide …

    i)  de prendre son petit déjeuner seul dans la salle du restaurant de l'hôtel

    ii)  d'attendre Samuel et Laure pour le petit déjeuner

    iii)  de partager une table avec un autre client levé tôt aussi

    iv)  de prendre son petit déjeuner avec Rose, la gérante de l'hôtel.

**2 a** Relevez une phrase à la forme négative. (Section 1)

  **b** Pourquoi Rose a-t-elle décidé d'apprendre à jouer du piano ? (Section 1)

**3 a** Dans la deuxième section, comment sait-on que, petit, le narrateur n'aimait pas jouer du piano ?

  **b** Relevez une expression qui indique que ses parents payent cher pour les leçons de piano. (Section 2)

**4 a** Dans la troisième section, à quoi le narrateur compare-t-il les notes de musique jouées par Rose ?

  **b** La musique transporte et relaxe le narrateur. Vrai ou faux ? (Section 3)

**5 a** Citez une phrase qui indique que le narrateur est totalement stupéfait par ce qu'il vient d'entendre. (Section 4)

  **b** Rose pense qu'elle n'est pas très douée pour le piano. Trouvez une expression qui l'indique. (Section 4)

**6** The narrator's memories of playing the piano as a child are totally different from his experience of listening to Rose. Use evidence from the text to support your answer. (*50 words*)

 **Au fait**

Jean-Philippe Blondel est un auteur français. Il est né en 1964 à Troyes, en Champagne-Ardennes. Il est marié et il a deux enfants. Il est prof d'anglais dans un lycée à Troyes.

# 4 Le cinéma

**4.1** Écoutez des personnes nous parler du genre de films qu'ils regardent, de leur film préféré et de la raison de ce choix.

|  | Genre de film | Film préféré et raison |
|---|---|---|
| Personne 1 | | |
| Personne 2 | | |
| Personne 3 | | |
| Personne 4 | | |

**4.2** Pour chacun des commentaires (1–12), trouvez le type de film auquel il correspond (a–n). Certaines expressions peuvent correspondre à plusieurs genres.

1 C'est super drôle et même hilarant !

2 C'est vraiment épouvantable comme film. Ça fait froid dans le dos !

3 Ça fait quand même un peu peur.

4 Oh, c'est trop beau ! Et tellement romantique ! J'avais les larmes aux yeux pendant le film.

5 J'ai fermé les yeux pour certaines scènes tellement c'était bouleversant et parfois un peu dur.

6 Les effets spéciaux sont impressionnants.

7 Les personnages sont tout mignons et l'histoire attachante.

8 On en prend plein les yeux ! Un vrai moment d'évasion pendant plus de deux heures.

9 La musique est tout simplement géniale et envoûtante.

10 Ça fait rêver quand on est enfant.

11 Pour les âmes sensibles, un conseil : il y a quelques passages violents.

12 J'ai eu un peu de mal à me mettre dans le film car l'intrigue est faite de complots politiques compliqués.

a une comédie musicale

b un film à suspense

c un film d'horreur

d un film d'amour

e un film dramatique

f un film d'action

g un film d'animation

h un film d'aventure

i un film de science-fiction

j un film de guerre

k une comédie

l un dessin animé

m un film fantastique

n un film d'espionnage

**4.3** Lisez les questions ci-dessous puis répondez oralement.

1 Allez-vous au cinéma ? Si oui, combien de fois par mois en moyenne ?

2 Avez-vous une carte abonnement au cinéma ?

3 Avec qui y allez-vous ?

4 Quel genre de film aimez-vous aller voir et pourquoi ?

5 Quel est le dernier film que vous avez vu ? De quoi parlait-il ?

6 Quel est votre film préféré et pourquoi ?

7 Pourquoi aimez-vous aller au cinéma ?

Consultez l'aide-mémoire

Pour l'imparfait, voir pp. 127-8.

### Phrases utiles

| | |
|---|---|
| un film qui fait rire aux larmes | l'intrigue / l'histoire / les dialogues / l'action |
| Ça m'aide à m'évader / Ça me change les idées. | un film à grand spectacle (*a blockbuster*) |
| un film inspiré d'une histoire réelle | un film en 3D |
| Ce film fait passer un message de … | un film en version originale / sous-titré / en version française doublée |
| un film qui fait réfléchir sur … | la bande sonore |
| Ce sera un film culte pour moi. | une séance / la bande annonce / une salle de cinéma |
| un coup de cœur | être à l'affiche |
| pour l'ambiance et les personnages | un film à petit budget / indépendant |
| un film nul / un navet | les effets (*m. pl.*) spéciaux / un trucage |
| un film triste / émouvant / touchant | une cascade (*a stunt*) |
| un film choquant / violent / perturbant / prenant | un acteur/une actrice |
| un film amusant / drôle / marrant | |

**4.4** Écoutez un petit reportage à propos de la Fête du Cinéma en France puis répondez aux questions.

1 In what year was the cinema festival launched in France?

2 When does it start?

3 Why is the last day of the festival on a Wednesday?

4 How much is a cinema ticket during the festival?

5 There is only one price per ticket. True or false?

**4.5** Voici le texte de la chanson « Cinéma » du groupe parisien Les Yeux D'la Tête. Lisez-le puis répondez aux questions qui suivent.

## Cinema

### 1

*Refrain :*

Qu'est-ce que je m'ennuie au cinéma
Rester assis, je supporte pas.
[.../...]
L'autre jour, avec ma brune
Je savais pas trop quoi faire
[.../...]
On est sorti et elle m'a dit
Ça te dirait un p'tit ciné ?
Écoute chérie c'est pas que j't'aime pas
  mais …
Bon allez OK … On va au cinéma !

### 2

Une heure de queue car c'est samedi
C'était pas une bonne idée, j'te l'avais dit
En plus, y'a que des films de Carrey.
Ou des comédies françaises pourries.*
Mais si j'suis content !
Bonjour Monsieur, C'est huit euros.
C'est combien? Huit euros ?? Aagghh !!
Mais si chérie, je te jure. Je suis content.
[.../...]
Tout ça pour être assis et mal
En plus de ça derrière un chevelu*
  qui s'gave* de popcorn et d'coca ?

*(Refrain x 2)*

### 3

Il fait noir, il fait trop chaud
On peut même pas fumer
Les sièges me font mal au dos
J'aime mieux être dans mon canapé
Et puis c'est toujours pareil leurs histoires
[.../...]
Les abrutis* sous le soleil nous font revivre
  leur passion
Amour, sexe, bagarre, trahison, passion,
désespoir
Un peu de vengeance, un peu de frisson,
  un bisou*
Et pas d'histoire !

*(Refrain x 2)*

« Cinéma » de Les Yeux D'la Tête,
paroles et musique de Benoit Savard.
*Danser sur les Toits* (Fais & Ris, 2008)

### Lexique

pourri(e) = *rotten*

un chevelu = une personne qui a de
  longs cheveux

se gaver (*familier*) = se gorger de …
  (nourriture)

un(e) abruti(e) = une personne stupide

un bisou = un petit baiser (*a kiss on the
  cheek*)

### Questions

1 Avec qui le narrateur est-il allé au cinéma ? (Section 1)
2 Pourquoi n'aime-t-il pas aller au cinéma d'habitude ? (Section 1)
3 Quand y sont-ils allés ? (Section 2)
4 Combien ont-ils payé la place ? (Section 2)
5 Donnez deux raisons pour lesquelles il n'était pas content au début de la soirée. (Section 2)
6 Que fait la personne assise devant lui ? (Section 2)
7 Le narrateur n'est pas à l'aise dans la salle de cinéma. Pourquoi ? (Section 3)
8 D'après le narrateur, les thèmes des films sont toujours les mêmes. Vrai ou faux ? (Section 3)

# 5 Sortir

**5.1a** Plusieurs amis vous ont invité(e) à différents évènements pour le week-end prochain. Lisez les détails des évènements et sélectionnez celui ou ceux auquel/auxquels vous aimeriez participer. Puis donnez la raison de votre/vos choix à l'écrit.

Participera (4)

## Soirée Karaoké « Thème années 80 »

**Date :** Vendredi 17 octobre 2015 de 21h30 à 0h30
**Lieu :** Le bloc qui bouge, 48 rue Amélie, 31000 Toulouse
**Créé par :** Alice Vanille
**En savoir plus :** Habillez-vous avec un look années 80 pour le fun ! N'oubliez pas de réviser vos classiques !

Participera peut-être (12)

## Ouais !! Je vais avoir 18 ans !

**Date :** Samedi 26 février 2015 à 20h30
**Lieu :** Restaurant Pizzeria Le Gavastous, RN117, 31800 Estancarbon
**Créé par :** Derek GB
**En savoir plus :** Espace privé pour danser après le repas d'anniversaire avec DJ Zen.

Participera (6)

## Rock 'n' Roller

**Date :** Dimanche 3 mai 2015 de 15h00 à 17h00
**Lieu :** Canal du Midi, Écluse de Narbonne
**Créé par :** Yoann 2N
**En savoir plus :** Si vous n'avez pas de rollers, venez en vélo ou VTT !

Participera (4) peut-être (3)

## Acrobates ou artistes ?

**Date :** Dimanche 12 juillet 2015 à 10h30
**Lieu :** Parc Terraltitude, 08170 Fumay
**Créé par :** Mélina Leimdorfer
**En savoir plus :** Venez prendre un grand bol d'air ! Parcours acrobatiques dans les arbres et après paintball en nocturne.

**5.1b** Et maintenant à vous d'inviter vos amis en leur proposant deux évènements. Utilisez le format de l'activité précédente.

Module B | 2 | Que faire de son temps libre ?

**Écoutez un reportage à propos de la boîte de nuit parisienne Le Rex. Répondez aux questions qui suivent.**

1 To whom will the Rex nightclub open its doors for the night?
2 Name two things that will be different.
3 How old are Clément and Morgane?
4 How does Mila manage to get in usually?
5 This experience will probably be a one-off. True or false?
6 What is Morgane complaining about?

  **Répondez oralement aux questions suivantes et notez vos réponses dans votre cahier.**

1 En général, que faites-vous le vendredi une fois le lycée fini ?
2 Faites-vous la grasse matinée le samedi ou dimanche matin ? Donnez des détails.
3 Sortez-vous souvent le week-end ?
4 Vos parents sont-ils stricts par rapport à vos sorties ? Expliquez.
5 En moyenne, combien dépensez-vous en sorties par semaine / mois?
6 Qu'avez-vous prévu de faire ce samedi ?
7 Qu'avez-vous fait dimanche dernier ?
8 Faire nuit blanche* le week-end, ça vous est-il déjà arrivé ? Si oui, à quelle occasion ? Donnez des détails.

> **Consultez** l'aide-mémoire
> Pour le passé composé, voir pp. 123–27.

> **Lexique**
> * faire nuit blanche = ne pas avoir dormi une nuit entière ou très peu

  **Écoutez trois jeunes nous parler de leur week-end puis répondez aux questions qui suivent.**

### Noé

1 Why does Noé rarely go out on Fridays? Give two reasons.
2 What does he do on Friday evenings?
3 How does he get to Montpellier on Saturdays?
4 Where does he hang out with his friends?
5 Mention two things he likes about this place.
6 What are the advantages of getting the '*Amigo*' night bus?

### Sélya

7 When does Sélya do her homework and why?
8 Why does she like going to the *Espace Jeunes* on Saturdays?
9 What does she particularly like about this club?
10 Name four activities that you can do there.

### Vassiliki

11 When does Vassiliki go and see her mum?
12 What time does she arrive in Haguenau on Saturdays?
13 What does she do then?
14 What does she have to say about the cinema in Haguenau? (Two points)
15 Where does she go on Sunday morning with her mum and brother?
16 Travelling back on Sunday evening, what does she do on the train? (Two points)

# 6 La lecture

**6.1a** Lisez ces commentaires à propos de la liseuse Kindle parus sur un forum de discussion en ligne. Puis notez qui est pour et qui est contre et les arguments donnés.

**http://forum**

**Stéf**

Bonjour ! Je suis une grande passionnée de lecture et j'hésite à investir dans un Kindle qui me paraît être un gadget pour technophiles. Merci de me faire part de votre opinion.

**Yan**

Salut ! Moi, J'ai reçu un Kindle en cadeau : j'étais hyper content mais je ne trouve pas tous les livres que je veux. Je n'arrive pas à télécharger de nouveaux titres. Je suis vraiment déçu car je m'attendais à autre chose. Rien ne vaut un bon livre de poche en fait !

**Ariane**

Moi, après avoir testé la liseuse, je suis retournée aux livres en papier ! Le poids du Kindle quand on le tient d'une main pendant quelques heures, ça commence à devenir lourd. L'éclairage de l'écran a un effet néon vraiment inconfortable.

**Maël**

Le Kindle est petit, léger avec une mémoire interne pouvant contenir plus de mille livres électroniques. Pour un lecteur assidu comme moi, c'est magique et télécharger ne prend que quelques secondes. On peut, en plus, chercher des définitions en ligne, prendre des notes, etc.

**Caéla**

Les tablettes tactiles de lecture sont fantastiques et polyvalentes. On peut télécharger des magazines, BD et journaux pour pas cher. Les téléchargements illégaux sont devenus la bête noire de la musique ... Espérons que ce ne sera pas la même chose avec les livres.

**6.1b** Maintenant, mettez-vous par groupes de deux ou trois et trouvez d'autres arguments en faveur ou contre l'utilisation des tablettes et liseuses. Faites ensuite un sondage en classe pour savoir qui préfère quoi.

| Phrases utiles | |
| --- | --- |
| une liseuse | prêter un livre / une BD / un roman |
| un livre électronique | échanger des idées |
| un écran réactif / tactile | un dévoreur/une dévoreuse de livres |
| le système d'éclairage | un lecteur/une lectrice assidu(e) |
| un livre de poche | un rat de bibliothèque |
| une librairie | |

**6.2** Lisez les questions ci-dessous puis répondez oralement.

1 Aimez-vous lire ? Pourquoi ? / Pourquoi pas ?

2 Qu'est-ce que vous lisez en général ?

3 Achetez-vous souvent des livres ou des magazines ? Où les achetez-vous ?

4 Avez-vous une tablette de lecture ou une liseuse ?

5 Quelle rubrique préférez-vous lire dans les magazines que vous lisez ?

6 Faites-vous partie d'un club de lecture ? Expliquez.

7 Êtes-vous inscrit(e) dans une bibliothèque ou une médiathèque ?

# Le sport

## 1 À vos marques, prêts, partez !

**1.1a** Par groupes de deux ou trois, trouvez au moins deux sports pour chacune des catégories suivantes :

**les sports de combat**   **les sports collectifs**   **l'athlétisme**

**les sports automobiles**   **les sports de raquette**   **les sports nautiques**

**les arts martiaux**   **les sports de cible**   **les sports de glisse**

**les sports de plein air et de nature**   **la gymnastique**   **les sports aériens**

**1.1b** Pour quel sport (ou catégorie de sport) pourrait-on trouver chacun des équipements ci-dessous ? Notez vos réponses dans vos cahiers.

| | | | | | |
|---|---|---|---|---|---|
| **1** | un filet | **6** | une raquette | **11** | un sifflet |
| **2** | des gants | **7** | un panier | **12** | un casque |
| **3** | une balle | **8** | un ballon | **13** | des patins à glace |
| **4** | des bottes | **9** | des crampons | **14** | une planche |
| **5** | un maillot de bain | **10** | des lunettes | **15** | une ceinture |

**1.2** Écoutez deux extraits portant sur deux activités sportives populaires, puis répondez aux questions dans votre cahier.

### Le surf des neiges

1 When and where was snowboarding created?
2 What happened in 1998?
3 On average, how old are snowboarders?
4 Name one thing that people associate with snowboarding.
5 How many people practise snowboarding in the world?

### Le yoga

6 What other market is the well-being market ahead of?
7 Name one activity associated with well-being.
8 More women than men practise yoga in France. True or false?
9 Yoga's success is attributed to its benefits. Name two that are mentioned.
10 How can you determine which type of yoga is right for you?

**1.3** Lisez le résultat d'un sondage récent à propos des Français et du sport puis réagissez oralement ou par écrit.

51% des Français pratiquent une activité physique ou sportive. Pour la plupart, il s'agit d'une pratique une fois par semaine et pendant une durée d'une heure ou plus. La marche reste l'activité la plus pratiquée par les Français. Marche, vélo, jogging et natation sont les activités sportives les plus pratiquées en France.

## 2 Pratiquer un sport

**2.1** Répondez aux questions ci-dessous à l'oral.

1 Quel(s) sport(s) pratiquez-vous ? Si vous ne faites pas de sport, qu'aimez-vous faire à la place ?
2 Depuis combien de temps faites-vous du sport ?
3 Où en faites-vous et combien de fois par semaine ?
4 Pourquoi le sport est-il important dans votre vie / en général ?
5 Comment sont les équipements sportifs de votre lycée / quartier ?
6 Êtes-vous inscrit(e) dans un club ? Donnez des détails.
7 Préférez-vous les sports individuels ou collectifs ? Pourquoi ?

| | |
|---|---|
| faire du /de la/des/de l' … | être sportif(-ive) |
| pratiquer le/la/l' … | avoir une passion pour |
| jouer au / à la / à l' … | garder la forme / la ligne |
| J'aime / J'adore / Je déteste le/la/les/l' … parce que … | se sentir bien |
| | faire partie de … |
| être un(e) fan(a) de … | gagner / perdre |
| être un(e) mordu(e) de … | |

**2.2a** Lisez les citations de sportifs célèbres ci-dessous, puis donnez votre réaction à l'écrit. (*75 mots environ*)

« Il n'y a que le sport qui peut créer des émotions comme ça. »

Tony Parker

« Les performances individuelles, ce n'est pas le plus important. On gagne et on perd en équipe. »

Zinedine Zidane

« Chaque compétition est un défi. »

Laure Manaudou

**2.2b** Mettez-vous par groupes de deux ou trois puis discutez des avantages et des inconvénients de pratiquer un sport en vous aidant des phrases utiles. Présentez vos arguments au reste de la classe.

**Phrases utiles**

encourager l'amitié, la discipline …

se dépasser

partager

être bénéfique à …

Ça aide à …

La compétition permet de …

**2.3**

Écoutez des reportages sur des sports un peu différents puis répondez aux questions qui suivent en anglais.

### Le canoë-kayak

1 Name two regions in France that have islands accessible by canoe.
2 When does Pauline practise canoeing?
3 Why does she think it is a fun sport? Give two reasons.

### Le hula hoop

4 Hula hoop is a sport that combines dance and what other art form?
5 What is this sport good for? Give two points.
6 How many calories can you lose per hour?

### Le frisbee sportif

7 Why is Mina going to Cologne in August?
8 How does she describe herself usually?
9 What does she like about Ultimate as a sport? Give two points.

**2.4**

**Consultez**
l'aide-mémoire

Pour écrire
une demande
d'emploi, voir
pp. 114–17.

> ## Le tournoi de Roland-Garros recrute :
> sur les cours de tennis, pour la vente et dans la restauration.
>
> | | |
> |---|---|
> | *Nature :* | Emplois saisonniers |
> | *Période :* | Du 25 mai au 8 juin (durée de 1 à 2 semaines) |
> | *Horaires :* | 19 heures / semaine |
> | *Profil demandé :* | 16 ans minimum ; parler le français et une autre langue européenne ; être très motivé(e) |
> | *Lieu de travail :* | Le stade Roland-Garros, Paris |
> | *Salaire :* | Selon expérience |

**Write a letter of application in response to the advertisement above. (*75 words*)**

In your letter:

- state your age and nationality and say what language(s) you speak and at what level
- give details of any relevant experience you may have
- say that you are a keen tennis player and have always dreamed of going to Roland-Garros
- specify the period during which you would be available to work
- mention that you are enclosing a copy of your CV.

Your name is Steven/Siobhán O'Reilly, Harbour Road, Dun Laoghaire, Co. Dublin. Address your letter to 'Le Directeur des ressources humaines, Stade Roland-Garros, 2 avenue Gordon Bennett, 75016 Paris, France'.

**2.5** Lisez cet article à propos de la comédie française *La Grande Boucle*, qui est sortie au cinéma en 2013, puis répondez aux questions qui suivent.

**1** Renaud Souhami, directeur financier de la Coupe du Monde de Rugby en 2007 est invité par les organisateurs du Tour de France alors que la dernière étape du Tour part du centre d'entraînement de Marcoussis. Renaud ainsi qu'une dizaine de « légendes du rugby » empruntent alors la route du Tour à vélo, trois minutes avant les coureurs, le peloton* en chasse derrière eux. Cette expérience unique et excitante ainsi que le sentiment d'être le point de mire* des champions de l'épreuve et de leurs équipiers ne le quitte plus. Cela l'inspire, en effet, à imaginer l'histoire du film et plus tard à écrire le scénario. Le projet du film aboutit grâce à un partenariat avec le Tour de France.

LES PLUS BELLES VICTOIRES NE SE GAGNENT JAMAIS SEUL.

la grande Boucle

BOULI **LANNERS** — ARY **ABITTAN** — BRUNO **LOCHET** — ELODIE **BOUCHEZ** — ANDRÉ **MARCON**

CLOVIS **CORNILLAC**

UN FILM DE LAURENT **TUEL**

© 2013 BAGO FILMS– FIDELITE FILMS – WILD BUNCH – TF1 FILMS PRODUCTION – France 2 CINEMA

**2** Pour que le film soit plus réaliste, les producteurs et le réalisateur Laurent Tuel décident d'intégrer au montage des images réelles du Tour de France. Ils ont fait le pari de tourner pendant cinq étapes du Tour 2012, et ainsi aménagé leurs journées de façon à ne pas gêner la course. Le tournage se déroule dans une dizaine d'endroits différents au total. Il a lieu très tôt le matin ou juste avant l'arrivée des cyclistes car tout doit être chronométré, à la minute près, afin d'éviter tout incident qui pourrait vite tourner à la catastrophe.

**3** L'acteur qui interprète le rôle de François Nouel, personnage principal de *La Grande Boucle,* s'est imposé naturellement. En effet, Clovis Cornillac est un acteur extrêmement sportif qui aime les défis physiques. Il peut, par ailleurs, se mettre dans la peau d'un homme ordinaire de façon convaincante. L'histoire est celle de François, un passionné du Tour de France, qui est licencié par son patron puis quitté par sa femme. Il décide alors de partir et de faire la Grande Boucle avec un jour d'avance sur les pros. D'abord seul, il est vite rejoint par d'autres, inspirés par son défi. Les obstacles sont nombreux mais la rumeur de son exploit se répand petit à petit. Les médias se prennent de passion pour cet inconnu que les passants acclament. Le Maillot Jaune du Tour enrage et François est désormais de trop.

**4** Clovis Cornillac a dû, pour ce rôle, suivre une préparation physique particulière. Son entraînement a débuté trois mois avant le tournage à raison de trois heures trente de vélo par jour. Au final, le comédien a parcouru en cinq mois près de 5 500 kilomètres et a réussi quelques exploits comme l'ascension des cols de la Madeleine et du Tourmalet mais aussi le Mont Ventoux en Provence. Cornillac est ainsi devenu un accro et a, suite au tournage du film, investi dans des vélos de course pour continuer sa nouvelle passion.

**Lexique**

un peloton = *a pack (of cyclists or runners)*
un point de mire = *a target, a focal point*

**Questions**

**1** **a** Que proposent les organisateurs du Tour à Renaud Souhami ? (Section 1)

**b** Trouvez une expression qui indique que Renaud garde un souvenir fort de cette expérience. (Section 1)

**2** **a** Les organisateurs du Tour de France participent au projet du film. Vrai ou faux ? Justifiez votre réponse. (Section 1)

**b** D'après la deuxième section, le tournage du film se fait …

   i) dans des conditions difficiles à cause du temps

   ii) en cinq étapes sur une année

   iii) pendant la course cycliste pour être plus réaliste

   iv) en dehors de la course pour ne pas déranger les cyclistes.

**3** **a** Pourquoi Clovis Cornillac a-t-il été choisi pour le rôle ? (Section 3)

**b** Dans la troisième section, relevez une phrase qui indique que François est devenu un cycliste populaire.

**4** Trouvez un synonyme de « est extrêmement énervé ». (Section 3)

**5** **a** Relevez une phrase qui montre que l'acteur Clovis Cornillac s'est entraîné de façon rigoureuse pour son rôle. (Section 4)

**b** Comment sait-on qu'il est devenu un mordu du cyclisme ? (Section 4)

**6** A number of factors add to the realism of the film *La Grande Boucle*. Support this statement with reference to the text. (*50 words*)

## 3 Les sportifs

**3.1** **Lisez cet entretien de Laure Manaudou, championne du monde de natation, puis répondez aux questions.**

# Laure Manaudou : « Championne malgré moi »

**1** Pendant de nombreuses années, le bassin a été mon ennemi numéro un. Pourtant, je souhaitais devenir championne de natation à tout prix.

En 1992, mes parents me forcent à m'inscrire au club de natation d'Ambérieu-en-Bugey. J'ai six ans. Ils souhaitent que j'apprenne à nager comme mon grand frère Nicolas. En fille modèle, j'exécute mais sans réelle motivation. J'ai même longtemps détesté la natation ! Mon père m'oblige à me rendre à l'entraînement. Commence mon rituel : retards perpétuels, cache-cache dans les vestiaires pour grappiller dix minutes … Parfois, quand je n'ai plus d'idée, je m'arrête à mi-hauteur sur l'échelle, et je me cache sous l'eau. Avec le recul, cela a dû m'aider car, très jeune, j'ai eu une très bonne apnée ! →

**2** Je ne comprends pas moi-même mon mode de fonctionnement. Depuis toujours, je veux devenir nageuse professionnelle. Je l'écrivais même sur la fiche de renseignement dès l'école primaire. Pourtant, je ne mets aucun cœur à l'ouvrage. Le bassin est devenu une torture ; mon maillot multicolore et mon bonnet rose sont les objets de ma captivité. Or la pression est tellement forte que je pleure si je ne suis pas en tête lors de mes premières compétitions. Je reste au club d'Ambérieu jusqu'à mes 14 ans, devenant peu à peu une nageuse plus construite et plus solide sur le plan mental. J'apprends à être plus fluide dans mes mouvements, à positionner mon corps dans l'eau et à ne faire que deux battements de jambes par séquence pour fatiguer moins rapidement sur ma distance préférée : le 400 mètres.

**3** Le vrai déclic vient avec les Jeux olympiques de Sydney en 2000. Les nageurs, l'excitation, les records battus … La prochaine fois, je veux faire partie de cette ferveur populaire ! C'est à cette occasion que Philippe Lucas me remarque. Je décide de partir avec lui pour Melun. Une discipline infernale m'attend, avec un seul objectif : devenir une championne. Je travaille six jours sur sept et sept heures par jour. Je parcours jusqu'à 15 kilomètres en une seule journée. Grâce à l'intransigeance de Philippe, je deviens une décathlonienne du bassin en réussissant des performances sur plusieurs distances. La grande aventure est lancée !

© *Paris Match*, Athony Verdot-Belaval, 25 septembre 2013, numéro 3 358

## Questions

**1** a Trouvez dans la première section une phrase qui signifie « absolument ».

   b Relevez une expression qui montre que Laure Manaudou n'est pas la seule nageuse de la famille. (Section 1)

**2** a Quelle phrase indique qu'au départ elle n'aimait pas la natation. (Section 1)

   b Citez une phrase qui montre qu'elle essayait d'éviter les séances d'entraînement. (Section 1)

**3** a Relevez un verbe à l'imparfait dans la deuxième section.

   b Dans la deuxième section, la jeune Laure pleurait lorsqu'elle …

      i) s'entraînait pour des compétitions

     ii) devait porter un bonnet rose

     iii) donnait des renseignements personnels à l'école primaire

     iv) n'arrivait pas en première place.

**4** a Citez un exemple de ce qu'elle appelle « la ferveur populaire ». (Section 3)

   b Quand est-ce que Philippe Lucas la remarque pour la première fois ? (Section 3)

**5** Relevez une phrase qui montre l'intensité de son programme d'entraînement. (Section 3)

**6** Laure Manaudou didn't plan on becoming a professional swimmer, but has achieved success nonetheless. Support this statement with reference to the text. (*50 words*)

**3.2** Écoutez un entretien de Michel Chopinaud, le directeur technique national de la Fédération française du sport adapté, pendant les Jeux paralympiques de Londres, puis répondez aux questions.

**Les Jeux paralympiques de Londres**

1 How does Michel describe the atmosphere at the London Games?
2 What has the weather been like?
3 What does he say about the broadcasting of the Paralympic Games on television?
4 What medal did Pascal Pereira-Leal win and in which sport?
5 According to Michel Chopinaud, what will happen now that Pascal has won a medal?

**Le sport adapté**

6 What is Denis Romain's profession?
7 Who benefits from adapted sports?
8 How many people play in a team in *football adapté*?
9 Who plays *football unifié*?
10 How many different associations and sports are there?

 **3.3** En vous aidant du vocabulaire suggéré ci-dessous, notez dans votre cahier les qualités qui, d'après vous, sont nécessaires pour être un/une bon(ne) sportif(-ive). Écrivez un paragraphe d'environ 75 mots.

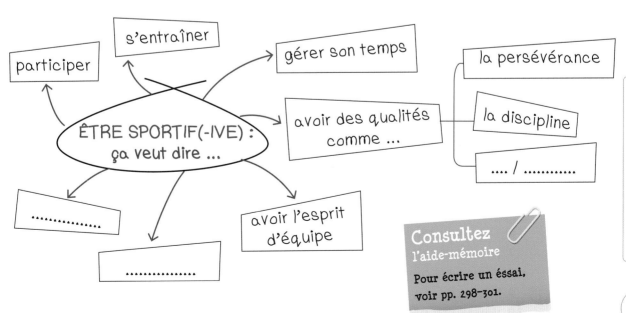

participer

s'entraîner

gérer son temps

la persévérance

ÊTRE SPORTIF(-IVE) : ça veut dire ...

avoir des qualités comme ...

la discipline

..... / ..............

..................

avoir l'esprit d'équipe

..................

**Consultez** l'aide-mémoire
Pour écrire un éssai, voir pp. 298-301.

# 4 Le dopage

**4.1** Travaillez en groupes de deux pour donner votre opinion à l'écrit sur le phénomène du dopage des sportifs. Utilisez l'infographie ci-dessous pour vous inspirer. (*75 mots environ*)

Le tour du dopage. Le 29 juin, le 100ème Tour de France démarrera, plombé par les affaires de dopage. Un danger pour la santé des athlètes et qui sape* l'esprit du sport. Mais pourquoi se dopent-ils ?

© Bayard Presse, *Phosphore*, Gwénëlle Boulet, juin 2013

**Mieux récupérer** pour enchaîner les efforts. Avec quoi ? Une hormone de croissance, de l'insuline.

**Masquer son dopage** pour éviter d'être contrôlé(e) positif(-ve). Avec quoi ? La créatine présente dans la viande ou le poisson, les produits diurétiques.

**Gagner en muscle** pour augmenter la puissance, la force et la résistance. Avec quoi ? Des stéroïdes anabolisants.

**Stimuler l'envie** pour gagner en motivant lors des entraînement et compétitions. Avec quoi ? Des euphorisants, amphétamines et corticoïdes.

**Mieux rexpirer.** La respiration est un élément essentiel lors de l'effort. Avec quoi? De la ventoline. Ce médicament dilate les bronches.

**Mieux oxygéner le sang** pour gagner en endurance. Avec quoi ? L'hormone EPO […], autotransfusion, chambre à hypoxie.

### Lexique

saper (*familier*) = détruire, abîmer, ruiner

### Phrases utiles

| | | |
|---|---|---|
| tricher | encourager | contrôler |
| prendre des substances interdites | la rivalité, la compétition | les risques associés à … |
| | la pression | mettre des amendes |
| se droguer | punir, condamner | risquer sa vie |
| augmenter | la victoire | |

**4.2** Écoutez deux extraits, puis dans votre cahier répondez aux questions ci-dessous.

#### Section 1

1 Ben Johnson is one of the ambassadors for the next Olympic Games. True or false?
2 What happened three days after he won a gold medal?
3 What is he asking young people to do with this new campaign?
4 What does Ben Johnson say about the doping problem?
5 What did winning a medal cost him? Mention two points.

#### Section 2

6 The phone service *Écoute Dopage* is free of charge. True or false?
7 Name two categories of people who are seeking information or help.
8 What types of supplements do young people take? Name two.
9 When can you ring this helpline?
10 What other ways can you access the service?

# L'argent

## 1 Les chiffres

**1.1** « Comptage caisse : à la recherche de la pièce manquante »
Lisez l'extrait suivant puis répondez aux questions qui suivent.

*Anna a 28 ans et travaille comme caissière dans un supermarché. Parfois, elle a l'impression de devenir un robot ou de disparaître dans le décor. Elle raconte avec humour son travail au quotidien.*

Anna Sam

# Les tribulations d'une caissière

Les documents
Stock

1 Il est 21h05. C'était votre première vraie journée. Vous venez d'encaisser votre dernier et 289ème client. Vous avez enchaîné huit heures de caisse avec deux pauses de quinze minutes. Vous êtes lessivée. Vous ne rêvez que d'une chose : retrouver votre lit et dormir jusqu'à demain six heures. […]

– Allez, on se dépêche, en caisse centrale avec votre caisson sous le bras !

– Vous avez trouvé une place à côté de vos autres collègues, un crayon, du papier ? Ne baillez pas, vous n'avez pas fini de travailler ! Commencez par compter vos pièces, puis vos billets et enfin vos rouleaux* (je dis « vos », mais bien sûr ce ne sont pas tout à fait les vôtres) ou vice versa. Vous avez encore le droit de choisir. Ne vous laissez pas distraire par les papotages,* les portes qui s'ouvrent et qui se ferment, les cliquetis des pièces. Concentrez-vous ou sinon vous allez le regretter et connaître la joie du recomptage.

– Pas assez de lumière ? Plutôt que de râler, pensez plutôt que c'est une lumière tamisée reposante après celle aveuglante de la grande surface.

→

**2** *15 minutes plus tard …*

Ça y est, vous avez scrupuleusement noté combien de pièces de 1, 2, 5, 10, 20, 50 centimes et de 1, 2 euros. De billets de 5, 10, 20, 50, 100, 200. De rouleaux … Du calme, du calme. Vous avez entre les mains une petite fortune, c'est vrai. Mais n'y pensez pas. Pensez plutôt à votre salaire à la fin du mois. Ça va vous aider à reprendre pied …

Additionnez le tout, puis soustrayez-le à votre fond de caisse (oui, les 150 euros en monnaie qui étaient dans votre caisson au début de votre journée).

– Alors, combien la 173 ? La 173 ? ! Oui, la 173, c'est vous !

– J'ai un nom !

– Oui, on sait mais c'est plus rapide comme ça. Alors, la 173 ?

– 3678,65 euros !

– Recomptez, 173, vous avez une erreur ! Je vous avais prévenue. Vous n'êtes pas assez concentrée.

– C'est une grosse erreur ? Une petite ? En moins ? En plus ?

– Je vous demande seulement de recompter.

**3** *10 minutes plus tard …*

– 3678,15 euros !

– OK. Avant de partir, vérifiez que vos chèques, vos bons de réduction sont bien rangés. On est pas votre boniche.*

21h35. Vous enlevez votre blouse dans les vestiaires. Il vous reste tout juste cinq minutes si vous voulez attraper votre bus. Bonne nuit et faites de beaux rêves (remplis de biiip, de bonjour, d'*AuRevoirBonneJournée* … ou pas).

Anna Sam, *Les tribulations d'une caissière* © Éditions Stock, 2008

| Lexique |
| --- |
| un rouleau (de caisse) = *a coin roll* |
| les papotages = *gossips* |
| une boniche (*familier*) = *a maid* |

### Questions

**1** **a** Relevez une phrase qui montre que la journée de la caissière est très longue. (Section 1)

   **b** Trouvez un synonyme de « extrêmement fatigué ». (Section 1)

**2** Dans la première section, trouvez un verbe à l'impératif.

**3** D'après la première section, par quoi les caissières peuvent-elles être déconcentrées ?

**4** **a** Dans la deuxième section, la caissière …

     i) a mal compté l'argent de la caisse

     ii) s'est disputée avec son/sa supérieure

     iii) a pris 150 euros dans la caisse

     iv) n'est pas assez rapide.

   **b** Citez une phrase qui indique que les caissières sont traitées comme des personnes anonymes. (Section 2)

**5** **a** Une fois la caisse comptée, les caissières ont fini leur journée. Vrai ou faux ? Justifiez votre réponse. (Section 3)

   **b** Comment la narratrice rentre-t-elle chez elle ? (Section 3)

**6** The passage highlights the impersonal, pressurised and petty atmosphere of working on a cash register. Support this statement with reference to the text. (*50 words*)

**1.2** Associez les expressions de gauche avec leur définition à droite.

1 avoir le moral à zéro

2 être haut comme trois pommes

3 manger comme quatre

4 chercher midi à quatorze heures

5 faire demi-tour

6 passer un sale quart d'heure

7 tourner sept fois sa langue dans sa bouche

8 ne pas gagner des mille et des cents

9 se mettre sur son trente-et-un

10 être à deux pas d'ici

a être bien habillé(e)

b être tout petit

c avoir un petit salaire

d être juste à côté

e être assez déprimé

f passer un moment difficile

g réfléchir avant de parler

h avoir un gros appétit

i aller dans la direction opposée

j compliquer les choses inutilement

**1.3** Écoutez des extraits sur des informations diverses, puis complétez les phrases ci-dessous avec le chiffre entendu. Notez vos réponses dans votre cahier.

1 Plus de ....... millions d'animaux sont utilisés chaque année dans les laboratoires européens destinés à la médecine, la dentisterie ou encore la médecine vétérinaire.

2 Le magazine mensuel *Vanity Fair* version française est tiré à ....... exemplaires.

3 Le roman de Philippe Besson, *La Maison atlantique*, publié aux éditions Julliard, coûte ....... en librairie.

4 Jane Campion est la présidente du jury du ....... Festival de Cannes.

5 Un appartement de ....... avec ....... chambres refait entièrement à neuf est à vendre dans le quartier du parc Montsouris à Paris.

## Note de rappel

*Only* 21, 31, 41, 51, 61 *and* 71 *take* et (*e.g.* trente-et-un; *but* 32 = trente-deux)

80 = quatre-vingts

100 = cent (une centaine de = *a hundred (+ noun)*)

202 = deux-cent-deux (cent *followed by a number doesn't use the plural form*)

des centaines de … = *hundreds of …*

1 000 = mille (des milliers de … = *thousands of …*)

| | | |
|---|---|---|
| 2 000 = deux mille (no -s) | 80 = quatre-vingts | ¼ = un quart |
| 100 000 = cent mille | 81 = quatre-vingt-un | ⅓ = un tiers |
| 1 000 000 = un million | 91 = quatre-vingt-onze | ½ = un demi |
| *one billion* = un milliard | 200 = deux cents | |

**Consultez**
l'aide-mémoire

Pour l'impératif, voir pp. 121-23.

# 2 L'argent de poche

**2.1** Lisez les idées données pour gagner un peu d'argent puis répondez aux questions qui suivent.

**A** **Enseignez** les maths, le jonglage, le piano … Proposez votre savoir-faire à des connaissances ou déposez une annonce […]

**B** **Guettez** les grandes occasions pour vous faire embaucher comme DJ, serveur(-euse) ou hôte(sse) de vestiaire pendant des mariages, soirées, anniversaires, bals de village …

**C** **Travaillez** au marché.

**D** **Tondez** la pelouse du jardin familial ou des voisins contre quelques euros. Vous pouvez aussi repasser les chemises, couper la haie, laver la voiture, faire les courses des personnes âgées du quartier.

**E** **Promenez** des chiens comme dans les films américains ! Ou gardez le poisson rouge du petit frère de votre meilleur ami, ou le matou* de tatie pendant les vacances.

**F** **Videz** vos placards, les vôtres et ceux de la maison - avec l'accord de vos parents ! Habits, livres, linge, vaisselle … triez tout ce qui ne sert pas, et vendez-le lors de vide-greniers […]

**G** **Dénichez** un job pour une partie de l'été : cueilleur(-euse) de fruits, vendangeur(-euse), serveur(-euse), vendeur(-euse) de beignets sur la plage, animateur(-trice) […]

**H** **Fabriquez** des objets (déco, bijoux, habits, accessoires …), puis vendez-les sur le marché, ainsi qu'à vos amis, fans […]

© Bayard Presse, *Phosphore*, juin 2013

**Lexique**

un matou = un chat (mâle)

### Dans quelle section conseille-t-on de …

1 vendre des choses que l'on a faites soi-même
2 donner des cours particuliers
3 travailler à l'extérieur
4 garder les manteaux et parapluies des invités
5 faire du jardinage
6 garder des animaux de compagnie
7 vendre des choses que l'on n'utilise plus
8 travailler dans un café ou restaurant ?

**2.2 En classe, posez-vous les questions suivantes.**

1 Recevez-vous de l'argent de poche ?
2 Combien d'argent recevez-vous, en moyenne, par semaine ou par mois ?
3 Qui vous donne de l'argent de poche ?
4 Que faites-vous avec votre argent ?
5 Devez-vous faire quelque chose comme des tâches ménagères pour gagner de l'argent ?
6 Avez-vous offert un cadeau récemment ? Lequel, à qui et pour quelle occasion ?

> **Phrases utiles**
>
> Je reçois … par semaine / mois.
> D'habitude, j'achète / je m'achète …
> Je mets / place mon argent sur un compte bancaire.
> J'économise / j'épargne … par mois.
> Je mets de l'argent de côté pour …
> Je dépense mon argent en maquillage / en musique / en magazines / en sorties / en forfait pour mon portable.

**2.3 Écoutez des adolescents nous parler d'argent de poche, puis répondez aux questions dans votre cahier.**

#### Cédric

1 When does Cédric receive pocket money?
2 How much money does he get per month?
3 What does he spend his money on?
4 What must he do at home in return for his pocket money?

#### Anissa

5 Anissa lives on her own with her mum. True or false?
6 Where does she work at the weekend?
7 What does she buy with the money she earns?
8 What is she saving for?

#### Nadia

9 Nadia receives €30 per month. True or false?
10 What does she like buying? Name two items.
11 Name two things she pays for.
12 Why is it difficult for her to save money?

# 3 L'argent du futur

**3.1** Lisez ce forum Internet à propos de la monnaie virtuelle, le bitcoin, puis écrivez un paragraphe d'environ 75 mots pour donner votre opinion.

http://forum

**Orlane**

J'ai entendu parler de la monnaie virtuelle, le bitcoin, par un copain et je me demande si c'est une monnaie fiable ? Merci pour vos opinions.

**Scott**

Cette monnaie a été créée en 2009 par un groupe d'informaticiens japonais mais tout cela reste assez mystérieux. Obtenir des bitcoins semble assez compliqué.

**Cendrine**

Rien de plus facile que d'obtenir des bitcoins, il suffit de télécharger l'application sur son smartphone qui devient alors un véritable portefeuille électronique. Une minorité de commerces acceptent pour l'instant les règlements en bitcoin mais ça va changer d'ici peu.

**Carlos**

C'est vrai que cette monnaie est un peu mystérieuse : elle n'est contrôlée par aucune banque centrale et échappe à toute forme de régulation ! Elle obéit pourtant à des règles d'émission strictes …

**Tarek**

Cette monnaie virtuelle et alternative va révolutionner le monde des finances si ce n'est le système monétaire tout entier ! Elle est désormais cotée en bourse !!

**3.2** Écoutez un reportage à propos des nouveaux comptes bancaires low-cost Nickel, puis répondez aux questions suivantes.

1 Where can you open a Nickel account?
2 What is the fee charged to open an account?
3 How long does it take to open an account?
4 Name two groups of people opening Nickel accounts.
5 Why did Sarah decide to opt for a Nickel account? Give two points.
6 How many Nickel accounts will be opened by the end of the year?

**3.3** **Lisez le texte à propos de l'échange de services puis répondez aux questions qui suivent.**

1 Réunis jusqu'au dimanche 22 août dans les Yvelines, les « systèmes d'échanges locaux » (SEL) français comptent de plus en plus de membres désireux de concilier militantisme et budget serré. […]

Derrière la porte en bois du centre de formation des Scouts et Guides de France de Jambville (Yvelines), près de 160 SEListes flânent* de discussion en atelier. En covoiturage, par train, ils sont venus de toute la France et des pays européens limitrophes pour assister à la réunion annuelle des « systèmes d'échanges locaux » (SEL).

Les SEL sont des associations qui proposent des échanges de services ou d'objets entre les adhérents contre des monnaies fictives (le piaf,* le grain de sel, le galet*), dans le but de créer du lien social. Au programme : des conférences sur la gestion des biens communs, les monnaies locales ou l'espéranto* et des activités ludiques – théâtre, relaxation, ou encore écriture.

2 Il existe en France environ 350 SEL qui regroupent 30 000 personnes. Inscrite au SEL de Paris depuis 1993 et organisatrice de l'InterSEL 2010, Claudine Maigre, 60 ans, guide les participants. Elle distingue deux profils : « Ceux qui viennent parce qu'ils ont des problèmes d'argent – de plus en plus d'étudiants et de personnes âgées en difficulté. Et ceux qui veulent créer du lien social dans leur quartier en donnant un coup de main, ou une deuxième vie à des objets qu'ils n'utilisent plus. »

Les SEListes échangent en majorité des services : repassage, cours de peinture, gardiennage d'animaux … « Ce sont avant tout des relations de bon voisinage », rappelle l'organisatrice. À cela s'ajoute le « troc » d'objets, même si le mot est un peu tabou : matériel informatique, ustensiles de cuisine, jouets, et – ce qui est assez nouveau – nourriture.

Pour Jean-Louis Minéo, coach entrepreneurial de 53 ans, la crise pousse les gens vers ce genre d'associations : « Ils ne peuvent pas vraiment faire autrement. Soit ils restent isolés dans une forme de dépression – car il peut leur arriver un accident de la vie du jour au lendemain, soit ils réapprennent à vivre en solidarité, et là, le lien reprend tout son sens. »

3 Toutefois, ces nouveaux adhérents ne comprennent pas toujours la philosophie du mouvement. Jean Cazanave, cet « accro des InterSEL », comme il se définit, venu de Narbonne, explique que certains jeunes, qui s'inscrivent en période de crise, sont déçus. Ils pensent trouver de l'aide pour du bricolage ou des travaux, mais ne savent pas quoi apporter. « Ils sont inscrits dans un monde de vitesse et ça ne fonctionne pas toujours avec l'esprit des SEL », reprend-il. Résultat : sur les chemins du château de Jambville, la plupart des participants ont entre 40 et 60 ans. […]

Quand il est entré dans l'organisation il y a trois ans, Matthieu Femel, 26 ans, travaillait dans la grande distribution.

« J'avais envie de vivre autrement, une envie de militant, pour contrer le système économique actuel », raconte-t-il. Avec des amis, il a impulsé une nouvelle dynamique. En un an et demi, le nombre d'adhérents à Fécamp est passé de 20 à 80 personnes, avec un franc rajeunissement.

$\rightarrow$

**4** Certains services proposés ont le vent en poupe,* comme la Route des SEL. Il s'agit d'un réseau d'hébergement, pour 60 unités de SEL (correspondant à une heure de travail) par nuit, ou d'échanges de maison entre les membres du réseau, en France ou à l'étranger.

Si ce type d'échanges existe depuis dix ans, il intéresse de plus en plus et compte à présent 2 000 adhérents, pour seulement 800 en 2006. Guy-Siegfried Basyn, 75 ans, est d'ailleurs venu spécialement de Belgique pour trouver de nouveaux contacts pour la Route des SEL : « Non seulement on voyage pour moins cher, mais on loge chez des gens qui ont un esprit de partage », note-t-il [...]

Il est 20h30. Les participants affluent vers la grande tente blanche avec de gros cartons. C'est l'heure de la BLé, la « bourse locale d'échange », une sorte de marché. Sur les stands, on trouve des habits, des pots de romarin ou de confiture, des bonnets faits main. Entre les vendeurs et les acheteurs, ni billets ni pièces. Juste des feuilles de papier où chacun répertorie ses transactions pour débiter ou créditer son compte d'unités de SEL.

© *La Croix*, Ève Chalmandrier, 2010

---

### Lexique

flâner = *to stroll, to wander*

un piaf = *a sparrow*

un galet = *a pebble*

l'espéranto = *an artificial language devised in 1887 as an international medium of communication, based on roots from the chief European languages.*

avoir le vent en poupe = *to be on trend*

---

### Questions

**1** a Trouvez une expression qui indique que le nombre de personnes qui participent aux SEL augmente. (Section 1)

b Qu'est-ce qui prouve que les membres du SEL ne sont pas uniquement Français ? (Section 1)

**2** a Relevez une raison pour laquelle les gens participent à l'échange de service. (Section 2)

b Trouvez un exemple de services offerts par les membres. (Section 2)

**3** a Quelle phrase indique que les jeunes n'ont pas la même vision de l'association ? (Section 3)

b Comment sait-on que Matthieu Femel voulait apporter une nouvelle vitalité au SEL ? (Section 3)

**4** a Dans la troisième section, relevez un verbe au passé composé.

b Citez l'expression qui montre que les échanges de maison augmentent. (Section 4)

**5** a Pour quelle raison Guy-Siegfried Basyn participe-t-il au service de la Route des SEL ? (Section 4)

b Dans la quatrième section, relevez une phrase qui indique que les membres n'échangent pas d'argent entre eux.

**6** Besides facilitating the exchange of objects and services, the SELs are good for getting people together. Do you agree? Refer to the text in support of your answer. (*Two points; about 50 words*)

# 4 Les petits boulots

**4.1** Complétez le témoignage de Damaris avec les mots manquants proposés ci-dessous dans votre cahier.

( portable )  ( les jouets )  ( réseau )  ( cherchent )  ( envie )

( rembourse )  ( des affiches )  ( apprécient )  ( un peu de )

« Je garde les enfants deux fois par semaine. J'ai eu un premier plan grâce à mon grand frère, un autre après avoir déposé ....... chez les commerçants du village, avec mon âge, mes disponibilités, mon expérience avec les enfants et mon numéro de ....... sur des languettes prédécoupées. J'en avais aussi mis à la crèche, où il y a plein de mamans qui ....... ! [...]

Au final je gagne 85€ par mois, un peu plus quand je fais des baby-sittings le week-end. J'ai un petit ....... maintenant, des gens qui me font confiance, qui ....... mes petites attentions : ranger ....... ou le lave-vaisselle sans qu'ils l'aient demandé, par exemple. Parfois, je n'ai pas ....... d'y aller mais, quand j'arrive et que les enfants m'accueillent avec des câlins, je suis contente. L'argent me motive aussi, bien sûr : avec, je paie mon forfait téléphonique, je ....... mes parents d'un voyage aux États-Unis l'été dernier et je mets ....... sous de côté.

© Bayard Presse, *Phosphore*, juin 2013

**4.2** Écoutez des infos sur des petits boulots insolites, puis répondez aux questions.

### Section 1

1 Give an example of a traditional summer job that is mentioned.

2 Name one advantage of getting a part-time job.

3 What do you first have to do to get a job quickly?

### Section 2

4 What is inconvenient about working on a cruise ship?

5 What organisations usually recruit summer staff?

6 Name one condition if you want to work at places like Disneyland Paris.

### Section 3

7 What type of work does Jeremy do?

8 How much does he earn?

9 What is the minimum wage per hour for students aged under 18?

**4.3** En classe, répondez aux questions suivantes :

1 Avez-vous un petit boulot ? Sinon, pourquoi n'en avez-vous pas ? Donnez les raisons.
2 En quoi consiste votre travail et où travaillez-vous ?
3 Aimez-vous votre petit boulot ? Pourquoi ? / Pourquoi pas ?
4 Décrivez les personnes avec qui vous travaillez.
5 Combien d'argent gagnez-vous ?
6 Comment le dépensez-vous ?
7 Offrez-vous des cadeaux à vos ami(e)s ou votre famille de temps en temps ?

---

**Phrases utiles**

Le travail est bien payé / mal payé / fatigant / intéressant / pénible / satisfaisant / répétitif / ennuyeux.

Je travaille à temps partiel / à mi-temps / à temps plein / quelques heures.

un travail saisonnier

Les clients / employés sont …

Le directeur (patron)/la directrice (patronne) est …

une bonne / mauvaise ambiance

Je commence à …

Je finis assez tard / tôt vers les …

Ce que j'aime le plus / le moins, c'est …

---

**4.4a** En classe, faites un sondage pour voir qui est pour / contre avoir un petit boulot en classe de première et de terminale.

**4.4b** Par groupes de deux ou trois personnes, trouvez un maximum d'arguments pour ou contre le fait d'avoir un petit boulot pendant l'année du bac. Écrivez les réponses dans votre cahier.

| Travailler et étudier | |
| --- | --- |
| **Pour** | **Contre** |
| Ça permet d'être … | Cela empêche de … |
| Je préfère … | C'est mieux si … |
| … | … |

# Aide-mémoire

## Un brin de causette

Rachel parle de ses amies en Irlande, ainsi que de ses passe-temps. Quant à Niall, il discute de sports et des autres loisirs qu'il aime. Il parle également de son argent de poche.

**Écoutez les deux extraits puis répondez aux questions dans votre cahier.**

**Match de foot gaélique**

**Les amies de Rachel**

### Rachel

1 Who is Maeve? Give two details about her.
2 At school, when do they meet up?
3 When is Rachel likely to stay overnight with one of her friends?
4 What do they usually do on Saturdays? Mention two activities.
5 What does Rachel like to read in general?
6 Where does she go every Saturday?
7 What type of programmes does she watch on TV?
8 What does she use Facebook for?

### Niall

1 How often does Niall train for football?
2 What comment does he make about Gaelic football? (Two points)
3 When does he play basketball?
4 Where has Niall been on a skiing holiday with his family?
5 He didn't really enjoy himself that time. True or false?
6 What did he try while on a school ski trip?
7 What part-time work did he do last summer? Give two details.
8 How much money did he get in total?
9 What does he buy with his pocket money?

# Préparation pour le bac

## La lettre formelle : demande d'emploi

Formal letters such as job applications, reservations and complaints always require the **vous** form of address to the person you are writing to. Never **Cher/Chère** or the name of the person. Start the letter with either **Madame** or **Monsieur** (if you know whether you are writing to a woman or man, or **Madame, Monsieur** if you don't).

Finish your letter with a phrase like **Je vous prie d'agréer, Madame, Monsieur, l'assurance de mes sentiments distingués**. And don't forget to sign it using your full name.

Remember that you can score 6 marks for the layout of the letter! The rest of the marks are split between language (12) and communication (12).

### La mise en page

**Complete the letter using the words in the box below.**

| recommandation | pendant | disponible | ci-joint | Mullingar | envoyer |
|---|---|---|---|---|---|
| recevoir | expérience | serais | parue | postuler | intéresse | stage |

Alma Mulligan
21 Ashwood
Mullingar
Co. Westmeath
Irlande

Agence TopEmploi
45, avenue de la République
16000 Angoulême

…(1)… , le 15 avril 20XX

Madame, Monsieur,

Suite à votre annonce …(2)… dans le magazine *Phosphore* du mois dernier, je souhaite …(3)… pour un emploi de jeune fille au pair en France.

Je suis actuellement en terminale et aimerais poursuivre des études de français à l'université. Je m'…(4)… beaucoup à la langue et à la culture françaises et travailler en France me conviendrait parfaitement.

J'ai de l'…(5)… dans la garde d'enfants car je m'occupe régulièrement de mes petits voisins depuis deux ans. J'ai fait un …(6)… dans une crèche à Limerick …(7)… six semaines l'été dernier.

Je vous …(8)… reconnaissante de m'…(9)… des détails à propos des possibilités d'emploi. Je suis …(10)… à partir de fin juin jusqu'à fin septembre.

Veuillez trouver …(11)… mon CV ainsi qu'une lettre de …(12)… de la directrice de la crèche où j'ai fait mon stage.

Je vous prie de …(13)… , Madame, Monsieur, mes plus sincères salutations.

Alma Mulligan

**Make a note of the different elements of the letter.**

1 Where is the letter writer's address placed?

2 Where does the date go?

3 What comes before the date?

4 Where do you place your own address?

5 What is the equivalent of 'Yours faithfully' in this letter?

## Le vocabulaire

### Introduction

Suite à votre annonce parue dans *Le Monde* du 13 mars …

Ayant lu votre annonce … (*having read*)

Après avoir lu votre annonce … (*after having read*)

J'ai trouvé votre annonce dans …

### Postuler

Je voudrais poser ma candidature pour le poste de …

J'ai l'honneur de solliciter l'emploi de … / le poste de … / ce poste.

Je me permets de poser ma candidature pour le poste que vous offrez.

Je voudrais savoir si le poste de … est toujours disponible (*available*).

### Expérience

J'ai déjà travaillé dans ce domaine / secteur. En effet, …

J'ai de l'expérience dans ce genre d'emploi.

Je me crois qualifié(e) pour occuper le poste car …

En seconde, j'ai fait un stage d'une semaine / d'un mois / d'été dans …

### Pratique de la langue

J'apprends le français depuis X années et j'ai un bon niveau.

Je voudrais améliorer / perfectionner mon français.

L'anglais (l'irlandais, le polonais, etc.) est ma langue maternelle.

J'ai aussi / également de bonnes connaissances en espagnol (italien, russe, etc.)

### Demander des informations

Pouvez-vous me dire / Pourriez-vous me dire … combien on est payé de l'heure ?

Quel est le salaire ?

Pouvez-vous me dire quelles sont les conditions de travail ?

Pouvez-vous me dire en quoi consiste le travail ?

Que faut-il faire exactement ?

Pourriez-vous m'envoyer des informations supplémentaires à propos du poste ?

Est-ce que je serai nourri(e) et logé(e) ?

## Références

Je joins mon CV à cette lettre ainsi qu'une copie de mes diplômes / ainsi qu'une lettre de recommandation de mon précédent employeur.

Veuillez trouver ci-joint une copie de mon CV.

## Conclusion

Je serai disponible à partir du …

Je serai disponible du 10 juin au 28 août.

Dans l'attente d'une réponse de votre part …

Dans l'attente d'une réponse favorable …

## Formule de politesse

Je vous prie de croire, Madame, Monsieur, à l'expression de mes sentiments respectueux.

Je vous prie d'agréer, Madame, Monsieur, l'assurance de mes sentiments distingués / dévoués.

Je vous prie d'accepter / de recevoir, Madame, Monsieur, mes plus sincères salutations.

## Entraînez-vous pour le bac !

### Exercice 2

http://lesmarionnettescamping/

## Travail d'été au camping Les Marionnettes

**Nature :** animateur du club enfants      **Période :** juillet, août

**Lieu de travail :** St-Jean-de-Monts      **Horaires :** 20 heures/semaine

**Profil demandé :** 17 ans minimum ; connaissance du français et autre langue européenne ; être très motivé et dynamique.

**Write a letter of application in response to the advertisement above.**

Your neighbour has stayed at this campsite and suggests you write to them to get the summer job they've advertised on their website.

You are Marcus/Jacinta Walshe and your address is 45 Clifden Park, Maynooth, Co. Kildare. The address you are writing to is: Monsieur Le Directeur, Camping Les Marionnettes, 85160 St-Jean-de-Monts, France.

In your letter:

- state your age and nationality
- say what languages you speak and at what level
- give details of work you have done with children (summer camps, babysitting)
- give the dates you would be available to work
- mention that a copy of your CV and references are enclosed. (*75 words*)

You are Ciaran/Natasha Riordan, New Road, Clara, Co. Offaly and you are writing to Mme Sylvie Ikbhal, Directrice, Le Petit Ranch, Route d'Arles, 13460 Saintes-Maries de la Mer, France. You wish to apply for a job as an *animateur-soigneur* in the equestrian centre.

In your letter:

- give your age, nationality and experience in dealing with horses
- mention your standard of French
- mention the period of time you will be available in the summer
- ask about the working hours and the accommodation
- say that you are looking forward to hearing from them. (*75 words*)

# Grammaire

## 1 C'est / il est

C'est and Il est cause confusion for English-speakers as both can mean 'it is'.

**C'est / Ce sont** is followed by:

- a noun

  **Exemples :** | C'est un long voyage.
  Ce sont des Français.

- a pronoun

  **Exemples :** | C'est moi.
  Ce sont eux.

- an adverb

  **Exemples :** | C'est bien !
  C'est dommage !

- an adjective on its own or followed by à.

  **Exemples :** | C'est fatigant !
  C'est impossible à faire !

**Il est / Ils sont** is used when:

- saying what one does for a living

  **Exemple :** | Il est électricien.

- giving the time of day

  **Exemple :** | Il est cinq heures vingt.

- the adjective is followed by **que** or **de**

  **Exemples :** | Il est possible qu'il revienne.
  Il est difficile d'aller à l'école et d'avoir un travail.

In informal usage, it is common to use **c'est** instead of **il est** in such instances:

**Exemples :** C'est possible qu'il revienne.

C'est difficile d'aller à l'école et d'avoir un travail.

- describing a specific object or person

**Exemples :** Mark et Colm, ils sont irlandais.

Mon vélo ? Il est blanc.

C'est mon frère. Il est électricien.

Ce sont mes amies. Elles sont sympas.

As a guideline, you can follow the table below:

| Identification de personnes/objets | Description de personnes/objets |
|---|---|
| C'est / ce sont + nom | Il est / elle est / ils sont / elles sont + adjectif |
| C'est un étudiant | Il est brésilien |
| C'est une handballeuse | Elle est française |
| Ce sont des touristes | Ils sont américains |
| Ce sont des jumelles | Elles sont anglaises |

**Exercice 4**

**Complete the sentences below using the expressions c'est, il est, elle est or ce sont, ils sont, elles sont where appropriate.**

1 ....... mon professeur de biologie. ....... nouveau dans le lycée cette année.

2 Les pâtes à la carbonara ? ....... mon plat préféré !

3 Magalie ? ....... encore chez le coiffeur. Elle va bientôt avoir fini.

4 Qui est cette femme qui attend à la réception ? ....... Madame Latour ?

5 ....... mes deux petites sœurs : ....... mignonnes mais parfois gâtées.

6 ....... une écharpe en laine et soie. ....... plus chère, bien sûr.

7 Je viens de réserver mon billet pour le festival, ....... cool, non ?

8 Les maths, ....... compliqué ; je n'y comprends rien !

9 Je vous présente Antoine et Margot, ....... québécois. ....... avec nous pour un mois.

10 ....... interdit de fumer dans les lieux publics en Irlande. ....... une bonne chose !

# 2 La négation

## La forme négative avec un verbe

With a simple verb tense, the **ne** comes before the verb and the second part of the negative form comes after it.

| Simple verb tenses: | |
|---|---|
| le présent | l'imparfait |
| le futur | le passé simple |
| le conditionnel présent | le subjonctif présent |

**Exemples :** Je **ne** bois **pas** d'alcool.

Il **ne** partira **plus** à la mer.

Je **ne** faisais **rien** de mal.

## La forme négative avec deux verbes

With a compound tense, **ne** comes before the first verb, and the second part of the negative form comes after it.

| Compound verb tenses: | |
|---|---|
| le passé composé | le conditionnel passé |
| le plus-que-parfait | le futur antérieur |

**Exemple :** *passé composé :*

Elle n'a **rien** entendu.

**ne** + auxiliary + **negative form** + past participle

In compound tenses, the negative particles **personne**, **que** and **ni** … **ni** come after the second verb (i.e. after the participle/infinitive).

**Exemples :**

Je n'ai vu **personne**.

Elle n'avait mangé **que** des légumes.

Ils **ne** vont rencontrer **ni** Pierre ni Paul.

- **Si** is used instead of **oui** in reply to a negative question.

**Exemple :** Vous n'aimez pas les champignons ? **Si**, je les aime bien.

- In spoken French, the **ne** is often left out of the sentence.

**Exemple :** Je (ne) peux pas aller au ciné ce soir.

- In a negative sentence, the partitive articles – **du**, **de la**, **de l'**, **des** – and the indefinite article – **un**, **une** – are changed to **de** or **d'**.

**Exemples :** Mes parents me donnent **de** l'argent de poche.
→ Mes parents **ne** me donnent **pas d'**argent de poche.

Dans mon école, il y a **une** piscine.
→ Dans mon école il n'y a **pas de** piscine.

## Les formes négatives

- **ne … pas** (*not*)

**Exemple :** Je ne suis pas riche. (*I am not rich.*)

- **ne … pas encore** (*not yet*)

**Exemple :** Elle n'est pas encore prête ! (*She is not ready yet!*)

- **ne … toujours pas** (*still not*)

**Exemple :** Il n'a toujours pas mangé. (*He still has not eaten.*)

- **ne … rien** (*nothing*)

**Exemple :** Je ne fais rien le samedi matin. (*I do nothing on Saturday mornings.*)

- **ne … pas du tout** (*not at all*)

| Exemple : | Vous n'aimeriez pas du tout ce type de concert.<br>(*You wouldn't like this type of concert at all.*) |
|---|---|

- **ne … plus** (*no more / no longer / not any more*)

| Exemple : | Elle ne travaille plus dans ce magasin.<br>(*She doesn't work in that shop any more.*) |
|---|---|

- **ne … jamais** (*never*)

| Exemple : | Avant, je n'allais jamais en boîte. (*Before, I never used to go to nightclubs.*) |
|---|---|

- **ne … guère** (*hardly, barely, scarcely*)

| Exemple : | Il n'a guère d'énergie. (*He has hardly any energy.*) |
|---|---|

- **ne … que** (*only*)

| Exemple : | Chez moi, nous n'avons que six chaînes de télévision.<br>(*We can get only six TV stations at home.*) |
|---|---|

- **ne … point** (*literary equivalent of ne … pas*)

| Exemple : | Je ne te hais point. (*I don't hate you.*) |
|---|---|

- **ne … nulle part** (*nowhere*)

| Exemple : | Le week-end prochain, il n'ira nulle part, sauf chez son copain Alex.<br>(*Next weekend, he will go nowhere except to his friend Alex's house.*) |
|---|---|

- **ne … ni … ni** (*neither … nor*)

| Exemple : | Je n'ai ni frères ni sœurs. (*I have neither brothers nor sisters.*) |
|---|---|

## Exercice 5

**Change these sentences into the negative form using ne … pas.**

1 Ils attendent l'acteur pour un autographe.
2 Je pars en Italie après-demain pour une semaine.
3 Nous irons au mariage de mon collègue Sylvain cet été.
4 Vous connaissez le nouvel assistant du patron ?
5 Elle arrivera après les fêtes de Noël.
6 Tu aimes le poulet-frites ?

## Exercice 6

**Answer the following questions using the negative form given in brackets.**

1 Tu pars en vacances en février ? (ne … jamais)
2 Que faisons-nous le week-end prochain ? (ne … rien)
3 Ils sont déjà partis au cinéma ? (ne … pas encore)
4 Est-ce qu'elle travaille toujours à Paris ? (ne … plus)
5 Vous mangez souvent au restaurant indien ? (ne … guère)
6 Il a joué au golf dimanche dernier ? (ne … que)
7 Vous avez combien de frères et sœurs ? (ne … ni … ni)
8 Il y a quelqu'un dans la salle d'attente ? (ne … personne)

Complete the sentences below using the verbs in the box and the tenses indicated.

> partir    faire    arriver en retard    se disputer    téléphoner

**1** Je ne … rien de spécial cette année. (*présent*)

**2** Tu ne … pas comme d'habitude ? (*futur*)

**3** Elle ne … jamais pendant la semaine dernière. (*passé composé*)

**4** Nous ne … pas du tout. (*imparfait*)

**5** Ils ne … pas encore. (*passé composé*)

# 3 L'impératif

The imperative is used to give an order, advise someone, and to make a request or a suggestion.

**Exemples :** Ouvrez vos livres à la page 27.

Donne le livre à ton frère, s'il te plaît.

Allons à l'extérieur pour quelques minutes.

## La formation

- The imperative has three forms:

  **1** **Tu** form: used with people you know well.

  **2** **Vous** form: used with more than one person or someone you don't know well.

  **3** **Nous** form: to suggest the idea of 'Let's do …'.

- To make a verb imperative, take the **tu**, **nous** and **vous** forms of the present tense. Then, take away the subject pronouns (**tu**, **nous** and **vous**).

- For the second person singular (**tu**) of **-er** verbs, you drop the **s**. The same applies for the verb aller (vas → va).

  **Exemples :** tu parles → parle

  nous allons → allons

  vous sortez → sortez

- When the imperative is followed by the pronouns **y** and **en**, the **s** of the second person singular is not removed, to make it easier to pronounce.

  **Exemples :** Va en classe ! Vas-y !

  Mange plus de fruits ! Manges-en plus !

## L'impératif avec la forme négative

The negative structures go on either side of the verb, just like in the present tense.

**Exemples :** Ne cours **pas** si vite !

Ne sortez **jamais** sans autorisation !

Ne donnons **plus** de bonbons aux enfants !

## L'impératif et les verbes pronominaux

In an imperative structure, the reflexive pronoun (**te, nous, vous**) is placed after the verb and a hyphen goes in between the verb and the pronoun. The pronoun **te** becomes **toi** in the imperative.

**Exemples :** Tu te dépêches, s'il te plaît ! (*present tense*)

→ Dépêche-toi, s'il te plaît ! (*imperative*)

Nous nous levons de bonne heure demain. (*present tense*)

→ Levons-nous de bonne heure demain ! (*imperative*)

Vous vous taisez quand la musique commence. (*present tense*)

→ Taisez-vous quand la musique commence ! (*imperative*)

## L'impératif et les verbes pronominaux à la forme négative

As usual, the reflexive pronoun is placed before the verb (i.e. it goes back to its original form) and the two negative forms go on either side of the whole reflexive phrase.

**Exemples :** Tu es fou ! Ne **te** lève **pas** à cinq heures du matin !

Ne **te** stresse **pas** pour ça, tout ira bien !

Attention, ne **vous** investissez **pas** trop, c'est inutile pour l'instant.

## L'impératif et les verbes irréguliers

The only irregular verbs in the imperative are:

| être : | sois, soyons, soyez |
|---|---|
| avoir : | aie, ayons, ayez |
| savoir : | sache, sachons, sachez |

- The imperative of vouloir – **veux, voulons, voulez** – is rare, seen in expressions such as **Ne m'en veux pas / Ne m'en voulez pas** (*Don't get annoyed with me*).
- Veuille and veuillez are used for polite formal phrases, especially in letters as in **Veuillez agréer …** or voicemail messages e.g. **Veuillez rappeler ultérieurement** (*call back later*)

### Exercice 8

**Conjugate the verbs in brackets in the imperative.**

1 (Tu / prendre) un peu de vacances : tu en as besoin.

2 Ne (vous / courir) pas si vite ! Vous allez tomber.

3 Ne (nous / rester) pas trop tard à la fête : je me lève tôt demain matin.

4 (Nous / être) plus créatifs!

5 (Vous / avoir) le courage de lui parler.

6 Ne (tu / s'inquiéter) pas pour si peu ! Tu as beaucoup de talent.

7 (Vous / se relaxer) un peu maintenant car la route est longue.

8 (Nous / choisir) le menu à 40 euros : il y a plus de choix.

9 (Tu / conduire) moins vite. C'est limité à 120 km/h sur l'autoroute.

10 (Vous /donner) -moi votre sac, je vais le mettre dans le salon.

It's the first day of a work placement and the boss is going through the rules and regulations. Change the sentences below from the present tense into the imperative.

**Exemple :** Vous devez arriver cinq minutes en avance pour commencer à l'heure.
→ Arrivez cinq minutes en avance !

1 Vous devez mettre vos affaires personnelles dans un casier.
2 Il faut respecter les horaires des pauses affichées.
3 Il est interdit d'utiliser son téléphone portable pendant les heures de service.
4 Vous devez vous assurer que votre rayon est en ordre tout le temps.
5 Il faut toujours être poli et agréable avec les clients.
6 Il n'est pas possible de quitter votre poste sans le signaler à votre supérieur.
7 Vous ne pouvez pas bavarder avec vos collègues pendant votre service.
8 Vous ne pouvez pas apporter de nourriture ou boisson dans le magasin.
9 Si vous avez des questions, vous devez demander à votre chef de rayon.
10 Il n'est pas autorisé de fumer juste devant le magasin pendant vos pauses.

# 4 Le passé composé

**Le passé composé** is used to express a completed action or a series of events in the past. It is a compound tense formed by the auxiliary verb – **avoir** or **être** – in the present tense, plus the past participle.

**Exemples :** Ils ont donné un concert dans le parc.
Je suis allé(e) au concert avec une amie.

## La formation du participe passé

The past participle of regular verbs is formed in the following manner:

- **-er** verbs: remove the **-er** ending and replace it with **-é**

  **Exemple :** chanter → chanté
  Nous avons **chanté** pour le spectacle de fin d'année.

- **-ir** verbs: remove the -ir ending and replace it with -i

  **Exemple :** finir → fini
  J'ai **fini** à cinq heures hier.

- **-re** verbs: remove the **-re** ending and replace it with **-u**.

  **Exemple :** perdre → perdu
  Il a **perdu** son portable au stade.

> The verb table on page 416 presents the endings for many common irregular verbs.

## L'accord des verbes conjugués avec être

### Les verbes d'état et verbes de mouvement

Fourteen verbs (known as transitive verbs) are conjugated with **être**. An easy way to remember them is to use the memory trick 'Mr Damppert's Van', or create your own mnemonic based on the initial letters.

| | |
|---|---|
| Monter | je suis monté(e) (*I went up*) |
| Rester | je suis resté(e) (*I stayed*) |
| Descendre | je suis descendu(e) (*I went down*) |
| Aller | je suis allé(e) (*I went*) |
| Mourir | je suis mort(e) (*I died*) |
| Partir | je suis parti(e) (*I went*) |
| Passer* | je suis passé(e) (*I called to or I went through*) |
| Entrer* | je suis entré(e) (*I came in or I went in*) |
| Retourner | je suis retourné(e) (*I returned*) |
| Tomber | je suis tombé(e) (*I fell*) |
| Sortir | je suis sorti(e) (*I went out*) |
| Venir* | je suis venu(e) (*I came*) |
| Arriver | je suis arrivé(e) (*I arrived*) |
| Naître | je suis né(e) (*I was born*) |

> \* Variations on these (i.e. verbs such as **devenir, revenir, repasser, rentrer**) take **être** as well.

With verbs that take **être**, the past participle always agrees with the subject in gender and number. If the subject is feminine, an e is added. If the subject is plural, an s is added to the past participle.

**Exemples :** il est parti ; elle est partie

ils sont partis ; elles sont parties

### Les verbes pronominaux

All of the reflexive verbs are conjugated with **être**. Common examples include:

**se baigner, se faire bronzer\*, se dépêcher, se disputer, s'habiller, s'imaginer, se laver, se lever, se maquiller, se moquer, se préparer, se promener, etc.**

**Exemple :** Je me suis **levé(e)** à sept heures ce matin.

> \* The verbs **bronzer** (*to get a suntan*) and **se faire bronzer** (*to sunbathe*) should not be confused:
> - J'ai bronzé pendant mes vacances. (*I got a suntan during my holidays.*)
> - Je me suis fait bronzer tout l'après-midi sur la plage. (*I sunbathed all afternoon on the beach.*)

All reflexive verbs agree with the **direct object pronoun** (here the reflexive pronoun) placed before the verb.

**Exemples :** il s'est lavé ; elle s'est lavée

ils se sont lavés ; elles se sont lavées

However, if the object is placed after the verb, there is no agreement.

**Exemples :** il s'est lavé les mains ; elle s'est lavé les mains

ils se sont lavé les mains ; elles se sont lavé les mains

## L'accord des verbes conjugués avec avoir

With the avoir verbs, the past participle **never** agrees with the subject in gender and number.

**Exemples :** Il a écrit une lettre.

Ils ont mangé une crêpe.

However, the past participle does agree with a direct object if it is placed **before** the verb.

**Exemples :** Il a écrit une lettre. → ... la lettre qu'il a écrite ...

J'ai mangé les biscuits. → Je les ai mangés !

Elle a préparé des crêpes. → Elle les a préparées ce matin.

### Exercice 10

**Conjugate the verbs in brackets in le passé composé with avoir (regular / irregular verbs)**

1 Je (travailler) une bonne partie de l'été.
2 Tu (être) malade cette semaine ? Je ne t'ai pas vu.
3 Nous (visiter) le château de Fontainebleau pas loin de Paris .
4 Qu'est-ce que vous (dire) au proviseur ?
5 Ils (attendre) le train pendant plus d'une heure.
6 Elle (réussir) son permis de conduire du premier coup !
7 Tu (vendre) ton scooter à Brian ?
8 Nous (faire) de belles balades pendant notre séjour au Portugal .

### Exercice 11

**Conjugate the verbs in brackets in le passé composé with être.**

1 Mes cousines (aller) en Allemagne pour la première fois.
2 (partir) en vacances pour trois semaines hier.
3 Elle (tomber) dans la rue à cause de la neige.
4 Vous (naître) en 1996 ou 1997 ?
5 Tu (sortir) au cinéma vendredi soir ?
6 Nous (promener) dans le parc dimanche matin.
7 Ils (rentrer) de leur concert après minuit.
8 Je (revenir) hier après-midi.

Complete the sentences with either être or avoir. Check if you also need to make changes to the past participle.

1 Il ....... bu un grand verre d'eau avant de repartir.

2 Nous ....... parti avant que la nuit tombe.

3 Je me ....... bien amusé hier soir à la fête d'anniversaire de Noémie.

4 Elle ....... eu un bon d'achat de 50 euros.

5 Tu ....... été génial(e) de t'occuper de tout !

6 Charlotte, vous ....... déjà resté à l'hôtel Le Palace à Albi ?

7 Elles ....... regardé un film pendant le reste de la soirée.

8 Je ....... mangé une soupe de carottes au déjeuner. Super bon !

9 Ah, vous ....... né en Espagne, alors !

10 Et tu ....... voulu laisser ton adresse email pour qu'il te contacte ?

## Les verbes conjugués soit avec être ou avoir

Six verbs that usually take être in the passé composé can also take avoir in this tense. When they take être there is no object connected to the verb, but when they take avoir there is an object and the meaning of the verb is different too.

| | with être | with avoir |
|---|---|---|
| **rentrer** | come back / come home | put in or put away |
| **sortir** | go out | put (something) out |
| **monter** | climb / go up | take (something) up / to assemble something |
| **descendre** | descend / go down | bring (something) down |
| **retourner** | go back / return | take (something) back |
| **passer** | call in / visit someone | spend time / lend (something to someone) |

Replace the verbs in brackets with le passé composé using the appropriate participle (être or avoir).

1 Il (monter) les courses de sa voisine au quatrième étage.

2 Je (rentrer) chez moi vers deux heures.

3 Nous (passer) deux semaines en Sicile pour notre lune de miel.

4 Vous (retourner) les livres à la bibliothèque ?

5 Tu (descendre) un arrêt trop tôt !

6 Elles (passer) chez moi mais j'étais absent pour la journée.

7 Je (monter) tout en haut de la tour Eiffel : il y a une vue impressionnante.

8 Le videur (sortir) deux hommes de la boîte car ils étaient agressifs.

A student explains what she did after her Leaving Cert. exams. Change the verbs in brackets to le passé composé.

Je (finir) mes examens un mercredi et le reste de cette semaine-là, je (ne rien faire) : j'étais vraiment crevée ! je (dormir) pour récupérer. Je (se relaxer) en fait. Je (regarder) quelques séries à la télé et je (parler) avec les copines au téléphone.

   La semaine suivante, je (partir) avec ma famille en vacances en France ! Nous (rester) deux semaines dans une maison de location au bord de la mer. C'était génial ! Nous (passer) des vacances idéales ! En plus, je (pouvoir) pratiquer mon français ! Ma petite sœur (apprendre) quelques mots. On bien (rire) avec elle !

**Exercice 15**

À vous maintenant : **Now say what you did during your last holidays! (*75 words*)**

# 5 L'imparfait

To form the **imparfait** tense, the **nous** form of the present tense is used. The -**ons** ending is removed and the appropriate imperfect ending is added (-**ais**, -**ais**, -**ait**, -**ions**, -**iez**, -**aient**).

**Exemple :**   donner (*présent*) nous donn**ons** → (*imparfait*) donn-

| | |
|---|---|
| je donnais | nous donnions |
| tu donnais | vous donniez |
| il/elle/on donnait | ils/elles donnaient |

The verb **être** is the only exception to the rule. The nous form of the present is **nous sommes** but the stem used for the **imparfait** tense is **ét-**:

| | |
|---|---|
| j'étais | nous étions |
| tu étais | vous étiez |
| il/elle/on était | ils/elles étaient |

The **imparfait** tense is used to describe continuous or habitual actions in the past, and all sorts of descriptions (emotions, scenes) in the past. The **imparfait** tense translates what you were doing, what you used to do and what was happening. You need it in the following cases:

- to express what you used to do and don't do any longer

   **Exemple :**   L'année dernière, je faisais du sport trois fois par semaine.

- to express what was happening before a sudden interruption (usually expressed in le passé composé)

   **Exemple :**   Je regardais la télé quand le téléphone a sonné.

- to describe scenes in the past

    **Exemple :** | Il pleuvait et deux enfants couraient dans la rue.

- to express a feeling

    **Exemple :** | Mes vacances en Italie, c'était génial !

## Exercice 16

**Change the verbs in brackets to the imparfait tense.**

1 Il (faire) du judo quand il (avoir) 11 ans.

2 Ma tante (donner) toujours un coup de klaxon en passant devant chez moi !

3 Je (sortir) souvent le samedi soir pour rejoindre des amis au café.

4 Tu (manger) un goûter en rentrant de l'école ?

5 En montagne, Il y (avoir) souvent des orages au mois d'août.

6 Vous (passer) vos grandes vacances chez vos grands-parents quand vous (être) petits ?

7 À chaque fois qu'elle (venir), elle (paraître) inquiète.

8 Nous (vouloir) rester et continuer à nager mais la mer (être) trop dangereuse.

## Exercice 17

**Your grandparents tell you what life used to be like for them when they were your age. Write a paragraph using at least eight differents verbs in the imparfait tense.**

Quand j'avais ton âge, nous ....

## Exercice 18

**Conjugate the following verbs in either the imparfait tense or the passé composé.**

1 Le week-end dernier, je (participer) à une course cycliste dans le Wicklow.

2 Quand nous (arriver), ma sœur (être) en pleurs.

3 Pendant tous mes séjours linguistiques en Italie, nous (avoir) cours tous les matins et l'après-midi, nous (faire) des excursions dans la région. Je (aimer) beaucoup ça !

4 Le jour de son anniversaire, tu (acheter) des bonbons de toutes les couleurs. Elle (éclater) de rire !

5 Quand ils (être) jeunes mariés, ils (préférer) aller dans des campings.

6 Hier, je (rencontrer) mon ancien prof de musique dans la rue. Je ne le (pas) (reconnaître) sur le moment.

# 6 Les prépositions de temps

The following prepositions can be confusing because the same word in English (e.g. for) can be translated in different ways in French and the same word in French (e.g. **depuis**) can be translated in different ways in English!

## Pour et pendant

**Pour** is used when the period of time referred to is later on in the future.

**Exemple :** Il part à Londres **pour** deux semaines.

(*He's going to London for two weeks.*)

**Pendant** is used for a period during which something happens. It is also used with a past tense for completed actions.

**Exemples :** Tous les jours, je fais du footing **pendant** 30 minutes.

(*Every day, I go jogging for 30 minutes.*)

J'ai travaillé dans ce magasin **pendant** un mois.

(*I worked in this shop for a month.*)

## Il y a

We use **il y a** to describe how long ago an action took place.

**Exemple :** Elle a visité Madrid **il y a** trois ans.

(*She visited Madrid three years ago.*)

## Depuis

**Depuis** is used when the action started in the past and is still going on in the present time. In this instance, it is used with the present tense.

**Exemple :** Margaux **travaille** à Paris **depuis** un an.

(*Margaux has been working in Paris for a year.*)

**Depuis** is also used to describe an action that had a certain length/progression in the past until it was interrupted by another action. The **imparfait** is then used in French.

**Exemple :** Margaux **travaillait** à Paris **depuis** un an quand elle a rencontré François.

(*Margaux had been working in Paris for a year when she met François.*)

Finally, **depuis** is used with a date or special event to indicate when exactly one person did something for the last time. In that case, it has to be used with the perfect tense (**le passé composé**) and is translated by 'since'.

**Exemple :** Je ne suis pas allé(e) en Italie **depuis** Pâques.

(*I haven't been to Italy since Easter.*)

## Exercice 19

**Complete the sentences with one of the following prepositions: pendant, depuis, il y a or pour.**

1 John et Pauline habitent ici ....... presque vingt ans maintenant.

2 Elle aimerait partir ....... un mois en Inde pour faire un stage de yoga.

3 Nous avons fait la queue pour acheter des places de concert ....... presque quatre heures !

4 Il a fini son apprentissage d'électricien ....... trois mois.

5 Elle est à la retraite ....... janvier de cette année.

6 Ils ont obtenu un visa de tourisme ....... trois mois seulement.

7 Je suis des cours de japonais ....... quelques mois : c'est assez difficile.

8 Ils se sont séparés ....... environ cinq ans.

9 Vous resterez en France ....... longtemps ?

10 Tu as dormi ....... au moins trois heures : tu en avais bien besoin !

## Exercice 20

**Translate the following sentences into French.**

1 Next time, they will stay in a holiday home for a week.

2 Last summer, we went to Turkey for a month to do some voluntary work.

3 She found that dog about a month ago.

4 He has been in pain for two days now.

5 I have the flu since yesterday.

6 She rang you a while ago; it was before lunch time.

7 How long was your interview for?

8 We are doing a cruise in the Mediterranean for two weeks.

9 Can you imagine: I have been a student in Cork for five years.

10 She talked for hours on the phone!

### Ressources supplémentaires en ligne

Consultez le site **www.edco.ie/mosaique** pour tester plus amplement vos connaissances et pratiquer votre français en utilisant les ressources suivantes :

- activités auditives interactives
- activités grammaticales interactives
- entretiens sous forme de vidéos, avec fiches pédagogiques correspondantes.

# MODULE C

## L'éducation

## Table des matières

### Aide-mémoire

## **1** Le système scolaire français

**1.1a** Le système scolaire

**A partir du schéma ci-dessous, trouvez les équivalents français pour les mots et phrases suivantes.**

| | | |
|---|---|---|
| **1** the Junior Cert. | **5** sixth year | **9** subjects |
| **2** the Leaving Cert. | **6** higher education | **10** training |
| **3** working life | **7** fourth year | |
| **4** vocational school | **8** kindergarten | |

**Vie active**    **Études supérieures**

**Lycée professionnel (LP)**

de 14/15 à 16/17 ans

- Matières générales et stage d'apprentissage (bâtiment, agriculture … ; alimentation, coiffure, vente … ; secrétariat, hôtellerie, restauration …).

**Examen(s) :** brevet d'études professionnelles (BEP) ; baccalauréat professionel

**Lycée technique**

de 14/15 à 17/18 ans

**Classe :** de la seconde BT à la terminale BT

- Sciences et Technologies Tertiaires (STT)
- Sciences Médico-Sociales (SMS)
- Sciences et Technologie de Laboratoire (STL)

**Examen :** le baccalauréat technologique (BTn)

**Lycée général**

de 14/15 à 17/18 ans

**Classe :** de la seconde à la terminale

- Après la seconde, les élèves se specialisent dans l'une des séries suivantes :
- Série littéraire (L)
- Série scientifique (S)
- Économie sociale (ES)

**Examen :** le baccalauréat

**Collège**

de 11/12 à 14/15 ans

**Classe :** de la 6ème à la 3ème

**Examen :** le brevet

**École primaire**

de 6 à 11 ans

**Maternelle**

de 3 à 5 ans

**1.1b** Écoutez l'entretien avec M. Lacour puis répondez aux questions ci-dessous.

1 What is M. Lacour's profession?
2 How many different types of school does he mention? Name three.
3 At what age do French pupils go to a *collège*?
4 Name one educational establishment that is not mandatory for French students.
5 Pupils have to sit an exam at the end of the primary school cycle. True or false?
6 At the end of what year do students decide which subjects they will study for their *baccalauréat*?
7 Name one of the *baccalauréats* available to pupils.
8 Where does M. Lacour recommend students find more information?

**1.2** Répondez oralement aux questions ci-dessous.

1 Et vous, avez-vous des frères et sœurs dans différents établissements scolaires ? Donnez des détails.
2 À quel âge passe-t-on le brevet et le bac en Irlande ?
3 Après votre brevet, avez-vous fait l'année de transition ? Pourquoi ? / Pourquoi pas ? Expliquez.
4 Existe-t-il des lycées professionnels ou techniques en Irlande ? Donnez des détails.
5 Êtes-vous déjà allé(e) dans un lycée français ?
6 Votre lycée a-t-il déjà accueilli de jeunes lycéen(ne)s français(e)s ? Parlez de cette expérience.
7 Si vous en aviez l'opportunité, aimeriez-vous passer quelques semaines en tant qu'élève dans un lycée en France ? Pourquoi ? / Pourquoi pas ?

 **Attention aux faux amis !**

un collège = *a junior-certificate secondary school*
a college = *une université*

**Consultez** l'aide-mémoire
Pour le conditionnel présent, voir pp. 187–88.

# 2 Des paroles de lycéens

**2.1** Lisez le texte suivant puis répondez aux questions.

### Dans les coulisses d'un lycée musulman

1 Il est treize heures et c'est vendredi, le jour de prière le plus important pour les musulmans. Tourné vers la Mecque,* Mohamed, 16 ans, entame l'appel à la prière. La sonnerie annonce la fin des cours et les « *Allah akbar* » (« Dieu est le plus grand », en arabe) envahissent les couloirs du lycée. Les uns après les autres, les élèves s'installent dans la grande salle recouverte de tapis. Ils jettent leurs chaussures et leurs sacs à l'entrée, avant de s'asseoir. Filles d'un côté, garçons de l'autre. Dehors, les retardataires filent aux toilettes faire leurs ablutions.* […] Pendant une demi-heure, les élèves écoutent les *hadiths* (les paroles du prophète) et leurs explications, avant d'entamer la prière.

→

**2** Nous sommes au lycée Averroès, à Lille. Seul lycée musulman français sous contrat avec l'État, Averroès accueille 350 élèves, dont une majorité de filles. Les élèves y suivent le même programme scolaire qu'ailleurs, mais ils peuvent aussi, s'ils le souhaitent, suivre des cours d'éthique musulmane, faire leur prière cinq fois par jour et porter une tenue islamique. Bahija porte le foulard depuis la 5ème : « L'année dernière, j'étais dans un collège public. Je devais le retirer à l'entrée et le remettre à la sortie. Lorsque j'ai entendu parler d'un lycée autorisant le voile, je me suis dit que ça serait plus simple pour moi. » Bahija est aujourd'hui en 1ère L. Fan de mode, elle a appris à combiner son *hijab* (foulard) avec son look plutôt branché : lunettes à grosse monture, bonnet et écharpe assortis, baskets dernier cri … comme beaucoup de filles ici, elle entend prouver qu'être à la mode et porter le voile ne sont pas contradictoires. […]

**3** La raison d'être du lycée est justement de permettre à des filles qui ne souhaitent pas retirer leur voile de continuer leur scolarité. C'est même ce qui a motivé la création du lycée, se souvient le directeur : « Le projet remonte à 1994, quand une vingtaine de filles avaient été exclues de leur établissement lillois parce qu'elles refusaient de retirer leur foulard. La communauté musulmane avait alors ouvert une structure officieuse dans les locaux de la mosquée, pour offrir une éducation à ces filles. Dès le début, ce lieu a fonctionné comme n'importe quel autre lycée, en proposant les mêmes cours, et en étant très exigeant. […] Les professeurs suivent la même formation que dans le public ou dans les autres lycées privés, et sont payés par l'Éducation nationale. »

**4** Résultat? 100% de réussite au bac … dont 70% de mentions*! Une victoire pour des élèves majoritairement boursiers.* Car la plupart des lycéens ont des parents ouvriers, venus s'installer dans le Nord pour travailler dans le textile, la sidérurgie ou le charbon. Certains ont grandi dans les cités.* Beaucoup ont connu le racisme, comme Ilyas, 15 ans, en seconde : « J'ai été dans un collège privé jusqu'en 4ème, et j'ai fait ma 3ème dans un collège public. À chaque fois, j'étais un des seuls musulmans, et j'ai essuyé beaucoup de petites remarques de la part des élèves comme des profs : des sous-entendus, des amalgames avec les terroristes, les polygames, les délinquants … Ici, on paye 800 euros par an, mais c'est comme une grande famille. On partage la même culture, les mêmes valeurs, et personne ne fait attention à ton origine sociale. Si tu n'as pas bien compris, tu peux aller voir les profs à la fin des cours ou bénéficier d'un soutien. » En effet, l'objectif est clair : faire du lycée Averroès un établissement d'excellence.

© Bayard Presse, *Phosphore*, Claire Lefebure, juin 2013

| **Lexique** |
|---|
| la Mecque = ville d'Arabie Saoudite et lieu de naissance du prophète Mahomet |
| une ablution = acte religieux de purification du corps |
| une mention = une appréciation favorable d'un jury d'examen |
| un élève boursier* = un élève qui reçoit une bourse (aide financière) du gouvernement |
| une cité = un ensemble d'habitations, en général à loyer modéré, dans les banlieues des villes |

**Questions**

1 a Trouvez une expression qui montre qu'au moment de la prière l'école est finie. (Section 1)

   b Comment savons-nous que le lycée est mixte ? (Section 1)

2 Quelle expression montre qu'au lycée Averroès, on étudie la même chose que dans d'autres lycées ? (Section 2)

3 Relevez deux détails qui indiquent que Bahija aime la mode. (Section 2)

4 a Pour quelle raison le lycée a-t-il été créé en 1994 ? (Section 3)

   b Trouvez un exemple de participe passé. (Section 3)

   c Citez une expression qui montre que le lycée Averroès n'est pas différent des lycées publics ou privés. (Section 3)

5 a Comment sait-on que les élèves sont d'une origine sociale modeste ? (Section 4)

   b Quelles remarques Ilyas a-t-il reçues avant de venir au lycée Averroès ? (Section 4)

6 How do we know that *le lycée Averro*ès is both different from and similar to any other school? Support your answer with reference to the text. (*Two points*; *about 50 words*)

 **2.2** **Vos parents vous ont proposé de vous envoyer dans un lycée français pour un trimestre. En groupes, discutez des avantages et des inconvénients de cette proposition. Quelle sera votre décision – y aller ou rester en Irlande ?**

Choisissez une des options ci-dessous et imaginez les différences que vous allez rencontrer.

- Le lycée où vous irez est un lycée mixte.
- Le lycée, d'environ 2 000 élèves, est situé dans une grande ville (Lyon).
- Le lycée a un internat et est situé en pleine campagne.
- La classe de terminale dans laquelle vous serez a une section européenne.

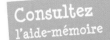

Consultez
l'aide-mémoire

Pour les verbes au futur, voir pp. 182–87.

 **2.3** **Lisez les paragraphes ci-dessous et notez si les déclarations qui suivent sont vraies ou fausses.**

## Vive le lycée !

*En mai, E. confiait son inquiétude à l'idée d'entrer au lycée : peur de ne connaître personne, de ne pas choisir la bonne filière … Vos réponses ont été nombreuses, et rassurantes !*

1 « Le lycée est génial, on y est bien plus libre qu'au collège ! Les profs te parlent moins comme à un gamin, il y a moins d'histoires et, si quelqu'un ne t'aime pas, il t'ignore au lieu de te chercher des ennuis. Tu as trois ans pour trouver ta voie ; si tu te trompes, tu peux toujours te réorienter. Moi, j'étais partie en S mais, finalement, ça ne me correspondait pas trop. J'ai donc repris en L, et je m'éclate. » **(C.)**

→

**2** « Au collège, j'étais mal dans ma peau. Le lycée a été une libération. Il suffit d'être souriant, d'aller vers les autres et de créer des liens dès les premiers jours. Même si tu t'aperçois par la suite que les premières personnes n'étaient pas les bonnes, tu trouveras de 'vrais amis' au fil du temps. Au collège, les profs nous stressaient tout le temps avec l'orientation or je suis en 1ère, je ne sais toujours pas ce que je veux faire plus tard, et je ne suis pas la seule, bien au contraire ! » **(Une lectrice)**

**3** « Le lycée, c'est génial: tu vas y apprendre qui tu es, et c'est essentiel pour savoir ce que tu souhaites faire plus tard. Savoir ce que tu aimes, c'est bien, te connaître, c'est encore mieux! [...] J'étais dans le même cas que toi jusqu'à ma 1ère et j'ai eu un déclic en discutant avec ma mère : elle me connaît et elle a réussi à voir ce que je voulais! [...] Donc pour l'instant, stop la prise de tête : sois toi-même et ça ira! » **(Maurane)**

**Vrai ou faux ?**

© Bayard Presse, *Phosphore*, juillet 2013

**1**  i) Au lycée, l'ambiance est plus stricte qu'au collège.

ii) Si on n'aime pas les matières choisies, c'est possible d'en changer.

iii) La personne qui a écrit ce texte ('C.') s'amuse beaucoup au lycée.

**2**  i) La lectrice ne se sentait pas à l'aise.

ii) Il est difficile de se faire des copains/copines.

iii) Elle n'a pas la moindre idée quant à sa future carrière.

**3**  i) D'après Maurane, être au lycée permet d'apprendre à se connaître.

ii) Elle s'est disputée avec sa mère.

iii) Elle arrête de se stresser.

 **2.4** Un(e) de vos ami(e)s vous invite à poster vos impressions et vos inquiétudes au début de l'année scolaire. Que notez-vous sur sa page Facebook ? (*50 mots environ*)

  **2.5** Lisez l'extrait du journal intime d'Anaïs et trouvez l'équivalent des expressions anglaises ci-dessous.

> Dimanche soir
>
> Cher journal,
> Demain, c'est la rentrée ! J'ai du mal à y croire en fait ! Je vais commencer mon année de terminale. Je sais bien que ça va être une année pleine de défis mais bon, je me sens prête. Je vais bosser vraiment à fond pour réussir mon bac. Une fois le bac en poche, ce sera la fac. Youhoo ! Mais bon, demain, ce n'est que la rentrée après tout !! Il me tarde de retrouver les copines de classe, de se raconter nos vacances d'été, de prendre des fous rires, de papoter à propos du week-end et de se motiver pour étudier. Il est presque minuit et il faudrait peut-être que je pense à dormir. À demain pour la suite !
> Anaïs

**1** I'm going to work really hard.

**2** I can't believe it!

**3** to have a great laugh

**4** I can't wait ...

**5** to chat about the weekend

**6** once I have the Leaving Cert. ...

**7** a challenging year

# 3 Les installations au lycée

**3.1** Dans quelle salle trouve-t-on les objets suivants ? Reliez la colonne de gauche avec celle de droite. Notez vos réponses dans votre cahier.

| | |
|---|---|
| **1** des écouteurs | **a** un gymnase |
| **2** un distributeur de boissons | **b** des salles de cours |
| **3** un projecteur de données | **c** une salle de musique |
| **4** des casiers | **d** des vestiaires |
| **5** des bandes dessinées | **e** un internat |
| **6** des lits superposés | **f** un laboratoire de langue |
| **7** des produits chimiques | **g** un centre de documentation et d'information (CDI) |
| **8** des plats chauds | **h** un foyer pour les élèves de terminale |
| **9** une batterie et un saxophone | **i** une cantine |
| **10** des filets de badminton | **j** un laboratoire de sciences |

**3.2** Regardez les images ci-dessous et pour chacune d'entre elles, donnez le nom de l'installation. Ensuite discutez, par groupes de deux ou trois, des activités que l'on peut y faire. Utilisez des phrases complètes comme dans l'exemple donné ci-dessous.

**Exemple :** Dans mon lycée, nous avons **une cour de récréation**. Elle est immense. On y va pendant les pauses entre les cours pour se détendre, papoter avec ses amis et s'amuser.

**Phrases utiles**

On y va pour …
J'y vais quand je dois …
C'est pratique lors de …
On y trouve …
C'est là où je …
Quand j'ai besoin de …

**3.3** **Répondez oralement ou par écrit aux questions suivantes.**

1 Et vous, dans votre lycée, quelles installations y a-t-il ?

2 D'après vous, quelles sont les installations qui manquent dans votre lycée et pourquoi ?

3 Les locaux de votre lycée sont-ils modernes ou anciens ? Donnez des détails.

4 Dans quel type de lycée êtes-vous (mixte / de filles / de garçons) ?

5 Préféreriez-vous être dans un autre établissement ? Pourquoi ? / Pourquoi pas ?

6 Si vous pouviez changer quelque chose, que changeriez-vous ?

# 4 Le règlement intérieur

**4.1** Micro-trottoir : le règlement dans votre lycée

**Écoutez ces quatre adolescents nous parler du règlement intérieur dans leur lycée puis répondez aux questions suivantes.**

**Ben**

1 According to Ben, what do you have to do once you get a copy of the school rules? (Two points)

2 The school staff has a different set of rules. True or false?

3 Name one thing that would be stricter in a private school.

**Camille**

4 Name at least three rules that pupils are expected to comply with, according to Camille.

5 What happens if the rules are broken?

**Nina**

6 What particular issues does Nina refer to?

7 Name two of the places Nina mentions where these issues can arise.

8 What actions can the school principal take?

**Samy**

9 According to Samy, what objects are not allowed in school?

10 Why can you not wear a cap or hat in school?

**4.2** Et dans votre lycée, que se passe-t-il si vous ne respectez pas le règlement intérieur ? Complétez les phrases ci-dessous en utilisant la structure : « Si … (+ *verbe au présent*) ».

**Exemple : Si** j'arrive en retard au lycée, je **dois** passer au bureau de la vie scolaire pour obtenir un mot d'entrée.

**Si** on veut créer un club d'échecs après les cours, on nous **permet** d'utiliser une salle de classe.

**Consultez** l'aide-mémoire

Pour les verbes au présent, voir pp. 45-50.

1  Si je ne fais pas mes devoirs, …

2  Si je n'ai pas le matériel de classe qu'il faut, …

3  Si je ne respecte pas un prof ou un camarade de classe, …

4  Si un prof me surprend en train d'utiliser mon portable en cours, …

5  Si je ne rends pas un livre à temps au CDI, …

6  Si on casse ou abîme du matériel scolaire, …

7  Si on m'attrape en train de fumer dans l'enceinte du lycée, …

8  Si on a des absences non expliquées, …

9  Si je ne porte pas mon uniforme (ou la tenue vestimentaire du lycée), …

10  Si notre comportement en ligne n'est pas respectueux, …

 **Attention aux faux amis !**

un blâme = *a reprimand*                    *blame* = la faute, la responsabilité

**Phrases utiles**

| Il faut | |
|---|---|
| Je dois | |
| Il est interdit de | |
| Mes parents sont obligés de | + *infinitif* |
| Il est défendu de | |
| On nous permet de | |

**Sanctions disciplinaires**

| | |
|---|---|
| des devoirs supplémentaires | une exclusion temporaire / définitive |
| un avertissement oral / écrit | on est exclu du cours |
| une retenue | recevoir un blâme |
| On est retenu (collé) … renvoyé … | confisquer / retirer |

**4.3** L'uniforme scolaire : pour ou contre ?

**Lisez les opinions suivantes puis, dans votre cahier, faites une liste des arguments pour et contre le port de l'uniforme.**

*L'uniforme scolaire a été abandonné en France en 1968 mais ce sujet revient sur le devant de la scène à chaque rentrée. Synonyme d'égalité pour certains, privation de liberté pour d'autres, la question de l'uniforme scolaire continue de diviser les opinions.*

« Je suis totalement POUR le retour de l'uniforme à l'école et totalement convaincue de ses avantages : tout d'abord, cela met tous les enfants et adolescents à égalité et efface les discriminations par rapport aux marques ou aux vêtements à la mode. J'ai l'impression que les élèves dans les pays anglo-saxons n'ont pas du tout l'air malheureux de porter l'uniforme, bien au contraire, ils en sont fiers ! Récemment, ma fille est revenue en larmes du collège où elle s'était fait insulter par d'autres élèves parce qu'elle portait des vêtements ordinaires sans marque. Donc un grand OUI au retour à l'uniforme ! » **(Mère d'une trentaine d'années)**

« J'étais élève au début des années soixante et le port de la blouse* était obligatoire et ça n'était pas forcément ridicule. Enfant, on s'en fichait et pour les parents, c'était une commodité : les machines à laver n'existaient pas encore vraiment et il était plus facile de laver une blouse que les habits. Ça permettait aussi de faire durer les vêtements plus longtemps. Maintenant, je crois qu'il serait difficile pour mes petits-enfants de porter une blouse ! » **(Grand-mère)**

« Je suis POUR ! Comme j'étais dans un établissement privé, j'ai porté un uniforme de l'école primaire jusqu'au lycée. Je peux vous dire que cela fait une grande différence : moins de violence, très peu de discrimination sociale et pas de compétition de mode, de jalousie ou de racket !! Les élèves sont plus concentrés en classe et respectent leurs amis . Et en plus, on ne perd pas de temps le matin à décider quoi mettre … » **(Homme)**

« Je suis plutôt CONTRE l'uniforme à l'école. Je pense que les principaux responsables sont les parents qui cèdent trop facilement à leurs enfants, à la pression de la mode … L'école devrait pouvoir rester un endroit neutre où le travail, la politesse et le respect des autres sont les valeurs clés. » **(Père de famille)**

« Je suis CONTRE le retour de l'uniforme! Ce n'est pas un uniforme qui va gommer les inégalités que ce soit en primaire, au collège ou au lycée. C'est une utopie totale. L'uniforme impose un style conservateur voire démodé et ridicule. Pour moi, l'uniforme uniformise et ne permet pas d'exprimer son style, son identité. Si on m'imposait de porter un uniforme, je refuserais, c'est sûr. » **(Jeune lycéen)**

**Attention aux faux amis !**

une blouse = *a smock*

*a blouse* = un chemisier

**4.4** Donnez votre réaction à l'argument de ce jeune lycéen :
« L'uniforme uniformise et ne permet pas d'exprimer
son style, son identité. » Qu'en pensez-vous ?
(*75 mots environ*)

Consultez
l'aide-mémoire

Pour écrire un essai,
voir pp. 298–301.

# 5 Le personnel du lycée

**5.1** Remplissez les phrases suivantes avec la personne correspondante.

le/la proviseur(e)

le/la conseiller(-ère)

le/la documentaliste

le/la concierge

le/la surveillant(e)

l'infirmier(-ère)

le/la délégué(e) de classe

le/la secrétaire

1 Si un élève a besoin de médicaments, ou de soutien moral pendant l'année
scolaire, il va voir l'……. .

2 En général, le ……. connaît très bien l'établissement car il loge sur place et il le
garde nuit et jour.

3 Au CDI, la ……. m'aide à choisir les bons livres pour mes dissertations.

4 En cas d'absence ou de problème d'emploi du temps, je dois passer au bureau de
la ……. à la vie scolaire.

5 Quand je ne sais pas quelle orientation choisir, je vais voir le ……. pour avoir plus
d'informations.

6 Le ……. est élu par ses propres copains de classe et il assiste aux conseils de classe
chaque trimestre.

7 La ……. surveille les salles d'étude quand je n'ai pas cours et elle fait respecter le
règlement intérieur.

8 Les parents doivent rencontrer le ……. en cas d'expulsion ou de discipline.

**5.2** Lisez les phrases de chaque bulle. Dans votre cahier, classez-les en deux catégories selon que les élèves apprécient ou non les professeurs.

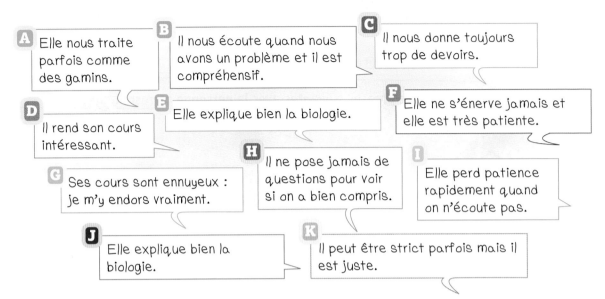

**A** Elle nous traite parfois comme des gamins.

**B** Il nous écoute quand nous avons un problème et il est compréhensif.

**C** Il nous donne toujours trop de devoirs.

**D** Il rend son cours intéressant.

**E** Elle explique bien la biologie.

**F** Elle ne s'énerve jamais et elle est très patiente.

**G** Ses cours sont ennuyeux : je m'y endors vraiment.

**H** Il ne pose jamais de questions pour voir si on a bien compris.

**I** Elle perd patience rapidement quand on n'écoute pas.

**J** Elle explique bien la biologie.

**K** Il peut être strict parfois mais il est juste.

**5.3** Lisez la question et préparez votre réponse sous forme d'email. (*75 mots environ*)

Today was your first day back at school. You write an email to your French penpal in which you make the following points:

- you were nervous to start school this morning
- you enjoyed all your classes except your history class
- you have the same teacher for one of your subjects as last year. Say that you are happy about this and give a reason
- there's a new student from France in your class and you invited him/her to the cinema next weekend.
- You hope that the year will go well and that you will pass your exams next June.

> **Consultez** l'aide-mémoire
>
> Pour écrire un email, voir pp. 411–12.

## 6 Les matières

**6.1** Répondez oralement aux questions ci-dessous.

1 Parmi les matières dans l'encadré, lesquelles étudiez-vous ?
2 En étudiez-vous d'autres ? Lesquelles ?
3 Pourquoi les avez-vous choisies ?
4 Quelles autres matières auriez-vous aimé étudier et pourquoi ?
5 Quelle est votre matière préférée ? Donnez vos raisons.
6 Laquelle aimez-vous le moins ? Pourquoi ?

**Phrases utiles**

les maths appliquées
l'allemand
l'anglais
les arts plastiques
la biologie
la chimie
l'économie
l'EPS (l'éducation physique et sportive)
l'histoire
l'irlandais
la musique
les sciences agricoles
les sciences économiques et sociales

**6.2** « Peut mieux faire » : jeu de rôle

Lisez le bulletin scolaire ci-dessous. Par groupes de deux ou trois, imaginez et jouez à tour de rôle la conversation entre un des profs, le parent et l'élève lors de la rencontre parent/prof au lycée.

| Matières | Moyenne | | Appréciation générale |
|---|---|---|---|
| | Élève | Classe | |
| ARTS PLASTIQUES | 9,5 | 14 | Trimestre décevant. Manque d'attention. Il faut approfondir le travail. |
| HISTOIRE-GÉOGRAPHIE | 10,6 | 15,7 | Bon début mais baisse de régime. |
| PHILOSOPHIE | 15,8 | 16,9 | Bon trimestre – élève positif. |
| MATHÉMATIQUES | 11,2 | 13 | Manque de bases et de motivation. Efforts à poursuivre. |
| FRANÇAIS | 16,4 | 12 | Très bon élève mais timide ; peu de participation à l'oral. |
| SCIENCES DE LA VIE | 16 | 15,5 | Travail régulier : continuez ainsi. |
| ANGLAIS | 15,5 | 11,1 | De très bons résultats – restez régulier. |
| EPS | 15,9 | 14,1 | Élève motivé et dynamique ! |

 **Au fait**

**Le saviez-vous ?**

Les élèves en France sont notés sur 20 et reçoivent un bulletin scolaire chaque trimestre.

 **6.3** Choisissez deux ou trois matières que vous étudiez pour le bac. Imaginez les appréciations données par vos professeurs. Notez-les dans votre cahier.

**6.4** Lisez cet extrait littéraire et répondez aux questions qui suivent.

1 Donc j'étais un mauvais élève. Chaque soir de mon enfance, je rentrais à la maison poursuivi par l'école. Mes carnets disaient de la réprobation de mes maîtres. Quand je n'étais pas le dernier de ma classe, c'est que j'en étais l'avant-dernier. (Champagne !) Fermé à l'arithmétique d'abord, aux mathématiques ensuite, profondément dysorthographique, rétif* à la mémorisation des dates et à la localisation des lieux géographiques, inapte à l'apprentissage des langues étrangères, réputé paresseux (leçons non apprises, travail non fait), je rapportais à la maison des résultats pitoyables que ne rachetaient ni la musique, ni le sport, ni d'ailleurs aucune activité parascolaire. →

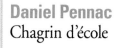

**Daniel Pennac**
Chagrin d'école

folio

**2** – Tu comprends? Est-ce que seulement tu *comprends* ce que je t'explique ?

Je ne comprenais pas. Cette inaptitude à comprendre remontait si loin dans mon enfance que la famille avait imaginé une légende pour en dater les origines : mon apprentissage de l'alphabet. J'ai toujours entendu dire qu'il m'avait fallu une année entière pour retenir la lettre *a*. La lettre *a* en un an. Le désert de mon ignorance commençait au-delà de l'infranchissable *b*.

– Pas de panique, dans vingt-six ans il possédera parfaitement son alphabet.

**3** Ainsi ironisait mon père pour distraire ses propres craintes. Bien des années plus tard, comme je redoublais ma terminale à la poursuite d'un baccalauréat qui m'échappait obstinément, il aurait cette formule :

– Ne t'inquiète pas, même pour le bac, on finit par acquérir des automatismes …

Ou en septembre 1968, ma licence de lettres enfin en poche :

– Il t'aura fallu une révolution pour la licence, doit-on craindre une guerre mondiale pour l'agrégation ? Cela dit sans méchanceté particulière. C'était notre forme de connivence. Nous avons assez vite choisi de sourire, mon père et moi.

**4** Mais revenons à mes débuts. Dernier-né d'une fratrie de quatre, j'étais un cas d'espèce.* Mes parents n'avaient pas eu l'occasion de s'entraîner avec mes aînés, dont la scolarité, pour n'être pas exceptionnellement brillante, s'était déroulée sans heurt.

J'étais un objet de stupeur, et de stupeur constante car les années passaient sans apporter la moindre amélioration à mon état d'hébétude* scolaire. « Les bras m'en tombent* », « Je n'en reviens pas* », me sont des exclamations familières, associées à des regards d'adulte où je vois bien que mon incapacité à assimiler quoi que ce soit creuse un abîme d'incrédulité.

Daniel Pennac, *Chagrin d'école* © Éditions Gallimard

## Lexique

| | |
|---|---|
| rétif = rebelle | |
| un cas d'espèce = un cas unique | |
| Les bras m'en tombent = *I'm stunned* | |
| mon état d'hébétude = *in a daze* | |
| Je n'en reviens pas = je n'arrive pas à y croire = *I can't get over it* | |

### Questions

**1** a Trouvez une expression qui veut dire que ses professeurs le critiquaient. (Section 1)

b Relevez le synonyme d'« incapable ». (Section 1)

**2** a Trouvez une phrase qui montre que la famille de l'auteur pense depuis très longtemps qu'il était difficile pour lui d'apprendre. (Section 2)

b Relevez un verbe au futur simple. (Section 2)

**3** Citez une phrase qui montre que le père de l'auteur avait un peu peur du manque de progrès scolaire de son fils. (Section 3)

**4** a L'auteur a eu son baccalauréat du premier coup. Vrai ou faux ? Justifiez votre réponse. (Section 3).

b Relevez une expression idiomatique qui veut dire « réussi ». (Section 3)

5 a D'aprés la quatrième section, les frères de l'auteur étaient …

    i) tout aussi mauvais à l'école     iii) plutôt moyens

    ii) excellents     iv) assez nuls.

  b Citez une phrase qui montre que personne ne pouvait comprendre son incapacité à apprendre à l'école. (Section 4)

6 The author says he was a particularly poor student throughout his school life and found school difficult. Do you agree with this summary? Support your answer with evidence from the text. (*50 words*)

# 7 La routine scolaire

**7.1**  Écoutez ces trois élèves nous parler de leur journée typique et remplissez le texte dans votre cahier avec les mots ou expressions manquantes.

## Chris … le matin

Le matin, ma mère me ……. vers sept heures et demie. J'ai parfois du mal à me lever tout de suite. Je vais à la salle de bains et je ……. une douche et je ……. mon uniforme ; je me coiffe vite fait. En général, je me brosse les dents après ……..

Je descends à la cuisine pour prendre mon petit déjeuner. D'habitude, je mange des ……. et je ……. du thé. Parfois, il m'arrive de me faire du pain grillé avec du beurre et de la ……..

D'habitude, je ……. de ……. vers huit heures et quart et je marche environ cinq minutes ……. l'arrêt de bus. Les bus sont assez réguliers et je descends juste à côté du lycée. Souvent dans le bus, j'écoute la radio sur mon portable. ……. c'est mon père qui me conduit au lycée en voiture mais nous devons partir plus tôt à cause de la ……..

## Anita … au lycée

J'arrive au lycée à ……. huit heures et demie. Les cours ne commencent pas avant neuf heures moins le quart donc je discute un peu avec ……. . J'ai trois cours de quarante minutes puis à onze heures moins le quart, j'ai une petite ……. d'un quart d'heure. J'en profite pour manger une barre de chocolat ou un fruit et je bois un peu d'eau. La ……. passe assez vite donc je n'ai pas le temps de faire grand-chose.

Après ça, j'ai encore trois cours avant la pause du déjeuner, à une heure. Pendant cette pause qui dure trente minutes, soit je prends mon repas à la cantine, soit je vais m'acheter un sandwich à ……. du coin. Quelquefois, je ……. un sandwich le matin ……., avec du jambon ou du poulet, du fromage et un peu de salade. À la cantine, on peut manger des plats chauds, comme du poulet-frites, du ……. le vendredi, ou du bœuf avec une sauce au curry, du riz ou des légumes. Les ……. ne sont pas mauvais mais c'est toujours un peu la même chose. Quand j'ai fini, je vais dans la ……. de récré prendre l'air et je papote avec mes copines.

Ensuite, les cours ……. à une heure et demie. J'ai trois cours et je finis tous les jours à trois heures et demie.

## Sabrina ... après le lycée

Dès que les cours sont finis, je reprends le bus et j'arrive chez moi vers les quatre heures et quart. Je discute un peu avec ma mère ou bien mon frère s'il est là. La plupart du temps, je fais ....... pendant environ deux heures. Ma mère m'appelle vers sept heures quand le dîner est ........ On dîne en famille ou bien seulement avec ma mère et mon frère car mon père rentre souvent ....... du boulot. Après le dîner, je vais un peu sur l'......., je me connecte sur mon compte Facebook pour mettre à jour mon profil et regarder les photos et commentaires des copains et copines. S'il y a un truc ....... à la télé, je la regarde un peu. J'envoie quelques ....... ou alors j'écoute de la musique pour me relaxer. Le mercredi, j'ai ....... de camogie donc je rentre chez moi plus tard vers huit heures vingt. En semaine, je ....... vers dix heures et demie, onze heures maximum, ça dépend si je bouquine ou non. Le week-end par contre, je fais ....... le samedi parfois jusqu'à midi ! Ça me permet de recharger les batteries !

 **7.2** **Dans votre cahier, choisissez un jour de la semaine et racontez votre journée selon le modèle de l'activité précédente. Utilisez les phrases ou expressions suivantes pour enrichir votre essai. (*75 mots environ*)**

### Phrases utiles

| | |
|---|---|
| Quand je me lève … | Une fois par semaine, … |
| Avant de commencer, … | puis |
| Lorsque j'ai fini, … | ensuite |
| Après avoir fait / fini, … | de temps en temps |
| Une fois rentré(e) chez moi, … | la plupart du temps |
| Quand j'arrive, … | d'habitude |
| Si j'ai le temps, … | en général |

 **7.3** **Avec votre voisin/voisine, posez-vous les questions suivantes à tour de rôle et notez vos réponses dans votre cahier.**

1 À quelle heure vous levez-vous le matin ?

2 Quelle est votre routine avant de quitter la maison ?

3 Que prenez-vous au petit déjeuner ?

4 À quelle heure quittez-vous la maison et arrivez-vous au lycée ?

5 Comment allez-vous au lycée ?

6 Combien de cours avez-vous en général ?

7 Les cours durent combien de temps ?

8 À quelle heure commencez-vous / finissez-vous ?

9 Que faites-vous pendant les récréations au lycée ?

10 Combien de temps passez-vous à faire vos devoirs en moyenne ?

11 Avez-vous des activités parascolaires ? Donnez des détails.

Consultez
l'aide-mémoire

Pour le présent et les verbes pronominaux, voir pp. 48-50.

**7.4** Méthodes de révision pour les examens

Écoutez les conseils pour se préparer au mieux à l'examen du baccalauréat. Devinez qui parle et mettez-les dans le bon ordre.

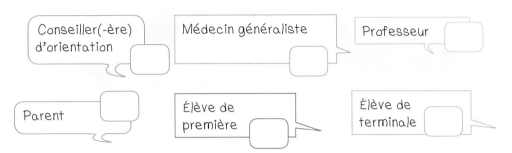

Conseiller(-ère) d'orientation

Médecin généraliste

Professeur

Parent

Élève de première

Élève de terminale

**7.5** Une chaîne de radio en ligne enregistre une série d'émissions sur comment on se prépare aux examens en Europe et votre lycée est invité à y participer. Préparez, par groupes de deux ou trois, un podcast dans lequel vous donnez des conseils de révisions en français. Aidez-vous en utilisant les expressions ci-dessous.

| **Phrases utiles** | |
| --- | --- |
| Il est préférable de … / de ne pas … | Essayez de … |
| On devrait / on ne devrait pas … | N'hésitez pas à … |
| Il vaut mieux … | C'est une bonne idée de … |
| Il faut / ne faut pas … | Faites … |

# 8 Le bac autrement

**8.1** Lisez le texte ci-dessous et choisissez la bonne réponse pour chaque question.

### Quand les adultes eux aussi passent le bac !

Près de 700 000 lycéens vont plancher dès le 17 juin dans le but de décrocher ce fameux diplôme. Parmi eux, plus de 25 000 candidats libres, adultes ou seniors, dont 240 issus du seul lycée de France qui les accueille. […]

Les élèves du lycée municipal d'adultes de la ville de Paris (LMA) s'apprêtent à plancher sur les épreuves du bac. Leur point commun ? Ils ont entre 25 et 45 ans et un parcours scolaire souvent chaotique. […]

Dans cette structure unique en France, entièrement financée par la ville de Paris, les 240 « auditeurs » sont admis en classe de seconde, première ou terminale après une série de tests et d'entretiens. Les cours ont lieu tous les soirs de 18 à 22h, et le samedi matin pour les terminales. […]

Le lycée affiche un taux de réussite de 65% et certaines classes frôlent les 80%. Fière de ce succès, la proviseure espère à présent étendre cette offre en journée.

*Femme Actuelle*, 17–23 juin, numéro 1 499

## Questions

**1** En France, il existe ....... lycée(s) pour adultes ou seniors.

    i) 25 000

    ii) 240

    iii) un

**2** Les élèves du lycée municipal d'adultes de la ville de Paris vont …

    i) passer leur baccalauréat

    ii) faire du théâtre

    iii) quitter l'école.

**3** Pour être accepter au lycée municipal d'adultes, les élèves doivent …

    i) faire des épreuves écrites et orales

    ii) écrire une lettre de motivation

    iii) payer des frais d'inscription.

**4** Les élèves de terminales ont cours …

    i) tous les soirs

    ii) tous les samedis matin

    iii) tous les soirs et le samedi matin.

**5** La directrice aimerait …

    i) augmenter le taux de réussite au bac

    ii) proposer des cours pendant la journée

    iii) présenter les diplômes aux élèves.

 **8.2** Écoutez le témoignage de Françoise-Noëlle Jothy, proviseure du lycée municipal d'adultes (LMA) et Agnès, nouvelle inscrite pour la rentrée prochaine. Puis répondez aux questions ci-dessous.

**1** According to the principal, what kinds of people enrol at the LMA? Name two.

**2** Why do students have to be highly motivated?

**3** Without the *bac*, what feelings do students often have? Name one.

**4** Why did Agnès leave school early?

**5** How does she feel about starting school again? (Two points)

**6** What career would she like to have when she graduates?

 **8.3** Agnès dit à propos du fait de ne pas avoir le bac : « J'ai toujours su qu'il me manquait quelque chose. » Donnez votre réaction par rapport au sentiment d'Agnès. (*75 mots environ*)

| Phrases utiles | |
|---|---|
| Il ne suffit pas de … | Ce n'est pas tout de … |
| Il est important de … | Parfois … |
| L'essentiel est de … | |

# Après le bac

## 1 La prochaine étape

**1.1** Lisez les questions posées par des lycéens à propos de l'admission post-bac dans un institut ou une université et les réponses données par la conseillère d'orientation. Pour chacune des sections, répondez aux questions qui suivent.

---

**http://forum:** *Du 20 janvier au 20 mars : formulez vos vœux*

### Dois-je me limiter à un vœu ?

C'est possible, mais il est recommandé d'en formuler plusieurs. Plus vous faites de vœux, plus vous aurez de chances d'obtenir une réponse positive. […]

### La fac me déconseille la filière [d'études] que j'ai choisie. Puis-je quand même l'inscrire dans mes vœux ?

Oui. Vous pouvez toujours persister et inscrire cette formation dans vos vœux. Peut-être même l'obtiendrez-vous … Mais c'est à vos risques et périls ! Cet avis donné par la fac doit vous faire réfléchir sur la pertinence de votre demande. Pesez bien votre décision avant de foncer tête baissée.

---

### Questions

1 Trouvez dans la section ci-dessus un synonyme de …
   a un choix souhaité
   b l'université
   c le domaine
   d enregistrer.

2 Relevez une expression qui veut dire …
   a vous devez assumer les conséquences
   b se précipiter sans réfléchir.

## http://forum:

*Du 21 mars au 2 avril* : validez vos vœux.
C'est le moment d'établir la liste finale de vos vœux et de bien renseigner vos dossiers [...]

### J'ai validé un vœu qui, finalement, ne m'intéresse pas …

Vous ne pourrez pas le supprimer mais simplement le classer en fin de liste. De toute façon, si vous n'envoyez pas le dossier papier, cette candidature ne sera pas examinée [...]

### Que dois-je dire dans ma lettre de motivation ?

Montrez votre intérêt pour la formation demandée. Vous aimez l'informatique ? Dites-le, et expliquez en quoi c'est votre passion. [Le jury] veut ressentir que vous connaissez bien son école, ses spécialités et ses débouchés.

### Est-il possible d'ajouter une lettre de recommandation dans un dossier ?

C'est possible pour les dossiers papier. Vous pouvez rajouter la lettre de recommandation d'une entreprise où vous avez effectué un stage, un article que vous avez écrit …

3 Trouvez dans la section ci-dessus un synonyme de …
   a  donner des précisions sur son profil
   b  annuler ou effacer
   c  une demande.

4 Trouvez l'équivalent français de …
   a  a cover letter
   b  job opportunities
   c  a training course or work placement.

## http://forum:  *Du 3 avril au 31 mai :* classez vos vœux

### Pourrai-je ajouter ou enlever des vœux ?

Il n'est plus possible d'ajouter un vœu après le 20 mars minuit. [...] En revanche, vous pouvez en enlever : il faudra les retirer de votre liste avant le 31 mai.

### Est-on désavantagé en mettant une classe [préparatoire] très sélective en premier ?

Non, car les établissements n'ont absolument aucune connaissance du classement de vos vœux. [...] [Ils] classent votre dossier en fonction de vos résultats.

5 Dites si les affirmations suivantes sont vraies ou fausses.
   a  Il est impossible de changer ses vœux passé le 20 mars.
   b  Les écoles connaissent vos choix de cours.

## http://forum:

*Du 13 juin au 19 juillet* : consultez vos propositions d'admission et répondez [...]
Vous avez 72 heures pour répondre. Sinon ... vous serez éliminé(e).

### Et si je ne suis accepté(e) nulle part ?

Vous pouvez participer à la procédure complémentaire sur des formations pour lesquelles il reste des places.

© Bayard Presse, *Phosphore*, janvier 2014

**6** Dites si les affirmations suivantes sont vraies ou fausses.

    **a** Vous avez trois jours seulement pour vous décider par rapport aux offres des écoles.

    **b** Si votre demande est rejetée, il est possible de faire appel.

**1.2** **En vous aidant du vocabulaire de l'activité précédente, répondez oralement ou par écrit aux questions suivantes.**

Consultez l'aide-mémoire

Pour le passé composé et l'imparfait, voir pp. 123–28.

    **1** Quelles démarches avez-vous faites jusqu'à maintenant pour votre vie « après le bac » ?

    **2** Est-il parfois difficile de faire un choix de carrière ? Pourquoi ? Expliquez.

    **3** Êtes-vous déjà allé(e) à une journée portes ouvertes ? Donnez des détails.

    **4** Cette journée a-t-elle été bénéfique ou utile ? Comment ?

### Attention aux faux amis !

| | |
|---|---|
| (avec) application = *(with) care* | *an application* = une candidature |
| la chance = *luck* | *chance* = le risque |
| une course = *a race* | *a course* = un cours (*e.g.* : à *l'université*) |
| un essai = *an attempt* | *an essay* = une dissertation, une rédaction |
| évident(e) = *obvious* | *evident* = visible |
| la facilité = *ease* | *facilities* = les installations (*f. pl.*) |

**1.3** **Écoutez ce reportage sur des adolescents qui partent travailler en Australie, puis répondez aux questions dans votre cahier.**

**Section 1**

    **1** Why did Marie-Laure find it difficult when she arrived in Australia? Give two reasons.

    **2** Name one job she did.

    **3** What plans does she have for the future?

## Section 2

**4** How many young French people went to Australia in 2013?

**5** How much does a Working Holiday visa cost?

**6** What age group is entitled to apply for this visa?

## Section 3

**7** Why did Margot decide to go to Australia?

**8** For how long have Margot and Nina been working in a restaurant?

**9** According to Kevin, what is it essential to have on arrival in Australia?

**10** What does Kevin say about his job? Give two points.

  **1.4** **Your name is Eoin/Aoife Farrell and you live in Westport. You found a job in Spain for next summer. You write a letter to your French penpal Esteban/Marie in which you:**

- say that you will go to Barcelona from July to August to work in a youth hostel

- indicate that you will be a receptionist and also a guide to English-speaking tourists

- say that you are not required to have experience but you need to have a good level of spoken Spanish

- mention that your wage will include full board

- ask your penpal whether they would like to come to Barcelona at the end of August for a week's holiday. (*75 words*)

   **1.5** **Répondez oralement aux questions ci-dessous et notez vos réponses dans votre cahier.**

**1** Une fois le bac en poche, que comptez-vous faire ? Expliquez.

**2** Avez-vous l'intention de poursuivre vos études ? Pourquoi ? / Pourquoi pas ?

**3** Si oui, dans quelle filière allez-vous vous orienter ?

**4** Combien d'années d'études ferez-vous ?

**5** Quels vœux avez-vous formulés pour vos études ?

**6** Si vous ne pouviez pas suivre les études que vous désirez, quel autre choix auriez-vous ?

> **Consultez**
> l'aide-mémoire
>
> Pour les verbes au futur, voir pp. 182–187.

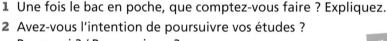

Prendre une année sabbatique ?

un grand mystère !

les études supérieures ?

la prochaine étape ?

l'autonomie !

Mon rêve serait d'étudier …

J'ai l'intention de … / je compte …
  (+ *infinitif*)

J'ai prévu de suivre / faire des études de …

J'ai une préférence pour …

J'ai exprimé mes vœux en ligne, sur papier.

Je devrai passer un concours / examen
  d'entrée avant de faire …

préparer un portfolio / un dossier

Mon premier / deuxième choix est
  d'étudier …

Je voudrais approfondir ma connaissance
  de …

Je devrai faire une licence / un master de …

des études longues / courtes

Il me faudra … points pour cette licence.

Il faudra que … (+ *subjonctif*)

**1.6** **Faites le psycho-test suivant pour connaître votre orientation et le métier qui vous correspond le mieux. Pour chaque question, choisissez la proposition qui vous convient le plus.**

1  ○  Vous jouez d'un instrument de musique depuis quelques années.

   ■  Au lycée, vous avez monté un club de débat que vous animez chaque jeudi après les cours.

   ★  Vous faites quelques heures de bénévolat dans votre magasin local St-Vincent-de-Paul le samedi.

2  ○  Vous adorez lire tout ce qui vous tombe sous la main.

   ■  Vous faites partie de l'équipe de basket de votre ville.

   ★  Votre ami(e) va faire une soirée « Trucs* et trocs* » et vous l'aidez à l'organiser.

3  ○  Vous avez été sélectionné(e) pour le rôle principal dans la pièce de théâtre de fin d'année du lycée.

   ■  Vous recevez 25 euros d'argent de poche par mois et au bout de dix jours, vous avez tout dépensé.

   ★  Vous avez plus de 500 amis sur Facebook.

4  ○  Vous souhaitez partir en vacances au Danemark à Pâques et devez négocier avec vos parents.

   ■  Vous savez exactement ce que vous voulez faire après le bac.

   ★  Vous aimeriez faire un stage dans une école primaire.

> **Lexique**
>
> un truc = une chose
> un troc = un échange
>   de biens

### Résultats :

**Vous avez un maximum de ○ :** Vous aimez faire de nouvelles découvertes et aussi approfondir vos connaissances dans des domaines assez divers. Vous êtes curieux de tout ! Vous êtes une personne assez indépendante et créative. Orientez-vous vers les filières artistiques !

**Vous avez un maximum de ■ :** Vous êtes sociable non seulement au lycée mais également dans votre quartier. Dynamique et très entreprenant(e), vous adorez bouger et faire connaître votre opinion. Les métiers de la communication ou du droit devraient vous intéresser.

**Vous avez un maximum de ★ :** Vous vous intéressez aux autres et vous êtes toujours prêt(e) à aider quelqu'un. Vous êtes assez discipliné(e) et vous avez le sens des responsabilités. Vous avez un côté créateur et rien ne vous fait peur ! Vous serez à l'aise dans les métiers à caractère social, humanitaire ou éducatif.

**1.7** You write a message on Facebook to your Canadian friend from Quebec in which you:

- say that you're just back from *le Salon de l'Étudiant* in Paris
- indicate that you went to the show with your class and two of your school teachers
- tell him/her that you got a lot of useful information about different university courses
- mention that you are particularly interested in one course but it is five years long
- ask him/her what they would like to do next year. (*75 words*)

**Consultez**
l'aide-mémoire

Pour écrire un message, voir pp. 411–12.

## 2 La vie étudiante

**2.1** Répondez oralement aux questions suivantes et notez vos réponses dans votre cahier.

1 Préféreriez-vous faire des études longues ou courtes ? Pourquoi ?
2 Comment imaginez-vous votre vie d'étudiant(e) ?
3 Où habiterez-vous l'année prochaine ?
4 Aimeriez-vous partagez un logement ? Avec qui ?
5 Allez-vous louer une chambre étudiante ? Donnez des détails.
6 Qu'est-ce que vous appréhendez le plus par rapport à l'année prochaine ?
7 Vous comptez vous inscrire dans des associations ? Lesquelles ?
8 Allez-vous chercher un job pour financer vos études ?

### Phrases utiles

J'aimerais / je voudrais / je préférerais …

Il y aura plus / moins / autant de …

être indépendant(e)

Je serai obligé(e) de … (+ *infinitif*) / Je devrai …

Je m'inscrirai à un club de …

J'attends ça avec impatience / J'ai hâte de … / Il me tarde de … parce que …

Je partagerai un appartement / une maison avec …

être ensemble / loin / isolé(e) / un peu perdu(e)

Les premiers jours seront …

**2.2** Écoutez des étudiants nous parler de leur cours, de leur vie sociale et donner des conseils pour vivre pas cher.

**Kem, 20 ans**

1 What does Kem say about his university course?
2 Why does he find the second year easier? Give one reason.
3 What is the annual membership fee for student clubs?
4 What does the moot court competition consist of?

**Kelly, 21 ans**

5 What does Kelly not like about Avignon? (One point)
6 Why does she prefer not to go out during the week?
7 Where does she stay on Saturday nights when she goes out?
8 How long does it take her to travel back to Avignon?

**Vanessa, 24 ans**

9 How much is it to get a cut at the hairdressing school?
10 What advice does Vanessa give?
11 What is the main advantage for the apprentices?

**2.3** **Lisez les bons plans étudiants ci-dessous puis répondez aux questions qui suivent.**

**A** Bonne soupe : Participez à une disco-soupe. Épluchage collectif de fruits et légumes invendus, cuisinés ensuite en soupe, salades et jus. Le tout en musique et à prix libre !

**B** [Allez en ligne pour] profiter des tarifs VIP : des milliers de marques sont vendues entre 40 et 70% moins chers qu'en boutiques.

**C** Au ciné, le matin, les tarifs sont réduits de 2 à 3€ selon les cinémas. Profitez aussi des ventes flash du mardi : [allez en ligne pour des] places à 3,90€ avant que le film ne soit plus à l'affiche.

**D** Poussez la porte de votre mairie, du conseil général ou régional, et demandez s'il existe un pass ou une carte jeune Sésame qui permet en général des réducs pour aller au cinéma, à des concerts, acheter des livres …

**E** Partout, enchaînez les cours d'essai des associations sportives, souvent gratuits. Et faites-vous un cocktail tonifiant de zumba, karaté et tir à l'arc !

© Bayard Presse, *Phosphore*, juin 2013

**Questions**

1 Où peut-on aller pour essayer d'obtenir des réductions ?
2 Comment peut-on acheter des vêtements à la mode à prix réduits ?
3 Que faut-il faire pour pouvoir manger pas cher ?
4 Comment rester en forme sans dépenser d'argent ?
5 Quel est le meilleur moment pour regarder une comédie romantique pour moins cher ?

**2.4** Vous venez de recevoir une lettre du ministère de l'éducation qui vous annonce que votre premier choix d'université n'a pas été accepté. Vous êtes extrêmement déçu(e). Vous devez maintenant choisir une autre filière ou alors redoubler. Que notez-vous dans votre journal intime ? (*75 mots environ*)

Consultez l'aide-mémoire

Pour le journal intime, voir pp. 42–44.

**2.5** Écoutez un reportage sur les CLOM (Cours en ligne ouverts et massifs) puis répondez aux questions qui suivent.

1 The Massive Open Online Courses (MOOCs) are free of charge. True or false?
2 What is the advantage of these online courses?
3 What subjects is it possible to study online? Name two.
4 How many users have registered on the online course website *Coursera*?
5 Besides the United States, what other countries offer such courses?
6 What will happen in France from January?
7 What change will the MOOCs bring within universities?

# 3 La vie professionnelle

**3.1** Lisez ce texte à propos d'Adrien Mougenot, 29 ans, propriétaire d'un restaurant à Metz. Répondez aux questions qui suivent.

1 Départ : rien ne me prédestine à la restauration. Chez moi, tout le monde est branché* finances, car mon père possède une boîte de capital-investissement à Paris. Des hôtels et des restos, je ne connais que ceux qu'on visite lors de nos voyages. Au collège, je suis en échec. Je redouble ma 3ème et, pour me punir, mes parents m'envoient en pension à Rouen. Je change trois fois de lycée. En terminale, mon père en a ras le bol. Il m'envoie de nouveau en pension à Metz.

C'est vrai qu'à cette époque, je suis davantage attiré par les sorties. Mon père ne me donne pas d'argent de poche, alors j'en gagne dans des boîtes de nuits : je fais des « relations publiques » (RP) en ramenant des clients. Rapidement, j'organise des soirées réunissant 500 personnes. J'adore ça. Mon père un peu moins. Seule ma mère croit en moi ... →

**2** Après le bac, je vais en fac de droit. À l'époque, mes parents divorcent, et je reste avec mon père à Paris. J'organise beaucoup de fêtes. Du coup, je rate mon année et me retrouve caissier chez Virgin, puis serveur chez Clément. C'est ma première expérience en restauration – que je n'aime pas tellement, car l'ambiance n'est pas terrible.

Je cherche ma voie. Comme je suis bon en RP et assez commercial, je choisis une école hôtelière en Suisse : c'est là que se trouvent les meilleures écoles [...]

**3** A l'école hôtelière de Glion, à Lausanne, c'est dur : on bosse énormément et la discipline est sévère. Mais je me fonds tout de suite dans le moule. Durant mes trois ans et demi d'études, je me balade d'hôtel en hôtel pour les stages : à Bora Bora (Polynésie) durant six mois – où je suis élu employé du mois [...]

Je suis devenu bon élève. J'ai envie d'entreprendre quelque chose, après deux ans et demi comme commercial dans un Relais et Châteaux au Maroc. Retour en France où je rachète un restau à Metz. Un gros risque car, si je suis bon en hébergement, je ne connais rien en restauration. Mais ça fonctionne ! Depuis, j'ai racheté un autre restaurant de burgers à emporter à Metz, et ouvert un grand restau au Luxembourg. Pour mon père, je deviens le fils prodige.

© Bayard Presse, *Phosphore*, Sandrine Pouverreau, juin 2013

---

**Lexique**

être branché = être intéressé par ; ou être à la mode (dans un autre contexte)

un videur = une personne qui expulse les personnes indésirables dans une boîte de nuit

---

### Questions

**1** a Dans la première section, trouvez un adverbe.

   b Pourquoi Adrien Mougenot est-il pensionnaire à Rouen ? (Section 1)

**2** a Trouvez un synonyme de « en a assez ». (Section 1)

   b Dans la première section, pour avoir de l'argent de poche, Adrien …

   i) doit aider son père dans la compagnie de capital-investissement

   ii) en demande à sa mère chaque mois

   iii) travaille dans une discothèque comme videur*

   iv) fait du marketing pour des discothèques.

**3** a Relevez une phrase qui indique qu'il n'a pas réussi à l'université. (Section 2)

   b D'après la deuxième section, quel genre de petits boulots trouve-t-il ?

**4** Relevez une expression qui indique qu'Adrien est à l'aise à l'école hôtelière. (Section 3)

**5** a Comment sait-on qu'il est un élève sérieux et travailleur ? (Section 3)

   b Adrien a finalement bien réussi, relevez une phrase qui le montre. (Section 3)

**6** Despite Adrien's lack of interest in school, he managed to become a successful businessman. Support your answer with reference to the text. (*50 words*)

**3.2** **Écoutez ce reportage sur le programme de création d'entreprise au lycée puis trouvez les mots manquants. Notez vos réponses dans votre cahier.**

Créer une option « axée sur les projets de création d'entreprise » au (1) .......
[est née] alors qu'une récente étude Opinion Way révélait que 37% des lycéens
envisagent de créer ou de reprendre un jour (2) ....... . Droit, gestion, communication,
commercialisation, (3) ....... ou encore marketing pourraient être au programme de
cette (4) ........ […]

   L'association Entreprendre pour Apprendre donne la possibilité aux collégiens
et aux lycéens de (5) ....... des mini-entreprises. […] « L'année dernière, j'ai tenté
l'expérience avec mes élèves de (6) ....... pro Accueil, explique Bahia Matti, prof
de vente au lycée professionnel Jean-Moulin. Un vrai (7) ....... ! Ils ont créé Sourire
ensemble, une entreprise proposant des (8) ....... diverses dans les maisons de
retraite et les centres de réadaptation. Cette expérience les a fait mûrir et a
même (9) ....... des élèves qui décrochaient en cours. C'est un bon moyen pour
apprendre autrement. » Cela permet aussi de faire (10) ....... entre les cours et la vie
professionnelle.

© Bayard Presse, *Phosphore*, Sandrine Pouvérreau, juin 2013

 **3.3** **Répondez oralement aux questions ci-dessous.**

1 Le programme de création d'entreprise existe-t-il dans votre lycée ? Donnez des détails.
2 Quel type de stage avez-vous fait pendant votre année de transition ?
3 Cette expérience vous a-t-elle plu et pourquoi ?
4 Pensez-vous que ce sera un avantage pour affronter le monde du travail plus tard ?
5 À votre avis, est-ce qu'avoir des diplômes est une garantie pour trouver un travail ?

 **3.4** **Écoutez les conseils donnés pour que votre stage en entreprise soit une réussite. Complétez les phrases suivantes en notant vos réponses dans votre cahier.**

**Section 1**

1 The most important rule is to …
2 To avoid being stressed on the first day …
3 To give a good image of yourself …

**Section 2**

4 You shouldn't spend your time …
5 The employees will be more available to you if …
6 Work experience is for you to …

**Section 3**

7 Whether you liked your work experience or not, make sure that you …
8 You can for instance …
9 In the future, you may wish to contact the company again to …

**3.5** Lisez les deux commentaires suivants puis donnez vos réactions par écrit.

http://forum

Mes parents veulent que j'aille à la fac l'année prochaine alors que moi, je n'en ai pas trop envie. Je préférerais une filière professionnelle où j'aurais un diplôme et une carrière au bout de trois ou quatre ans. Quelqu'un a un avis ?

**Quentin, 17 ans**

http://forum

Quentin, tu dois suivre tes rêves. Moi, j'ai choisi un CAP coiffure de deux ans après la classe de troisième, dans un lycée professionnel, et après j'ai terminé avec un brevet professionnel d'un an. J'ai déjà fait deux stages et j'ai eu plusieurs offres d'embauche. À l'avenir, je compte ouvrir mon propre salon dans ma région. Parle à tes parents et explique-leur les raisons de ton choix … ils comprendront, j'en suis sûre. Bon courage !

**Maïrame, 21 ans**

**3.6** Lisez cet extrait du roman *Mangez-moi*, d'Agnès Desarthe et répondez aux questions qui suivent.

1 Suis-je une menteuse ? Oui, car au banquier, j'ai dit que j'avais fait l'école hôtelière et un stage de dix-huit mois dans les cuisines du Ritz. Je lui ai montré les diplômes et les contrats que j'avais fabriqués la veille. J'ai aussi brandi un BTS de gestion, un très joli faux. J'aime vivre dangereusement. C'est ce qui m'a perdue, autrefois, c'est ce qui me fait gagner à présent. Le banquier n'y a vu que du feu. Il a accordé l'emprunt. Je l'ai remercié sans trembler. La visite médicale ? Pas de problème. Mon sang, mon précieux sang est propre, tout propre, comme si je n'avais rien vécu.

2 Suis-je une menteuse ? Non, car tout ce que je prétends savoir faire, je sais le faire. Je manie les spatules comme un jongleur ses massues* ; [...] d'une main je lie une sauce tandis que, de l'autre, je sépare les blancs des jaunes et noue des aumônières.* Les adolescents [...], le cheveu gras sous leur calot de marmiton, peuvent, il est vrai, maîtriser l'ambre d'un caramel à jamais moelleux, ils vous dressent un rouget sans perdre un milligramme de chair [...] Mais, MAIS ! Fourrez-les dans une cuisine avec cinq gosses qui braillent,* meurent de faim, jouent dans vos pattes et doivent repartir à l'école dans la demi-heure (l'une est allergique aux produits laitiers, et l'autre n'aime rien), jetez nos braves apprentis chefs dans cette fosse aux lionceaux, avec un frigo vide, des poêles qui attachent, et le désir de servir aux bambins un repas équilibré, puis regardez-les faire.

→

Voyez l'œuvre de ces braves garçons joufflus et regardez-les se défaire. Tout ce que leurs diplômes sanctionnent, mes vies me l'ont appris. La première, à l'époque lointaine où j'étais mère de famille. La deuxième, en des temps moins distants, quand je gagnais mon pain dans les cuisines du cirque Santo Salto.

3 Mon restaurant sera petit et pas cher. Je n'aime pas le chichi. Il s'appellera Chez Moi, car j'y dormirai aussi ; je n'ai pas assez d'argent pour payer le bail et un loyer.

On y mangera toutes les recettes que j'ai inventées, celles que j'ai transformées, celles que j'ai déduites. Il n'y aura pas de musique – je suis trop émotive – et les ampoules qui pendront du plafond seront orangées. J'ai déjà acheté un réfrigérateur géant avenue de la République. Ils m'ont promis un four et une table de cuisson bon marché. « C'est pas grave si c'est rayé* ? – Pas grave du tout ! [...] Je commande également un lave-vaisselle quinze couverts, c'est leur plus petit modèle. « Ça ne suffit pas, affirme le type – C'est tout ce que je peux me permettre. Ça ira, les premiers temps. » Il me promet qu'il m'enverra de la clientèle. Il me promet qu'il viendra lui-même dîner un soir, sans prévenir » ça sera la surprise. Lui, il ment, c'est certain, mais ça m'est égal, je n'aurai pas adoré cuisiner pour lui.

Agnès Desartre, *Mangez-moi* © Éditions du Seuil, 2006, *Points*, 2007

## Lexique

une massue = objet en forme de quille utilisé par les jongleurs (*club*)

une aumônière = un plat souvent au fromage qui est entouré de pâte – le résultat ressemble à une bourse en cuir

brailler (*familier*) = crier de façon assourdissante

rayé = endommagé par un trait (*scratched*)

### Questions

1 a Trouvez un mot ou une expression qui veut dire « le jour avant ». (Section 1)

  b Relevez dans la première section une phrase qui indique que la narratrice n'a pas obtenu ses diplômes dans une vraie école d'hôtellerie.

2 a Citez une phrase qui montre que les jeunes chefs savent faire de bonnes choses en cuisine.

  b Citez une expression dans la deuxième section qui montre qu'en tant que mère de famille, elle a appris à mieux cuisiner que les chefs diplômés.

3 Selon la deuxième section la narratrice …

  i) a obtenu des diplômes de restauration

  ii) travaillait avant comme chef

  iii) était boulangère et faisait du bon pain

  iv) était cuisinière dans un cirque.

4 a Trouvez un verbe au futur simple. (Section 3)

  b Relevez une expression qui montre qu'elle a l'équipement pour ouvrir son propre restaurant. (Section 3)

5 Citez une expression qui indique que la narratrice doute de la sincérité de l'homme au magasin où elle a acheté son frigo et son lave-vaisselle. (Section 3)

6 As a future restaurant owner the narrator appears to have had an unconventional career to date. Find evidence in the text to support this statement. (*50 words*)

**3.7** Allez en ligne pour regarder la bande annonce du film *Prêt à tout*, puis par groupes de deux ou trois imaginez la suite de l'histoire de Max et Alice. (*90 mots environ*)

**CinéClub : *Prêt à tout* (2014), comédie française de Nicolas Cuche**

**Consultez**
l'aide-mémoire
Pour écrire un récit imaginaire, voir pp. 410–11.

Max, 30 ans, est devenu riche après avoir fait fortune sur Internet et mène une vie dans le luxe total. Cette existence l'ennuie et il décide un jour de racheter incognito l'usine dans laquelle travaille Alice, une ancienne copine de fac dont il est amoureux.

# Le français

## 1 Le français, langue vivante

**1.1** Écoutez deux jeunes, Danica et Georgi, nous parler de leur apprentissage du français puis répondez aux questions ci-dessous.

**Danica Velimerovic, 17 ans, Serbie**

1 How did she come to study French?

2 What happened when she started reading French literature?

3 What else does she now do to improve her spoken French?

**Georgi Nikolov, 18 ans, Bulgarie**

4 Name two of the languages Georgi speaks.

5 Besides French, what would he like to study?

6 Why would he like to study in France?

> Le français, c'est génial
>
> Oh, oui, j'adore !

**1.2** Répondez oralement aux questions ci-dessous.

1 Et vous, pourquoi avez-vous choisi d'étudier le français ?

2 Quel aspect de la langue française préférez-vous ? Pourquoi ?

3 Que trouvez-vous le plus difficile ?

4 Avez-vous l'occasion de parler français en dehors du lycée ? Donnez des détails.

**1.3** Quelques élèves nous parlent de leur expérience du français. Dans votre cahier, reliez les phrases de gauche avec celles de droite pour découvrir ce qu'ils disent.

| | |
|---|---|
| 1 Le vocabulaire des articles que nous lisons … | a difficiles à répondre. |
| 2 Pour chaque règle de grammaire, … | b c'est la grammaire. |
| 3 Il faut apprendre beaucoup de … | c préparons des débats. |
| 4 Ce que j'aime le plus, c'est … | d des questions à l'oral. |
| 5 En groupes, nous … | e regarder des films en classe. |
| 6 Une fois par semaine, nous devons … | f écrire un essai. |
| 7 Ce que je trouve le plus difficile, … | g une chanson d'un chanteur francophone. |
| 8 Les questions des compréhension orale sont … | h verbes irréguliers par cœur. |
| 9 Notre prof nous pose … | i est parfois incompréhensible. |
| 10 Quelquefois, nous écoutons … | j il y a toujours une exception. |

**1.4** **Lisez le commentaire d'Eloïse puis discutez-en à l'oral.**

« Dans un monde où l'anglais est omniprésent, apprendre une langue étrangère est de plus en plus inutile. » **Eloïse, 17 ans.**

## Phrases utiles

| | |
|---|---|
| apprendre une langue | s'ouvrir aux autres … |
| l'apprentissage (*m.*) d'une langue | être bon(ne) / mauvais(e) en … |
| une langue sert à … (+ *infinitif*) | essayer de … |
| Une langue étrangère permet de … (+ *infinitif*) | ne pas avoir peur de … |
| | parler / pratiquer régulièrement |
| C'est plus facile pour … | faire un effort pour … |
| travailler à l'étranger | |
| rencontrer des gens | |

**1.5** **Reliez les expressions familières utilisées par les jeunes (1–10) avec leur équivalent en français standard (a–j).**

| | |
|---|---|
| **1** C'est trop mortel ! | **a** Il est très étrange. |
| **2** Ça déchire ! | **b** C'est gagné d'avance ! |
| **3** C'est un truc de ouf. | **c** C'est très classe ! |
| **4** Il est trop zarbi lui. | **d** Je suis de mauvaise humeur. |
| **5** Enfin, voilà quoi ! | **e** C'est super ! |
| **6** Je kiffe grave. | **f** Il n'y a aucun doute. |
| **7** C'est dans la poche ! | **g** C'est évident ! |
| **8** Je suis à cran. | **h** C'est une histoire incroyable. |
| **9** Y'a pas photo. | **i** J'aime beaucoup. |
| **10** C'est clair ! | **j** Tu vois ce que je veux dire. |

**1.6** Trouvez l'équivalent des définitions (1–6) des mots nouveaux ci-dessous.

1 Un film ou roman réalisé d'après une œuvre de référence mais dont l'action se situe avant celle-ci.

2 Un film qui reprend une série ou un personnage sans tenir compte des épisodes existants.

3 Le signe dièse qui précède un mot-clé utilisé dans les messages sur un site de micro-blogage.

4 Un autoportrait pris avec un smartphone et posté sur un réseau social.

5 Une personne qui, sur les forums Internet, vient polluer les discussions pour simplement créer une polémique.

6 Une série dérivée d'une autre série.

 **1.7** Écoutez trois personnes nous parler de ce qu'elles font pour rester au courant des anglicismes et nouveaux mots de la langue française.

**Laurence, 40 ans**

1 Who does Laurence ask for help?

2 Why does she sometimes feel disconnected?

**Daniel, 71 ans**

3 How old are Daniel's grandchildren?

4 How did he respond to the text one of them sent him?

5 What comment does he make about staying up to date?

**Aziz, 26 ans**

6 How does Aziz stay up to date with new words? (One point)

7 Aziz is addicted to the Internet. True or false?

8 Why does he make spelling mistakes?

# 2 Les langues régionales

**2.1** Écoutez un reportage à propos des langues régionales en France puis répondez aux questions suivantes.

### Section 1

1 How many people speak a regional language in France?
2 What is the profile of these speakers?
3 Why did France never sign the European Convention on Regional and Minority Languages?

### Section 2

4 How many people speak Alsatian and Occitan in France?
5 What type of schools are the Ikastolas or the Diwan schools?
6 Name a concern some people have about the future of the regional languages.

### Section 3

7 Give one reason why regional languages are important.
8 What is the advantage of learning a language at an early age?
9 The only official language in Switzerland is French. True or false?

**2.1b** Connaissez-vous ces drapeaux régionaux français ? Pouvez-vous les identifier ?

 **Au fait**

En 1989, Michel Rocard le Premier Ministre français, charge des experts en linguistique et des membres de l'Académie française de régulariser quelques anomalies de la langue française, à savoir le trait d'union, le pluriel des mots composés, l'accent circonflexe et le participe passé entre autres.

Les rectifications sont alors publiées au Journal officiel de décembre 1990. Finalement, la parution au Journal officiel en juin 2008 instaure l'orthographe révisée comme la reference linguistique. Ainsi depuis cette date, elle est incluse dans les programmes scolaires.

**2.2** Après avoir lu les témoignages de Felice et Nathalie sur le blog « Corse Attitude », dites si les phrases ci-contre sont vraies ou fausses et justifiez votre réponse.

### http://blog « Corse Attitude »

**Commentaires**

**Felice**
(Porto-Vecchio)

Je suis né et j'ai grandi à Porto-Vecchio comme presque toute ma famille. Je ne pourrais vivre ailleurs car la Corse porte bien son surnom d'île de Beauté ! Je parle bien sûr corse et français. Le corse est une langue proche de l'italien tout comme une certaine partie de sa culture. Parfois, on nous accuse d'être trop nationalistes, de favoriser les Corses en matière d'emplois surtout dans l'administration. C'est n'importe quoi ! La Corse est une île très touristique, surtout pour les Français qui viennent passer leurs vacances d'été ici, que ce soit à la mer ou la montagne. C'est rural et très pittoresque ici et puis, on a le soleil garanti ! C'est aussi bien plus relax que sur le continent où habitent deux de mes cousins. Quand tu habites sur une île, ta vision du monde est différente !

**Nathalie**
(Marseille)

C'est vrai que la Corse est une très belle région. J'y suis allée avec mon mari et mes deux enfants il y a deux ans et nous avons passé un excellent séjour. Quel dépaysement ! Vous pouvez nager dans une mer turquoise et chaude, visiter des petites criques désertes, faire de la randonnée dans les montagnes, goûter des produits régionaux excellents. Nous sommes restés dans un gîte près de Calvi. Nous avons rencontré pas mal de Français dont un couple qui venait de Strasbourg et qui se plaignait constamment. J'ai trouvé les gens vraiment accueillants, décontractés, prêts à vous faire découvrir des coins sympa.

### Vrai au faux ?

**Felice**

1 Felice aimerait vivre ailleurs qu'en Corse.

2 Le corse est similaire à l'italien.

3 Il est plus facile de trouver un travail si on est corse.

4 La Corse est une destination touristique prisée des Français.

5 Felice a de la famille qui habite en France.

**Nathalie**

6 Nathalie n'a pas aimé ses vacances en Corse.

7 Il n'y a pas grand-chose à faire car ce n'est pas très développé.

8 Le couple de Strasbourg n'était pas satisfait de leur séjour.

9 Les Corses sont des gens charmants et fiers de leur île.

### Lisez le texte, ensuite répondez aux questions qui suivent.

*Ce passage illustre une période difficile de l'histoire de France – la guerre contre la Prusse (l'Allemagne de nos jours) en 1870–1871. Les Prussiens ont déjà envahi la région frontalière (l'Alsace-Lorraine). Franz, le narrateur, est inquiet car il va arriver en retard à l'école.*

Alphonse Daudet
*Contes du lundi*

*Les Classiques de Poche*

© Le Livre de Poche

1 Ce matin-là, j'étais très en retard pour aller à l'école, et j'avais grand-peur d'être grondé,* d'autant que M. Hamel nous avait dit qu'il nous interrogerait sur les participes, et je n'en savais pas le premier mot. Un moment l'idée me vint de manquer la classe et de prendre ma course à travers champs. [...]

2 D'ordinaire, au commencement de la classe, il se faisait un grand tapage* qu'on entendait jusque dans la rue, les pupitres* ouverts, fermés, les leçons qu'on répétait très haut tous ensemble en se bouchant les oreilles pour mieux apprendre, et la grosse règle du maître qui tapait sur les tables : « Un peu de silence ! ». Je comptais sur tout ce train* pour gagner mon banc sans être vu ; mais, justement, ce jour-là, tout était tranquille, comme un matin de dimanche. Par la fenêtre ouverte, je voyais mes camarades déjà rangés a leurs places, et M. Hamel, qui passait et repassait avec la terrible règle en fer sous le bras. Il fallut ouvrir la porte et entrer au milieu de ce grand calme. Vous pensez si j'étais rouge et si j'avais peur !

3 Eh bien ! Non. M. Hamel me regarda sans colère et me dit très doucement :
Va vite a ta place, mon petit Franz ; nous allions commencer sans toi. J'enjambai* le banc et je m'assis tout de suite à mon pupitre. Alors seulement, un peu remis de ma frayeur, je remarquai que notre maître avait sa belle redingote* verte [...]. Du reste, toute la classe avait quelque chose d'extraordinaire et de solennel. Mais ce qui me surprit le plus, ce fut de voir au fond de la salle, sur les bancs qui restaient vides d'habitude, des gens du village assis et silencieux : comme nous : le vieux Hauset avec son tricorne,* l'ancien maire, l'ancien facteur, et puis d'autres personnes encore. Tout ce monde-là paraissait triste [...].

4 Pendant que je m'étonnais de tout cela, M. Hamel était monté dans sa chaire,* et de la même voix douce et grave dont il m'avait reçu, il nous dit :
Mes enfants, c'est la dernière fois que je vous fais la classe. L'ordre est venu de Berlin de ne plus enseigner que l'allemand dans les écoles de l'Alsace et de la Lorraine. Le nouveau maître arrive demain. Aujourd'hui, c'est votre dernière leçon de français. Je vous prie d'être bien attentifs.

5 Ces quelques paroles me bouleversèrent.* Ah ! Les misérables, voilà ce qu'ils avaient affiché à la mairie. Ma dernière leçon de français ! Et moi qui savais à peine écrire ! Je n'apprendrais donc jamais ! Il faudrait donc en rester là ! Comme je m'en voulais maintenant du temps perdu, des classes manquées à courir les nids ou à faire des glissades sur la Saar ! Mes livres que tout à l'heure encore je trouvais si ennuyeux, si lourds à porter, ma grammaire, mon histoire sainte me semblaient à présent de vieux amis qui me feraient beaucoup de peine à quitter.

Alphonse Daudet, « La dernière classe », *Contes du lundi* (1873)

### Questions

**1** a Donnez une raison pour laquelle le narrateur ne voulait pas aller en classe ce matin-là. (Section 1)

    b Où préférait-il aller ? (Section 1)

**2** a Dans la deuxième section, relevez une expression qui décrit les actions habituelles des élèves avant la classe.

    b Quand il a regardé par la fenêtre, quelle différence d'attitude Franz a-t-il remarquée ? (Section 2)

**3** a Trouvez un détail qui nous indique que le maître, M. Hamel, est plutôt sévère. (Section 2)

    b Relevez un adverbe dans la deuxième section.

**4** a Relevez une expression qui indique que M. Hamel semble different aujourd'hui. (Section 3)

    b À part M. Hamel, qui d'autre se trouve dans la classe avec les élèves ? (Section 3)

**5** a Relevez les mots qui indiquent que les enfants n'apprendront plus le français. (Section 4)

    b Pourquoi les enfants doivent-ils être attentifs ? (Section 4)

**6** There is a very strong feeling of sadness among the community in the village. Support this statement with reference to the text. (*50 words*)

**2.4** **Your name is Michael/Alison Power and you live in Cavan. You write a letter to your French penpal, Emma, in which you:**

- say that you went to the south-west of France last July, to the Basque Country
- mention that you stayed in a campsite and the staff spoke both French and Basque
- ask her whether she knows that Irish is spoken in many places in Ireland, especially in the west of Ireland
- tell her that Irish is compulsory from primary school
- ask her whether she'd like to visit Cavan next summer to attend an Irish music festival. (*75 words*)

**Consultez**
l'aide-mémoire

Pour écrire une lettre informelle, voir pp. 178–81.

## 1 Les francophones

**1.1** Lisez cet entretien du chanteur belge Stromae pour le magazine *Les Inrockuptibles* puis répondez aux questions qui suivent.

**1**

### Comment s'est passée cette année pour toi ?

Je ne réalise pas vraiment, il va me falloir du temps ... Je suis encore dans la tornade. J'essaie de me préserver un peu, même si je suis déglingué\*, fatigué. J'ai besoin de voir plus mes proches : je ne les vois plus beaucoup et j'en souffre. J'aurais besoin d'un bon moment de retrouvailles.

### En France, tu as vendu plus de disques que Daft Punk ...

C'est vertigineux. Au final, c'est en France que ça a été le plus dingue – le projet était plus connu en Belgique au départ, et en France j'étais encore un artiste à découvrir. Vendre plus de disques que Daft Punk en France, je peux te dire que je ne m'y attendais vraiment pas. [...]

**2**

### Musicalement, *Racine carrée* est sans concession. On y trouve ce que tu aimes : du rap, de l'électro, des sonorités pas forcement toujours évidentes.

C'est vrai. C'est cool, ça. [...] Je voulais varier les plaisirs, ne pas m'interdire d'explorer d'autres directions. Et le fait d'avoir fait ça avec des gens comme Thomas Azier, Orelsan, qui, sur le papier, sont différents, c'est une vraie satisfaction pour moi. Mélanger ces gars-là, de la rumba congolaise et Maître Gims, c'était pas évident au départ, et ma grande satisfaction, c'est de me dire que mes intuitions n'étaient pas loin d'être les bonnes. Je suis fier que les gens aient adhéré à ça.

**3**

### Avec Orelsan et Thomas Azier, tu as trouvé de nouveaux partenaires de jeu ?

Orelsan, c'est la seule personne avec qui j'ai écrit des textes sur l'album. Je me suis rendu compte que c'était un plaisir d'écrire avec d'autres gens. C'est mon manager Dimitri qui m'a poussé à faire ça. [...] Je suis vraiment un fan du travail [d'Orelsan], et ce qui est sûr, c'est qu'il y a une vraie complémentarité entre nous. Avec Thomas Azier, c'est plutôt sur la musique qu'on s'est entendus : il est comme moi, il bosse seul avec son ordi. Moi je suis très rythmique, et lui plus dans la mélodie, dans l'harmonie.

© *Les Inrockuptibles*, 2014

**Lexique**

déglingué = en mauvais état, abîmé

## Questions

**1** **a** Dans la première section, relevez une phrase qui indique que Stromae n'est pas encore revenu dans la réalité.

  **b** Qu'est-ce qui lui manque beaucoup ? (Section 1)

**2** **a** Stromae était aussi connu en Belgique qu'en France. Vrai ou faux ? Justifiez votre réponse. (Section 1)

  **b** Relevez une phrase qui montre que pour son album *Racine carrée*, Stromae a préféré expérimenter au niveau musical. (Section 2)

**3** Dans la deuxième section, trouvez un verbe à l'imparfait.

**4** **a** Trouvez un synonyme de « j'ai réalisé ». (Section 3)

  **b** Qui a encouragé Stromae à collaborer avec d'autres personnes pour son nouvel album ? (Section 3)

**5** Relevez une phrase qui montre que d'habitude, il ne travaille pas en équipe. (Section 3)

**6** Stromae, the young songwriter and musician, is quite surprised by his own success. Support this statement with reference to the text. (*50 words*)

 **Au fait**

Le Belge Stromae, de son vrai nom Paul Van Haver, est né d'un père rwandais et d'une mère flamande. Suite au succès international de *Alors on danse* (2010), il remporte en 2014 trois trophées aux Victoires de la musique : artiste masculin de l'année, album de chansons de l'année et meilleur clip pour les chansons « Formidable » et « Papaoutai ».

**1.2** **Répondez oralement aux questions suivantes et notez vos réponses dans votre cahier.**

  **1** Connaissez-vous une ou des personne(s) francophone(s) ? Donnez des détails.

  **2** De quel pays est-elle / sont-elles originaires ?

  **3** Pourquoi sont-elles célèbres ?

  **4** Êtes-vous déjà allé(e) dans un pays francophone ? À quelle occasion ?

  **5** Quel pays francophone aimeriez-vous visiter ? Pourquoi ?

> Consultez l'aide-mémoire
> Pour le conditionnel présent, voir pp. 187–88.

**1.3** **Écoutez ce reportage sur le célèbre groupe français Daft Punk puis répondez aux questions ci-dessous dans votre cahier.**

  **1** How many Grammy awards did Daft Punk win?

  **2** Where did the two members of the group meet?

  **3** Why did they call their band Daft Punk?

  **4** How successful was Daft Punk's first album?

  **5** Name two ways in which the group Daft Punk is very original.

  **6** Daft Punk is less well-known in France than elsewhere. True or false?

# 2 La découverte de la francophonie

**2.1** Lisez cette fiche d'identité du Québec et présentez à votre tour, selon ce format, un pays francophone de votre choix.

| FICHE D'IDENTITÉ | |
|---|---|
| **Pays francophone :** | Québec, province dans l'est du Canada |
| **Population :** | Un peu plus de huit millions d'habitants |
| **Langue(s) officielle(s) :** | Le français – plus de 80% de la population québécoise parle français couramment. |
| **Industries :** | • Pharmaceutique et biomédicale<br>• Aéronautique et aérospatial<br>• Technologies de l'information et télécommunications.<br>• Ressources naturelles<br>• Hydroélectricité<br>• Tourisme |
| **Gastronomie :** | • Tourtières<br>• Soupes aux pois<br>• Poissons et fruits de mer<br>• Desserts au sirop d'érable |
| **Sport(s) :** | Le hockey sur glace, le ski, le patinage, le baseball |
| **Célébrité(s) :** | • Léonard Cohen, poète et interprète<br>• Céline Dion, chanteuse<br>• Marie-Josée Croze, actrice<br>• Guy Laliberté, fondateur du Cirque du Soleil<br>• Rudolph A. Marcus, Prix Nobel 1992 de chimie<br>• Jacques Villeneuve, coureur automobile |

**2.2** **Écoutez un entretien de Fiona Meehan, jeune étudiante québécoise, puis répondez aux questions qui suivent.**

1 Where is Fiona from in Quebec?
2 Fiona's dad is …
   i) Irish   ii) German   iii) Canadian.
3 What age was she when she started learning English in school?
4 Why is it considered important to learn English in school?
5 What does she study in university?
6 For what reason did she decide to take a break from her studies?
7 Where did she work during the summer?
8 Whom did she meet up with while travelling in Europe?

**2.3** Lisez le témoignage d'Adiouma et de Paul ci-dessous puis pour chaque question, choisissez la bonne réponse.

### Adiouma, 45 ans

Je suis sénégalaise et je n'habite pas très loin de Dakar. Mon pays est devenu indépendant il y a plus de 50 ans. Je parle le wolof et aussi le français, la langue officielle et administrative du pays. J'apprends l'anglais comme beaucoup de gens ici pour augmenter mes chances professionnelles. Je

suis journaliste et je fais des reportages pour Radio France Internationale. En avril dernier, j'ai travaillé pour Mondoblog, une plateforme regroupant depuis trois ans plus de 200 blogueurs francophones répartis dans une quarantaine de pays. Grace à Mondoblog, les blogueurs sélectionnés reçoivent une formation intensive aux métiers du journalisme, à l'écriture et à l'édition. C'est l'occasion de rencontrer d'autres francophones et de parler français, la langue commune pour tous. Cette année est une année spéciale pour la République du Sénégal car le 15ème sommet de la Francophonie se tiendra ici. Le thème principal du sommet est « Femmes et jeunes en Francophonie : vecteurs de paix, acteurs de développement. » En tant que journaliste, je vais être au-devant de la scène et c'est un moment spécial et fort pour moi.

1 Adiouma parle couramment …

   i) le français et l'anglais

   ii) le wolof et le français

   iii) le wolof.

2 Adiouma …

   i) est une blogueuse professionnelle

   ii) transmet des informations internationales

   iii) est une politicienne locale.

3 Mondoblog permet aux blogueurs choisis …

   i) d'échanger des idées en ligne

   ii) de pratiquer d'autres langues

   iii) d'être initiés à différents travaux journalistiques.

4 Le Sénégal accueille …

   i) des femmes et des jeunes francophones chaque année

   ii) le rassemblement international francophone

   iii) une conférence pour la paix en Afrique.

Je suis né ici à Cayenne, capitale de la Guyane, mais je viens de Roura qui est situé au sud de Cayenne. Je suis avant tout guyanais et je parle créole et français. La Guyane est passée du statut de colonie à celui de département français en 1946 et est maintenant un département et région d'outre-mer. Je travaille comme guide forestier au centre spatial à Kourou. Je fais découvrir la richesse de la flore et la faune des savanes du centre spatial guyanais. C'est un des rares espaces naturels protégés ici. Nous avons, principalement, des groupes scolaires et des touristes intéressés par la biodiversité et la protection de cet environnement unique.

Je rencontre beaucoup de « métropolitains » (ou métros) : ils viennent de France et travaillent en contrat pour trois ou quatre ans ici. Il y a aussi les « permanents », c'est-à-dire des Français installés en Guyane depuis longtemps. Je m'entends bien avec eux mais on rencontre parfois des attitudes racistes et ça va souvent dans les deux sens. Ma petite amie, Alice, est française : elle est institutrice ici et on s'est rencontrés alors qu'elle accompagnait un groupe d'enfants pour la visite de la savane. J'entends parfois des critiques car je suis avec une « métro » mais je laisse dire. Alice est très dynamique dans la communauté locale et passionnée par son travail. Les petits l'adorent. Elle s'est totalement adaptée au climat, au style de vie et à notre culture créole. Son contrat vient d'être renouvelé pour deux ans et on espère se marier l'année prochaine si tout va bien !

**5** La Guyane est …

    i) une région en France

    ii) une région française d'outre-mer

    iii) une colonie française.

**6** Paul travaille au Centre spatial guyanais …

    i) à l'accueil des touristes

    ii) au service entretien spatial

    iii) dans le parc naturel qui entoure le centre.

**7** Paul est parfois victime de racisme parce que …

    i) il ne parle pas bien français

    ii) sa petite amie vient de France

    iii) il travaille dans la savane.

**8** Alice …

    i) est tout à fait à l'aise en Guyane

    ii) va bientôt rentrer en métropole

    iii) parle créole couramment.

**Le français est parlé aux quatre coins de la planète et a évolué selon les besoins des habitants et de leur culture locale. Devinez l'équivalent en français standard de chacun des mots en italique ci-dessous.**

**2** Dans ce pays de neige qu'est le Québec, chacun porte *chandail* et *mitaines*.

**1** Chez nos voisins belges, on peut entendre ceci : « Ta chambre est un vrai capharnaüm. Quand vas-tu te décider à ranger tes *bidons* ? »

**3** En Afrique de l'Ouest, que nomme-t-on un *pain chargé* ?

**6** À Haïti, on peut entendre l'expression être *comme lait et citron* !

**4** À Lausanne ou à Genève, faire les choses à *la précipitée* n'est pas du tout recommandé.

**5** En Nouvelle-Calédonie, on peut entendre « il est gentil mais un peu *fleur de papaye*. »

Marie Treps et Gwen Keraval, *Lâche pas la patate !* © Éditions Le Sorbier

**2.5** « *L'Enfant noir* »

**Lisez le texte ci-dessous puis répondez aux questions qui suivent.**

1 Mon oncle Mamadou était un peu plus jeune que mon père : il était grand et fort, toujours correctement vêtu, calme et digne ; c'était un homme qui d'emblée* imposait. Comme mon père, il était né à Kouroussa, mais l'avait quitté de bonne heure. Il y avait été écolier, puis comme je le faisais maintenant, il était venu poursuivre ses études à Conakry, et en avait achevé le cycle de l'École normale de Gorée. Je ne crois pas qu'il soit demeuré longtemps instituteur : très vite le commerce l'avait attiré. Quand j'arrivai à Conakry, il était chef comptable dans un établissement français. J'ai fait petit à petit sa connaissance et plus j'ai appris à le connaître, plus je l'ai aimé et respecté.

2 Il était musulman, et je pourrai dire : comme nous le sommes tous ; mais il l'était de fait beaucoup plus que nous le sommes généralement : son observance du Coran était sans défaillance. Il ne fumait pas, ne buvait pas, et son honnêteté était scrupuleuse.* Il ne portait de vêtements européens que pour se rendre à son travail ; sitôt rentré, il se déshabillait, passait un boubou* qu'il exigeait immaculé, et disait ses prières. À sa sortie de l'École normale, il avait entrepris l'étude de l'arabe ; il l'avait appris à fond, et seul néanmoins, s'aidant de livres bilingues et d'un dictionnaire ; à présent, il **le** parlait avec la même aisance que le français […]        →

**3** Le lendemain et mon dernier jour de vacances épuisé, mon oncle Mamadou me conduisit à ma nouvelle école.

Travaille ferme à présent, me dit-il, et Dieu te protègera. Dimanche, tu me conteras tes premières impressions.

Dans la cour, où l'on me donna les premières indications, au dortoir, où j'allais ranger mes vêtements, je trouvai des élèves venus comme moi de Haute-Guinée, et nous fîmes connaissance ; je ne me sentis pas seul. […] Nous étions, anciens et nouveaux, réunis dans une même grande salle. Je me préparai à mettre les bouchées doubles, songeant à tirer déjà quelque parti de l'enseignement qu'on donnerait aux anciens […].

Camara Laye, L'Enfant noir © Librairie Plon

## Lexique

d'emblée = aussitôt, dès le départ

scrupuleux(-se) = minutieux, exact, pointilleux

un boubou = un type de longue robe africaine aussi bien portée par les hommes que par les femmes.

### Questions

**1 a** Dans la première section, relevez une phrase qui indique que Mamadou était une personne impressionnante.

**b** Pourquoi l'oncle était-il parti de Kouroussa? (Section 1)

**2** D'après la première section, l'oncle Mamadou …

    i) est instituteur dans une école primaire française

    ii) étudie le commerce à Conakry

    iii) travaille dans la comptabilité.

**3 a** Relevez une phrase qui montre que l'oncle Mamadou était une personne extrêmement religieuse. (Section 2)

**b** Comment sait-on qu'il portait comme un uniforme pour aller travailler ? (Section 2)

**4 a** Trouvez un synonyme de « totalement ». (Section 2)

**b** Dans la deuxième section, à quoi se réfère le pronom **le** ?

**5 a** Quel conseil l'oncle donne-t-il à son neveu ? (Section 3)

**b** Qu'est-ce qui nous indique que le narrateur n'est pas le seul nouvel élève dans l'école ? (Section 3)

**6** Relevez une expression qui signifie « aller plus vite ». (Section 3)

**7** As an uncle, Mamadou is a great role model for the narrator. Refer to the text to support your answer. (*50 words*)

# Aide-mémoire

## Un brin de causette

*Pendant la récréation, Fatia discute avec Niall à propos de son lycée, du règlement, des professeurs et des matières qu'il étudie pour son bac.*

*Rachel parle à Zach de ce qu'elle aimerait faire après le bac et des idées qu'elle a concernant sa future carrière.*

**Écoutez les deux extraits puis répondez aux questions dans votre cahier.**

**L'entrée du lycée**

**Niall**

1 Niall's uniform consists of …
2 Girls cannot wear …
3 Examples of rules in Niall's school are …
4 The main differences in the timetables concern …
5 Niall's school's sport facilities are …
6 Outside class time, Irish students can …
7 Niall's teachers …

**À la fac**

**Rachel**

1 Rachel hopes to …
2 Her parents don't …
3 She can't wait to …
4 Sometimes, she feels …
5 As a career, she is undecided between …
6 Her stay in France …
7 She hopes to find a job …

# Préparation pour le bac

## Les lettres informelles

### La mise en page

As in the case of formal letters, informal letters need to be properly laid out. They should include:

- your address (on the left-hand corner of the page)
- place and date (on the right-hand corner of the letter)
- the greeting
- the signing off.

> **1** Remember! In French, you don't use a capital letter for the months of the year:
> - Ennis, le 16 juillet 20XX
>
> **2** **Cher** becomes **Chère** in the feminine form:
> - Cher Antoine / Chère Hélène
>
> **3** Typical ways to sign off include:
> - À bientôt ! / À plus !
> - Au week-end prochain
> - Grosses bises / Bisous

### Le vocabulaire

Unlike formal letters, you use the familiar **tu** form within informal letters, since you are writing to a friend or to somebody you know well.

In the exam, you will usually be given **five** communication tasks to complete. Make sure that you attempt them all in order to get the full marks available.

| Introduction | |
|---|---|
| Merci de ta lettre / carte que j'ai reçue il y a maintenant une semaine. | *Thanks for your letter / card which I received a week ago.* |
| Ton courriel / mél m'a fait vraiment plaisir. | *I was really delighted with your email.* |
| Merci pour ton colis qui est arrivé hier. | *Thanks for the parcel which arrived yesterday.* |
| J'adore le CD de chansons françaises. | *I love the CD of French songs.* |

| S'excuser | |
|---|---|
| Enfin je t'écris ! | *At last I'm writing to you!* |
| J'espère que tu ne m'en voudras pas trop ! | *I hope that you're not angry with me about it.* |
| Excuse-moi de ne pas avoir répondu à ta lettre tout de suite mais comme tu sais, j'étais en pleine révision pour mes examens ! | *Apologies for not having answered your letter straightaway but, as you know, I was revising for my exams!* |
| Cela fait bien longtemps que je ne t'ai pas donné de mes nouvelles. | *I haven't written to you for a long time.* |

## Remerciements

| | |
|---|---|
| J'ai vraiment passé un agréable séjour avec ta famille. | *I really had an enjoyable stay with your family.* |
| Je ne sais pas comment te remercier pour ces vacances inoubliables. | *I don't know how to thank you for the unforgettable holiday I had.* |
| Grâce à toi j'ai passé un séjour mémorable. | *Thanks you I had a memorable stay.* |
| Je tiens à remercier encore une fois tes parents pour l'accueil chaleureux. | *I'd like to thank your parents once again for their warm welcome.* |
| Remercie encore le directeur / la directrice de ton lycée pour la petite fête organisée à la fin de mon séjour. | *Thank the head of your lycée for the party at the end of my stay.* |
| Je garde un très bon souvenir de mes vacances chez toi. Je me suis vraiment bien amusé(e). | *I have very good memories of my holiday with you. I had a really good time.* |
| Merci d'avoir organisé toutes ces sorties. Je ne me suis pas ennuyé(e) une seule fois. | *Thanks for organising all those trips. I wasn't bored once.* |
| C'était génial / merveilleux / super / top. | *It was brilliant / marvellous / fantastic / great.* |
| J'attends ma prochaine visite en France avec impatience. | *I look forward to my next visit to France.* |
| Merci pour le joli collier / la jolie écharpe / le CD de musique que tu m'as envoyé(e). | *Thanks for the lovely necklace / the pretty scarf / the music CD that you sent me.* |
| J'étais ravi(e) / touché(e) de recevoir ta carte d'anniversaire ainsi que le cadeau. | *I was delighted / touched to get your birthday card and present.* |

## Parler des examens

| | |
|---|---|
| Je viens de finir le baccalauréat. Quel soulagement ! | *I've just finished my Leaving Cert. What a relief!* |
| Dans l'ensemble, ça s'est bien passé. | *On the whole, it went OK.* |
| Les maths étaient assez dures mais je pense avoir bien marché en anglais. | *The maths exam was quite hard but I think I did all right in English.* |
| J'espère avoir de bonnes notes en français. | *I hope I'll get good grades in French.* |
| Je le comprends mieux depuis mes dernières vacances à Toulouse. | *I understand it better since my last holidays in Toulouse.* |

## Impossible de rendre visite

| | |
|---|---|
| J'aurais aimé venir passer une semaine chez toi mais malheureusement je me suis fait mal en jouant au foot et je dois rester ici. | *I would have liked to spend a week at your place but unfortunately I injured myself playing football and I have to stay here.* |
| Je ne pourrai pas venir faire du ski comme prévu. | *I won't be able to come skiing as planned.* |
| Je dois être franc/franche : je n'ai pas assez d'argent pour m'acheter le billet d'avion. | *I have to be honest with you: I don't have enough money to buy the plane ticket.* |
| J'ai trouvé un petit boulot pour les vacances et je ne pourrai venir que fin août. | *I found a part-time job during the holidays and won't be able to come until the end of August.* |

## Oublier quelque chose dans sa famille d'accueil

| | |
|---|---|
| De retour en Irlande, je me suis aperçu(e) que j'avais oublié mon portable chez toi. | *On my return to Ireland, I realised that I had left my mobile phone at your house.* |
| Est-ce que je n'aurais pas laissé mon écharpe / mon pull bleu(e) chez toi ? | *Did I leave my blue scarf / jumper at your house?* |
| Je ne la/le retrouve pas et je pense l'avoir laissé(e) dans ma chambre. | *I can't find it and I think I left it in my bedroom.* |
| Je me demandais si tu pouvais me le/la renvoyer ? | *I was wondering if you could send it back to me?* |

## Conclusion

| | |
|---|---|
| J'espère avoir de tes nouvelles très bientôt. | *I hope to hear from you very soon.* |
| Donne le bonjour à tout le monde. | *Say hello to everybody from me.* |
| Il me tarde que tu viennes. | *I can't wait for you to come.* |
| Je dois te quitter maintenant. | *I have to go now.* |
| Sache que tu seras toujours le/la bienvenu(e) ici. | *You know that you'll always be welcome here.* |
| Nous attendons ta prochaine visite avec impatience. | *We're looking forward to your next visit.* |

## Formule de politesse

| | |
|---|---|
| Amuse-toi bien pendant les vacances de Pâques / Noël / la Toussaint ! | *Enjoy your Easter / Christmas / Halloween holidays!* |
| Écris-moi / Envoie-moi un courriel / mél bientôt et dis-moi si tu peux venir. | *Write to me / send me an email soon and tell me if you can come.* |
| À la prochaine. | *Until next time.* |
| Amitiés / bises. | *All the best / Big hugs.* |

## Entraînez-vous pour le bac !

**Exercice 1**

Your name is Sam/Sorcha and you live in Louth. It's early May and you're making plans for the summer. Write a letter to your French penpal in which you:

- say that you went to visit your grandparents in Cork for Easter
- say that you stayed there for three days and you had a good time
- say that you will be starting a summer job on a farm located about ten miles from your home
- tell him/her that you are excited about this job because you are thinking of doing Agricultural Science in college next year
- ask him/her if they have found a job for the summer. (*75 words*)

**Exercice 2**

Your name is Shane/Ciara and you live in Leitrim. You want to invite your French penpal to visit you next summer. In your letter, you:

- say that you're sorry for the late reply but you have been very busy with school starting in September
- thank him/her for the great holidays you had in Carcassonne last August
- tell him/her that you think you have left a pair of trainers behind and ask them if they have found them
- ask them if they want to visit you in Leitrim next Christmas
- say that you have found a part-time job for the summer and that you will work in the local café run by your best friend's mother. (*75 words*)

# Grammaire

## 1 Le futur

### Le futur proche

- **Le futur proche** (the near future), as its name indicates, is used to convey the idea that an event is about to happen in the near future.

  **Exemple :** | Après le déjeuner, je vais faire des courses.
  (*After lunch, I'm going to go shopping.*)

- **Le futur proche** is formed by conjugating the verb **aller** in the present tense, followed by the infinitive of the verb required. In fact, the near future in English is exactly the same as the **futur proche** in French.

  **Exemple :** | Il va chanter. (*He is going to sing.*)

- In a negative structure or when using a reflexive verb (**verbe pronominal**) in the near future, the order of the words is slightly different.

  **Exemples :** | Je m'éclate en vacances. (*I'm having a great time on holiday.*)
  Je vais m'éclater en vacances. (*I'm going to have a great time on holidays.*)

### Exercice 3

**Change the verbs in brackets into le futur proche.**

1 Dans deux semaines, nous (partir) en Pologne avec le lycée !
2 Je (rester) chez une copine pendant le week-end.
3 Ils (camper) en France pendant leurs vacances en juillet.
4 Je (envoyer) un message à Elouanne sur Facebook !
5 Vous (finir) votre entraînement à quelle heure?
6 Tu (me rejoindre) en ville plus tard ?
7 Il (réussir) son examen d'entrée, j'en suis certaine.
8 Elles (faire) des petits gâteaux pour les vendre à la kermesse.
9 Nous (commander) une pizza. Qu'est-ce que tu préfères ?
10 Elle (s'inscrire) à un cours du soir.

# Le futur simple

- **Le futur simple** is used for forthcoming events or events that are definitely going to happen. It is usually translated by 'will' or 'shall' in English.

  **Exemples :** J'irai en discothèque demain soir.
  (*I will go to a nightclub tomorrow night.*)

  L'année prochaine, elle passera son bac.
  (*Next year, she will sit her Leaving Cert.*)

- After **aussitôt que / dès que** (*as soon as*), **lorsque / quand** (*when*), **une fois que** (*once*), **pendant que** (*while*) and **tant que** (*as long as*), the future is used in French, whereas in English the present tense is used.

  **Exemples :** Quand nous aurons les résultats de nos examens, nous partirons en vacances. (*When we have our exam results, we will go on holidays.*)

  Je ne commencerai pas le cours tant que les étudiants bavarderont.
  (*I will not start the class until the students stop talking.*)

- When using a **si** clause in the present tense, the clause that follows is nearly always in the future tense.

  **Exemples :** Si j'ai assez d'argent, je sortirai demain.
  (*If I have enough money, I'll go out tomorrow.*)

  Si nous allons en Normandie, nous visiterons les plages du débarquement americain.
  (*If we go to Normandy, we will visit the American landing beaches.*)

- The future tense is formed in nearly all cases by keeping the infinitive of regular and irregular verbs. You add the appropriate endings (**-ai, -as, -a, -ons, -ez, -ont**) to the infinitive. Note that for **-re** verbs, you need to drop the final **e**.

  **Exemples :**

| donner | partir | attendre |
|---|---|---|
| je donnerai | je partirai | j'attendrai |
| tu donneras | tu partiras | tu attendras |
| il/elle/on donnera | il/elle/on partira | il/elle/on attendra |
| nous donnerons | nous partirons | nous attendrons |
| vous donnerez | vous partirez | vous attendrez |
| ils/elles donneront | ils/elles partiront | ils/elles attendront |

- Reflexive verbs also follow this rule:

  **Exemple :** Je me lèverai à huit heures. (*I will get up at eight o'clock*)

- Exceptions : There are only about two dozen stem-changing or irregular verbs that have irregular future stems but take the same **endings**. The stem for **aller** in the future tense is **ir-**. For **avoir** it is **aur-**.

| **Exemple :** | Elle **ira** (*She will go*) |
| | Nous **aurons** (*We will have*) |

Here is a list of irregular verbs in the future tense (**le futur simple**).

| Verb | Future stem |
|------|-------------|
| acheter | achèter- |
| *similar verbs:* | |
| achever | achèver- |
| amener | amèner- |
| emmener | emmèner- |
| lever | lèver- |
| promener | promèner- |
| acquérir | acquérr- |
| *similar verbs:* | |
| conquérir | conquérr- |
| mourir | mourr- |
| courir | courr- |
| appeler | appeller- |
| *similar verbs:* | |
| épeler | épeller- |
| jeter | jetter- |
| projeter | projetter- |
| rappeler | rappeller- |
| aller | ir- |
| avoir | aur- |
| devoir | devr- |
| envoyer | enverr- |

| Verb | Future stem |
|------|-------------|
| essayer | essaier-, |
| *similar verbs:* | |
| employer | emploier- |
| ennuyer | ennuier- |
| nettoyer | nettoier- |
| payer | paier- |
| être | ser- |
| faire | fer- |
| falloir | faudr- |
| pleuvoir | pleuvr- |
| pouvoir | pourr- |
| savoir | saur- |
| valoir | vaudr- |
| venir | viendr- |
| *similar verbs:* | |
| devenir | |
| parvenir | |
| revenir | |
| voir | verr- |
| *similar verb:* | |
| revoir | |
| vouloir | voudr- |
| tenir | tiendr- |

**Exercice 4**

**Conjugate the regular verbs in brackets using le futur simple.**

1 Elle (prendre) le train ou le bus pour venir le week-end prochain.

2 Je (choisir) ma robe pour le bal des débutantes demain.

3 Vous (manger) avec nous ce soir ?

4 Ils (apporter) un gâteau pour ton anniversaire.

5 Nous (répondre) à toutes ses questions avec sincérité.

6 Est-ce que tu (remplir) le questionnaire ce week-end ?

**Conjugate the irregular verbs in brackets using le futur simple.**

1 Est-ce tu (avoir) un rendez-vous dans la matinée de demain ?
2 Je (faire) un peu de ménage plus tard.
3 Vous (être) en sécurité si je viens avec vous.
4 Nous (devoir) partir très tôt si nous ne voulons pas être dans les embouteillages.
5 Tu penses qu'il (envoyer) le colis bientôt ?
6 Elles (aller) au cinéma vers vingt heures je crois.

**Exercice 6**

**Change the verb in brackets to the appropriate tense.**

1 Si vous (venir) en ville, nous (pouvoir) faire les magasins.
2 Si elle (réussir) son concours, elle (partir) en vacances après.
3 Si nous (choisir) le menu enfants, ils (avoir) une boisson offerte.
4 Si elle (arriver) pour midi, nous (manger) un peu plus tôt que d'habitude.
5 S'ils (vouloir), je (ouvrir) une bonne bouteille de vin pour l'occasion !
6 Si tu (voir) Grégory, il te (raconter) son week-end au ski !
7 Si vous (arriver) avant nous, vous (garder) une place ?
8 S'il (être) d'accord, j' (aller) avec lui chez le docteur.

**Exercice 7**

**Conor is talking about his plans for next summer and for going to college. In your copy, conjugate the verbs in brackets in the future tense (le futur proche or le futur simple).**

Après mon bac, je (aller) en vacances avec quelques copains : nous (partir) quelques jours en Espagne pour décompresser! Là-bas, nous (louer) un appartement et nous (faire) un peu la fête. Une fois de retour, je (travailler) dans une station-service. J'espère que je (rencontrer) des gens sympas. Mi-août, on (recevoir) les résultats du bac ! On (se donner) rendez-vous au lycée avec copains et copines. Je (pouvoir) décider quelle filière faire. Je (s'inscrire) dans un institut technique pour étudier l'électronique. J'espère que mes copains (choisir) la même ville universitaire que moi !

**Exercice 8**

**À vous maintenant : Say what you plan to do during your Easter break and what you hope to do once you have your Leaving Certificate.**

# Le futur antérieur

- **Le futur antérieur** (*future perfect*) is formed by putting together the future of **avoir** or **être** + **le participe passé** (*past participle*). Look at the three forms below :

| avoir | être | reflexive verb |
|---|---|---|
| j'aurai fait | je serai allé(e) | je me serai levé(e) |
| tu auras fait | tu seras allé(e) | tu te seras levé(e) |
| il/elle/on aura fait | il/elle/on sera allé(e) | il/elle/on se sera levé(e) |
| nous aurons fait | nous serons allé(e)s | nous nous serons levé(e)s |
| vous aurez fait | vous serez allé(e)(s) | vous vous serez levé(e)(s) |
| ils/elles auront fait | ils/elles seront allé(e)s | ils/elles se seront levé(e)s |

- As is the case with all compound tenses (two-verb tenses) using **être**, the past participle has to **agree** with the subject.

**Exemples :**

Elle te téléphonera dès qu'elle sera arrivée.
(*She will ring you as soon as she has arrived.*)

J'éteindrai les lumières quand ils se seront couchés.
(*I will switch off the lights when they are gone to bed.*)

- **Le futur antérieur** is used to indicate that an action has taken place **before** another one in the future.

**Exemples :**

Quand il sera arrivé dans la famille d'accueil, il nous téléphonera.
(*Once he's arrived in the host family, he'll give us a call.*)

Quand j'aurai fini mon essai, je l'enverrai par email.
(*When I have finished my essay, I will send it by email.*)

**Exercice 9**

**In your copy, write the following verbs in le futur antérieur.**

1 Elle reprendra le questionnaire quand elle (finir) sa pause déjeuner.
2 Je pourrai vous rappeler une fois que je (rentrer) chez moi.
3 Nous vous enverrons un texto quand nous (arriver) chez Monique.
4 Dès que ma petite sœur (sortir), on pourra discuter plus tranquillement.
5 Lorsque vous (déménager), vous serez moins loin !
6 Tu sauras comment elle a fait quand tu (écouter) son message.

**Write five sentences conjugating the first verb in le futur simple and the second one in le futur antérieur, as in the example below.**

**Exemple :**

> partir — vacances — finir — projet (nous)
>
> Nous partirons en vacances quand nous aurons fini notre projet.

1  arrêter — travail — gagner — loto (je)
2  choisir — petit cadeau — visiter — ville (vous)
3  s'occuper de — chats — rentrer — à la maison (nous)
4  regarder — télé — terminer — devoirs (les enfants)
5  étudier — la sculpture — s'inscrire — cours d'arts plastiques (tu)

# 2 Le conditionnel présent

- **Le conditionnel présent** is formed by using the same stem as the **futur simple** of the verb and adding the endings of l'imparfait (-ais, -ais, -ait, -ions, -iez, -aient).

**Exemples :**

| Future verb | | Stem | Stem + conditional endings | |
|---|---|---|---|---|
| j'attendrai | *I will wait* | attendr- | j'attendrais | *I would wait* |
| nous étudierons | *we will study* | étudier- | nous étudierions | *we would study* |
| elle finira | *she will finish* | finir- | elle finirait | *she would finish* |
| tu iras | *you will go* | ir- | tu irais | *you would go* |

- The conditional mood expresses the notion of a possibility or an eventuality. It translates as 'would' (conditional of **être**), 'should' (conditional of **devoir**) or 'could' (conditional of **pouvoir**).

**Exemples :**

> Ce serait dommage de partir maintenant. (*It would be a pity to leave now.*)
>
> Elle devrait arriver vers vingt et une heures demain.
> (*She should arrive at 9 p.m. tomorrow.*)
>
> Il pourrait se casser une jambe. (*He could break his leg.*)

- **Le conditionnel** can also express a wish or a strong desire.

**Exemple :**

> J'aimerais travailler en France cet été.
> (*I would like to work in France this summer.*)

It can be used to request something politely.

**Exemple :**

> Serait-il possible de réserver une table pour deux, s'il vous plaît ?
> (*Would it be possible to book a table for two, please?*)

- **Le conditionnel** is often used with **si** to express what would happen if something else did. The si clause is always in the **imperfect tense**.

**Exemple :**

> Si je me couchais tôt, je ne serais pas fatigué(e).
> (*If I went to bed early, I wouldn't be tired.*)

## Exercice 11

**Change the following verbs to le conditionnel (for the irregular verbs, check the list of irregular verbs used in le futur simple).**

1 Tu (savoir) reconnaître sa rue, toi ?
2 On (dire) qu'elle est d'accord !
3 Vous (changer) de voiture chaque année, vous ?
4 Pourquoi tu n'(inviter) pas ta sœur à passer ses vacances avec nous, cet été ?
5 Il (pouvoir) demander à son professeur de maths !
6 C'est comme ça qu'elle (faire) pour choisir entre les deux !
7 Tu ne (connaître) pas Madame Rouduis, par hasard ?
8 Ils (partir) pendant un mois si j'ai bien compris !
9 Je (jardiner) si je n'avais pas mal au dos.
10 Elles (souhaiter) commencer plus tard.

## Exercice 12

**Make these sentences conditional by starting each of them with « Si c'était les vacances, … ».**

1 … nous n'avons pas cours de toute la semaine !
2 … je peux faire la grasse matinée jusqu'à onze heures.
3 … ma copine Clara vient chez moi pour quelques jours.
4 … j'ai le temps d'aller voir ma grand-mère.
5 … mon père vient avec moi au match de rugby.
6 … mes parents nous amènent au bord de la mer.
7 … je retrouve mes copains au parc pour faire du skate.
8 … mes cousins viennent nous voir quelques jours.
9 … nous faisons du lèche-vitrine dans la galerie marchande.
10 … j'en profite pour ne rien faire !

## Exercice 13

**For each of the situations mentioned, imagine what you would do. Complete the sentences in your copy.**

1 Si une personne tombait dans la rue, je …
2 Si le téléphone sonnait en pleine nuit, je …
3 Si un inconnu sonnait à la porte, je …
4 Si je trouvais un portefeuille dans le bus, je …
5 Si mon chien disparaissait un jour, je …
6 Si je perdais mon téléphone portable, je …
7 Si mes parents s'absentaient pendant un week-end, je …
8 Si ma/mon meilleur(e) ami(e) déménageait, je …
9 Si le voyage scolaire était annulé, nous …
10 Si je trouvais un petit boulot cet été, je …

# 3 Les adverbes

## La structure des adverbes

- An adverb is an invariable word that describes a verb, an adjective or another adverb.

**Exemples :**
> Elle parle **couramment** italien.
>
> Nous sommes **très** contents.
>
> Vous paraissez **beaucoup trop** jeune.

- Most adverbs are formed from the feminine form of an adjective, to which **-ment** is added. The **-ment** ending is the French equivalent of **-ly** in English.

**Exemples :**

| Adjectif masculin | Adjectif féminin | Adjectif fem. + -ment |
|---|---|---|
| seul | seule | seulement |
| heureux | heureuse | heureusement |
| grave | grave | gravement |

> Exceptions to this rule:    gentil → gentiment (*kindly*)
>
> bref → brièvement (*briefly*)

- Some adverbs take an extra é before the **-ment** ending.

**Exemples :**
> énorme → énormément
>
> précis → précisément

> **Grièvement** (*seriously*) is used instead of **gravement** with the word **blessé**, hence **grièvement blessé(e)** (*seriously injured*).

- If the adjective ends with the vowels **ai**, **é**, **i** or **u**, simply add **-ment** to form the adverb.

**Exemples :**
> poli → poliment (*politely*)
>
> vrai → vraiment (*really, truly*)

> Exception to this rule: gai → gaiement (*cheerfully, merrily*)

- If the adjective ends in **-ant** or **-ent**, remove the ending and add **-amment** or **-emment**.

**Exemples :**
> constant → constamment (*constantly*)
>
> évident → évidemment (*obviously*)

> Exception to this rule: lent → lentement

## Les adverbes irréguliers

The adverbs below do not follow any specific rule.

| Adjective |
| --- |
| bon |
| mauvais |
| meilleur |
| petit |

| Adverb |
| --- |
| bien (*well*) |
| mal (*badly*) |
| mieux (*better*) |
| peu (*little*) |

> Vite (*fast*) does not relate to any adjective.

## La place des adverbes

- An adverb is usually placed immediately after the verb.

  **Exemple :** Le couple marche **lentement** le long des quais.
  (*The couple are walking slowly along the quays.*)

- When the adverb modifies a qualifying adjective, it is always placed before the adjective.

  **Exemple :** C'est une très jolie photo. (*It's a very pretty photograph.*)

- When used with a compound tense, the adverb is placed in between the two verbs.

  **Exemples :** Je suis enfin arrivé(e) à Nice. (*At last I arrived in Nice.*)
  Nous allons bientôt manger. (*We are going to eat soon.*)

## Les catégories d'adverbes

- **Adverbes d'affirmation ou de doute** (*Adverbs of affirmation or doubt*)

  bien sûr (*of course*), certainement (*certainly*), d'accord (*OK*), oui, précisément, volontiers, vraiment, sans aucun doute, probablement

  **Exemple :** Voulez-vous réserver une table pour ce soir ? – Certainement !
  (*Do you want to book a table for tonight? – Certainly!*)

- **Adverbes de manière** (*Adverbs of manner*)

  facilement, rapidement, régulièrement, vite, bien …

  **Exemple :** Julie va régulièrement au cinéma. (*Julie goes to the cinema regularly.*)

- **Adverbes de lieu** (*Adverbs of place*)

  à droite / gauche (*to the right / left*), ailleurs (*elsewhere*), autour (*around*), dedans (*inside*), derrière (*behind*), dessus (*above*), devant (*in front of*), ici (*here*), là (*there*), là-bas (*over there*), partout (*everywhere*), quelque part (*somewhere*)

  **Exemple :** L'hôtel Beauséjour se trouve là-bas.
  (*The Beauséjour hotel is located over there.*)

  Adverbs of place are usually found **after** the direct object.

  **Exemple :** Il y avait des chats partout. (*There were cats everywhere.*)

- **Adverbes de quantité/degré** (*Adverbs of quantity / degree*)

  assez (*quite*), aussi (*as … as*), autant de (*as much as / as many as*), beaucoup, moins (*less*), peu, si (*so*), surtout (*especially*), tant de (*so much / many*), très, trop

  | **Exemples :** | Il fait trop chaud ici, sortons ! (*It's too hot here – let's get out!*) |
  |---|---|
  | | Tu manges peu ces temps-ci. (*You eat very little these days.*) |

- **Adverbes de temps** (*Adverbs of time*)

  actuellement (*currently*), alors (*then*), avant, après, aujourd'hui, bientôt, déjà (*already*), demain, depuis (*since*), de temps en temps, encore, enfin, ensuite (*afterwards*), hier, longtemps, maintenant, parfois (*sometimes*), rarement, souvent, tard (*late*), tôt (*early*), toujours

  | **Exemple :** | Il est maintenant midi, les informations sur Radio-Sud. |
  |---|---|
  | | (*It's now 12 o'clock and we have the news on Radio-Sud.*) |

  **Parfois** is placed at the beginning of the sentence.

  | **Exemple :** | Parfois, il finissait son travail à vingt et une heures. |
  |---|---|
  | | (*Sometimes he used to finish work at 9.00 p.m.*) |

## Exercice 14

**Change the following adjectives into adverbs.**

| | | | | | |
|---|---|---|---|---|---|
| 1 | énorme | 5 | généreux | 9 | intelligent |
| 2 | gentil | 6 | suffisant | 10 | fier |
| 3 | fort | 7 | poli | 11 | clair |
| 4 | tranquille | 8 | lent | 12 | mauvais |

## Exercice 15

**Rephrase each of the following sentences by including the adverb in brackets.**

1 Je pense avoir du temps. (assez)
2 Il fait beau au mois d'octobre. (parfois)
3 Ma petite sœur est fière de sa bêtise ! (peu)
4 Ils prenaient leurs congés au mois de mars. (toujours)
5 Vous partez en déplacement en Chine, n'est-ce pas ? (bientôt)
6 Tu vas adorer ! Ce livre est drôle. (vraiment)
7 Échange suffisamment d'argent à l'aéroport. (surtout)
8 Elle arrivait avant les autres. (souvent)
9 Il est deux heures moins le quart. (presque)
10 Je suis désolé mais il est en réunion. (actuellement)

**Complete the following sentences with adverbs formed from -ant and -ent adjectives.**

1 Il a fermé la porte (lent).

2 Qu'est-ce que vous parlez (bruyant) !

3 Ils ont attendu (patient) pendant au moins quarante minutes.

4 Tu es (constant) fatigué : tu devrais peut-être consulter un docteur.

5 Cathy organise (fréquent) des concerts dans la région.

6 Nous étions habillés (décent) !

7 Mon oncle Benoît parle (courant) plusieurs langues !

8 Elle s'est cassé le poignet (récent) ?

9 Vous vous êtes trompés (évident).

10 Il a (négligent) laissé tomber sa veste sur la chaise.

# 4 Les pronoms compléments d'objet direct/indirect

## Les pronoms compléments d'object direct (COD)

Direct pronouns like **me** (*me*), **te** (*you*), **le** (*him/it*), **la** (*her/it*), **nous** (*us*), **vous** (*you*) and **les** (*them*) are words used to save having to repeat nouns or a group of words that have already been mentioned. They replace a direct object (a person or an object).

| **Exemple :** | Tu aimes les fruits ? → Tu les aimes ? |
|---|---|

| **Singulier** | |
|---|---|
| me | Le professeur d'anglais **me** comprend. |
| te | Je **t'**attends devant le lycée. |
| le (*masc.*) | Patricia regarde le **garçon**. Elle le regarde. |
| la (*fem.*) | Vincent dessine la **statue**. Il la dessine. |

| **Pluriel** | |
|---|---|
| nous | Le guide **nous** attend à l'entrée du château. (*nous = le groupe et moi*) |
| vous | Élodie et Alexis, ce soir, je **vous** emmène au restaurant. |
| les | Le prof écoute les élèves. Il **les** écoute. |

## Position of pronouns

● In French, direct pronouns are always placed before the verb, as opposed to English where they come after it.

| **Exemple :** | Vous connaissez le film *Amélie ?* → Vous le connaissez ? |
|---|---|
| | (*Do you know the film* Amélie? → *Do you know it?*) |

● When using **avoir** in **le passé composé**, if the direct object comes **before** the past participle, the past participle is made to agree with it.

**Exemples :**

> Tu as vu **Marie** (*fem. sing.*) ? → Tu l'as vue ?
>
> J'ai fini **les devoirs** (*masc. pl.*). → Je **les** ai finis.
>
> Je n'ai pas oublié **mes chaussures de marche** (*fem. pl.*). →
> Je ne **les** ai pas oubliées.

- When there are two verbs and the second is in the infinitive, the direct object comes before the second verb.

**Exemples :**

> Elle va me retrouver avec Louis ? Oui, elle va **vous** retrouver plus tard.
>
> Je vais regarder la télé. → Je vais **la** regarder.
>
> Je dois rencontrer Pierre. → Je dois **le** rencontrer.

- In the negative form, **ne** is placed before the pronoun and the second negative segment is placed after the verb.

**Exemples :**

> Vous voulez ce journal ? Non, je **ne** le veux **pas**.
>
> Elle écoute encore ses CD de rap ? Non, elle **ne** les écoute **plus / jamais**.

- In negative sentences with pronouns and a compound tense (such as **le passé composé**), the pronoun goes before the first verb and the negative structure surrounds the pronoun and the first verb.

**Exemple :**

> Vous avez apporté votre ordinateur ? Non, je **ne** l'ai **pas** apporté.

- In negative sentences with two verbs where the second verb is in the infinitive (such as **le futur proche**), the negative structure surrounds the first verb and the pronoun goes before the second verb.

**Exemple :**

> Tu vas rapporter tes chaussures au magasin ? Non, je **ne** vais **pas les** rapporter

**Exercice 17**

**Replace the underlined segments with a direct pronoun. Make the agreements when necessary.**

**Exemple :**

> Nous avons commandé la pizza pour ce soir.
> Nous l'avons commandée pour ce soir.

1 Elle a envoyé l'email / le courriel ce matin.
2 Ils téléchargent ces applications sur leur portable.
3 Djamel adore les chips au vinaigre.
4 Ça y est ! J'ai réservé ma place de concert pour le 15 !
5 J'ai fait le gâteau d'anniversaire pour la fête de samedi.
6 Les pompiers ont rappelé mon voisin tout de suite.
7 Il entretient son jardin à merveille : c'est magnifique.
8 Nous prenons le menu à 30 euros, s'il vous plaît.
9 J'ai invité ma sœur et son mari pour l'apéritif vendredi soir.
10 Tu fais réviser ta voiture avant le contrôle technique ?

**Translate the following sentences.**

1 Did she book her flight online? No, she booked it with a travel agency.

2 Will you meet Louise and Karine tonight? Yes, I will meet them at the concert.

3 Are you paying for my lunch? Of course! I'm paying for it!

4 I can see you (*vous* form) at five if you are free? Yes, I can see you then!

5 My dad had decided to rent a camper van for the holidays. He had decided it a long time ago!

6 Dylan is watching the match with his friends. He is watching it with his friends.

7 He can't stand comedies. He can't stand them but he loves science fiction movies!

8 I will pick up your dry-cleaning. I will pick it up when I'm in town.

9 She was listening to the radio when she got a text about the news. She was listening to the radio when she got it.

10 They prefer hamburgers with chips rather than fish and chips. They prefer them.

## Les pronoms compléments d'objet indirect

- Like direct pronouns, indirect pronouns such as **me** (*to me*), **te** (*to you*), **lui** (*to him/her*), **nous** (*to us*), **vous** (*to you*) and **leur** (*to them*) are pronouns we use to avoid repetition. Indirect pronouns replace an indirect object (person or thing) and are placed before the verb. The indirect object is introduced by verbs that take a preposition, usually à.

- The only way to know if you have to use a direct or indirect pronoun is to look at the verb. If the verb is followed by **à**, **au**, **à la**, **à l'** or **aux**, you use an indirect pronoun.

**Exemples :** En général, je téléphone à **mon amie** Sophie le week-end.

→ En général, je **lui** téléphone le week-end.

Nous permettons **aux enfants** de sortir.

→ Nous **leur** permettons de sortir.

| Singulier | |
|---|---|
| me | Il m'offre des fleurs tous les mois. |
| te | Il te donnera un coup de fil demain matin. |
| lui (*masc.*/fem.) | Ils lui diront au revoir tout à l'heure. |

| Pluriel | |
|---|---|
| nous | Elle nous a acheté des bonbons. |
| vous | Je vous écrirai quand j'arriverai. |
| leur | Le professeur leur a interdit de courir dans les couloirs. |

- Here is a list of verbs associated with indirect pronouns:

| | |
|---|---|
| demander à (*to ask someone*) | parler à (*to speak to someone*) |
| dire à (*to say to someone*) | permettre à (*to allow someone*) |
| donner à (*to give to someone*) | plaire à (*to be attracted to someone*) |
| envoyer à (*to send to someone*) | prêter à (*to lend to someone*) |
| expliquer à (*to explain to someone*) | proposer à (*to offer to someone*) |
| faire confiance à (*to trust someone*) | raconter à (*to tell someone*) |
| interdire à (*to forbid someone*) | rendre à (*to give back to someone*) |
| manquer à (*to miss someone*) | répondre à (*to reply to someone*) |
| obéir à (*to obey someone*) | ressembler à (*to look like someone*) |
| offrir à (*to offer to someone*) | souhaiter à (*to wish someone*) |
| ouvrir à (*to open to someone*) | téléphoner à (*to ring someone*) |

### Exercice 19

**Write the answers to the questions in your copy. Replace the underlined group of words with an indirect pronoun.**

1 Il donnera son adresse <u>à ta mère</u> ? Oui, il ....
2 Vous <u>nous</u> expliquez comment aller chez vous du centre-ville ? Oui, bien sûr, je …
3 La prof de littérature a conseillé <u>à Maxime</u> de faire un exposé ? Oui, elle …
4 Tu offres des chocolats <u>à la secrétaire</u> pour la remercier ? Oui, je …
5 Pourquoi elle parle <u>à Tugba</u> à voix basse ? Elle … parle à voix basse parce que c'est top secret !
6 Je pourrais demander son numéro de téléphone <u>à Manu</u>, tu crois ? Non, tu ne peux pas …
7 Chéri, tu as beaucoup manqué <u>aux enfants</u> pendant ton absence ! Tu …
8 Elle ressemble beaucoup <u>à sa grand-mère</u>, c'est incroyable ! Oui, elle …
9 Ils <u>vous</u> ont promis d'être prêts ? Oui, ils …
10 Tu <u>nous</u> raconteras ta soirée demain ? D'accord ! Je …

### Exercice 20

**Translate the following sentences into French.**

1 Imagine! He asked me for my photo.
2 Will you show her where the coffee machine is, please?
3 I totally trust you when you drive at night-time.
4 Does she allow you (*pl.*) to stay out late?
5 She gave him a voucher for his Christmas present.
6 They should contact you (*sing.*) by the end of the week.
7 You (*pl.*) lent me your pink hat, remember?
8 They often tell us funny stories.
9 I think she is really attracted to him but she won't admit it!
10 Aymen explained to them why he couldn't come.

## Position of pronouns

When there are two object pronouns in front of a verb, you must follow the order below.

| subject | ne | me<br>te<br>se<br>nous<br>vous | le<br>la<br>les | lui<br>leur | y* | en* | **verb** | pas |
|---|---|---|---|---|---|---|---|---|

To work out the order of the pronouns, you need first of all to work out which is direct and which is indirect. Then you replace them with the appropriate pronouns, and finally put them in front of the verb, in the right order.

In this sentence:

**Exemple :** | Je donne les cadeaux aux enfants.

Here **les cadeaux** is the direct object and **aux enfants** is the indirect object (à + **les enfants**). When changing these to pronouns, **les cadeaux** becomes **les** and **aux enfants** becomes **leur**:

**Exemple :** | Je les leur donne.

> For pronouns **y** and **en**, see pp. 252–55.

## Position of pronouns in the imperative (giving orders, instructions, etc.)

- In the negative form of the imperative, pronouns are placed before the verb and the order is the same as for all the tenses that have been already looked at in this section.

**Exemples :** | Ne **le** réveillez pas trop tard. (*Don't get him up too late.*)
Ne **le lui** envoie pas tout de suite. (*Don't send it to him/her straightaway.*)
N'**y** allez pas à pied ! (*Don't go there on foot!*)

- In the affirmative imperative form there is a change, however. The pronouns are placed **after** the verb and are linked to it by a hyphen.

**Exemple :** | Appelle-**le** ! C'est urgent.

- When using two pronouns the direct pronoun comes before the indirect pronoun.

**Exemples :** | Donnez-**les-lui**.
Apporte-**le-moi**.
Dites-**le-nous**.

- **Me** and **te** change to **m'** and **t'** in front of a vowel; in these cases, the apostrophe replaces the second hyphen.

**Exemple :**

> Achète-m'en trois. (*Buy me three of them.*)
> Donne-m'en plus. (*Give me more*)

- **Me** and **te** change to **moi** and **toi** when they are either the only pronoun used or the second pronoun where two are used.

**Exemples :**

> Lève-**toi** de bonne heure ! (*Get up early!*)
> Rappelez-le-**moi** demain. (*Remind me of it tomorrow.*)

## Exercice 21

**Replace each underlined group of words with a pronoun.**

1 Elle donne <u>le certificat</u> <u>aux personnes présentes</u>.
2 Je prends <u>le train</u> de bonne heure le mardi.
3 Ils attendent <u>le taxi</u> rue Paul Cézanne.
4 Vous avez demandé <u>au représentant</u> <u>à quelle heure il arrivait</u> ?
5 Rends-moi <u>ma tablette</u> tout de suite !
6 Elle souhaite toujours <u>son anniversaire</u> <u>à son mari</u> !
7 Demain, je donne mon <u>ticket de loto</u> <u>à mes parents</u> !
8 Luc monte toujours <u>les courses</u> <u>à Mme Perez, sa voisine</u>.
9 Tu laisses souvent <u>tes clés</u> sur la porte ?
10 Nous changeons <u>la décoration de la boutique</u> tous les deux ans environ.

## Exercice 22

**Translate the following sentences into French.**

1 Did you buy it? (*vous*)
2 Have two of them if you like! (*vous*)
3 Take it now, it will be raining soon! (*tu*)
4 Let's go there on Saturday evening!
5 Call me soon, OK? (*vous*)
6 Do it if you can. (*tu*)
7 Bring them to me when you are finished.
8 Give them to him on Monday!

**Transform the following sentences into negative structures. (Refer to pg. 193 and pg. 196 for negative forms.)**

1  Allez-y à pied !
2  Expliquez-la maintenant, s'il vous plaît !
3  Donne-lui en un bout !
4  Dites-le demain à Frédéric !
5  Apporte-le leur dans la journée.
6  Faites-en pour tout le monde !
7  Changez-le tout de suite.
8  Offre-les lui en cadeau.

**Ressources supplémentaires en ligne**

Consultez le site **www.edco.ie/mosaique** pour tester plus amplement vos connaissances et pratiquer votre français en utilisant les ressources suivantes :

- activités auditives interactives
- activités grammaticales interactives
- entretiens sous forme de vidéos, avec fiches pédagogiques correspondantes.

# MODULE D

## Les vacances / L'environnement

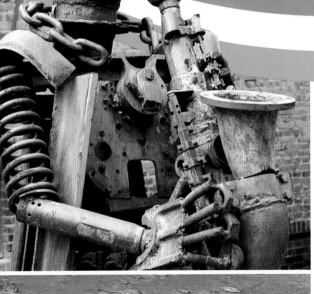

## Table des matières

### Aide-mémoire

# Les vacances

## 1 Ouais ! On est en vacances !

**1.1a** Psycho test : d'après les situations de vacances proposées, choisissez les phrases qui vous correspondent le mieux. Puis, découvrez avec les résultats quel type de vacancier(-ière) vous êtes !

1 Pour toi, les vacances, c'est avant tout …

   a se retrouver en famille

   b profiter pour se détendre et faire la fête

   c découvrir de nouveaux horizons.

2 Ta destination idéale pour les vacances est …

   a la maison de vacances à dix minutes de la plage. Le pied!*

   b l'Espagne pour ses nuits animées

   c la Sicile ou le Pérou.

3 Le premier truc que tu mettras dans ton sac à dos ou ta valise est …

   a ton portable pour pouvoir rester en contact avec tes amis

   b tes lunettes de soleil et ton iPod

   c ton appareil photo numérique.

4 Au programme, cet après-midi :

   a volley sur la plage avec ton frère et ses copains, puis bronzage

   b faire un tour en ville puis retrouver la bande chez Katarina pour un barbecue

   c cours de plongée sous-marine ou balade à cheval en montagne.

5 Tu comptes revenir de vacances …

   a reposé(e) et bronzé(e)

   b avec plein d'histoires délirantes à raconter à tes amis

   c débordant(e) d'énergie et avec des projets plein la tête pour les prochaines vacances.

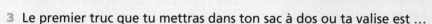

**Résultats :**

**Vous avez un maximum de**  **:** Pour toi, les vacances servent avant tout à te reposer et à passer de bons moments avec tes parents et tes frères et sœurs. Tu es assez libre de faire ce que tu veux donc tu attends les vacances avec impatience.

**Vous avez un maximum de**  **:** Tu as l'intention de passer tes vacances à t'éclater* et à faire la fête. Après une année scolaire stressante, tu as besoin de décompresser. Quelques jours entre copains, c'est le top ! Tes parents te font confiance ; toi, tu connais tes limites et tu ne veux pas les décevoir.

**Vous avez un maximum de** 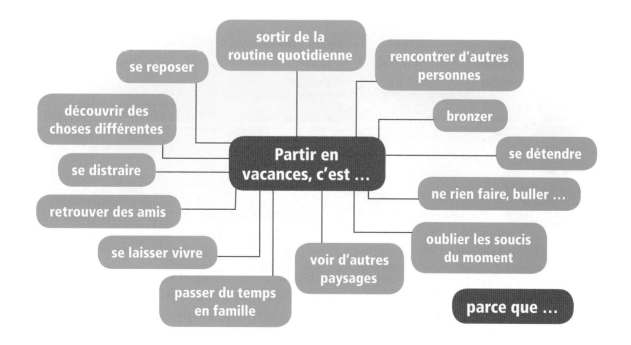 **:** Les voyages forment la jeunesse. Tu as un tempérament plutôt indépendant. Tu es en quête de sensations nouvelles et d'endroits intéressants à découvrir. Au menu : du sport, de la culture et du plein air !

**1.1b** Alors ? Êtes-vous d'accord avec la description de vos préférences ? Par groupes de deux ou trois, discutez les types d'activités que vous aimez faire durant vos vacances.

> **Lexique**
>
> Le pied ! = C'est super ! C'est génial !
> s'éclater (*familier*) = s'amuser

**1.2** Sélectionnez trois ou quatre des expressions ci-dessous et écrivez pour chacune d'entre elles un petit paragraphe.

> **Exemple :** Partir en vacances, c'est se distraire en allant à des festivals de musique ou encore en faisant des balades sur la plage. Et surtout rire beaucoup !

- sortir de la routine quotidienne
- rencontrer d'autres personnes
- se reposer
- découvrir des choses différentes
- bronzer
- se distraire
- **Partir en vacances, c'est …**
- se détendre
- retrouver des amis
- ne rien faire, buller …
- se laisser vivre
- oublier les soucis du moment
- voir d'autres paysages
- passer du temps en famille
- **parce que …**

Écoutez des jeunes nous parler de ce que représentent les vacances pour eux. Ensuite, répondez aux questions ci-dessous.

**Gauthier**

1 Gauthier prefers to go abroad for his holidays. True or false?
2 Give one example of what it means to have 'no timetable, no rules' on holidays.
3 What does going on holidays mean most of all for Gauthier?

**Cindy**

4 Why does Cindy love being on holidays? Give two details.
5 She always plans her holidays carefully. True or false?
6 Where does she go camping in the summertime?

**Deyann**

7 What does it mean for Deyann to be on holidays?
8 Where do he and his family usually stay on their holidays? Give two details.
9 Why is it important to relax while on holidays?

> **Consultez**
> l'aide-mémoire
> Pour écrire un journal intime, voir pp. 42–44.

**Orlane**

10 Where does Orlane like to spend her holidays?
11 What does she like doing on holidays? Give two details.
12 What is it about where she lives that makes her want to make the most of her holidays?

**1.4** Par groupes de deux ou trois, imaginez vos vacances de rêve. Choisissez parmi les destinations suivantes et répondez aux questions ci-dessous pour vous aider à planifier vos vacances.

| Nice | Berlin | les îles Baléares |
| le Maroc | New York | le Japon |
| Londres | Cuba | le Vietnam |

1 Pourquoi avez-vous choisi cette destination ?
2 À quel moment de l'année pensez-vous partir ? Pourquoi ?
3 Où allez-vous loger ?
4 Combien de temps serez-vous parti(e)s ?
5 Qu'avez-vous prévu de faire pendant ces vacances ?
6 Que pensez-vous ramener comme souvenir de vos vacances ?

> **Consultez**
> l'aide-mémoire
> Pour le passé composé et l'imparfait, voir pp. 123–28.

**1.5** Vous êtes parti(e) en vacances pendant deux semaines et vous venez de rentrer cet après-midi. Vous racontez comment ces vacances ont été uniques pour vous grâce à une rencontre insolite ou à une expérience incroyable. Que notez-vous dans votre journal intime ? (*75 mots environ*)

## Phrases utiles

| | |
|---|---|
| pendant mon voyage / séjour … | tomber nez à nez avec … |
| lorsque j'étais … | échanger quelques mots |
| j'étais en train de … / je venais de … | bavarder / discuter |
| à l'étranger | se retourner |
| pendant les deux dernières semaines … | disparaître |
| rencontrer par hasard / faire la connaissance de … | |

**1.6a** Regardez sur YouTube (sans le son) le clip officiel de la chanson « Jersey » du groupe français Granville. Par groupes de deux ou trois, racontez les aventures de vacances du petit groupe d'amis. Mentionnez la destination, ce qu'ils ont apporté, le temps qu'il fait, etc.

**1.6b** Et maintenant, écoutez la chanson et trouvez les mots manquants.

### Jersey

J'aimerais j'aimerais prendre
  (1) ……. vers
Mon Hawaï à moi
Mon Hawaï à moi
J'aimerais j'aimerais (2) …….  le temps
De t'emmener avec moi
De t'emmener avec moi
Mon Hawaï à moi
Cette (3) …….  cette (4) …….

Que j'aperçois de (5) ……. de
  Granville
Tout oublier
Laisser le vent souffler
Et prendre la mer pour

*Refrain :*

Tout recommencer à Jersey
Tout recommencer à Jersey
Tout recommencer à Jersey
Tout recommencer à Jersey
Tout recommencer à Jersey
Tout recommencer à Jersey

Et (6) ……. sur l'eau
Je fais mieux que Jésus
Je te prends (7) …….
Je t'emmène avec moi
Que tu le veuilles ou non

C'est ainsi et (8) …….
Les oiseaux aussi font
La course avec nous
Et voilà et voilà
Je prends la mer vers
Mon Hawaï à moi
Mon Hawaï à moi
Mon Hawaï à moi
Cette île cette île
Que je touche du doigt

(9) …….

*(Refrain)*

J'aimerais j'aimerais
Prendre la mer vers
Mon Hawaï à moi
Mon Hawaï à moi
J'aimerais j'aimerais prendre le temps
De t'emmener avec moi
De t'emmener avec moi
T'emmener avec moi
(T'emmener avec moi) *(x 6)*

*(Refrain)*

« Jersey », paroles et musique de Mélissa Dubourg, Arthur Allizard, Sofian El Gharrafi, Thomas Pain Surget et Olivier Legoupil © Warner Chappell Music France et Aka Publishing – 2012

## Au fait

Originaire de Normandie Granville est un groupe composé de quatre personnes. Ils sont influencés par la musique française des années soixante ainsi que par la musique pop américaine dite « garage ».

**1.7** **Lisez le texte ci-dessous, puis répondez aux questions qui suivent.**

1 J'étais majeur depuis cinq minutes et, pour la première fois, je partais seul à l'étranger. Pour une raison qui m'échappe aujourd'hui, j'étais joyeux comme un sac de pierres. Peut-être que je venais de me rendre compte que la vie n'est pas toujours un champ de pâquerettes*. J'avais choisi de me réfugier à Londres pendant quelques semaines avec le vague espoir de découvrir qui j'étais. Ce sont les ambitions de cet âge-là.

2 J'ai passé des journées à marcher dans des rues, fouiner chez les disquaires de Soho, contempler l'agitation de Notting Hill ou des puces* de Camden. Tout cela était très intéressant, je rencontrais d'autres possibles, mais ça ne m'aidait pas à savoir qui j'étais. Le déclic* eut lieu une nuit où j'étais à me morfondre dans quelque pub anglais du cœur de Londres. Accoudé sur un comptoir, je noircissais des pages de cahier à spirales, dans une navrante tentative post-adolescente de devenir Arthur Morrison […] Quelqu'un a renversé son verre de Guinness sur mes vers de détresse. Une vision, féminine […] Elle avait au moins 25 ans. […]

3 Elle a éclaté de rire, a vidé son verre et m'a embrassé. […] Je savais un peu mieux qui j'étais, quelqu'un capable de débarquer seul en terre inconnue, loin de ses bases, et de créer une situation. J'avais désormais une dette envers l'Angleterre. Je pouvais quitter Londres la démarche souple et le cœur léger. Sur le quai de Waterloo station, un petit punk m'a demandé une cigarette. Il s'est éloigné en grommelant « merci, monsieur ». Je me suis d'abord demandé à qui il s'adressait, puis je me suis emparé de mon cahier à spirales pour écrire « je proclame solennellement mon entrée dans l'âge adulte ». J'ai arraché quelques pages et j'ai brûlé mes alexandrins juvéniles pour me reconvertir dans le haïku.

*Ailleurs, c'est bien*
*C'est même*
*Mieux*

Julien Blanc-Gras, *Touriste* © Au diable vauvert, 2011, 978-2-84626-295-8

## Lexique

un champ de pâquerettes = *a field covered in daisies / a bed of roses*

une puce = *a flea* ; les puces = *a flea market (selling second-hand items such as clothes, etc.)*

un déclic = *something falling into place in your mind: a Eureka moment*

## Questions

1 a Dans la première section, relevez une phrase qui indique que le narrateur venait juste d'avoir 18 ans.

  b Trouvez un synonyme de « réaliser » (Section 1)

2 Pourquoi le narrateur a-t-il décidé de partir à Londres ? (Section 1)

3 Comment sait-on que Londres est une capitale débordante d'activités ? (Section 2)

4 a Relevez une expression qui montre que le narrateur s'ennuie. (Section 2)

  b Le narrateur pense que la fille qu'il rencontre est trop âgée pour lui. Comment le sait-on ? (Section 2)

5 a D'après la troisième section, le narrateur …

    i) commence à apprécier le fait de découvrir le monde

    ii) ne savait plus qui il était à sa sortie du pub

    iii) a dû emprunter de l'argent à la fille pour rentrer.

  b Identifiez un adjectif. (Section 3)

6 The narrator's trip to London is a real eye-opener for him. Refer to the text to support your answer. (*50 words*)

 **1.8** **Dans votre cahier, complétez chaque phrase ci-dessous avec la proposition qui convient.**

1 Je prends mon parapluie car j'ai l'impression qu' / que …

    i) il va bientôt neiger

    ii) il va pleuvoir

    iii) le vent se lève.

2 On ne pourra pas faire de planche à voile demain car …

    i) il n'y aura pas assez de vent

    ii) il va faire soleil dans la matinée

    iii) il y aura des éclaircies attendues vers dix-sept heures.

3 Les vacanciers aux sports d'hiver seront ravis d'apprendre que / qu' …

    i) il y aura de l'orage en fin d'après-midi

    ii) un mètre de neige est tombé pendant la nuit

    iii) la pluie fera son apparition en début de journée.

4 Les routes sont dangereuses car …

    i) le soleil brillera toute la journée

    ii) il y a du verglas à certains endroits

    iii) la tempête s'est calmée.

5 On ne peut pas se balader près du port car …

    i) la foudre est tombée non loin de là

    ii) il fera un soleil de plomb

    iii) ils ont annoncé des rafales à 120km/h près de la côte.

**1.9** Écoutez trois personnes nous parler de leurs mésaventures en vacances, puis répondez aux questions dans votre cahier.

**Ellen**

1 What happened to Ellen while on holidays?
2 What does she usually do to avoid any problems? Give two details.
3 Name one activity she did on the beach.
4 What did her mum do in the end?

**Eric**

5 Where did Eric and his friends go for their Easter holiday?
6 What sport did they do while they were there?
7 What happened and how long did it last?
8 How did Eric feel?

**Nathan**

9 When did Nathan and his family go camping?
10 What was the weather like?
11 Why did they have to leave the campsite?
12 Where did they spend their last night?

## 2 Les habitudes de vacances

**2.1** À deux, posez-vous les questions suivantes à tour de rôle.

1 Où partez-vous en vacances en général ?
2 À quel moment de l'année préférez-vous partir en vacances ?
3 À votre avis, les Irlandais restent-ils en Irlande ou partent-ils plutôt à l'étranger ? Et vous ?
4 Quels types de vacances aimez-vous ? Culturelles, sportives, à la montagne, à la mer, à la campagne ? Pourquoi ?
5 Quel est votre logement de vacances favori ? Pourquoi ?
6 Quel type de transport utilisez-vous en général ?
7 Voyagez-vous léger ou emportez-vous plutôt beaucoup d'affaires avec vous ?
8 Est-ce que vous seriez prêt(e) à échanger gratuitement votre maison ou appartement  pour les vacances ? Pourquoi ? / Pourquoi pas ?

**2.2** Écoutez les résultats d'un sondage effectué auprès de Français sur leurs préférences pour les vacances. Complétez ce sondage avec les mots entendus.

1 Une large majorité de Français préfère une destination située à au moins (1) ....... heures de chez eux. Le dépaysement est l'un des facteurs clés de ce choix avec un désir de changer d' (2) ....... . Peu coûteuse, la voiture reste le moyen de transport favori devant l'avion et le train, qui n'attirent que (3) ....... des vacanciers d'été. Ainsi, la France reste la destination (4) ....... avec 56% des vacanciers restant dans l'Hexagone.

**2** L'été, on part en famille ou entre amis (5) ....... pour 53% des personnes interrogées, loin devant la campagne et la montagne. On y (6) ....... un appartement, un mobile home ou une maisonnette. Seulement 21% restent (7) .......

**3** Les vacanciers veulent avant tout (8) .......! Ils passeront une bonne partie de leur temps à récupérer. (9) ......., la location, le camping ou le club de vacances, est un vrai plus pour la moitié des Français. L'été, on se fait plaisir et la gastronomie reste une priorité pour le vacancier français. Pour (10) ......., apéritifs, barbecues et bons restaurants sont indissociables de leur programme estival.

**2.3** **Par groupes de deux ou trois, trouvez pour chacune des catégories suivantes au moins trois réponses possibles.**

1. types de vacances

2. types de logements

3. moyens de transport utilisés

4. préparatifs

5. souvenirs à ramener

6. activités d'intérieur et d'extérieur

**2.4a** Bain de mer

**Lisez cette courte nouvelle, puis répondez aux questions qui suivent.**

– Elle est froide ?

   – Non, viens, je t'assure, elle est vachement* bonne !

   – Elle n'est pas froide ?

   – Je te dis qu'elle est bonne !

   – Arrête, elle est glacée !

   – Mais non, pas du tout ! Quand on y est, elle est super bonne.

   – Moi, franchement, je la trouve plus froide qu'hier.

   – Bon, dépêche, je ne vais pas t'attendre dix ans !

   – Mais ça me fait comme des cerceaux autour des cuisses tellement c'est gelé !

   – Bon, ben* moi, je vais nager …

**Lexique**

vachement (*familier*) = très
ben (*familier*) = eh bien

→

– Ah la la, c'est dingue. J'ai la chair de poule … Brrr … Quelle torture … Eh, attends-moi !
Dix minutes passent.

– Bon, alors qu'est-ce que tu fabriques !

– Minute papillon, j'arrive. T'as vu, je passe le maillot, c'est bon signe.
Cinq minutes passent.

– Écoute, moi je sors, je commence à avoir froid.

– Tu vois ! Je l'avais bien dit, elle est froide !

– Oh, tu m'énerves ! Avec toi, c'est à chaque fois le même cinéma. Allez, je sors. Tant pis pour toi.

– Je t'en supplie, reviens. Elle est délicieuse !

Karine Fougeray, *Elle fait les galettes, c'est toute sa vie* © Éditions Delphine Montalant

### Questions

1 Relevez cinq adjectifs caractérisant l'eau de mer.

2 Trouvez, dans le texte, un synonyme des mots ou expressions suivantes :

   i) vite

   ii) c'est fou !

   iii) avoir une réaction sur la peau à cause du froid

   iv) attends !

   v) c'est toujours pareil.

3 Relevez deux expressions qui montrent que la personne qui nage perd patience.

4 Comment sait-on que l'autre personne se baigne finalement ?

 **2.4b** Après avoir lu cette nouvelle, donnez votre réaction quant aux souvenirs qu'évoque la scène décrite. (*75 mots environ*)

 **2.5** Écoutez les extraits suivants, puis répondez aux questions dans votre cahier.

Consultez l'aide-mémoire
Pour écrire un essai, voir pp. 298–301.

#### Martin

1 What did Martin's daughter want to do while on holidays? Give two details.

2 What was his son complaining about? Give one detail.

3 Martin was keen to go to Rome for his holiday. True or false?

4 What plans has Martin for his children next summer?

#### Chantal

5 Who did she go on holiday with last summer?

6 What does she like doing while on holiday? Name two activities.

7 Name one thing all four people managed to do together.

8 What did they talk about in the evenings?

#### Claude

9 What type of holiday does Claude like, now that he is retired?

10 Who did he go on holidays with last year?

11 Why was it quite difficult to go on holidays with his children? Give two reasons.

12 What does he say about being retired?

**2.6** Imaginez une fin aux débuts de phrases suivants en imaginant ce qui se serait passé.

> **Exemple :** S'il n'avait pas plu toute la semaine, nous aurions passé des vacances de rêve !

1 Si je n'avais pas perdu mon portable …
2 Si je n'avais pas travaillé pendant mes vacances …
3 Si mes parents étaient venus en vacances avec moi …
4 Si j'avais eu une voiture …
5 Si seulement je parlais mieux espagnol …
6 Si je n'avais pas raté mon avion …
7 Si ma copine n'avait pas oublié son passeport …
8 Si le vol n'avait pas été annulé au dernier moment …
9 Si l'hôtel n'avait pas été aussi bruyant …

 **2.7** Lisez la citation suivante et donnez votre réaction. (*75 mots environ*)

« Vacances à plusieurs » rime avec **« vacances réussies »**

# Détente et évasion !

## 1 Les souvenirs de vacances

**1.1** Écoutez les deux extraits suivants, puis répondez aux questions dans votre cahier.

**Antonin**

**Monica**

1 How long did the car trip take Antonin and his family?

2 Where did they have lunch?

3 Give one reason why his parents are thinking of using the *auto–train* service?

4 The beach was far from where they were staying. True or false?

5 Why did Antonin and his dad choose to go jogging in the morning?

6 What surprise did his parents have for his half-sister Mariane's birthday?

7 What time of the year did Monica go to the Vosges mountains?

8 Name one mountain-related activity mentioned by Monica.

9 Which activity did she and her cousin Agathe choose to do?

10 Why did her parents opt to stay in the chalet that day?

11 Why would Monica like to go to Normandy next year?

12 What other holiday option is available to Monica next year?

**1.2a** Lisez l'email suivant à propos d'un voyage scolaire pendant l'année de transition, puis dites si les affirmations ci-contre sont vraies ou fausses. Justifiez vos réponses.

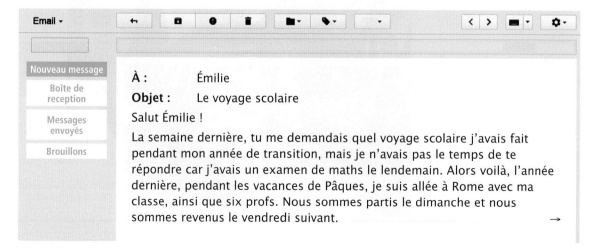

À : Émilie

**Objet :** Le voyage scolaire

Salut Émilie !

La semaine dernière, tu me demandais quel voyage scolaire j'avais fait pendant mon année de transition, mais je n'avais pas le temps de te répondre car j'avais un examen de maths le lendemain. Alors voilà, l'année dernière, pendant les vacances de Pâques, je suis allée à Rome avec ma classe, ainsi que six profs. Nous sommes partis le dimanche et nous sommes revenus le vendredi suivant.

→

On est restés dans un hôtel trois étoiles dans le centre de Rome, et je partageais une chambre avec deux autres filles. Le soir, on discutait souvent jusqu'à presque une heure du matin !

Pendant cinq jours, on n'a pas arrêté de marcher et visiter. Bien sûr, on a fait les principaux monuments touristiques, comme la basilique St-Pierre, le Colisée et la fontaine de Trevi. On a eu de la chance car il faisait un temps magnifique tous les jours. Le seul inconvénient à Rome, c'est la circulation, car les gens circulent partout en voiture et en scooter et ils conduisent vraiment comme des fous !

Ma prof d'histoire s'est fait voler son portefeuille le dernier jour quand nous mangions tous dans une pizzéria. Elle était furieuse ! Heureusement, elle avait laissé son passeport à l'hôtel ! Le patron du restaurant a décidé de lui faire cadeau de son repas. C'était bien sympa de sa part.

Bon, je file car j'ai entraînement de badminton au lycée et ma mère doit m'y emmener en voiture.

Réponds-moi quand tu peux. Et bonne chance pour ton bac de français. Je sais qu'il approche !

À bientôt,

Kate

`Envoyer`   Enregistrer   Supprimer

**Vrai ou faux ?**

1 Kate a répondu tout de suite au dernier message d'Émilie.
2 Kate est partie à Rome pendant les grandes vacances.
3 Elle avait une chambre pour elle toute seule.
4 Il a fait un froid horrible pendant tout le séjour.
5 Kate était choquée par les automobilistes italiens.
6 Elle a perdu son portefeuille dans un restaurant.
7 Le propriétaire du restaurant a offert un cadeau à la prof d'histoire.

**1.2b** **En vous inspirant des questions ci-dessous, racontez en détail un voyage scolaire que vous avez fait avec le lycée, que ce soit en Irlande ou à l'étranger.**

1 Où êtes-vous allé(e) et pendant combien de temps ?
2 Combien de personnes y avait-il dans le groupe ?
3 Qui accompagnait le groupe ?
4 Comment avez-vous voyagé ?
5 Avec qui partagiez-vous une chambre ?
6 Qu'avez-vous fait pendant votre séjour ?
7 Qu'avez-vous le plus / moins aimé pendant votre séjour / excursion ?
8 Qu'avez-vous visité plus particulièrement? Racontez …
9 Avez-vous rencontré / parlé avec les habitants de la ville / région ?

**Consultez** l'aide-mémoire

Pour le passé composé, voir pp. 123-27 ; pour l'imparfait, voir pp. 127-28.

## Attention aux faux amis !

| | |
|---|---|
| un logement = *accommodation* | *a lodgement* = un versement bancaire |
| un car = *a coach* | *a car* = une voiture |
| Vous avez un délai de trois jours. = *You have an extra three days.* | *My flight was delayed by three hours.* = Mon vol avait trois heures de retard. |
| une distraction = *entertainment* | *a distraction* = une distraction, une inattention |
| une journée = *a day* | *a journey* = un voyage |
| un voyage = *a trip / journey* | *a voyage* = une traversée en bateau |
| une location = *a rental* | *a location* = un endroit, un lieu |
| le pétrole = *oil* | *petrol* = l'essence |
| l'occasion (f.) = *opportunity (e.g. I had the opportunity to do a sailing course.* = J'ai eu l'occasion de faire un stage de voile.*)* | *an occasion* = un évènement |
| une *réunion* = *a meeting* | *We had a family reunion in July.* = Toute la famille s'est retrouvée en juillet. |
| Il a fait beau temps. = *The weather was good.* | *We had a great time!* = On s'est bien amusé ! |
| rester = *to stay* | *to rest* = se reposer |

**1.3**

© Marc Fletcher Photography, 2009

**À partir de la photo, imaginez une histoire et faites-en un récit imaginaire. (*90 mots environ*)**

**Consultez** l'aide-mémoire

Pour écrire un récit imaginaire, voir pp. 410-11.

**1.4** **Écoutez Alexis, 17 ans, nous raconter une partie de son voyage autour du monde en famille. Répondez ensuite aux questions ci-dessous.**

1. How does Alexis feel about being back from his 'round-the-world' trip?

2. How did his parents plan for the trip? Give two points.

3. What advice did Alexis and his sister get from their teachers?

4. How long did the family stay in each country they visited?

5. Which country did Alexis enjoy the most?

6. What does he say about that country? Give two points.

**1.5** Lisez ce texte sur le dernier jour de vacances d'un couple, puis répondez aux questions qui suivent.

**1** À son tour, elle partit se baigner, manqua de glisser par la faute des laminaires* visqueuses, et éclata de rire.

– Dis donc, c'est ma journée ! Je vais bien finir par me casser une jambe !

Puis, ses cheveux blonds comme un ballot de paille* qui dansait entre deux vagues, là-bas.

Le temps passa.

La première lèche* d'une vague sur ses orteils le réveilla en sursaut. La mer montait, il devait battre en retraite. D'un geste sûr, il fit une boule de sa serviette en englobant à l'intérieur la crème solaire, ses lunettes de soleil et sa montre-bracelet. Il trouva un autre rocher qui surplombait le précédent, remit tout en place et s'assit en tailleur.

Ses affaires à elle, il n'y avait pas touché.

Rien. Pas l'ombre d'un geste.

Immobile, fasciné, il scruta l'attaque. Une première photo fut happée* par l'eau et, irrésistiblement, elle se détacha du lot pour partir à la dérive. Elle ressemblait à une feuille morte qui quitte la branche de l'arbre. Et puis ce fut le tour d'une autre et encore d'une autre.

Il demeurait paralysé.

Bientôt les vingt-quatre souvenirs se mirent à voguer, à gondoler, à couler […] Il aurait pu les sauver mais ne bougeait toujours pas. […]

**2** En se hissant de ses avant-bras, elle jaillit de l'eau et fut ruisselante face à lui, sculpturale, somptueuse.

Il prit les devants sans que la moindre hésitation ne glisse sur un mensonge.

– C'est une énorme vague. Il y a eu une énorme vague, plus forte que les autres. Je suis navré. Vraiment je n'ai pu rien faire. Voilà. La mer a tout emporté.

C'était leur dernier jour, alors elle ravala la salive pleine de sel qu'elle portait dans sa bouche et se mit à commenter de mémoire les images disparues. Elle n'était pas en larmes, mais tout près. Au bord. […]

**3** Pour remonter ils durent contourner par le haut des roches et là, au détour d'une mare, un rectangle blanc apparut soudain.

Elle cria de joie :

– Regarde ! Celle-là, on va **la** sauver !

Elle se précipita pour l'attraper, retourna la photo détrempée et ils se penchèrent dessus ensemble, pour regarder.

C'était un cliché à moitié raté. […] Ils prenaient la pose, empreints d'un air satisfait. Mais tout cela sonnait faux et personne n'aurait su dire pourquoi […]

– Je suis si contente, il en restera au moins une.

Karine Fougeray, *Elle fait les galettes, c'est toute sa vie* © Éditions Delphine Montalant

| **Lexique** | |
|---|---|
| les laminaires = les algues (*f*) | une lèche, lécher = *a lick, to lick* |
| la paille = *straw* | happer = *to snatch, to grab* |

### Questions

1  a  Dans la première section, relevez une phrase qui indique que la jeune femme n'a pas de chance.

   b  Pour quelle raison le narrateur change-t-il de place ? (Section 1)

2  a  Comment sait-on qu'il ne pense pas à prendre les vêtements de son amie. (Section 1)

   b  À quoi le narrateur compare-t-il les photos des vacances ? (Section 1)

3  a  Dans la deuxième section, trouvez un synonyme de « désolé ».

   b  Relevez une phrase qui montre que la jeune femme est sur le point de pleurer. (Section 2)

4     Pourquoi la jeune femme est-elle si contente ? (Section 3)

5  a  À quoi se réfère le pronom « **la** » ? (Section 3)

   b  Relevez une expression qui montre que la photo n'est pas réussie. (Section 3)

6     It seems that the young couple's relationship is not going so well at the moment. Support this statement with reference to the text. (*50 words*)

 **1.6** **Répondez oralement aux questions ci-dessous en classe.**

**1** Qu'avez-vous fait pendant vos dernières vacances ?

**2** Quel est votre meilleur / pire souvenir de ces vacances ?

**8** Si vous pouviez changer quelque chose de vos vacances, que changeriez-vous ? Pourquoi ?

**3** Pourquoi est-ce que ça s'est mal passé ?

**4** Avec qui êtes-vous parti(e) ?

**5** Avec qui est-ce que vous auriez aimé partir ?

**7** Qu'aviez-vous prévu de faire que vous n'avez pas pu faire ?

**6** Où êtes-vous resté(e) ?

 **Consultez** l'aide-mémoire
Pour le plus-que-parfait, voir pp. 249–51 ; pour le conditionnel passé, voir pp. 251–52.

| **Phrases utiles** |
| --- |
| en février dernier / à Pâques / pendant les grandes vacances |
| C'était l'enfer !  J'ai vraiment  détesté l'ambiance. |
| On s'est éclaté ! C'était géant ! |
| J'aurais aimé / préféré / bien voulu … |
| Si c'était à refaire / Si j'avais su … |

# 2 Les activités de vacances

**2.1** Parmi les activités proposées ci-dessous, laquelle aimeriez-vous faire pendant vos vacances ? Pourquoi ? Laquelle ne vous tente pas du tout et pourquoi ?

**Essayer l'art martial / la capoeira.**

**Faire de la slackline en forêt.**

**Aller à un week-end de méditation.**

**S'inscrire à un stage d'escalade.**

**Nager avec masque et tuba dans une crique sauvage.**

**Faire du char à voile sur une grande plage.**

**2.2** Écoutez Soraya et Nabil nous parler de leurs vacances scolaires, puis répondez aux questions suivantes.

**Soraya**

1 Who does Soraya usually spend her summer holidays with?
2 What does she enjoy about that? Give two details.
3 What do you need to get from the youth club to take part in the activities offered?
4 How much does it cost for the week?
5 Name two activities that Soraya did last year.
6 Which one did she enjoy best and why?

**Nabil**

7 Where did Nabil go during his mid-term break in February?
8 What were the requirements to enrol with *Vacances Vivantes*?
9 How did he organise his lunch every day?
10 What was on offer in the evening?
11 The trip organisers were not very helpful. True or false? Give one detail.
12 What comment does he make about the friends he made during his stay?

**2.3** Lisez les phrases suivantes racontant les aventures d'Éloïse. Trouvez les mots manquants et notez-les dans votre cahier.

> **boutiques    génial    galère    grève    fauchée    séjour    fait**
> **bondées    étouffante    l'occasion    éclatée    baladée**

1 Pendant mon ....... à Ibiza, je me suis ....... dorer au soleil toute la journée.

2 Un week-end, j'ai eu ....... de faire du saut à l'élastique. Je me suis vraiment bien ....... .

3 J'ai aussi fait de la plongée sous-marine. C'était ....... !

4 Je me suis ....... dans la vieille ville d'Ibiza. J'ai trouvé plein de petites ....... pas chères.

5 Le camping était vraiment super, à part qu'il faisait une chaleur ....... sous la tente.

6 Les plages étaient toujours ....... donc il fallait y arriver avant onze heures !

7 Par contre, pour rentrer à la maison, c'était un peu la ....... car on nous a annoncé une ....... des pilotes une fois à l'aéroport.

8 J'aimerais bien partir en vacances pour la Toussaint mais maintenant je suis complètement ....... .

  **2.4** Écoutez trois personnes qui parlent de leurs vacances, puis répondez aux questions dans votre cahier.

**Hélène**

1 Why did Hélène go to Segovia on her own?
2 What did she do to win her trip?
3 How much spending money did Hélène receive?
4 What comment(s) does she make about her host family?

**Marco**

5 What did Marco do for most of the summer holidays?
6 Name one thing he will have to pay for next year in college.
7 Where did he and his friend Jeff stay in Biarritz?
8 What did they do in the evenings?
9 Why didn't he want to go on holidays with his parents?

**Étienne**

10 What did Étienne imagine the weather in Brittany would be like?
11 Where did he stay and for how long?
12 What two activities did he and his brother do during the holidays?
13 Name one of the local foods they tasted while they were in Saint-Malo.

**2.5a** Lisez la lettre de Laurann qui nous raconte son aventure en Afrique, puis répondez aux questions.

http://blog

Tenter le voyage : partir à 20 ans, seule, en reportage en Afrique … c'est possible ! Je n'avais jamais mis les pieds dans un aéroport. Pourtant, l'été dernier, je filais avec mon sac à dos et mes yeux grands ouverts à la rencontre de l'Éthiopie, pendant deux mois, pour faire un documentaire sur l'éducation des enfants. Je suis partie grâce à la bourse Zellidja, qui permet aux 16–20 ans de partir à l'étranger pour réaliser une mission qui leur tient à cœur, seul(e) pendant au moins un mois. Après avoir monté un dossier, j'ai été choisie pour une bourse et une incroyable aventure associative et humaine. J'ai partagé dans des familles la cérémonie du café, dansé avec des tribus traditionnelles, suivi les Jeux olympiques dans les boîtes de nuit d'Addis Abeba … autant d'aventures gravées en moi à jamais. Je vous laisse méditer le credo de l'association : « Un voyage commence toujours par un premier pas. »

**Laurann**

© Bayard Presse, *Phosphore*, juin 2013

Questions

1 Comment sait-on que Laurann n'avait pas beaucoup voyagé ?

2 Pourquoi est-elle partie en Éthiopie ?

3 Trouvez une expression qui signifie « a une grande importance ».

4 Elle a retrouvé un groupe de jeunes une fois sur place. Vrai ou faux ?

5 Relevez un de ses meilleurs souvenirs d'Éthiopie.

6 Relevez une expression qui indique qu'elle n'oubliera jamais son voyage en Afrique.

**2.5b** Le credo de l'association Zellidja est « Un voyage commence toujours par un premier pas. » Qu'en pensez-vous ? Donnez votre opinion. (*75 mots environ*)

Consultez l'aide-mémoire

Pour écrire un essai, voir pp. 298–301.

Module D | **2** | Détente et évasion !

217

**2.6** Allez en ligne pour regarder la bande-annonce du film ci-dessous, puis répondez aux questions suivantes oralement ou par écrit.

**Questions**

1 Léa, Adrien et leur petit frère Théo partent en vacances d'été. Où vont-ils ?

2 Leurs parents ont décidé de divorcer. Vrai ou faux ?

3 Pourquoi les jeunes se plaignent-ils ?

4 Que se passe-t-il lors du festival ?

5 Léa décide de rentrer à Paris. Vrai ou faux ?

6 Pourquoi Paul et ses vieux copains partent-ils à la recherche de Léa ?

7 Pourquoi Paul demande à Théo comment on signe « Merci » ?

# Le tourisme

## 1 Des vacances de rêve

**1.1** Choisissez une option parmi les vacances de rêve proposées ci-dessous, puis imaginez une histoire. (*90 mots environ*)

vacances authentiques : croisière de 15 jours en Grèce

vacances baroudeuses : voyage en Europe avec le pass InterRail

**vacances relax : un long week-end au festival de musique Electric Picnic**

vacances nature : un stage d'équitation d'une semaine en Provence

**vacances branchées : une semaine de ski au Canada**

**1.2** Répondez aux questions suivantes en donnant un maximum de détails.

1 Quelles seraient vos vacances de rêve ?

2 Avec qui partiriez-vous ?

3 Combien de temps dureraient ces vacances ?

4 Avez-vous passé des vacances de rêve l'été dernier ?

5 Vous préférez des vacances de rêve entre amis ou en famille ?

6 Les vacances de rêve peuvent-elles parfois tourner au cauchemar ? Imaginez un exemple et à tour de rôle racontez-le à votre partenaire.

Consultez l'aide-mémoire

Pour le conditionnel présent, voir pp. 187–88.

**1.3** Écoutez deux personnes parler de leurs vacances de rêve, puis répondez aux questions dans votre cahier.

**Matthieu**

1 Why did Matthieu's dad want to go to the west of America?
2 The flight to Arizona was direct. True or false?
3 What impressed Matthieu about the Grand Canyon Skywalk? Give two details.
4 How many tourists visit this attraction every day?
5 What did his dad do when they came back home to Amiens?

**Soledad**

6 Why was Soledad glad that she and her husband stayed with her cousin in Auckland? Give two details.
7 When did she last meet her cousin Isabel?
8 What did she enjoy about visiting the Sky Tower in Auckland?
9 Name two other things they did while travelling.
10 What are they saving for now that they are back?

**1.4** Pour les expressions de la page suivante, dites à quelle catégorie elles appartiennent, puis complétez les catégories. (Certaines expressions peuvent appartenir à plusieurs catégories.)

**A** les préparatifs du voyage

**B** pendant le voyage et le séjour

**C** la fin des vacances

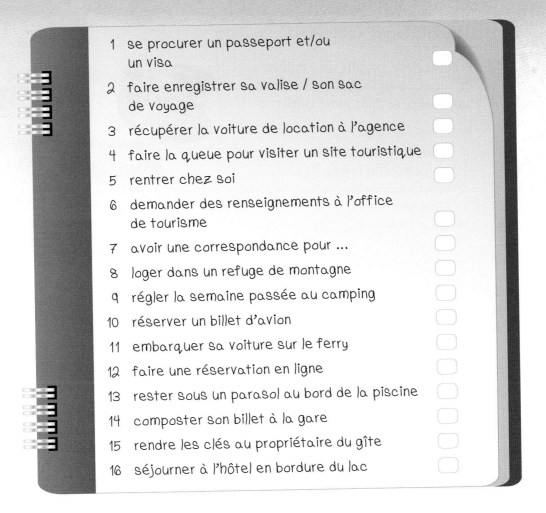

1 se procurer un passeport et/ou un visa ☐

2 faire enregistrer sa valise / son sac de voyage ☐

3 récupérer la voiture de location à l'agence ☐

4 faire la queue pour visiter un site touristique ☐

5 rentrer chez soi ☐

6 demander des renseignements à l'office de tourisme ☐

7 avoir une correspondance pour … ☐

8 loger dans un refuge de montagne ☐

9 régler la semaine passée au camping ☐

10 réserver un billet d'avion ☐

11 embarquer sa voiture sur le ferry ☐

12 faire une réservation en ligne ☐

13 rester sous un parasol au bord de la piscine ☐

14 composter son billet à la gare ☐

15 rendre les clés au propriétaire du gîte ☐

16 séjourner à l'hôtel en bordure du lac ☐

 **1.5** **Send a letter to the manager of the *Syndicat d'initiative*, Tunis, Tunisia, in which you:**

- say that you are a secondary school pupil from Ireland and that next year you will sit a French exam for your Leaving Certificate
- mention that you won a return ticket to Tunisia after you did a project for *La Journée de la Francophonie* in your school
- tell him/her that you plan to arrive in mid-July and stay for two weeks
- ask him/her if he/she could send you a list of recommended families that provide homestay for students
- ask him/her if he/she could send you some leaflets about Tunisia for you to display in your French classroom. (*75 words*)

Consultez l'aide-mémoire

Pour écrire un demande d'emploi, voir pp. 114–17.

# 2 L'industrie du tourisme

**2.1** Écoutez deux extraits sur l'industrie du tourisme en France, puis répondez aux questions dans votre cahier.

### Vacances de neige

1 What percentage of French people go on a skiing holiday?
2 What explanation is given for this? (Give two points)
3 What phenomenon affects some ski resorts?
4 Why is cross-country skiing popular?
5 Name two innovative ways that some ski resorts are trying to attract more tourists.
6 How much does a week's holiday cost on average?

### Tours opérateurs

7 What services did travel agents offer in the past? Name two.
8 What factors contributed to the crisis in the tourism industry?
9 Who is booking their holidays using travel agents?
10 Give one reason why holidaymakers would choose travel agents.
11 What is the main advantage of booking online?
12 What are the main disadvantages of booking online? Give two details.

**2.2** Faites un débat en classe : lisez les commentaires donnés par des voyageurs adeptes des voyages organisés. Par groupes de deux ou trois, choisissez deux des commentaires et présentez votre opinion au reste de la classe.

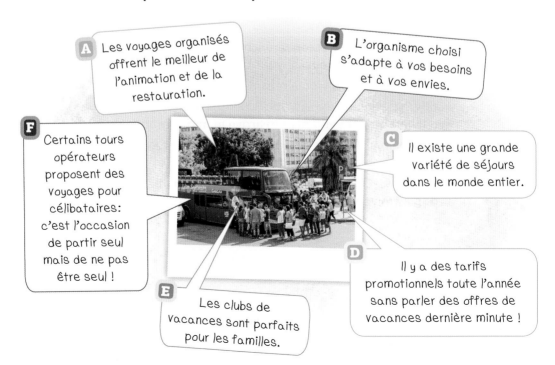

A Les voyages organisés offrent le meilleur de l'animation et de la restauration.

B L'organisme choisi s'adapte à vos besoins et à vos envies.

C Il existe une grande variété de séjours dans le monde entier.

D Il y a des tarifs promotionnels toute l'année sans parler des offres de vacances dernière minute !

E Les clubs de vacances sont parfaits pour les familles.

F Certains tours opérateurs proposent des voyages pour célibataires: c'est l'occasion de partir seul mais de ne pas être seul !

**2.3a** Lisez cet extrait à propos de l'engouement pour le tourisme spatial, puis donnez votre réaction oralement ou par écrit.

À ce jour, les seuls touristes spatiaux sont vingt millionnaires ayant séjourné – et donc flotté en apesanteur – pendant huit jours à bord de la Station spatiale internationale [...]. Les tarifs allant [vont] de 20 à 83 millions de dollars [...]

Le vol suborbital touristique à bord d'un avion-fusée est en préparation active. Il ira à une altitude de 110 kilomètres, avec une phase d'apesanteur de quatre minutes [...]. La durée du vol est d'une demi-heure entre l'allumage du moteur-fusée et le retour au sol : c'est un saut de puce spatial ! [...] 600 passagers de 48 nationalités, dont 13 Français, ont déjà réservé leur billet à 150 000 euros.

*Le français dans le monde*, Christophe Riedel, septembre / octobre 2013, numéro 389
© Édition CLE International

**2.3b** Pour les grandes vacances, vous aviez l'intention de faire du camping dans le sud de la France avec quelques copains/copines. Ce soir, en rentrant du lycée, vos parents vous annoncent qu'ils ont déjà réservé deux semaines dans un village au Portugal et que les billets d'avion sont également réservés. Qu'est-ce que vous notez à ce sujet dans votre journal intime ? (*75 mots environ*)

**2.4** Écoutez ces faits sur l'Irlande, destination de choix pour les vacanciers du monde entier. Répondez aux questions suivantes.

1 What are the main countries from which tourists come to Ireland? Name four.

2 Why do people visit Ireland?

3 What are the key points about Ireland as a tourist destination? Name three.

4 What outdoor activities does Ireland have to offer?

5 What comment is made about Irish musical culture?

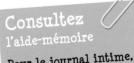

Consultez l'aide-mémoire
Pour le journal intime, voir pp. 42–44.

Module D | 3 | Le tourisme

**2.5a** Par groupes de deux ou trois, répondez aux questions ci-dessous à propos des parcs d'attractions en donnant un maximum de détails.

1 Êtes-vous déjà allé(e) dans un parc d'attractions ?
2 Quel(s) autre(s) parc(s) de loisirs avez-vous visité(s) ?
3 Qu'aimez-vous à propos de ces parcs ?
4 Si vous n'aimez pas ce genre de parcs, pourquoi pas ?
5 Y a-t-il un parc d'attractions dans votre région ?
6 Si oui, pourquoi est-il attractif pour les touristes ?
7 Aimeriez-vous y travailler pendant vos vacances d'été ?

**2.5b** Choisissez votre parc d'attractions favori, puis faites une fiche de présentation selon le modèle suivant :

# Disneyland Paris

- **Emplacement : Marne-la-Vallée, à 32 kilomètres à l'est de Paris**
- **Ouverture des portes : 12 avril 1992**
- **Première destination touristique d'Europe**
- **Cinquième parc le plus visité au monde**
- **Plus de 50 attractions proposées**
- **Temps d'attente pour les attractions les plus populaires : 45 minutes**
- **Hôtels et restaurants thématiques**
- **Superficie : 22,30 km²**

**2.6** Lisez le texte ci-dessous à propos d'Airbnb, puis répondez aux questions.

1 Airbnb, l'envers du décor. Le succès du site d'hébergement collaboratif inquiète les grandes villes comme Paris : il réduit l'offre d'appartements à louer et menace le secteur hôtelier. [...]

Quatre millions de voyageurs ont déjà testé le concept. Les annonces font rêver : les fondateurs ont eu l'idée d'envoyer dans chaque foyer un photographe dont les clichés donnent à n'importe quel studio une allure de loft new-yorkais. Les prix aussi sont alléchants : 100 euros la nuit pour un duplex trois-pièces terrasse avec vue sur la tour Eiffel. Moins qu'une chambre dans le petit hôtel d'à côté.

→

**2** Sélectionner, contacter, réserver : en trois clics, c'est plié. « Nous devons notre succès à notre modèle économique : l'annonce est gratuite, nous prélevons seulement une commission au moment de la transaction », explique Nicolas Ferrary. [...] En pleine crise, Airbnb démocratise ainsi la location touristique. « Nous louons notre trois-pièces 750 euros la semaine, de quoi payer une partie de nos vacances », explique Isabelle et Quentin. Comme eux, 35 000 « hôtes » en France – dont 15 000 à Paris – arrondissent leurs fins de mois en louant leur canapé, leur chambre d'ami, leur appartement ou leur maison. [...]

**3** Les hôteliers sont très inquiets. « C'est de la concurrence déloyale », dénonce Roland Héguy, directeur de l'Union des Métiers et Industries de l'Hôtellerie, qui estime déjà à 150 000 le nombre de chambres au noir en France. Airbnb assure qu'à Paris son offre est complémentaire : 70% des annonces se situeraient « en dehors des principaux quartiers hôteliers ». [...]

Ainsi la start-up marche dans les traces de sites comme booking.com ou hotels.com, champions de la réservation en ligne, qui en imposant leurs marges,* captent déjà 3 des 21 milliards d'euros du chiffre d'affaires de l'hôtellerie en France.

© *Le Nouvel Observateur*, Donald Hebert, 22 août 2013, numéro 2 546

> **Lexique**
>
> marges = *profit margins*

### Questions

**1 a** D'après la première section, donnez un des inconvénients de louer avec Airbnb.

   **b** Relevez une phrase qui indique que les photos d'intérieurs ne donnent pas une réelle idée de l'endroit. (Section 1).

**2** Trouvez un synonyme de « attirant ». (Section 1)

**3 a** Relevez une expression qui montre que c'est tout à fait facile de choisir sa location en ligne. (Section 2)

   **b** D'après la deuxième section, Isabelle et Quentin ...

     i) partent en vacances avec Airbnb

     ii) proposent leur appartement à louer sur Airbnb

     iii) ont gagné un bon de 750 euros valable sur Airbnb

     iv) sont contre la location d'appartements sur Airbnb.

**4** Trouvez une expression qui veut dire « gagner de l'argent en plus de son salaire ». (Section 2)

**5 a** Pourquoi les hôteliers sont-ils inquiets ? (Section 3)

   **b** Trouvez l'exemple d'un verbe au conditionnel. (Section 3)

**6** Airbnb is a concept that works well for everyone involved. Support this statement with reference to the text. (*50 words*)

# L'environnement

## 1 La pollution

 **1.1** Par groupes de deux ou trois, donnez des exemples de ce qui cause les différentes formes de pollutions mentionnées ci-dessous. Indiquez ensuite les conséquences pour l'environnement et pour les espèces vivantes y compris l'homme.

pollution atmosphérique

pollution du sol

pollution de l'eau

pollution sonore

  **1.2** Écoutez les reportages suivants puis répondez aux questions dans votre cahier.

### La circulation alternée

1 What city is referred to in this report?
2 Who exactly is affected today by this new measure?
3 Public transport will be available at a reduced cost. True or false?
4 How many police officers are working to enforce the new rule?

### Les sacs plastiques

5 How long did it take Ireland to reduce the use of plastic bags by 92%?
6 What do the figures 10% and 90% refer to respectively?
7 How many birds die from eating plastic every year?
8 Why do turtles eat plastic bags?

### Les pesticides

9   For how long have pesticides been used in agriculture?

10   Give two examples of where pesticides can be found.

11   Who is affected by exposure to pesticides?

12   What illnesses can be caused as a result of the use of pesticides?

### Les nuisances sonores

13   What are the main sources of noise pollution? (Give two examples.)

14   What percentage of the urban population is affected by it?

15   What is the negative impact on those affected?

16   What animals are affected?

**Attention aux faux amis !**

une batterie = *a drum kit or a battery*

*also* une batterie de … = *a series of …* (ex. une batterie de cuisine = *pots and pans*)

a *battery (e.g. in phones, radios or small appliances)* = une pile (*but 'car battery'* = une batterie )

**1.3a**   Les fringues* toxiques

**Lisez le texte suivant, puis répondez aux questions dans votre cahier.**

Ce n'est pas écrit sur les étiquettes mais nombre de nos jeans, robes et T-shirts contiennent des poisons : du plomb, du mercure, de l'arsenic, de l'acide citrique … C'est ce que révèle un édifiant reportage d'Envoyé Spécial, diffusé sur France 2 (« Textile : mode toxique »). Pendant quatre mois, les journalistes ont fait analyser des échantillons d'une dizaine de marque (Zara, Celio, Pimkie, H&M …), visité les usines de leurs sous-traitants en Asie (d'où proviennent 70% de nos habits) et listé les produits toxiques utilisés pour teindre, fixer les couleurs mais aussi protéger les lots des insectes et de l'humidité pendant le voyage vers chez nous. Allergies monstres, cancers, infertilité : les conséquences sur le corps de ceux qui font ces vêtements, les vendent et les portent peuvent s'avérer glaçantes. Ça donne envie de foncer soutenir la campagne « Detox » de Greenpeace pour faire pression sur les enseignes. Et de ne plus jamais oublier de laver deux fois un nouvel achat avant de l'enfiler.

© Bayard Presse, *Phosphore*, décembre 2013

**Lexique**

les fringues (*familier*) = les vêtements

**Questions**

1 Dans ce texte, il s'agit ...

    i) des conditions de travail dans les usines de vêtements en Asie

    ii) des produits chimiques que l'on trouve dans les vêtements

    iii) de la campagne de Greenpeace pour protéger les insectes

    iv) de la technique de teinture naturelle utilisée en Asie.

2 Trouvez dans le texte un synonyme de « qui font le travail pour le compte d'une grande entreprise ».

3 Donnez une des raisons pour lesquelles des produits dangereux sont utilisés dans la fabrication des vêtements.

4 À quels dangers sont exposés les gens qui portent des vêtements contenant des produits chimiques ? (Donnez un détail)

5 Qu'est-il conseillé de faire une fois un vêtement acheté ?

 **1.3b** **Allez en ligne pour trouver plus d'informations sur la campagne « Detox » de Greenpeace et découvrez quelles sont les marques qui prennent part au défi, ainsi que les critères imposés par Greenpeace. Une fois les informations recueillies, présentez, par groupes de deux ou trois, oralement ou par écrit, les résultats de votre recherche.**

 **1.4** **Suite à l'activité précédente, répondez aux questions suivantes.**

1 Êtes-vous choqué(e) par les informations données dans l'article de la page précédente ? Pourquoi ? / Pourquoi pas ?

2 Dans quel type de magasins achetez-vous vos vêtements en général ?

3 À quelle occasion en achetez-vous ?

4 Regardez-vous les étiquettes des vêtements pour voir leur provenance? Donnez des détails.

5 Que faites-vous de vos habits quand ils sont usés ou quand vous n'avez plus envie de les porter ?

| **Phrases utiles** |
| --- |
| Je m'assure que ... |
| Je fais attention à ... |
| Je me concentre sur ... |
| J'organise ... |
| Je privilégie les articles ... |
| Je recycle / j'échange / je donne ... |
| Je renonce à ... |
| Je ne jette pas ... |
| Je cherche des articles qui respectent ... |
| Je les emmène / envoie ... |
| J'achète sur un coup de tête ... |

**1.5** Donnez votre réaction à une des citations de personnes célèbres ci-dessous. (*75 mots environ*)

**A** « C'est une triste chose de songer que la nature parle et que le genre humain ne l'écoute pas. »

Victor Hugo

**B** « Tout se passait comme si la seule manière pour les humains de comprendre les problèmes de l'écologie était de commencer par détruire la nature. »

Stephen Baxter

**C** « Les hommes savent très bien détruire, mais ils savent aussi réparer et reconstruire. Il faut donc que l'intelligence humaine l'emporte pour que toutes nos techniques, nos sciences et nos savoir-faire soient mis au service de la défense de la planète. »

Ségolène Royal

**1.6** Écoutez ce reportage sur quelques écologistes du show business, puis répondez aux questions suivantes.

### Stella McCartney

1 Name two materials Stella McCartney never uses in her collections.
2 Where does she present her new collections?
3 What is her luggage line made of?

### Orlando Bloom

4 How did Orlando Bloom become aware of the damage caused by global warming?
5 How often should people do an eco-friendly action, according to Bloom?
6 Give one example of an eco-friendly action everyone can do.

### Cameron Diaz

7 What was the subject of the MTV programme made by Cameron Diaz in 2005?
8 What was her next low-budget documentary about?
9 What does she wish for the future?

### Marion Cotillard

10 When did Marion Cotillard become a member of Greenpeace?
11 What does she do on a daily basis as an ecologically aware person? Give one example.
12 Give two examples of how to be a conscious consumer, according to Cotillard.
13 What specifically did she do in Alter Eco's Amazon reforestation project?

Module D **4** L'environnement

# 2 Le recyclage

**2.1** **Répondez oralement aux questions suivantes et notez vos réponses dans vos cahiers.**

1 Que recyclez-vous chez vous ?
2 Quelles sortes de poubelles avez-vous pour le tri sélectif ?
3 Faites-vous du compost pour le jardin ?
4 Avez-vous un potager ou partagez-vous un jardin ouvrier ? Donnez des détails.
5 Quelles sont vos gestes écolo au quotidien ?
6 Votre lycée est-il un « lycée vert » ? Expliquez.
7 Êtes-vous conscient de votre impact carbone au quotidien ?

## Phrases utiles

| | |
|---|---|
| le tri sélectif | le drapeau vert |
| un déchet / une ordure / un détritus | une initiative |
| une poubelle verte / marron | une action contre / pour |
| un composteur | recycler |
| un conteneur | trier |
| un récupérateur d'eau de pluie | gaspiller |
| la déchetterie | jeter par terre |
| un emballage en papier / carton / plastique | ramasser |
| une corbeille à papier | faire attention à … |
| un gobelet en plastique | éviter de … |
| une brique de lait | être interdit / autorisé |
| le gaspillage | être conscient de … |

  **2.2** **Écoutez ces informations sur le recyclage, puis choisissez la bonne réponse parmi celles proposées.**

### Section A

1 The *écopacteur* …
   i) compresses the metal frames of bikes
   ii) re-threads bicycle tyres
   iii) squashes food and drinks cans
   iv) costs €2,000.

2 The surface of the machine …
   i) enables charities to post educational messages
   ii) is designed to attract tourists
   iii) has sensors that communicate with local businesses
   iv) was recently vandalised.

3 The money gained in the process is …
   i) donated to charity
   ii) collected by the local authority
   iii) allocated to school projects
   iv) spent on advertising and communication.

### Section B

4 Plastic bottles …
   i) are blocking the entrance to many metro stations in the city of Beijing
   ii) can be used in exchange for train tickets
   iii) have caused a number of people to slip in the street
   iv) have recently been banned in the Beijing metro.

### Section C

5 *Le soccket* is …
   i) a football that collects and stores energy
   ii) a light-emitting football sock for playing in the dark
   iii) a new type of light bulb that plugs directly into the wall
   iv) an invention by scientists from a developing country.

**2.3** **Lisez les deux articles suivants et pour chacun d'entre eux, répondez aux questions données.**

# A Un verre révolutionnaire

Si elle fonctionne, cette découverte pourrait déclencher à terme l' « extinction » des piles et batteries qui comptent parmi nos déchets les plus lourdement polluants. Une PME* française, Sunpartner Group, a mis au point des verres photovoltaïques ultraminces et transparents capables d'équiper nos smartphones, nos tablettes ou les vitrages de nos fenêtres pour convertir en électricité toute source lumineuse. Solaire ou non.

**Lexique**

PME = petites et moyennes entreprises

### Questions

1 Trouvez dans le texte un synonyme du verbe « provoquer ».
2 Trouvez un synonyme du mot « détritus ».
3 Trouvez l'équivalent français de *super slim*.
4 Trouvez un synonyme d'« ordinateur de poche ».

## B  La musique qui recycle

Un tonneau d'huile comme violoncelle, deux boîtes de conserves pour une guitare, un petit barbecue pour un violon … Dans le bidonville de Cateura, à Asuncion, capitale du Paraguay, les ados n'attendent pas de pouvoir se payer de vrais instruments pour se lancer dans la musique. Grâce à un chef d'orchestre passionné et à un bricoleur hors pair devenu « luthier sur déchets »,

120 jeunes participent à un orchestre d'instruments recyclés, désormais connu dans le monde entier. Une idée folle qui a permis à Maria, violoniste de 16 ans, de sortir de son quartier, véritable décharge à ciel ouvert, pour découvrir le Brésil, l'Espagne, la Palestine et les États-Unis.

© Bayard Presse, *Phosphore*, Gwénaëlle Boulet, décembre 2013

**5** Trouvez dans le texte l'équivalent français des mots anglais suivants :

i) outstanding

ii) open air

iii) food cans

iv) landfill

v) rubbish

vi) DIY enthusiast.

**6** Dites si les affirmations suivantes sont vraies ou fausses en justifiant vos réponses.

i) Des objets en métal sont utilisés pour fabriquer des instruments de musique.

ii) Les adolescents viennent de quartiers favorisés.

iii) Les jeunes musiciens ne sont célèbres qu'au Paraguay.

iv) Maria a beaucoup voyagé grâce à l'orchestre local.

**2.4** **Donnez vos réactions à l'un des deux posters pour deux campagnes de prévention pour la protection de l'environnement. (*75 mots environ*)**

Consultez l'aide-mémoire
Pour vous aider à écrire votre dissertation, voir pp. 298–300.

Laisser une lampe allumée sans raison détruit la planète.
REJOIGNEZ LE DÉFI POUR LA TERRE AVEC LA FONDATION NICOLAS HULOT

**2.5** Allez en ligne pour regarder la bande-annonce du *Tante Hilda*.

Préparez une description du film et des deux personnages principaux : Tante Hilda, la botaniste amoureuse de la nature, et Dodo, l'industrielle qui a inventé la céréale géante, Attilem.
(*75 mots environ*)

**2.6** Écoutez cet entretien avec Michel Wieder, architecte au cœur d'un projet urbain d'écoquartier, qui nous explique les avantages écologiques d'un tel projet. Répondez aux questions ci-dessous.

1 As an architect Michel Wieder is concerned with buildings, but what other aspects of urban life does he also talk about in this interview?

2 He believes that politicians …

   i) have a big role to play in urban environmental change

   ii) have let people down in relation to the environment

   iii) play with people's emotions

   iv) will not be involved in cities in the future.

3 What two sources of renewable energy can be installed in apartment blocks?

4 What solutions are mentioned to tackle over-dependency on cars?

5 Give two examples of how people can contribute to waste management.

6 What suggestion does he make regarding rainwater?

# 3 La protection et la prévention

**3.1** Allez sur un moteur de recherche en ligne et tapez « Nature » et « Christophe Maé ». Avant d'écouter cette chanson de Christophe Maé, regardez les mots ci-dessous. D'après vous, lesquels correspondent le mieux dans le contexte de la chanson ?

**Nature**

Il n'est pas question d'image
Ni de s'montrer à mon avantage
Le temps n'est plus aux grands .......
Aux langues de bois qui tournent autour

> i) tours
> ii) discours
> iii) conforts

Il est question de .......
De maintenant, de ce qu'on fait

> i) respect
> ii) rejet
> iii) projet

*Refrain :*
Parce que notre ....... dépendra de notre nature
Et de ce qu'on aura laissé derrière soi
On a qu'une seule vie à vivre et qu'une seule nature
Je voudrais m'en aller sans regret derrière moi

> i) génération
> ii) planète
> iii) avenir

Il n'est pas question de zèle
Ni de chasser le naturel
....... est un animal sauvage
Qui n'est pas fait pour les cages

> i) le chien
> ii) le lion
> iii) l'homme

Il est question d'être six .......
Sous le même toit, la même mare

> i) milles
> ii) millions
> iii) milliards

*(Refrain x 2)*

Si j'veux m'regarder dans la glace
Et dans l'regard de mes .......
Si je veux un jour leur dire en face
Ce qu'on a fait, c'qui les attend

> i) enfants
> ii) éléphants
> iii) plantes

*(Refrain x 2)*

« Nature », paroles de Lionel Florence, musique de Christophe Maé et Felipe Saldivia
© Warner Chappell Music France, Martiprod Editions et Atlético Music – 2010

**3.2** En classe, par groupes de deux ou trois, organisez une charte pour la protection de l'environnement dans votre lycée. Utilisez le vocabulaire donné pour vous aider à formuler vos idées. D'abord, écrivez des conseils écologiques, ensuite trouvez une photo pour illustrer votre charte « lycée vert » et choisissez ou créez un logo.

Consultez
l'aide-mémoire
Pour l'impératif,
voir pp. 121–23.

| Phrases utiles | |
|---|---|
| pensez à … | adoptez des gestes … |
| recyclez … | soyez plus … |
| maîtrisez … | ne jetez pas … |
| réduisez la consommation de … | éteignez … |
| ayez une attitude … | rechargez … |

 **3.3** Par groupes de deux ou trois, trouvez le maximum de gestes écologiques que vous pouvez adopter à la maison pour éviter le gaspillage des produits et énergies suivants.

**1**

Plastique

**2**

Papier

**3**
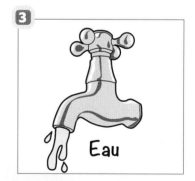
Eau

**4**
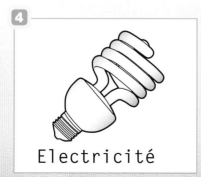
Electricité

**5**

Nourriture

**3.4** **Pour chacune des images ci-dessous, trouvez la légende correspondante.**

1

a J'éteins mon ordinateur au lieu de le laisser en veille.

2

b Je répare ou fais réparer mes appareils électro-ménagers et mes meubles.

3

c Je limite ce que j'imprime sur papier.

4

d Je prends toujours un panier ou un cabas pour faire les courses.

5

e Je privilégie les produits éco-labellisés.

6

f J'utilise des piles rechargeables.

7

g Je refuse les publicités dans ma boîte aux lettres.

8

h J'évite le gaspillage alimentaire.

9

i Je donne au lieu de jeter si c'est toujours en bon état.

**3.5** Écoutez ce résumé sur le gaspillage alimentaire, puis complétez avec les mots entendus. Notez-les dans votre cahier.

Chaque Français jetterait 20 à (1) ....... kilos de nourriture par an, dont sept kilos d' (2) ....... encore emballés. Dès le début de la chaîne agro-alimentaire, les producteurs de fruits et légumes eux-mêmes retirent de leurs cagettes des (3) ......., des melons ou des concombres jugés non-conformes aux critères de production imposés par (4) ....... et la grande distribution. Le scandale du gaspillage alimentaire n'est pas nouveau, mais il reste un enjeu social et économique majeur dans le monde où un (5) ....... de la nourriture produite ne serait pas consommé.

Le magazine de Laurent Bazin, *Les « bonnes » raisons du gaspillage,* revient sur les objectifs sanitaires visés par l'instauration, dans les années 1980, d'une (6) ....... limite de consommation pour les produits périssables qui est, depuis, devenue source de (7) ......., puisque des tonnes de (8) ....... et de plats en tout genre encore comestibles sont (9) ....... et détruites.

© *Télérama*, octobre 2013, numéro 3 325

**3.6** Trente-deux kilos : c'est le chiffre du gaspillage alimentaire par personne et par an. En voici les details par catégories d'aliments. Donnez votre réaction quant à cette image.
(*75 mots environ*)

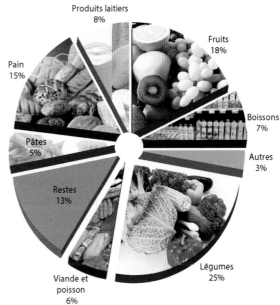

Produits laitiers 8%
Fruits 18%
Pain 15%
Boissons 7%
Autres 3%
Pâtes 5%
Restes 13%
Légumes 25%
Viande et poisson 6%

**3.7** Lisez ce texte sur la voiture de demain, puis répondez aux questions.

**1** La voiture du futur existe. À condition de la chercher ! À Munich, nous avons essayé l'auto sans chauffeur. Au centre de design de Guyancourt, nous nous sommes assis au volant du dernier modèle électrique de Renault, l'EV3, dont il n'existe aucune photo. […]

Un constat s'impose : l'ère de la bagnole* à la papa, lourde, bruyante et polluante, se termine. Les modèles, qui seront, pour certains, dévoilés au Salon de Genève, du 6 au 16 mars, avant d'être bientôt commercialisés, seront propres, plus sûrs et interactifs. « Nous assistons à un changement de société. Les jeunes d'aujourd'hui préfèrent leur téléphone portable à la voiture. À nous de nous adapter pour susciter leur envie », analyse Benoît Jacob, designer français réputé, à l'origine de la voiture électrique de BMW, l'i3. […]

> **Lexique**
>
> la bagnole (*familier*) = la voiture

→

**2** Les mutations s'accélèrent à un rythme jamais connu auparavant. « La congestion des villes, la pollution de l'air et l'envie des clients d'occuper leur temps différemment poussent l'industrie à bouger très vite », explique Rémi Cornubert [...] Ces derniers mois, Volvo, Audi, Mercedes, Nissan et Renault ont multiplié les démonstrations et promis la commercialisation de leurs premières voitures automatisées pour 2020. Tous les prototypes fonctionnent à peu près sur le même principe [et] ces systèmes semblent surtout destinés aux embouteillages sur les périphériques urbains et aux autoroutes. « L'application en ville, qui nécessiterait que l'intelligence artificielle réagisse aux piétons, aux feux rouges et à la disparition du marquage au sol, n'est pas pour tout de suite. Même en 2020, il faudra toujours un conducteur derrière le volant [...] », estime le directeur de l'innovation de l'équipementier Valeo, Guillaume Duvauchelle.

**3** Selon le cabinet Oliver Wyman, il y aura 200 millions de véhicules branchés à la Toile d'ici trois à quatre ans. Le conducteur pourra télécharger sur son tableau de bord les paramètres de son téléphone (contacts, playlist) et des applications. [...] La voiture de demain devra aussi être plus propre. La réglementation européenne va limiter les émissions de $CO_2$ à 130 grammes par kilomètre parcouru à partir de 2015 et à 95 grammes à compter de 2020. Les bureaux d'études planchent tous sur des moteurs plus sobres, consommant seulement 2 litres aux 100 kilomètres contre 3,5 litres minimum aujourd'hui.

© *Le Nouvel Observateur*, Caroline Michel, 6 mars 2014, numéro 2 574

### Questions

**1** a D'après la première section, nommez un des types de nouvelles voitures que le journaliste a trouvé.

b Quels sont les avantages des nouveaux modèles ? (Section 1)

**2** Relevez une phrase qui indique que les constructeurs automobiles doivent accepter les tendances actuelles. (Section 1)

**3** a Relevez une expression qui montre que les villes sont asphyxiées par le nombre de voitures. (Section 2)

b Quand sera-t-il possible d'acheter une voiture automatique? (Section 2)

**4** a Trouvez dans la deuxième section un verbe au conditionnel présent.

b Trouvez une phrase qui montre que les voitures du futur ne seront pas à 100% automatiques. (Section 2)

**5** a Comment sait-on que toutes les nouvelles voitures seront connectées à l'Internet? (Section 3)

b Quels sont les restrictions imposées par l'Europe en matière de pollution de l'air? (Section 3)

**6** The text shows that new cars need to respond to the young generation's interest in smart technology and the environment. Support this statement giving examples from the text. (*50 words*)

### Lisez cette histoire, puis répondez aux questions qui suivent.

**1** D'un coup, tout est plongé dans le noir. Et le calme … On entend les voitures dans la rue, la mère qui avance à tâtons* et se cogne à la table.

Elle allume une bougie et va vérifier les plombs. Amandine lève un peu le volet. L'immeuble d'en face est tout sombre, lui aussi.

– C'est le réseau, dit la mère, il faut attendre.

– Attendre ? Et mon émission ? Je ne peux même pas l'enregistrer !

– Eh bien oui, il faut attendre.

Au bout de quinze minutes, on commence à trouver le temps long, la taque* électrique ne fonctionne pas, on improvise un pique-nique. Une heure plus tard, on ne rigole plus du tout : le chauffage ne se remet pas en route, il faut enfiler un pull … On commence à tourner en rond.

– Si ça continue, c'est tout le contenu du surgélateur qui sera foutu …

Heureusement, aussi brutalement qu'elle avait disparu, l'électricité revient. Inondant les pièces de lumière, avec le bruit de la télé, du frigo … Les deux bougies posées sur la table ont l'air un peu perdues …

Amandine éteint la télé, s'assied et prend son livre *L'énergie expliquée aux enfants*. Elle le regarde, pensive : l'énergie, ce n'est pas sa tasse de thé. Elle feuillette ce livre qu'elle tient : un peu de matière et beaucoup d'énergie pour le concevoir, le fabriquer, le distribuer … et finalement pour un objet tout simple.

Oui, mais quelle énergie, en quelle quantité ?

Partons d'un autre objet, la lampe à côté d'Amandine.

C'est même pas la plus forte de la pièce …

– Elle fait 60 W, dit la mère qui lit dans les pensées d'Amandine.

Bon, l'ampoule est électrique, l'électricité vient bien de quelque part. Elle passe par les fils, par les câbles dans la rue, depuis une centrale, oui mais et l'énergie de la centrale, elle vient d'où ?

Intriguée, Amandine se plonge dans la lecture de son livre …

**2** Grand bruit dans le couloir. Voilà le paternel* qui revient de sa balade à vélo.

– Eh bien, c'est Broadway ici ! À se demander qui paie les factures !

– Oh écoute … Juste après ton départ, tous les plombs ont sauté. On a essayé de comprendre d'où cela venait et quand le courant est revenu, nous n'avons pas éteint partout où cela n'était plus nécessaire. En tout cas, on a eu une fameuse trouille*…

Et le père de se lancer dans une grande tirade sur la société de consommation, le gaspillage. Vous voyez le genre. Amandine lève les yeux au ciel.

→

– Ok ! Ok ! Je n'ai pas eu besoin de toi  – elle montre son livre  – pour comprendre que le monde entier ne pourrait pas consommer comme nous le faisons. Que dans cinquante ans, nous nous retrouverons sans pétrole, sans gaz et sans uranium. Mais ne t'inquiète pas, je ne manquerai pas de rappeler à TES petits-enfants le rôle que TA génération a pu jouer là-dedans !

– En attendant, ma chère et délicieuse enfant, c'est TA mère et moi qui t'avons offert ce bouquin et ce sont les mêmes qui te permettent de **le** lire dans un environnement plutôt confortable. Avec téléphone, frigo, voiture avec chauffeur …

– Bon … euh … Si nous en restions là ? Ou plutôt non ! Je te propose un marché. Puisque tu aimes tellement parler d'argent, je vais pendant quelque temps lancer une grande enquête dans toute la maison et voir là où il y a moyen de faire des économies sur l'énergie. Je ferai des propositions et vous verrez la différence !

– Hé là ! Mais il va falloir investir, isoler, mettre du double vitrage ?

– On verra ! Je te propose de me donner … disons 25% des bénéfices.

– Oui mais … à confort inchangé ?

– On verra ! Tope-là* ?

– Tope-là ! Au moins, si la planète va mal, nous pourrions dire que nous avons commencé quelque part ! […]

**3** Le temps passe …

Aujourd'hui, Amandine rend visite à ses parents. Le train ralenti déjà à l'approche de la station.

– Bien des choses ont changé, se dit-t-elle, et pas seulement ces trois bambins qui courent dans le couloir …

Elle repense au pari avec son père … Il est devenu guide énergie puis échevin* de l'énergie … C'est dingue ! Dire que tout cela est parti d'une panne d'électricité ! Impensable aujourd'hui, une panne de secteur ! Quasi tous les immeubles sont autonomes avec leur pile à hydrogène en cogénération … […]

En sortant de la gare à vélo, elle aperçoit son père qui les attend.

– Tiens, le centre est piétonnier maintenant, demande-t-elle pendant qu'il subit l'assaut de ses petits-enfants, je ne vois aucune voiture.

– Oui, suite à un Panel de Citoyens, le collège communal avait pris la décision il y a deux ans, ça fait trois mois maintenant que le projet est réalisé. Et tout cela a créé de nombreux emplois. Certaines entreprises de la ville exportent leurs nouveaux savoir-faire. Même les commerçants sont contents, il paraît !

– C'est vrai qu'il y a du monde. Pourtant il fait calme.

– Oui, il y a juste les taxis et les bus. Il y a des stations de covoiturage tous les 500 m environ. Plus besoin de voiture personnelle. Pas de bruit … pas d'odeurs. Bon, les enfants, vous avez vos casques, on y va !

**4** Ils prennent la passerelle sur la Meuse.* S'arrêtent une minute pour regarder passer une péniche*… Au loin le nouveau port fluvial de Beez* …

– D'ici, on voit la maison communale, elle est complètement rénovée et a gagné le concours du bâtiment bioclimatique le plus efficace … à côté tu vois le bâtiment de la pile à hydrogène qui alimente le quartier en électricité et en chaleur … […]

Nos cyclistes reprennent la piste, passent devant l'Académie Solaire au look très futuriste, suivent les quais …

→

– Regarde, c'est la nouvelle façade de notre vieil immeuble !

– C'est design !

– C'est surtout efficace, l'immeuble produit plus d'énergie qu'il n'en consomme ! Les habitants sont réunis en coopérative et revendent de l'électricité à la ville !

– Vous êtes producteur d'électricité ?

– Oui, en isolant, on a super réduit la consommation, les trois façades sont équipées de panneaux solaires combinant récupération de chaleur et électricité ... et sur le toit on a cinq petites éoliennes !

Elle sourit et se souvient des discussions avec le syndic de l'immeuble* quand son père avait proposé le chauffe-eau solaire commun ! Ils l'avaient accueilli comme un extra-terrestre.

– Maintenant plus un seul bâtiment n'est construit s'il ne peut couvrir lui-même la moitié de sa consommation d'énergie ! continue le père sur sa lancée.

– En parlant d'éoliennes, nous venons d'en installer 200 mais sous l'eau !

– Sous l'eau ?

– Par grappe de dix à un km de la côte, elles récupèrent 800 fois plus d'énergie que les éoliennes classiques de même taille. Elles seront raccordées au réseau dans deux mois. De quoi produire 5000 GWh, le cinquième de la dernière centrale nucléaire en service. Chacune est financée par un gros consommateur industriel.

Le soleil se couche, Amandine, ses enfants et son père s'éloignent en bavardant, un bus passe silencieusement, c'est l'heure des oiseaux ...

Éric Luyckx, *L'énergie expliquée aux enfants*
© Éric Luyckx

## Lexique

| | |
|---|---|
| avance à tâtons = marcher doucement sans voir | |
| la taque électrique *(Belgique)* = la plaque électrique *(France)* = *electric hob* | |
| le paternel = le père d'Amandine | |
| on a eu une fameuse trouille = on a eu très peur | |
| tope-là = *said while shaking hands to make a bet with someone* | |
| un échevin = conseiller municipal *(Belgique)* | |
| la Meuse = une rivière en Belgique | |
| une péniche = type de bateau que l'on voit sur un canal | |
| Beez = ancienne commune qui fait partie de la ville de Namur, Belgique | |
| le syndic de l'immeuble = *management committee of the apartment block* | |

## Questions

**1** a Relevez une phrase qui montre que la coupure d'électricité n'affecte pas que la maison d'Amadine. (Section 1)

   b Trouvez une phrase qui indique qu'Amandine ne s'intéresse pas spécialement au problème de l'énergie. (Section 1)

**2** a Relevez une expression qui montre que le père d'Amandine pense que la maison est trop éclairée.

   b Quelle expression montre qu'Amandine n'écoute pas son père quand il commence un de ses discours sur l'énergie. (Section 2)

**3** a À quoi se réfère le pronom « **le** » dans la deuxième section ?

   b Trouvez un verbe au conditionnel du présent  (Section 2)

**4** D'après la deuxième section Amandine propose ...

    i) de réduire sa consommation d'énergie dans 50 ans

    ii) de réduire sa consommation d'énergie de 25%

    iii) de rechercher comment faire des économies d'énergie à la maison

    iv) d'aider à son père à isoler et mettre du double vitrage partout dans la maison.

**5** a D'après la troisième section, la ville est devenue piétonne. Mentionnez une conséquence positive de ce changement.

   b Quelle phrase nous montre que les voisins du père d'Amandine n'étaient pas toujours d'accord avec lui en ce qui concernait l'énergie renouvelable ? (Section 4)

**6** This story imagines a future where energy is created and conserved in an environmentally sustainable way. Support this statement, giving examples from the text. (50 words)

**3.9** **Choisissez l'un des documents ci-dessous, puis discutez-en par groupes de deux ou trois. Donnez votre réaction à l'ensemble de la classe. Vous pouvez aussi noter votre réaction personnelle par écrit. (*75 mots environ*)**

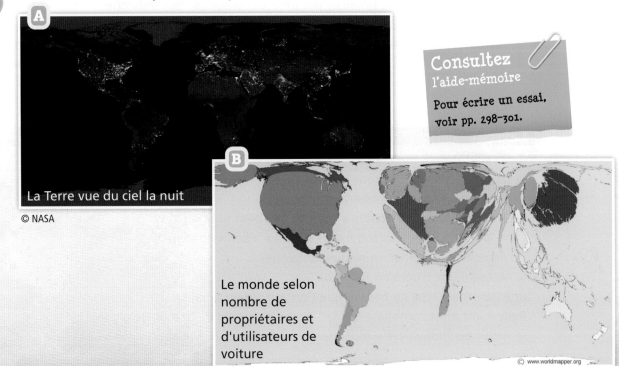

**A**

La Terre vue du ciel la nuit

© NASA

**B**

Le monde selon nombre de propriétaires et d'utilisateurs de voiture

© www.worldmapper.org

© Benjamin D. Hennig (Worldmapper Project)

> **Consultez**
> l'aide-mémoire
> Pour écrire un essai,
> voir pp. 298–301.

# Aide-mémoire

## Un brin de causette

*Rachel discute de tourisme avec Clémentine et lui donne aussi son opinion sur l'environnement. Quant à Niall, il raconte à sa classe ce qu'il a fait l'été dernier ainsi que ce qu'il entend par « des vacances idéales » !*

**Écoutez et complétez les phrases dans votre cahier selon ce que vous avez entendu.**

**Un coin de Paradis**

**Surfer les vagues !**

Rachel

Complete the sentences.

1 Rachel lives …
2 In her community …
3 In the summertime …
4 Rachel thinks …
5 We should encourage pupils in primary school …
6 According to Rachel …

Niall

Complete the sentences.

1 After he finished school, Niall …
2 He worked for two weeks …
3 On his family holidays …
4 While on holidays, Niall likes to …
5 His ideal holidays would be …

# Préparation pour le bac

## 1 L'épreuve orale

The oral examination is an interview conducted by an external examiner and lasts usually around 12 minutes.  It consists of a conversation on various topics that you will have studied in French. The first part of the exam will be on topics with which you are very familiar, such as family, home, leisure, school, holidays. Greet the examiner with « Bonjour, Monsieur/ Madame » and use « vous » to address him or her throughout the interview.

Marks out of 100 are awarded for:

- pronunciation, intonation and rhythm (20)
- vocabulary (20)
- structure (30)
- communication (30).

### Le document

Choosing a document for the oral exam is <u>optional</u>, but taking it may help your confidence in talking about a topic you know well. The document (usually a photo, but it can be any document: article, book etc.) you choose should be about something <u>personal to you</u>: such as a story from your family or friends; a hobby of yours; an event you attended; a project you enjoyed etc. Anticipate questions and be prepared to expand on it when asked.

### Entraînez-vous pour le bac!

Imaginez que vous avez apporté cette photo pour votre épreuve orale du Bac. Préparez une description détaillée de la photo. Mentionnez, entre autres, les détails suivants :

- Pourquoi l'avez-vous choisie ?
- De quoi s'agit-il ? Qu'est-ce qui se passe dans la photo ?
- Où et quand a elle été prise ? Par qui ?
- Qui peut-on voir sur la photo ?

> **Description de la photo**
> En haut / en bas / au milieu
> à l'arrière-plan / au premier plan
> derrière / devant
> à gauche / à droite
> ici / là / à côté de

# 2 La lettre formelle : demande de renseignements

Remember the formal letter requires attention to layout and language. Detailed advice can be found on pages 114–16.

## Le vocabulaire

### Introduction

Nous avons l'intention de visiter votre ville prochainement et …

Nous passerons dans / nous traverserons votre région dans un mois.

Merci de m'envoyer la brochure des gîtes et campings de votre région.

### Points principaux

Pourriez-vous me recommander un bon hôtel (trois étoiles / bon marché) / un gîte rural / un camping au calme / une auberge de jeunesse ?

Est-ce que vous organisez des excursions / des visites guidées ?

Qu'est-ce qu'il y a à voir et à faire dans la ville et dans les environs ?

Auriez-vous un programme d'activités estivales (*summer activities*) ?

Vous seriez aimable de m'envoyer une documentation complète à propos de vacances à la neige.

Je vous serais reconnaissant(e) de m'envoyer :

- une carte de la région / un plan de la ville
- une liste des monuments importants
- les horaires des trains et des autobus
- des dépliants
- une liste des hôtels / terrains de camping / auberges de jeunesse / gîtes ruraux / appartements à louer / agences de location de voitures / de skis
- une liste des monuments à visiter / des sites touristiques.

Je vous écris de la part de ma famille / de mes amis et moi / de mes voisins.

Je voudrais savoir s'il y a un tarif réduit pour les familles nombreuses / les personnes âgées / les étudiants.

### Conclusion

Je vous serais reconnaissant(e) de bien vouloir m'envoyer une réponse le plus vite possible.

Merci d'avance / Je vous remercie de votre aide.

### Formule de politesse

*A suitable ending for a formal letter must be used.*

- Veuillez agréer, Madame/Monsieur, l'expression de mes sentiments distingués.
- Veuillez accepter, Madame/Monsieur, mes sincères salutations.

**Exercice 1**

You are Eoin/Martha Ryan, Seafield Road, Co. Galway, Ireland. You write to the Tourist Office in Carcassonne.

In your letter:

- say that your family will be visiting the area during the summer holidays
- ask them to send you a list of hotels close to the city centre
- ask about tourist attractions in the region and activities for families
- ask them to send you a list of car-rental agencies
- ask how far the airport is from Carcassonne.

# 3 La lettre formelle : demande de réservation

## Le vocabulaire

**Introduction**

Je vous écris afin de réserver un emplacement dans votre terrain de camping.

Je voudrais réserver une chambre pour une personne / pour deux personnes / pour une famille dans votre hôtel.

**Points principaux**

Nous comptons rester dix nuits, à savoir du 7 au 17 juillet.

Nous serons quatre, dont deux adultes et deux enfants.

Nous viendrons avec une caravane / une tente / un camping-car.

Acceptez-vous les chiens ?

Est-ce que nous devons réserver à l'avance ?

Est-ce que je dois verser des arrhes (*a deposit*) ?

Nous voudrions un emplacement tranquille / en retrait / à l'ombre / ombragé / loin de la route.

Est-ce que vous avez ...

- une laverie automatique
- un terrain de jeux
- un petit magasin
- un restaurant
- une piscine
- des terrains de sport
- des activités organisées pour les enfants
- des chambres avec vue sur la mer / au rez-de-chaussée
- des chambres avec balcon
- un restaurant extérieur ?

→

| |
|---|
| Est-ce que vous vendez du matériel de camping ? |
| Votre terrain de camping se trouve à quelle distance de la plage ? Du centre-ville ? |
| À combien de kilomètres se trouve la ville la plus proche ? |
| Faites-vous la demi-pension ? La pension complète ? |
| Quel est le tarif pour une chambre simple ? Une chambre double ? |
| Le petit déjeuner est-il inclus / compris ? |
| Faites-vous des réductions pour les familles ? |
| Acceptez-vous les réservations par courriel ? |

## Conclusion

| |
|---|
| Je vous serais reconnaissant(e) de bien vouloir m'envoyer une réponse le plus vite possible. |
| Est-ce que vous pouvez confirmer ma réservation ? |
| Merci d'avance / Je vous remercie de votre aide. |

## Formule de politesse

*A suitable ending for a formal letter must be used.*

- Veuillez agréer, Madame/Monsieur, l'expression de mes sentiments distingués.
- Veuillez accepter, Madame/Monsieur, mes sincères salutations.

## Entraînez-vous pour le bac !

### Exercice 2

Your name is Micheal/Clara McGuire and your address is The Old Lodge, Kells, Ireland. Send a letter to La Direction, Hôtel Le Guilhem, rue Jean-Jacques Rousseau, 34000 Montpellier, France.

In your letter:

- remind the manager that you made a reservation three months ago by email
- confirm that you booked two bedrooms, both en-suite
- confirm that you will arrive on 15 July, but you now have to leave on 22 July, not on 24 July as originally planned.
- ask if it is possible to hire a car for 22 July
- confirm that you will have breakfast and dinner at the hotel.

# 4 La lettre formelle : demande de réclamation

## Le vocabulaire

### Introduction : quand ?

J'ai séjourné dans votre hôtel / terrain de camping du … au …

J'étais de passage dans votre ville …

J'ai loué une caravane / un gîte / deux chambres

Pendant les grandes vacances / les vacances de Noël / le week-end du …

### Plaintes et dédommagement

Je regrette de vous informer que je ne suis pas du tout satisfait(e) de mon séjour.

Je regrette de vous informer que je ne suis pas satisfait(e) de cet article (*this item*) / ce produit.

Je vous serais très reconnaissant(e) de le/la remplacer / me rembourser / m'en envoyer un(e) autre.

Il/elle a coûté … euros

Veuillez trouver ci-joint le ticket de caisse / le reçu de ma carte bancaire / le certificat de garantie.

**Un achat**

J'ai acheté un(e) … dans votre magasin.

Quand je suis rentré(e) en Irlande / chez moi, j'ai découvert qu'il/elle …

- était défectueux(-euse)
- ne marchait pas
- était taché(e) / était déchiré(e) / avait un trou
- était rayé(e) / cassé(e) / décoloré(e).

### Problèmes à l'hôtel / au camping / en maison de vacances

Les chambres étaient petites / sales / inconfortables / mal chauffées.

Le frigidaire / la cuisinière / l'éclairage / la télé / la climatisation ne marchait pas.

L'hôtel était trop bruyant. / Il y avait trop de bruit.

La nourriture était mauvaise / dégoûtante / n'était pas variée.

Il n'y avait pas de plats pour les végétariens.

Nous étions trop loin de la plage / de la ville / des magasins.

Le personnel n'était pas (très) poli/aimable/serviable.

### Conclusion

En l'occurrence, je voudrais être remboursé(e).

J'ai le regret de vous demander un dédommagement.

Je vous serais reconnaissant(e) de bien vouloir me dédommager.

Je vous remercie à l'avance de votre compréhension.

### Formule de politesse

*A suitable ending for a formal letter must be used.*

- Veuillez agréer, Madame/Monsieur, l'expression de mes sentiments distingués.
- Veuillez accepter, Madame/Monsieur, mes sincères salutations.

**Exercice 3**

You are Ciaran/Ciara O'Leary. Your address is 17 Kennedy Avenue, Carlow, Ireland. You send a letter of complaint to the manager of Restaurant Le Giesberg, 46 rue Grande, 68150 Ribeauville, France.

In your letter, you:

- tell the manager that you visited the restaurant with your family two weeks ago
- complain about how rude one of the waiters was to you (and describe him/her)
- say that the service was slow, as you had to wait for half an hour to get dessert
- say that the bill was too high for the quality of the meal
- say that you hope that the restaurant will improve its service for future customers.

# Grammaire

## 1 Le plus-que-parfait

Le **plus-que-parfait** is formed by putting together the **imparfait** of **avoir** or **être** plus the past participle of the action verb. Look at the three forms below.

| avoir + participe passé | être + participe passé | être + verbe pronominal |
|---|---|---|
| j'avais écouté | j'étais sorti(e) | je m'étais levé(e) |
| tu avais écouté | tu étais sorti(e) | tu t'étais levé(e) |
| il/elle/on avait écouté | il/elle/on était sorti(e) | il/elle/on s'était levé(e) |
| nous avions écouté | nous étions sorti(e)s | nous nous étions levé(e)s |
| vous aviez écouté | vous étiez sorti(e)(s) | vous vous étiez levé(e)(s) |
| ils/elles avaient écouté | ils/elles étaient sorti(e)s | ils/elles s'étaient levé(e)s |

All the rules of agreement (of gender and number) that apply for le **passé composé** also apply for le **plus-que-parfait**.

**Exemples :** J'avais interdit aux enfants de regarder la télé si tard.

Olivia n'était pas restée chez moi toute la soirée.

Les enfants s'étaient bien amusés pendant leurs vacances.

Les filles s'étaient levées plus tôt que les garçons.

Le **plus-que-parfait** is used to describe an event that happened before another more recent past event. It conveys the idea of what someone had done before doing something else or before another thing happened.

**Exemples :** Juliette était allée au Japon deux mois avant son frère.
(*Juliette had gone to Japan two months before her brother.*)

Avant d'aller au cinéma, Pierre avait pris une douche.
(*Before going to the cinema, Pierre had taken a shower.*)

Lisa s'était cassé le bras juste avant son mariage.
(*Lisa had broken her arm just before her wedding.*)

The most frequent use of **le plus-que-parfait** is in reported speech (i.e. when relating something someone said, did or saw when the introductory verb is in the past).

**Exemple :** « Je suis allé au cinéma avec ma copine. Nous avons vu un film d'action et ensuite nous avons mangé dans un restaurant chinois. » (*Statement*)

Il a dit qu'il était allé au cinéma avec sa copine, qu'ils avaient vu un film et qu'ensuite ils avaient mangé dans un restaurant chinois. (*Reported speech*)

Finally, the **si + plus-que-parfait + conditionnel passé** construction is used to express a hypothetical situation which is irreversible.

**Exemple :** Si j'avais su (**plus-que-parfait**), je serais allé(e) (**conditionnel passé**) à Paris avec toi. (*If I had known, I would have gone to Paris with you.*)

## Exercice 4

**Write the following sentences in your copy, putting the verbs in brackets into le plus-que-parfait.**

1 Elle était fâchée parce qu'il (rentrer) un peu tard.

2 Je (préparer) tous les bagages deux jours avant de partir.

3 Tu (annuler) ton vol pour Paris sans lui dire ?

4 Il a expliqué aux ambulanciers comment ça (se passer).

5 Il lui a dit qu'elles (partir) dans la nuit.

6 Quand j'ai finalement ouvert la porte, le chat (disparaître).

7 Elle m'a dit qu'elle (recevoir) plein de cadeaux pour son anniversaire.

8 Vous m'avez dit que vous me (envoyer) un mél il y a deux jours.

9 Il fallait bien admettre que nous (avoir) très peur.

10 Elle (ne pas réaliser) que tu étais malade pendant tout ce temps.

## Exercice 5

**Write the following sentences in your copy, using the correct form of the verbs in brackets.**

1 Si elle (attendre) juste dix minutes, elle aurait vu Michel.

2 S'il (faire) beau, on aurait pu aller à la pêche !

3 Si tu (vouloir) travailler cet été, tu aurais pu gagner un peu d'argent.

4 Si vous (pluriel/féminin) (arriver) avec nous, vous auriez vu le feu d'artifice !

5 Si j'(avoir) le temps, je serais allé(e) voir une exposition de peinture.

6 Si on (prendre) l'autoroute, on serait tombé dans les bouchons !

7 Elles ne se seraient pas perdues si elles (demander) leur chemin !

8 Nous aurions réservé une table, si nous (savoir) que c'était complet.

When using **depuis** to say how long you had been doing something for, in French you use l'imparfait, whereas in English you would use the pluperfect.

**Exemple :**  J'attendais à la maison depuis vingt minutes quand il est finalement arrivé.
(*I had been waiting at home for twenty minutes when he finally arrived.*)

# 2 Le conditionnel passé

Le **conditionnel passé** is formed by putting together the conditional present of **avoir** or **être** plus the past participle. Look at the three forms below.

| avoir + participe passé | être + participe passé | être + verbe pronominal |
|---|---|---|
| j'aurais écouté | je serais allé(e) | je me serais levé(e) |
| tu aurais écouté | tu serais allé(e) | tu te serais levé(e) |
| il/elle/on aurait écouté | il/elle/on serait allé(e) | il/elle/on se serait levé(e) |
| nous aurions écouté | nous serions allé(e)s | nous nous serions levé(e)s |
| vous auriez écouté | vous seriez allé(e)(s) | vous vous seriez levé(e)(s) |
| ils/elles auraient écouté | ils/elles seraient allé(e)s | ils/elles se seraient levé(e)s |

All the rules for the **passé composé** agreements apply here too.

**Exemples :**  Julie serait partie en Écosse faire des recherches pour sa thèse.
S'ils avaient su, ils se seraient levés plus tôt.

Le **conditionnel passé** is used just like the English conditional perfect to express actions that would have occurred (**conditionnel passé**) in the past if circumstances had been (**plus-que-parfait**) different.

**Exemples :**  Si tu avais étudié, **tu aurais eu** ton bac.
(Hypothesis: *If you had studied, you would have passed your bac.*)
Si nous avions vu l'accident, **nous aurions aidé** la police.
(Hypothesis: *If we had seen the accident, we would have helped the police.*)

Le **conditionnel passé** can also be used in a sentence where the condition is only implied.

**Exemple :**  À ta place, je ne l'aurais pas fait. (*If I were you, I wouldn't have done it.*)
Ils auraient dû prendre l'autoroute ! (*They should have taken the motorway!*)

It can be used to express an unrealised desire in the past.

**Exemple :**  J'aurais voulu venir, mais ma voiture est tombée en panne.
(*I would have liked to come but my car broke down.*)

It can also be used to report an uncertain / unconfirmed fact / event, especially in the news.

**Exemple :**  D'après l'agence Reuters, il y aurait eu une explosion dans la capitale.
(*According to Reuters news agency, there was an explosion in the capital.*)

## Exercice 6

**Complete the following sentences using either être or avoir in the correct form of the conditional.**

1 Il y ....... eu une explosion dans le laboratoire pharmaceutique, incroyable !

2 Est-ce que vous ....... venu aux urgences avec moi ?

3 Tu les connais. Ils n'....... pas voulu de cadeaux de noces.

4 Je pense qu'elles n'....... pas pris de risques en voiture.

5 Nous ....... dû  téléphoner à ta mère pour la rassurer.

6 Je ....... arrivé plus tôt sans toute cette circulation en ville.

## Exercice 7

**Put the verbs in brackets into le conditionnel passé.**

1 S'il avait trouvé mon mot, il me (appeler) tout de suite.

2 D'après la météo, il y (avoir) des inondations dans la région de Lens.

3 À ta place, je ne lui (demander) pas son adresse mél !

4 Elle est malade : elle (aller) dans un restaurant qui a mauvaise réputation.

5 Il (conseiller) de repousser le rendez-vous à la semaine prochaine.

6 Tu as froid ? Tu (pouvoir) me demander un pull!

7 Si vous nous l'aviez dit, nous (venir) vous aider.

8 Nous (préférer) ne pas vous en parler.

# 3 Les pronoms adverbiaux (y / en)

## Le pronom y

The pronoun y refers to places, things and people that have been mentioned previously in a sentence, text or conversation.

### Places

The pronoun y replaces the preposition à + noun. The preposition à may take various forms depending on the gender and number of the noun.

> - à + feminine noun   →   à la
> - à + noun beginning with a vowel or silent h   →   à l'
> - à + masculine noun   →   au
> - à + plural noun   →   aux

**Exemples :**   Je vais en voyage scolaire <u>à Paris</u>.   →   J'y vais en voyage scolaire.

Il part <u>au cinéma</u> avec Paul dans deux minutes.   →   Il **y** part avec Paul dans deux minutes.

Elle va <u>à la piscine</u> tous les samedis.   →   Elle **y** va tous les samedis.

Nous partons <u>aux États-Unis</u> en juillet.   →   Nous **y** partons en juillet.

## Things or people

**Y** can also be used with verbs followed by **à** (and its different forms), such as:

- penser à (*to think about*)
- faire attention à (*to pay attention to*)
- s'habituer à (*to get used to*)
- arriver à (*to manage to*)
- s'intéresser à (*to have an interest in*)
- jouer à (*to play*)
- participer à (*to take part in*).

| **Exemples :** | Je m'intéresse à l'équitation depuis toujours. |
| --- | --- |
| | → Je m'**y** intéresse depuis toujours. |
| | Il pense à ses enfants jour et nuit. → Il **y** pense jour et nuit. |

## Other points to note

- With a positive imperative, the pronoun **y** goes after the verb and is joined by a hyphen.

| **Exemples :** | Allez-**y** ! |
| --- | --- |
| | Pensez-**y** ! |

- But with a negative imperative, **y** goes in front of the verb.

| **Exemples :** | N'**y** allez pas ! |
| --- | --- |
| | N'**y** pensez pas ! |

- With a compound tense (such as **le passé composé**), the pronoun goes directly before the auxiliary verbs **être** or **avoir**.

| **Exemple :** | Avez-vous pensé à finir les exercices ? Oui, j'**y** ai pensé. |
| --- | --- |

- When using two verbs, if the second one is in the infinitive form, the pronoun **y** goes before the second verb.

| **Exemple :** | Elle veut aller à *Disneyland Paris* à Pâques ? Oui, elle veut **y** aller avec l'école. |
| --- | --- |

### Exercice 8

**Answer these questions in the affirmative or in the negative and replace the words underlined.**

1 Voulez-vous aller à Berlin? Oui, …
2 Est-ce que tu joues souvent <u>au tennis</u> ? Oui, …
3 Vous pensez toujours <u>à son accident de moto</u>, n'est-ce pas? Non, …
4 Ont-ils participé <u>à notre nouveau jeu</u> ? Oui, …
5 Vous êtes déjà allées <u>en Turquie</u> pour les vacances ? Non, …
6 Tu t'intéresses un peu <u>aux Jeux olympiques</u> ? Oui, …
7 Est-ce qu'on se rejoint directement <u>au restaurant</u> ? Oui, …
8 Elle s'est habituée <u>à conduire à gauche</u> tout de suite ? Non, …
9 Tu n'es jamais allé <u>chez Dimitri</u> ? Non, …
10 Faites-vous attention <u>au carrefour</u> ? Oui, …

## Le pronom en

The pronoun **en** refers to a quantity, a thing or a person that has been mentioned before in a sentence, text or conversation.

### Quantity

The pronoun **en** replaces the preposition **de** + noun. The preposition **de** may take various forms depending on the gender and number of the noun: **de la** (fem.), **du** (masc.), **de l'** (in front of a vowel or silent h) and **des** (plural), so make sure you can spot it in the sentence.

**Exemples :** Vous voulez du chocolat ? Oui, j'**en** veux.

Est-ce que tu as de l'argent pour acheter les tickets ? Oui, j'**en** ai.

Est-ce que tu as acheté des fruits ? Oui, j'**en** ai acheté.

Tu penses qu'il donne trop de détails dans ses copies ? Oui il **en** donne trop.

### Things or people

**En** can also be used with verbs followed by **de** (and its different forms), such as:

- s'occuper de (*to look after*)
- avoir besoin de (*to need*)
- se souvenir de (*to remember*)
- avoir envie de (*to want*)
- parler de (*to talk about*)
- se servir de (*to use*)
- se moquer de (*to mock someone*)
- être fier de (*to be proud of*).

**Exemples :** Il se moque de mes idées.  →  Il s'**en** moque.

Elle parle de sa sœur à son copain.  →  Elle **en** parle à son copain.

As-tu besoin de la voiture pour ce soir ? Oui, j'**en** ai besoin.

### Other points to note

- With a positive imperative, the pronoun **en** goes after the verb and is joined by a hyphen.

**Exemples :** Prends-en ! (*Take some!*)

Parles-en à tes parents ! (*Talk to your parents about it!*)

- But with a negative imperative, **en** goes in front of the verb.

**Exemples :** N'**en** prends pas !

N'**en** parle pas à tes parents !

- With a compound tense (such as **le passé composé**), the pronoun goes directly before the auxiliary verbs **être** or **avoir**.

**Exemple :** Avez-vous pris du gâteau au chocolat ? Oui, j'**en** ai pris. Merci.

- Where there are two indirect pronouns, **en** will always come last.

**Exemple :** Parlons-lui-en.

- When using two verbs, if the second one is in the infinitive form, the pronoun **en** goes before the second verb.

**Exemple :** Tu veux acheter de la glace pour le dessert ? Oui, je veux **en** acheter.

Note : Unlike the direct pronouns **le**, **la** and **les**, there is no agreement of the past participles when **y** and **en** are placed in front of them.

**Exemples:**
| |
|---|
| Elle a repensé à ses vacances en France ? Oui, elle **y** a repensé. |
| Ils ont bu deux verres de vin au total. Ils **en** ont bu deux verres au total. |

As we have seen in Module B, normally the final **s** in the **tu** form of **-er** verbs for the imperative is dropped. However, for pronunciation purposes, when **y** and **en** are used the **s** of the **tu** form is **not** dropped from regular **-er** verbs and a few irregular **-er** verbs, such as **aller**, as well as from some irregular **-ir** verbs such as **offrir** and **ouvrir**. The **s** is both written and pronounced in these cases.

**Exemples :**
| |
|---|
| Achète**s-en** un peu. |
| Vas-**y** ce soir. |
| Offre**s-en** une boîte. |

**Exercice 9**

### Answer these questions as indicated, replacing the words underlined.

1 Vous aimeriez reprendre un peu de poisson ? Oui, …
2 Est-ce qu'elle s'occupe de ton chat quand tu pars en vacances ? Oui, …
3 Il se souvient de ses voisins Belges? Non, …
4 Tu as besoin de fruits et légumes au marché ? Oui …
5 Elle a beaucoup d'amis sur Facebook ? Non, …
6 Ta mère a préparé des gâteaux pour ton anniversaire ? Non, …
7 J'ai une peur bleue des souris et toi ? Oui, …
8 Vous faites de l'athlétisme dans ton lycée ? Non, …
9 Tu recherches du travail dans la restauration ? Oui, …
10 Ils se moquent de son petit frère ? Non, …

## 4 Les prépositions de lieu

Prepositions used with places take different forms in French.

### Les prépositions avec les pays

Almost all countries end in e in French and are feminine. These are always preceded by the preposition **en**. Countries ending in all other letters are masculine.

| | | To/In | | From |
|---|---|---|---|---|
| **Masculine** | au | Je vais **au** Canada. | du | Je suis **du** Canada. |
| **Feminine** | en | Elle habite **en** France. | de/d' | Elle vient **de** France. |
| **Masc. starting with a vowel** | | Le conflit **en** Irak. | | Les journalistes reviennent d'Irak. |
| **Plural** | aux | Il va **aux** États-Unis. | des | Il arrive **des** États-Unis. |

> Quelques exceptions :
>
> - le Mexique, le Mozambique, le Cambodge → **au** Mexique, **au** Mozambique, **au** Cambodge
> - **à** + Ibiza / Cuba / Chypre / Malte

## Les prépositions avec les lieux communs

|  | To/In |  | From |  |
|---|---|---|---|---|
| **Masculine** | au | Je vais **au** cinéma. | du | Je reviens **du** cinéma. |
| **Feminine** | à la / à l' | Elle travaille **à la** piscine. | de la / de l' | Elle arrive **de la** piscine. |
| **Plural** | aux | Il va **aux** toilettes. | des | Il revient **des** toilettes. |

To indicate that you are going to someone's place, use **chez**.

**Exemple :** Elle va **chez** sa copine / **chez** le docteur / **chez** le boucher.

## Les prépositions avec les villes, les continents, les régions etc.

|  | To / In |  | From |  |
|---|---|---|---|---|
| **Towns have no gender!** | à | Je vais à Bordeaux. | d/d' | Je reviens **de** Dingle. |

- With continents, it is more common to use **en**.

**Exemple :** en Asie, en Afrique

- **En** is also used in front of names of French regions.

**Exemple :** Nous avons fait du camping **en** Bretagne, **en** Auvergne.

- **Dans** is used in front of names of most counties, *départements*, and Irish provinces. It is also used with a definite article.

**Exemples :** Nous serons **dans** le Lot-et-Garonne mi-juillet.
Vous faites souvent des randonnées **dans** le Wicklow / le Kerry / le Donegal ?

**Complete the sentences using the correct preposition.**

1 Elle a passé une partie de l'été ....... les Cévennes.

2 Nous venons tous ....... Afrique du Sud.

3 Si je suis muté, je pense déménager ....... Portugal avant la fin de l'année.

4 C'est où exactement Anvers ? ....... Belgique.

5 Pour Noël, nous allons souvent ....... York pour voir ma grand-mère.

6 Je voudrais faire une année Erasmus ....... Pays-Bas.

7 Elles habitent toujours ....... le Lubéron ?

8 Tu aimerais venir avec nous ....... restaurant jeudi soir ?

9 Elle revient ....... sa pause dans dix minutes.

10 Il a rendez-vous ....... le coiffeur cet après-midi à 15h00.

# 5 Le pronom interrogatif : lequel

**Lequel** (usually means 'which one(s)') is a pronoun. Like **quel**, it agrees in gender and number with the noun it replaces.

|  | Singular | Plural |
|---|---|---|
| **Masculine** | lequel | lesquels |
| **Feminine** | laquelle | lesquelles |

Like the definite articles **le** and **les**, **lequel** and its plural forms contract with the prepositions **à** and **de**, and means: to which / whom, of which / whom.

**Exemples :**

| à + lequel | | |
|---|---|---|
|  | Singular | Plural |
| **Masculine** | auquel | auxquels |
| **Feminine** | à laquelle | auxquelles |

| de + lequel | | |
|---|---|---|
|  | Singular | Plural |
| **Masculine** | duquel | desquels |
| **Feminine** | de laquelle | desquelles |

In spoken French **auquel** / **à laquelle** (when referring to a person) is more often replaced with **à qui**.

**Exemple :** Le garçon **auquel** j'ai parlé. = Le garçon **à qui** j'ai parlé. (spoken French)

To revise the use of **lequel** as a relative pronoun, see pp. 363–64.

**Lequel** can be either an interrogative pronoun or a relative pronoun.

As an interrogative pronoun, **lequel** replaces **quel** + the noun.

**Exemples :**

| | | |
|---|---|---|
| Quel livre veux-tu ? | → | **Lequel** veux-tu ? |
| Je voudrais les pommes là-bas, s'il vous plaît. | → | **Lesquelles** ? |
| De quels enfants parlait-il ? | → | **Desquels** parlait-il? |
| À quel film pensez-vous exactement ? | → | **Auquel** pensez-vous exactement ? |

### Exercice 11

**Find the right form of lequel for each of these sentences.**

1 – Elle aimerait bien acheter ces boucles d'oreilles.

– ....... ?

2 – Je peux voir le sac en vitrine, s'il vous plaît ?

– ....... ?

3 Tu hésitais pour réserver une maison de vacances. Tu as choisi ....... finalement ?

4 Vous souhaitez garder ....... de ces documents ?

5 Nous pensons rendre visite à notre fille.

– Ah oui ? ....... ?

6 – Tu as le même téléphone que moi !

– ....... est le tien ?

7 – Ils ont demandé aux employés d'annuler la grève.

– ....... ont-ils demandé ça ?

8 – Elles regardent les émissions de télé-réalité tout le temps !

– ....... ?

9 Je ne sais pas ....... de ces livres je vais lire en premier.

10 – Il posait toujours les mêmes questions.

– ....... étaient les plus amusantes ?

### Ressources supplémentaires en ligne

Consultez le site **www.edco.ie/mosaique** pour tester plus amplement vos connaissances et pratiquer votre français en utilisant les ressources suivantes :

- activités auditives interactives
- activités grammaticales interactives
- entretiens sous forme de vidéos, avec fiches pédagogiques correspondantes.

# MODULE E
## Notre monde

## Table des matières

# L'Irlande

## 1 Images d'Irlande

 **1.1** Répondez oralement aux questions ci-dessous et notez vos réponses dans vos cahiers.

**1** Pour vous, ça veut dire quoi être irlandais ?

**2** D'après vous, qu'est-ce qui est le plus représentatif de la culture irlandaise (une personne ou un phénomène, évènement, etc.) ?

**3** L'Irlande est-elle un pays vraiment unique ? Pourquoi ? / Pourquoi pas ?

**4** Aimeriez-vous habiter ailleurs qu'en Irlande ? Donnez des détails.

 **1.2** Voici quelques clichés à propos des Irlandais. Qu'en pensez-vous ? En connaissez-vous d'autres ?

**1** Les Irlandais aiment faire la fête.

**2** Ils ont une attitude tolérante.

**3** Ils sont toujours en retard aux rendez-vous.

**4** Beaucoup ont le teint clair, des taches de rousseur et les cheveux roux.

**5** Ils mangent des pommes de terre tous les jours.

**6** Ce sont de vrais blagueurs et adorent raconter des histoires.

**7** Ce sont de bons musiciens et chanteurs.

**1.3** Écoutez puis remplissez les blancs avec les mots que vous entendez. Notez vos réponses dans votre cahier.

1 Depuis son (a) ....... en 2009, plus de 5 millions de vélos en libre-service ont été (b) ....... à Dublin.

2 Facebook est (c) ....... par 53% de la population irlandaise, soit un nombre d'utilisateurs 3,5 fois supérieur à celui de Twitter.

3 (d) ....... : c'est l'estimation du nombre de sans-abris en Irlande de nos jours.

4 47% des Irlandais pratiquent un sport (e) ....... .

5 Plus de 45 000 étudiants (f) ....... chaque année en première année à l'université, soit une (g) ....... de 22% par rapport à l'année 2000.

6 (h) ....... d'Irlandais voyagent dans un autre pays européen pour leurs vacances, les États-Unis étant leur (i) ....... destination préférée.

7 Le Pacte de Civil a été (j) ....... en Irlande en 2010.

**1.4** Écoutez ce reportage paru dans *Le Monde* concernant l'émigration récente des jeunes Irlandais. Répondez aux questions ci-dessous dans votre cahier.

### Section 1

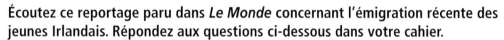

1 Tom Walsh works in a communications agency in Dublin. True or false?

2 Where does his sister Anna live?

3 Why did he decide to stay in Ireland? (Two points)

4 Why did the Department for employment contact young people?

5 What did Tom and his friends create?

### Section 2

6 According to Kaye, why is Irish emigration different this time? (Two points)

7 It is quite busy in Moynihan's pub. True or false?

8 Where did Tommy Dwyer's children emigrate to?

9 What comment does he make about Skype?

10 What type of work does Ciara do?

Module E **1** L'Irlande

**1.5** Répondez oralement aux questions qui suivent.

1 Connaissez-vous une personne dans votre entourage qui a émigré récemment ?

2 Pourquoi cette personne a-t-elle décidé de partir ?

3 Seriez-vous prêt(e) à faire de même ? Donnez des détails.

4 Si oui, auriez-vous le mal du pays ? Pourquoi ? / Pourquoi pas ?

**Consultez** l'aide-mémoire

Pour le passé composé, voir pp. 123–27 ; pour le conditionnel présent, voir pp. 187–88 ; pour le plus-que-parfait, voir pp. 249–51.

 **1.6** Lisez les commentaires suivants donnés par des Français ayant visité ou souhaitant visiter l'Irlande, puis donnez votre réaction à l'un d'eux à l'écrit. (*75 mots environ*)

Irlande … Laissez-vous emporter

Hier à 11.45 ·

Vous connaissez L'Irlande ? Venez vous–y évader …

 **Léa** L'Irlande n'a plus de secret pour nous ! Des paysages magnifiques ! C'est la cinquième fois que nous y allons et sûrement pas la dernière. Les Irlandais sont de vrais fêtards !

 **Cendrine** Je suis allée en Irlande l'été dernier : un des plus beaux voyages de ma vie. Vivement recommandé, surtout pour ceux qui aiment la musique.

 **Enzo** J'y retourne l'année prochaine ! Je suis accro à ce magnifique pays, à l'accueil si chaleureux de ses habitants, aux paysages grandioses … C'est bien dommage : il pleut assez souvent.

 **Tom** Vivement que j'apprenne l'anglais et que je saute dans l'avion direction l'Irlande. Je rêve d'y aller depuis que je suis petit ! Mon arrière-grand-père était irlandais. J'espère trouver plus d'informations sur mes origines celtes.

# 2 Portraits d'Irlandais

© Kevin Abosch

**2.1** Par groupes de deux ou trois, répondez aux questions suivantes.

1 Qui, pour vous, représente le mieux l'Irlande à l'étranger ? Et ici en Irlande ?

2 Pourquoi admirez-vous cette personne ?

3 Dans quel domaine s'est-il/elle fait(e) remarquer ?

4 Dans votre entourage, y a-t-il une personne qui vous inspire en tant qu'Irlandais(e)? Pourquoi ?

5 La galerie de portraits de Kevin Abosch exposés au terminal deux à l'aéroport de Dublin est-elle représentative de l'Irlande ? Expliquez.

**2.2** Par groupes de deux ou trois, présentez à l'écrit votre héros/héroïne irlandais(e).

Mentionnez les détails suivants à propos de cette personne :

- nom
- âge
- profession
- qualités
- action héroïque
- raisons de votre admiration.

## Phrases utiles

| | |
|---|---|
| Mon héros/héroïne, c'est … | Ses plus grandes qualités sont … |
| Il/elle est connu(e) pour … | Il/elle lutte contre … |
| Ce que j'admire le plus chez lui/elle, c'est … | Il/elle s'engage dans … |
| Je trouve qu'il/elle a l'air de … | Il/elle me donne envie de … (+ *infinitif*) |

**2.3** Lisez le texte puis dites si les affirmations qui suivent sont vraies ou fausses. Justifiez vos réponses.

## Michael O'Leary

Tonitruant,* jamais avare de formules chocs, Michael O'Leary ne fait pas dans la nuance. La gestion des aéroports français obéirait selon lui à « un modèle communiste où chacun doit payer les mêmes taxes ». Le PDG* de Ryanair n'aime pas les impôts ni les taxes. Rien

d'étonnant, car le dirigeant de la compagnie *low cost* est d'abord un homme de chiffres. À sa sortie de l'université, il s'est spécialisé dans le système fiscal irlandais. Consultant, il rencontre Tony Ryan, le fondateur de Ryanair qui n'était alors qu'une compagnie régionale. À mesure que ce dernier se retire des affaires, Michael O'Leary prend son envol. Il devient le PDG en 1994 et met le cap sur le *low cost*. Moins de dix ans plus tard, le magazine américain *Fortune* lui décerne le titre de manager

européen de l'année 2001. Mais son succès reste contesté. Son goût pour l'optimisation sociale n'est pas en faveur des salariés. Aux attaques, ce quinquagénaire répond par des provocations. Récemment, il envisageait de supprimer les toilettes à bord, après avoir voulu réduire le nombre de pilotes. Son nouveau projet ? Des liaisons transatlantiques, assis ou debout, avec toilettes ou sans … Qu'importe, pourvu qu'on en parle !

© *L'Usine Nouvelle*, 2013

## Lexique

*tonitruant : personne qui crie beaucoup, dont la voix produit un bruit énorme

PDG = Président-directeur général (*CEO*)

**Vrai ou faux ?**

**1** Michael O'Leary aime choquer les gens pour se faire remarquer.

**2** Il est en faveur de l'égalité de tous vis-à-vis des taxes : tout le monde doit payer la même chose.

**3** Après l'université, il a travaillé au ministère des finances.

**4** À ses débuts, Ryanair n'était pas une compagnie nationale.

**5** Tout le monde n'apprécie pas le succès de Michael O'Leary.

**6** Récemment, il a eu l'intention de diminuer le nombre des hôtesses de l'air.

  **Écoutez les extraits suivants sur Saoirse Ronan et Kodaline, puis répondez aux questions dans votre cahier.**

### Saoirse Ronan

**1** Where did Saoirse Ronan grow up?

**2** Where did she go to school?

**3** At what age did she begin acting?

**4** What happened in 2007?

**5** Saoirse has a younger brother. True or false?

**6** What does she say about her dog Sassy?

**7** What campaign was she involved in in 2012?

### Kodaline

**8** How did Steve Garrigan and Mark Prendergast meet?

**9** What do they have in common with the two other band members?

**10** What kind of recognition did they get in 2007?

**11** When did they adopt the name Kodaline?

**12** What were they also doing while recording their debut album?

**13** How long did it take them to record it?

**14** What prize(s) did they receive in 2013?

**2.5** **Lisez ce reportage réalisé lors du passage de One Direction en Australie.**

**1** Le 23 octobre. Il est quatorze heures. Le thermomètre flirte avec les 35 degrés ! Pourtant, des centaines de filles au visage cramé\* par le soleil attendent devant l'hôtel Sheraton où Harry Styles, Zayn Malik, Louis Tomlison, Niall Horan et Liam Payne vont séjourner le temps de leur passage en Australie […]. En apercevant le véhicule, elles hurlent et

agitent leurs smartphones. La folie One D, c'est ça ! 24h sur 24, 7 jours sur 7. S'ils ont conscience de la chance d'avoir un tel succès, Liam me confie que ce n'est pas facile tous les jours.

« C'est dur de se balader incognito. À partir du moment où une personne nous reconnaît et qu'elle sort son portable, on sait qu'on a quinze minutes avant d'être complètement entouré ». Tout de suite, je comprends pourquoi ils considèrent leur bus de tournée comme un refuge. Dans les 32 m² du véhicule, c'est une sacrée pagaille. Une X-Box par-ci, un ordinateur par-là […] et même de vieilles chaussettes jonchent le sol, preuve que les cinq superstars sont avant tout des garçons de vingt ans comme les autres ! « C'est assez surréaliste tout ce qui se passe autour de nous », m'explique Liam.

**2** Une chose frappe quand on rencontre les One D pour de vrai : leur simplicité. Malgré des millions de fans, ils ont gardé les pieds sur terre. La preuve, le soir même en arrivant sur les lieux de leur concert. Une loge leur est réservée mais pas question de s'isoler. Harry se trimbale dans les couloirs en se mouchant et en reniflant à cause d'un terrible rhume des foins tandis que Liam joue dehors avec le fils du régisseur.\* Au même moment, Zayn vérifie le pansement de son nouveau tatouage tandis que Niall et Louis cherchent à manger. Des garçons carrément normaux ! Et pas du tout timides. Au cours de ces cinq jours, chacun a réussi à m'accorder un petit entretien en tête à tête malgré un emploi du temps chronométré. La notoriété, les filles, leurs débuts … Voici ce qu'ils m'ont confié … […]

**3** Niall : « Ce qui nous manque le plus ? Nos proches évidemment, mais aussi faire ce qu'on veut quand on veut ! Parfois, on arrive à décompresser dans un bar ou sur la plage avec certains membres de la sécurité qui sont devenus des amis. La dernière fois, Zayn a voulu aller se faire faire un tatouage sur la plage de Bondi Beach. On **y** est allé à deux heures du mat'. C'était génial : il n'y avait personne. C'était calme et le paysage était à couper le souffle ! »

© *Closer Teen*, décembre 2013 / janvier 2014, numéro 7

| Lexique | |
|---|---|
| cramé (*familier*) = brûlé | le régisseur = *a stage or studio manager* |

**Questions**

1 a Dans la première section, relevez une phrase qui indique qu'il fait très chaud.

  b D'après l'article, pourquoi les fans de One Direction crient-elles ? (Section 1)

2 a Selon la première section, Liam …

    i) a du mal à s'adapter à la célébrité

    ii) adore partager des moments avec les fans

    iii) aimerait pouvoir se promener sans être reconnu

    iv) passe en moyenne un quart d'heure sur son portable par jour.

  b Trouvez un synonyme de « désordre » (Section 1)

3 a Relevez une phrase qui montre que les membres du groupe sont restés réalistes malgré leur succès. (Section 2)

  b Comment sait-on que Harry est un peu malade ? (Section 2)

4 a Trouvez une expression qui indique que le groupe est très occupé. (Section 2)

  b D'après la troisième section, pourquoi Niall a-t-il apprécié de se balader très tôt le matin ?

5 À quoi se réfère le pronom « **y** » ? (Section 3)

6 The members of the band One Direction have managed to stay level-headed despite their celebrity status. Support this statement with reference to the article. (*50 words*)

 **2.6** **Votre ami(e) français(e) Karima/Dylan vous a envoyé un email pendant les vacances de Pâques. Il/elle vous demande de lui décrire ce que vous avez fait pendant vos dernières vacances.**

Reply to Karima/Dylan, making the following points:

- you spent your Easter holiday in London with your family
- you were really excited when you saw Gendry from the TV series *Game of Thrones* at the airport
- you are a fan of the series so you decided to ask the actor for an autograph
- some of the scenes from the series are filmed in Northern Ireland
- ask him/her if he/she would like to go on a film locations tour this summer when he/she visits. (*75 words*)

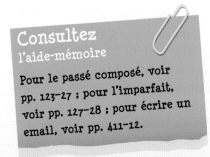

Consultez
l'aide-mémoire

Pour le passé composé, voir pp. 123–27 ; pour l'imparfait, voir pp. 127–28 ; pour écrire un email, voir pp. 411–12.

# La France

## 1 Images de France

**1.1** Répondez oralement aux questions suivantes et notez vos réponses dans vos cahiers.

1 Êtes-vous déjà allé(e) en France ? À quelle occasion ? Donnez des détails.

2 Quelles sont les principales différences culturelles avec votre pays ?

3 Les Français sont réputés pour être arrogants, élégants et ponctuels. Qu'en pensez-vous ?

4 Pour vous, qu'est-ce qui représente le mieux la France ?

5 Quel(le) Français(e) admirez-vous le plus ? Pourquoi ?

**Phrases utiles**

Pour moi, la France symbolise …

D'après moi, …

Je suis entièrement d'accord que …

Ce qui caractérise le mieux la France / les Français …

J'admire / j'adore …

Je suis inspiré(e) par …

**1.2a** Avant de regarder la vidéo de Cédric Villain, *Cliché ! La France vue de l'étranger*, répondez aux questions suivantes, par groupes de deux ou trois.

1. Quels sont les vêtements typiquement français ?
2. Où habitent la majorité des Français ?
3. Quels sont les aliments et les boissons favoris des Français ?
4. Dans quel domaine les Françaises sont-elles peu représentées ?
5. Quel est l'instrument de musique le plus populaire en France ?
6. Quelle fonction la tour Eiffel a-t-elle ?
7. Quelle réputation ont les chauffeurs de taxi et les serveurs ?
8. Quel est le sport de détente le plus populaire ?
9. Les Français considèrent certaines personnes célèbres comme étant Françaises. D'après vous lesquelles ?
10. Les Français sont connus pour quel type de manifestation ?

**1.2b** Trouvez l'équivalent français des mots suivants entendus dans le film :

1. stripes  2. horse meat  3. chips  4. garlic  5. to shave  6. in slow motion  7. human rights  8. that's it!

**1.2c** Dans la liste des adjectifs suivants, quels sont ceux qui correspondent le mieux à votre représentation des Français ? Pourquoi ?

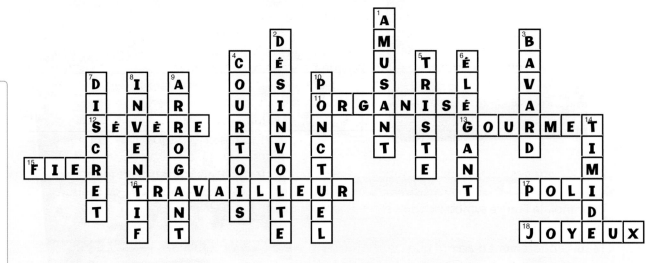

**1.2d** D'après vous, les stéréotypes reflètent-ils une part de réalité ? Expliquez.

**1.3** Lisez ce petit texte sur d'autres stéréotypes concernant les Français, puis trouvez les mots ou expressions correspondant aux définitions suivantes :

1 l'héritage commun d'un groupe

2 qui ne fait rien ou ne veut rien faire

3 jour de fête civile ou religieuse où on ne travaille pas

4 sans raison vraiment sérieuse

5 une personne qui n'aime pas dépenser son argent

6 un homme qui aime bien flirter

7 coûte que coûte

8 une personne qui vient d'un autre pays.

Les Français aiment la culture et plus particulièrement leur patrimoine : attention à celui ou celle qui critique un monument historique ! On pense qu'ils travaillent peu et sont fainéants, car ils ont beaucoup de vacances, de jours fériés et d'heures de réduction du temps de travail (RTT). Ils râlent pour un oui pour un non, sont non seulement égocentriques mais brusques et radins.

On dit que ce sont des coureurs de jupons, de gros fumeurs et qu'ils sont tous minces parce qu'ils mangent bien et équilibré. Ils veulent parler français à tout prix qu'ils soient en France ou à l'étranger et ne font aucun effort pour apprendre l'anglais ; en plus, ils ont tendance à être distants et n'aiment pas les étrangers.

**1.4a** Lisez cet article puis répondez aux questions qui suivent.

### Tour de France de ces entreprises « *Made in France* »

1 Depuis que le ministre du Redressement productif, Arnaud Montebourg, a remis les produits fabriqués en France au goût du jour, les entreprises tricolores n'hésitent plus à en faire un argument de vente. Ainsi, pour les besoins d'un documentaire diffusé hier soir sur Canal+, Benjamin Carle qui a vécu 100% français pendant un an, a voulu montrer qui sont réellement ces sociétés qui fabriquent des produits de consommation courante dans l'Hexagone.* De fait, un bien estampillé « *Made in France* » ne certifie en rien que le produit a été essentiellement fabriqué dans l'Hexagone, indique le réalisateur, pas plus qu'une marque française n'est une garantie sur le fait que le produit soit français. « Une marque française peut fabriquer à l'étranger et, à l'inverse, un fabriquant étranger peut fabriquer en France comme Toyota à Valenciennes », précise Benjamin Carle.

2 Conclusion : le journaliste qui s'est transformé durant un an en cobaye du « made in France » a rencontré des sociétés françaises qui fabriquent des brosses à dent, slips, tee-shirts, chaussures, fraises, oignons, marinières et même des tablettes de cuisine ou des sèche-linge mais plus aucune entreprise tricolore ne conçoit de réfrigérateur, de grille-pain ou de bouilloire sur le territoire … Plus globalement, peu de produits numériques ou industriels sont encore fabriqués dans l'Hexagone. →

**Lexique**

L'Hexagone = surnom donné à la France à cause de sa forme géométrique (six côtés)

**3** Mais est-ce pertinent de produire sur le sol français ? « Tout dépend des produits, répond Benjamin Carle. Il est plus pertinent de se procurer des produits à forte valeur ajoutée. Acheter un T-shirt *made in France* n'a pas grand intérêt ». De fait, produire en France a un coût. « Les entreprises '*Made in France*' se battent pour fabriquer en France avec des produits français, mais ils ne luttent pas à armes égales avec des entreprises étrangères où le coût du travail est bien inférieur ». Au-delà du coût, ces entreprises qui produisent dans l'Hexagone prennent également plus de risques : « L'entreprise qui produit français doit être irréprochable. Le sentiment de proximité éprouvé par les consommateurs crée un climat de confiance mais en cas de problème, la sanction est immédiate ». Malgré tout, l'engouement des Français pour les produits « *made in France* » progresse.

© *Le Figaro*, Mathilde Golla, 2014

### Questions

**1 a** Dans la première section, trouvez une expression qui signifie « à la mode ».

   **b** Dans la première section, Benjamin Carle …

      i) n'est pas d'origine française

      ii) préfère acheter des produits français

      iii) a fait l'expérience de ne consommer que français sur une année

      iv) travaille dans une société basée à Valenciennes.

**2** Trouvez un verbe au subjonctif. (Section 1)

**3 a** Comment sait-on que le journaliste se considérait comme un animal de laboratoire ? (Section 2)

   **b** Donnez un exemple de petit appareil ménager. (Section 2)

**4** Relevez une phrase qui montre qu'il est meilleur marché de produire à l'étranger. (Section 3)

**5** Quel est l'avantage pour les clients français d'acheter français ? (Section 3)

**6** A lot of things are 'made in France', but some items that are essential to modern living are simply not manufactured in France. Support this statement with reference to the text. (*50 words*)

 **1.4b** Écoutez un reportage sur des produits conçus et fabriqués en France, puis répondez aux questions ci-dessous.

### Section 1

**1** What is the French product named Qooq?

**2** Where was it manufactured originally?

**3** Why did Jean-Yves Hepp decide to move production to France?

### Section 2

**4** What does the family-run business Laulhère make?

**5** Name one of the French symbols mentioned.

**6** What year was the Laulhère company established?

### Section 3

**7** What does the company Bioseptyl make?

**8** Where can you buy their products?

**9** How long have they been in business?

### Section 4

**10** Where in France is the company Solstiss based?

**11** What connection does Solstiss have with the Hollywood film industry?

**12** What connection do they have with Kate Middleton?

**1.5** Lisez la déclaration ci-dessous, puis donnez votre opinion à l'écrit. (*75 mots environ*)

*© Jennifer Farley (www.Laughing-Lion-Design.com)*

Le repas gastronomique des Français est inscrit depuis 2010 au patrimoine culturel de l'UNESCO. Selon l'organisation, le repas français est un rituel qui permet de célébrer des moments importants de la vie. Il est également transmis de génération en génération comme partie intégrante de l'identité.

**Phrases utiles**

inscrire au patrimoine culturel

faire partie de …

le goût

goûter

préserver la mémoire

conserver les pratiques

transmettre de génération en génération

jouer un rôle social

encourager

contribuer à …

**1.6** Connaissez-vous bien la France ?
Par groupes de deux ou trois,
répondez aux questions ci-dessous.

**1** Dans quelle ville a lieu le célèbre festival du cinéma ?

i) Nice          ii) Cannes          iii) Monaco

**2** Donnez le nom de la moutarde qui est aussi une ville française :

i) Lyon          ii) Dijon          iii) Roquefort

**3** À quelle occasion la France a-t-elle offert la Statue de la Liberté aux États-Unis en 1886 ?

i) En signe de paix

ii) Pour célébrer le centenaire de la Déclaration d'indépendance américaine.

iii) En hommage à Abraham Lincoln assassiné l'année précédente.

**4** Quel pays ne partage pas de frontière avec la France?

> i) L'Autriche    ii) L'Allemagne    iii) La Suisse

**5** 70% de l'électricité en France est produite par …

> i) les centrales nucléaires
> ii) les centrales hydro-électriques
> iii) l'énergie des marées.

**6** À votre avis, quelle est la hauteur de la tour Eiffel ?

> i) 197 mètres
> ii) 279 mètres
> iii) 324 mètres

**7** Où habite le président de la république française ?

> i) À l'Élysée
> ii) Au château de Versailles
> iii) Au palais du Luxembourg

**8** Comment s'appelle la montagne la plus haute de France ?

> i) Le Mont Pelat
> ii) L'Aguille du Géant
> iii) Le Mont Blanc

**9** Quelle spécialité n'est pas française à l'origine ?

> i) Le croque-monsieur    ii) Le steak-frites    iii) Le couscous

**10** Quel animal représente la France ?

> i) Le lion    ii) L'escargot    iii) Le coq

**11** Combien de temps dure un mandat présidentiel français ?

> i) Quatre ans    ii) Cinq ans    iii) Sept ans

**12** Austerlitz, Montparnasse et Saint-Lazare sont …

> i) trois villes situées dans la banlieue parisienne
> ii) trois des gares principales de Paris
> iii) trois aéroports situés dans le sud de la France.

**13** Comment est surnommée la Corse ?

> i) L'île de beauté    ii) L'île de Ré    iii) L'île des pirates

**14** Qu'est-ce qu'une HLM ?

> i) Un véhicule écologique  ii) Un sport d'aviation    iii) Un type de logement

**1.7a** Notez dans vos cahiers les phrases, les images et les activités culturelles que vous associez avec Paris en vous aidant des expressions suivantes.

**Phrases utiles**

| | |
|---|---|
| Pour moi, Paris, c'est … | Paris, c'est la ville la plus… |
| À Paris, on trouve … | Paris rime avec … |
| Paris est synonyme de … | À Paris, on peut … |

 **1.7b** Maintenant écoutez la chanson de Riff Cohen, « À Paris » (allez sur un moteur de recherche en ligne et tapez le titre de la chanson et le nom du chanteur – choisissez le clip officiel !) Complétez les paroles avec les mots proposés, puis réécoutez la chanson pour vérifier vos réponses.

uniques   parfums   belle
Anglais   chaud   le balcon

## À Paris

*Refrain :*
À Paris y a pas d'parking
À Paris y a des  (1) .......
À Paris des beaux sacs à main
Et parfois des paroissiens*

Y a du parquet dans les maisons
Y a mon parrain sur (2) .......
Y a des couleurs et des partis*
Des parodies de ces partis

*(Refrain)*

Des magazines, des paravents
Des parapluies et des sorties
Des sens (3) ....... des partisans
Des particules des points virgules

*(Refrain)*

Y a des (4) ....... y a des bavards
Des paresseux et des boulevards
Y a des concierges, du tintamarre*
Des romans et des mille-feuilles

*(Refrain)*

À Paris y a pas d'parking
Dans les studios il fait trop (5) .......
À Paris y a pas d'parking
Mais qu'elle est (6) .......
La tour Eiffel !
Tu paries*?

« À Paris », de Riff Cohen. (*À Paris*, 2012)

**Lexique**

un(e) paroissien(ne) = *a parishioner*
un parti (politique)
un tintamarre = grand bruit qui accompagne le désordre
tu paries = jeu de mot avec le verbe irrégulier « parier » (*to bet*)

**1.8a** Lisez le descriptif du film ci-dessous puis répondez oralement aux questions qui suivent.

**CinéClub : *Paris, je t'aime* (2006)**

*Paris, je t'aime* est une comédie dramatique sur le thème de l'amour. C'est aussi un chef d'œuvre sur la ville de Paris où figure une variété de personnages évoluant dans différents quartiers de la capitale. Ce film est en effet une série de 18 courts-métrages de cinq minutes chacun créés par autant de réalisateurs dont les frères Cohen, Sylvain Chomet, Alexander Payne et Gus Van Sant parmi d'autres. Le film apporte ainsi un point de vue moderne, drôle et international sur la capitale française.

**1** Pensez-vous que le choix de la ville de Paris pour un film traitant de l'amour est idéal ? Pourquoi ? / Pourquoi pas ?

**2** Quelle est l'originalité principale de ce film ?

**3** Aimeriez-vous voir ce film ? Pourquoi ? / Pourquoi pas ?

**1.8b** Écoutez un reportage à propos de la passerelle du Pont des Arts à Paris, baptisée le pont des amoureux. Répondez aux questions ci-dessous.

**1** What do Louisa and Dominic throw in the river Seine?

**2** Since when do couples attach a padlock to the footbridge?

**3** What is the weight per metre of the padlocks?

**4** Why does the city of Paris not want to remove them? Give one reason.

**1.9** Donnez votre opinion quant au Mariage pour Tous en vigueur en France depuis 2013. Aidez-vous des expressions utiles pour formuler vos idées. (*75 mots environ*)

Suite à un débat électrique et à de nombreuses manifestations à travers toute la France, l'Assemblée Nationale a définitivement adopté le projet de loi Taubira, ouvrant le mariage pour tous et l'adoption aux couples homosexuels en avril 2013.

**Phrases utiles**

| | |
|---|---|
| avoir / donner du sens à ... | discriminer |
| légitimer une relation / un couple ... | remettre en cause |
| être égal / égaux à ... | être ouvert d'esprit / tolérant |
| accepter | la loi permet ... |
| reconnaître que ... | la vie privée |
| refuser / rejeter | au nom de l'égalité |

*Consultez* l'aide-mémoire

Pour écrire un essai, pp. 298–301.

# 2 Les Français

**2.1** Écoutez deux entretiens avec Mélanie Laurent et Joakim Noah, puis répondez aux questions dans votre cahier.

**Mélanie Laurent**

1 How did Mélanie Laurent become an actress?
2 What does she say about her parents being artists?
3 Why did she ask Damien Rice to help her with her album?
4 Mélanie Laurent went to Ireland to meet him. True or false?
5 What does she say people would be surprised to hear about her?

**Joakim Noah**

6 Where does Joakim Noah live?
7 How did his parents inspire him when he was young?
8 What does he say about leaving France when he was 13?
9 In what way is Joakim like his father when it comes to sports?
10 Why is Joakim not interested in becoming a singer?

**2.2** Répondez oralement aux questions ci-dessous et notez vos réponses dans votre cahier.

1 Avez-vous un(e) correspondant(e) français(e) ? Si oui, donnez des détails.
2 Si non, aimeriez-vous en avoir un(e) ? Pourquoi ? / Pourquoi pas ?
3 Votre lycée organise-t-il un échange avec un lycée français pendant l'année ? Donnez des détails.

**2.3a** Dans votre cahier, faites le portrait d'un(e) Français(e) que vous connaissez : votre correspondant(e), un(e) voisin(e) de quartier, un(e) prof ou élève au lycée par exemple.

Mentionnez les détails suivants à propos de cette personne :

- âge
- nom et prénom
- ce qu'il/elle fait dans la vie
- votre première rencontre
- sa personnalité
- ce que vous aimez chez lui/elle
- de quoi vous parlez en général.

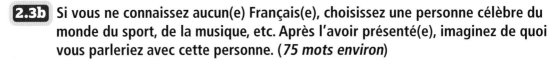

**2.3b** Si vous ne connaissez aucun(e) Français(e), choisissez une personne célèbre du monde du sport, de la musique, etc. Après l'avoir présenté(e), imaginez de quoi vous parleriez avec cette personne. (*75 mots environ*)

**2.4** Lisez ce texte à propos du restaurateur parisien Romain Tischenko, puis répondez aux questions qui suivent.

1 Originaire de Caen, un CAP* et un BEP*cuisine en poche, Romain Tischenko s'est lancé dans l'aventure Top Chef par curiosité et avant tout pour s'amuser. Tout au long de l'émission, Romain s'est surtout fait remarquer par sa discrétion et sa timidité. Plus jeune et moins expérimenté que les autres candidats, il a cependant réussi à se faire une place parmi les meilleurs. Avec sa silhouette élancée et sa mèche rebelle, personne ne l'a vu arriver. Perfectionniste jusqu'au bout des doigts, il a réalisé cinq épreuves de la dernière chance, un record pour l'émission. À chaque fois sauvé par un jury subjugué, il est le vainqueur de cette première série et repart ainsi avec la somme de 100 000€. Le jeune chef n'imaginait pas une seconde être le grand gagnant de Top Chef 2010.

2 « Le tournage de l'émission a été très éprouvant : on tournait du lundi au vendredi, mais j'ai appris énormément et j'en garde de très bons souvenirs, confie Romain. C'était une super expérience. J'ai placé l'argent que j'ai gagné et je ne vais pas m'installer à mon compte dans l'immédiat. J'ai 24 ans et j'ai encore beaucoup à apprendre. Je pense partir en Asie, faire un beau voyage et m'imprégner des saveurs exotiques de là-bas. Et après, pourquoi pas ouvrir mon propre restaurant, faire des dîners privés ou encore participer à des événements culinaires. »  →

**3** En 2013, Romain concrétise son rêve en ouvrant « Le Galopin », sur la place Sainte-Marthe, dans le dixième arrondissement de Paris. Le jeune chef résidait dans le quartier depuis quelques années et recherchait une petite surface pour sa première affaire. Associé à son frère Max, serveur professionnel, Romain travaille en cuisine, une cuisine ouverte sur la salle, ce qui lui permet de se sentir proche de ses clients. Il souhaitait en effet ouvrir un restaurant convivial avec un menu d'humeur et de saison, destiné à une clientèle décontractée. La cuisine de Romain Tischenko est imaginative, créative, pleine de saveurs et de surprises : un vrai plaisir gastronomique!

© *Closer*, Clémence Lecompte, 4 février 2013

## Lexique

| | |
|---|---|
| CAP = Certificat d'aptitude professionnelle (*vocational training certificate taken at secondary school*) | BEP = Brevet d'études professionnelles (*vocational school-leaving diploma, taken around age 18*) |

### Questions

**1 a** D'après la première section, pour quelles raisons Romain Tischenko a-t-il décidé de participer à l'émission Top Chef ?

   **b** Quels sont les traits de caractère de Romain ? (Section 1)

**2 a** Relevez une phrase qui indique qu'il n'était pas le favori de l'émission. (Section 1)

   **b** Trouvez un exemple de superlatif dans la première section.

**3** D'après la deuxième section …

    i) le rythme de l'émission était vraiment intense

    ii) Romain a fait des cauchemars à la suite du tournage

    iii) il est resté en contact avec les autres participants

    iv) il ne se souvient pas des recettes.

**4 a** Relevez une phrase qui montre que Romain préfère prendre son temps suite à sa victoire. (Section 2)

   **b** Quel projet a-t-il pour perfectionner sa cuisine ? (Section 2)

**5 a** Pourquoi a-t-il choisi d'ouvrir son restaurant sur la place Sainte-Marthe ? (Section 3)

   **b** Trouvez, dans la troisième section, un synonyme de « relax ».

**6** Romain hasn't let his television success go to his head. Support this statement with reference to the text. (*50 words*)

**2.5** Les Français s'expriment parfois avec un simple geste. En voici quelques-uns! Associez chacun des gestes avec leur expression (1–6) puis trouvez leur signification dans la liste proposée (a–f).

| | | |
|---|---|---|
| | **1** Mon œil ! | **a** Je ne sais pas vraiment. |
| | **2** Ah ça, non ! | **b** Tais-toi ! |
| | **3** Alors là ! | **c** C'est hors de question. |
| | **4** Des clous ! | **d** C'est vraiment ennuyeux ! |
| | **5** Ferme-la ! | **e** Merci mais ce n'est pas pour moi. / Je n'en veux pas. |
| | **6** C'est barbant ! | **f** Je ne te crois pas. |

# L'Europe

## 1 Généralités européennes

**1.1a** Remue-méninges ! Pendant cinq minutes, notez tous les mots qui vous viennent à l'esprit quand vous pensez à l'Europe.

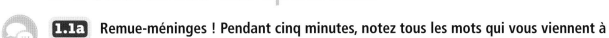

L'Europe, c'est quoi pour vous ?

**1.1b** En 2004, la ville de Lille était capitale européenne de la culture. Suite à cet évènement, un comité d'organisation a décidé de continuer à promouvoir un programme culturel varié intitulé Lille3000. Allez sur un moteur de recherche en ligne. Tapez « Lille3000 » et « L'Europe, c'est quoi ? » pour accéder aux opinions de diverses personnes concernant l'Europe. Écoutez les opinions de deux ou trois personnes et notez-les dans votre cahier. Partagez-les avec l'ensemble de la classe.

**Au fait**

Depuis 1985, une ou deux villes de l'Union européenne sont élues capitales européennes de la culture chaque année. C'est une occasion importante pour valoriser le patrimoine culturel et environnemental de ces villes, mais aussi pour renforcer les politiques de développement social et économique des pays.

**2015 :** Mons (Belgique) et Plzeň (République Tchèque)

**2016 :** St-Sébastien (Espagne) et Wroclaw (Pologne)

**2017 :** Paphos (Chypre) et Aarhus (Danemark)

**2018 :** La Valette (Malte) et Leeuwarden (Pays-Bas)

 **1.2** Écoutez le témoignage de Maëlle et d'Aurélien qui ont découvert l'Europe autrement, puis répondez aux questions.

**Maëlle**

1 How many countries was Maëlle entitled to visit on the InterRail Global Pass?
2 Name two of the European countries she visited.
3 How easy is it to go InterRailing? (Two points)
4 Around what type of event did she organise her trip?
5 What type of accommodation did she stay in?
6 What is going to be Maëlle's next trip?

**Aurélien**

7 What did Aurélien do before starting university?
8 What does he say about the people he met? (Two points)
9 How did he feel sometimes during his trip?
10 Why would he stay for several days in one place? (One point)
11 Who did he call from Germany?
12 Name one simple thing he enjoyed while he was in Copenhagen.

**1.3** Lisez les commentaires de ces quatre Français ayant visité un pays européen pour leurs études, vacances ou lors d'un voyage d'affaires. À votre tour, donnez vos impressions sur un pays que vous avez visité dernièrement, que ce soit pour vos vacances ou lors d'un voyage scolaire. (*90 mots environ*)

http://forum

Mon mari et moi sommes allés en Grèce en mai dernier et nous avons fait un beau séjour à Athènes. Une histoire riche et de nombreux sites à visiter pour les amoureux des vieilles pierres ! Des gens très accueillants, une cuisine excellente, un climat agréable. Un conseil : évitez les endroits très touristiques car beaucoup plus chers !

**Jocelyne, 55 ans**

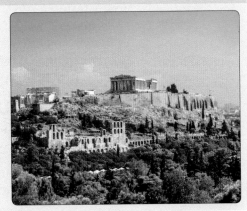

http://forum

J'ai passé six mois à étudier à Tampere en Finlande avec deux copains de fac. Je n'ai pas été déçu franchement. Les Finlandais sont fous de sports et adorent être à l'extérieur. Faut dire que les paysages sont magnifiques. À visiter absolument !

**Nabil, 22 ans**

http://forum

Pendant mes grandes vacances, ma famille et moi sommes allés en Pologne. Cracovie est réellement une ville magnifique et vraiment pas chère. La ville est chargée d'histoire et les sites historiques sont nombreux. C'était parfois difficile de communiquer dans les magasins ou les restaurants car peu de Polonais parlent français ou anglais.

**Quentin, 17 ans**

**Consultez**
l'aide-mémoire

Pour le passé composé, voir pp. 123–27 ; pour l'imparfait, voir pp. 127–28 ; pour le plus-que-parfait, voir pp. 249–51.

→

**http://forum**

J'ai visité Londres lors d'un voyage d'affaires. Je me suis rendue à un séminaire en novembre et puis j'en ai profité pour y rester le week-end. J'adore l'énergie qu'il y a dans cette ville et le style anglais. Les magasins ouvrent toute la semaine y compris le dimanche donc pour faire les boutiques, c'est l'idéal!

**Laura, 24 ans**

**1.4** **Connaissez-vous bien l'Europe ? Mettez-vous par équipes de deux ou trois et répondez aux questions du quiz suivant.**

**1** Le Parlement européen se trouve …

> i) à Bruxelles
> ii) à Strasbourg
> iii) à la Hague.

**2** Combien y a-t-il de pays membres dans l'Union européenne?

> i) 28
> ii) 29
> iv) 30

**3** Quel pays scandinave n'a pas adhéré à l'Union européenne ?

> i) La Suède
> ii) La Norvège
> iii) La Finlande

**4** La devise de l'Union européenne est …

> i) unie dans la diversité    ii) unie contre l'adversité   iii) unie dans le respect.

**5** Parmi ces pays, lequel ne fait pas partie de la zone euro ?

> i) La Lettonie
> ii) La Pologne
> iii) La Slovaquie

**6** Quelle est la superficie de l'Europe par rapport à l'Afrique ?

> i) $\frac{1}{3}$                     ii) $\frac{1}{4}$                     iii) $\frac{1}{6}$

**7** Quelle est la capitale de la Roumanie ?

> i) Nicosie     ii) Budapest    iii) Bucarest

**8** L'euro est la monnaie unique depuis …

> i) 1999     ii) 2002    iii) 2004

**9** Quel programme européen permet aux étudiants d'étudier dans un autre pays de l'Europe ?

> i) Érasmus     ii) Baudelaire  iii) Picasso

**10** Quel est le numéro d'appel d'urgence valable dans tous les états membres de l'UE ?

> i) 18     ii) 112    iii) 118

**1.5** **Lisez le texte suivant, puis répondez aux questions.**

### Portrait de l'auteur en Européen

**1** L'Europe existe, je l'ai rencontrée. Quand, pour la première fois ? Peut-être à six ou sept ans. J'avais un puzzle dont chaque pièce était un pays. La France était rose et trapue.\* L'Allemagne jaune, avec une petite pièce à part pour la Prusse orientale, qui compliquait le jeu. La Pologne, rose comme la France, dressait une drôle de cheminée sur sa gauche. Bien sûr, je savais – et je pouvais le constater physiquement en passant le doigt sur les contours\* – que la Grande-Bretagne verte était une vieille dame assise sur un cochon et l'Italie orange une botte donnant un coup de pied\* à la Sicile. Facile de les reconnaître et de les placer. Plus difficile pour la Hongrie, petite masse rouge sombre informe que je confondais avec l'Autriche d'un rouge à peine différent, ou les pays baltes dont l'ordre et les couleurs étaient toujours incertains. Je n'arrive pas à me souvenir si l'Union soviétique faisait partie de cette Europe-là. Il me semble que non. En tout cas je ne vois pas sa couleur. L'Europe a toujours eu tendance à s'amputer\* elle-même de ce qui la gêne.\*

**2** J'avais dix ans quand la France se couvrit d'affiches vantant\* l'Ordre nouveau de la nouvelle Europe. Celles-là dans mon souvenir sont brunes. Couleur de l'uniforme de l'aryen blond au menton carré qui y souriait ? Jaunes étaient, à cette époque, les étoiles que portaient sur la poitrine certains de mes camarades de classe. Cette Europe-là me laissa de rudes cicatrices.\*

→

| Lexique | |
| --- | --- |
| trapu = *stocky* | gêner = perturber, troubler |
| un contour = *outline* | vanter = louer |
| donner un coup de pied = *to kick* | une cicatrice = *a scar* |
| s'amputer = se débarrasser de | |

Mes parents, mon frère aîné luttaient contre elle. Sur la carte placardée* au mur, des épingles à têtes multicolores* reliées par un fil de laine brouillèrent l'image du continent en superposant aux frontières un réseau de fronts, d'offensives, de contre-offensives, de débarquements, de poches et de têtes de pont.*

3 En 1944, mon frère fut tué les armes à la main par des Européens couleur feldgrau.* Mon père agonisa à Buchenwald* avant de partir dans la fumée noire du four crématoire quinze jours avant la libération du camp. Ma mère revint de Ravensbrück.* Ses cheveux commençaient à peine à repousser, gris. L'Europe avait pris pour moi la couleur et l'odeur de la mort.

4 Adolescent, j'ai voulu secouer cette couleur et cette odeur qui me collaient à la peau. Dès quatorze ans, j'ai parcouru l'Europe à pied, en bicyclette, en autostop, en train. L'Italie et la Hollande, l'Angleterre et l'Irlande. Et l'Allemagne d'abord, parce que la Croix-Rouge française y avait, en Forêt-Noire, des chalets pour orphelins de guerre. Mais pas seulement pour ça. Plus tard, je suis allé suivre les cours d'été de l'université de Heidelberg. Après tout, à ma minuscule échelle, j'ai fait ce que j'ai pu pour participer à la réconciliation européenne.

François Maspero, *Balkans-Transit* coll. *Fiction & Cie* © Éditions du Seuil 1997, *Points* 2013

## Lexique

placarder = *to stick to a wall*

les épingles à têtes multicolores = *multicoloured tacks or pins*

une tête de pont = *a bridgehead*

feldgrau = couleur de l'uniforme des soldats allemands

Buchenwald et Ravensbrück = des camps de concentration en Allemagne pendant la deuxième guerre mondiale

## Questions

1 a Grâce à quoi le narrateur a-t-il rencontré l'Europe ? (Section 1)

  b Dans la première section, la Grande-Bretagne est comparée à …

   i) un cochon               iii) une chaussure

   ii) une femme âgée         iv) un chapeau.

2 a Pourquoi le narrateur a-t-il des difficultés à différencier la Hongrie de l'Autriche ? (Section 1)

  b Trouvez une expression qui signifie « appartenait à ». (Section 1)

3 a Relevez une phrase qui montre que le narrateur connaissait des personnes juives. (Section 2)

  b Trouvez un pronom démonstratif dans la deuxième section.

4 a Quel(s) membre(s) de la famille du narrateur est / sont mort(s) pendant la guerre ? (Section 3)

  b Quel détail indique que sa mère a souffert à Ravensbrück ? (Section 3)

5 a Pourquoi la Croix-Rouge française est-elle présente en Allemagne ? (Section 4)

  b Trouvez dans le quatrième paragraphe un synonyme de l'adjectif « très petit ».

6 How did the war affect the narrator's life and that of his family? Refer to the text in your answer. (*50 words*)

**2.1** Lisez cet entretien avec le romancier irlandais Colm Tóibín, puis répondez aux questions qui suivent.

### 1 Quelle est votre vision de l'Europe ?

J'ai du respect pour l'idée d'Union européenne. En Europe, il y a des idéaux d'égalité, de démocratie et des droits humains auxquels nous avons le devoir de donner du sens, pas seulement à l'intérieur de nos frontières, mais aussi dans le reste du monde […]. J'aime l'idée que l'Europe soit composée de nombreuses cultures, diverse même dans ce cadre, comme la manière dont la Catalogne et le Pays Basque se sentent séparés de l'Espagne, ou que la Bavière et la Normandie se sentent partie intégrante de l'Allemagne et de la France. […] J'aime aussi l'idée de l'Europe comme une collection de villes, avec chacune sa saveur. Nous devons y être

ouverts au changement. […] Avec le vieillissement de la population en Europe, nous devons ouvrir nos frontières. Il est évidemment préférable de le faire d'une manière planifiée. Beaucoup, dans la nouvelle Europe, auront plus d'une identité ou un trait d'union* entre leurs deux identités. Cela me semble être une bonne chose.

### 2 Quelle place pour l'Irlande dans l'Europe ?

[…] La place de l'Irlande en Europe, une fois la crise passée, sera, avec d'autres petits États, de recréer l'Union européenne comme un rassemblement d'égal à égal. Il sera essentiel que les États membres réaffirment certains principes, l'un d'eux étant que l'Europe de demain soit impulsée de Bruxelles et de Strasbourg et de nulle part ailleurs. […]

### Votre pays doit-il affirmer sa propre identité en Europe ?

[…] Nous n'avons pas d'industrie d'armement à proprement parler. Notre politique étrangère n'a donc jamais été agressive, paranoïaque ou fondée sur la cupidité. […] Nous avons aussi une culture musicale et littéraire forte qui ne participe pas des valeurs de l'élite, mais de notre quotidien. C'est quelque chose dont l'Europe pourrait s'inspirer. La culture, y compris la plus raffinée, appartient à tout le monde.

### 3 Écrivain irlandais ou européen ?

Quand on écrit, on a la tête baissée et l'esprit qui réfléchit à des phrases. Si on commence à se préoccuper de son identité, on risque d'écrire mal ! Je suis gay et irlandais. Je suis européen et irlandais. Je suis seul dans une pièce. Souvent, je ne sais plus qui je suis, ou je l'ai oublié.

**Lexique**

un trait d'union = un lien ou un tiret

→

Je suis également originaire d'Enniscorthy, dans le comté de Wexford, en Irlande. Je connais les rues de cette ville, le ciel changeant, ses visages et ses voix. Peut-être que notre identité réside dans des lieux très petits. [...]

**Vous sentez-vous européen lorsque vous êtes aux États-Unis ?**

Je vis plusieurs mois par an à New York et j'enseigne à l'Université de Columbia. Je ne me promène pas en disant je suis européen. C'est un grand mot vague, « européen », cela sonne étrangement grandiose et un peu ridicule. Je suis irlandais, d'une petite ville. J'habite dans une langue. Peut-être que c'est amplement suffisant. Je suis chez moi dans n'importe quel endroit où il y a des livres, et où je peux disposer de papier, d'un stylo et peut-être de quelques lecteurs. En tant que concept, c'est à la fois plus large et plus restreint que toute identité nationale et transnationale. Mais c'est celui qui m'importe le plus.

© *Libération*, Frédérique Roussel, 30 octobre 2013

**1** **a** Relevez une phrase ou expression qui montre que pour Colm Tóibín les valeurs de l'Europe doivent s'appliquer partout. (Section 1)

   **b** Comment sait-on qu'il aime la notion de diversité au sein de l'Europe ? (Section 1)

**2** **a** Dans la première section, trouvez un synonyme de « charme ».

   **b** Relevez un verbe au futur. (Section 2)

**3** D'après l'écrivain, qu'est ce qui fait la force de l'Irlande ? (Section 2)

**4** **a** Relevez une phrase qui montre qu'il est parfois difficile pour Colm Tóibín de connaître sa propre identité. (Section 3)

   **b** D'après la troisième section, quand il est aux États-Unis, Colm Tóibín se sent …

   i) américain

   ii) européen

   iii) irlandais

   iv) étranger.

**5** Relevez une phrase qui indique qu'il est avant tout écrivain dans l'âme. (Section 3)

**6** Colm Tóibín is passionate about the concept of the European Union. Support this statement with reference to the text. (*50 words*)

**2.2** **Suite à l'entretien de Colm Tóibín, répondez oralement ou par écrit aux questions ci-dessous.**

**1** Quelle est votre vision de l'Europe ?

**2** D'après vous, quelle est la place de l'Irlande dans l'Europe ?

**3** L'Irlande doit-elle affirmer sa propre identité en Europe ? Pourquoi ?

**4** Vous sentez-vous européen lorsque vous êtes à l'étranger ? Expliquez.

| **Phrases utiles** |
| --- |
| Pour moi, l'Europe est avant tout … |
| L'Europe, c'est … |
| L'Irlande doit être … |
| L'Irlande est considérée comme … |
| La question d'identité paraît difficile car … |
| Je me sens d'abord / plutôt … |

**2.3** Écoutez un extrait sur le Parlement européen des jeunes, puis répondez aux questions dans votre cahier.

1 When and where was the European Youth Parliament created?
2 How many young people took part in the session in Riga?
3 Why did Victor decide to go to Riga? (One point)
4 What does he say about his English penpal Jamie? (Two points)
5 Name one of the objectives of the European Youth Parliament.
6 According to Victor, why is it important to be part of Europe? (One point)
7 Name two things one can find in the eurovillage.
8 What is busy at night time?

**2.4** À partir des mots-clés ci-dessous, donnez quelques avantages et inconvénients d'appartenir à l'Union européenne.

Nationalisme · Indépendance · Liberté · Sécurité · Découvrir · Échange · L'euro · Identité nationale · Voyager

**2.5** Donnez votre opinion sur l'une des citations suivantes. (*75 mots environ*)

**A**

« L'Europe doit respirer avec ses deux poumons : celui de l'est et celui de l'ouest. »

Jean-Paul II (1920–2005)

**B**

**« L'Europe est trop grande pour être unie. Mais elle est trop petite pour être divisée. Son double destin est là. »**

Daniel Faucher (1882–1970)

**2.6a** La journée de l'Europe a lieu début mai. De nombreux évènements sont organisés à travers toute l'Europe pour l'occasion. Par groupes de deux ou trois, imaginez l'animation que vous proposez dans votre lycée pour fêter la journée de l'Europe.

Voici quelques suggestions pour vous aider :

- concert
- concours
- exposition
- journée portes ouvertes
- cinéma
- dégustation culinaire
- débat

Mai 2014

Le joli mois de l'Europe

**2.6b** Et maintenant répondez aux questions ci-dessous à l'óral ou à l'écrit.

En général, comment est-ce que votre lycée célèbre la journée de l'Europe ? Pourquoi cette journée est-elle importante à votre avis ?

 **Au fait**

Le 9 mai est la journée de l'Europe: cette journée a été choisie en souvenir de la déclaration du ministre des Affaires étrangères français, Robert Schuman. Il proposa le 9 mai 1950 aux pays européens qui s'étaient battus en 1914–18 et 1939–45 de gérer en commun leurs ressources dans une organisation ouverte aux pays d'Europe. Cette proposition est considérée comme l'acte de naissance de l'Union européenne.

# Les actualités

## 1 Les supports médiatiques

**1.1a** Répondez oralement aux questions ci-dessous et notez vos réponses dans votre cahier.

1 Parmi ces médias, lesquels utilisez-vous pour vous informer ?
2 Pourquoi les choisissez-vous de préférence ?
3 Quels journaux ou magazines achetez-vous ?
4 Quelle rubrique vous intéresse le plus ?
5 Quand et comment écoutez-vous la radio ?
6 Vous préférez écouter les informations en direct ou en différé sur podcast ? Pourquoi ?
7 Discutez-vous des infos en famille, avec les copains/copines ou au lycée ? Expliquez.
8 Les médias sont souvent qualifiés de quatrième pouvoir. Êtes-vous d'accord ?

**1.1b** Complétez les phrases suivantes en utilisant un des verbes donnés dans la liste. Variez les temps ainsi que les pronoms personnels.

| | | | |
|---|---|---|---|
| 1 | feuilleter | a | le journal télévisé |
| 2 | acheter | b | la une des journaux |
| 3 | lire | c | un magazine mensuel |
| 4 | être abonné(e) | d | un communiqué de presse |
| 5 | regarder | e | la radio en ligne |
| 6 | écouter | f | les gros titres |
| 7 | consulter | g | les infos sur le fil d'actualité de Twitter |
| 8 | diffuser / suivre | h | un journal à scandale |

**Francis, 52 ans** Moi, je l'écoute surtout quand je me rends au travail le matin en tramway. Je préfère écouter les rubriques monde, économie ou sport, car la musique ne m'intéresse pas vraiment, et puis il y a trop de chansons anglaises en général. Il m'arrive aussi de télécharger des émissions d'internet sur mon portable. Je les écoute plus tard dans la semaine ou le week-end.

**Noëlle, 35 ans** J'achète de préférence ceux qui traitent de mode et de décoration. J'aime lire les articles sur la santé, les produits de beauté et aussi les recettes de cuisine ! Ma sœur m'a abonné à un pour Noël : j'ai trouvé que c'était une super idée car je le reçois directement chez moi. Je déteste lire des ragots sur la vie des stars ou des hommes et femmes politiques. C'est une perte de temps et ça ne m'intéresse pas du tout.

**Ophélie, 19 ans** Je l'utilise mais pas de façon régulière. Je suis étudiante à Bordeaux et j'habite loin de chez moi. C'est donc pratique pour rester en contact avec mes amis et aussi mes cousines. Mes parents n'ont pas de compte ! J'aime bien consulter les actus et parfois j'affiche des photos ou je mets des commentaires. Je fais attention à ne pas y passer tout mon temps, car j'ai des amis qui sont totalement accros.

**Toussaint, 27 ans** Je ne la regarde pratiquement jamais en semaine car quand je rentre du travail, il est environ sept heures. J'ai commencé un nouveau job à environ une heure de chez moi donc je me lève tôt ! Je préfère discuter avec ma copine ou sortir de temps en temps pour retrouver des potes au café du coin. Le service de vidéo à la demande par abonnement est une invention géniale et je suis à fond pour la démocratisation du petit écran! Tu regardes ce que tu veux quand tu veux et le choix est immense.

**Nora, 41 ans** J'adore envoyer ces petits messages. Ça me prend tout juste une minute pour le faire. Ce que j'aime le plus, c'est recevoir des commentaires de personnes du monde entier, juste en un clin d'œil. En général, j'aime suivre certaines stars mais aussi des artistes ou tout simplement des amis ! J'ai l'appli sur mon iPhone donc je reçois des notifications constamment. Je suis donc au courant de tout !

## Questions

**1** I like to follow celebrities. → .......

**2** I sometimes post photographs. → .......

**3** You can watch whatever you want, whenever you want. → .......

**4** Some of my friends are totally addicted. → .......

**5** I also happen to download programs. → .......

**6** On-demand video streaming is a brilliant idea. → .......

**7** I don't like reading gossip. → .......

**8** I keep up with everything. → .......

**9** It is a waste of time. → .......

**10** I listen to the international section. → .......

 **1.3** **Lisez les réponses du sondage réalisé par la TNS-Sofres, puis écrivez vos réactions quant à un des points mentionnés. (*75 mots environ*)**

**A** 69% des Français suivent les nouvelles de la presse écrite, des médias audiovisuels ou des sites Internet avec un grand intérêt. Mais pour 61% d'entre eux, les médias d'information font trop de place aux mauvaises nouvelles.

**B** Si la télévision est le média qu'ils utilisent en premier pour se tenir informés (57%), suivi de la radio (17%), de la presse écrite et des sites Internet des grands titres (10% au total), côté confiance, la radio arrive en tête avec 58% d'écoute.

**C** Avec 42%, les 25–49 ans accordent davantage de crédibilité au web que les 18–25 ans (38%).

**D** Plus de 63% des lecteurs français doutent de l'indépendance des journalistes face aux pressions du pouvoir ou de l'argent.

'Baromètre de confiance dans les media 2014' © TNS-Sofres/*La Croix*

**1.4** Écoutez cet extrait sur la presse à scandale, puis répondez aux questions dans votre cahier.

1 What are the main reasons for the decline of gossip magazines? (Give two)
   i) The arrival of the Internet.
   ii) Celebrities are being more private about their lives.
   iii) Celebrities are suing newspapers and magazines.
   iv) Some daily papers now include a showbiz section.

2 How do gossip magazines rank in terms of sales?

3 What did the magazine *Closer* do to increase its sales?

4 What have magazines had to do in order to attract more advertisers?

5 What categories are now present in many gossip magazines? (One detail)

6 How might these magazines look in the future?

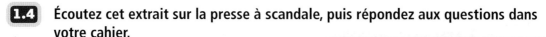

# 2 Les informations en direct

**2.1** Lisez les déclarations (a–f) ci-dessous puis dites à quelle catégorie (1–6) elles appartiennent.

**B** Des représentants d'auto-écoles manifesteront ce mardi pour dénoncer le manque d'inspecteurs en Seine-Saint-Denis.

**A** La 67ème édition du Festival de Cannes se termine ce soir avec la remise du palmarès lors de la cérémonie de clôture présentée par Lambert Wilson.

**C** La police a diffusé une vidéo montrant l'agresseur de la place Vendôme en train de voler des bijoux pour un montant total d'un million d'euros.

1. culture

2. sport

3. faits divers

4. société

**D** Le gouvernement nigérien et le groupe français du nucléaire Areva ont renouvelé un contrat d'exploitation de deux mines d'uranium.

5. économie

6. environnement

**F** La Serbe Ana Ivanovic s'est facilement qualifiée pour le deuxième tour du tournoi de tennis de Roland-Garros en battant la Roumaine Sorana Cirstea.

**E** Le taux de $CO_2$ est au plus haut depuis plus de 2,5 millions d'années, a annoncé l'Organisation Météorologique Mondiale.

**2.2** Lisez les deux déclarations ci-dessous, choisissez-en une et, dans votre cahier, donnez votre réaction à l'écrit. (*75 mots environ*)

**A**

L'ancienne devise du magazine *Paris Match* était « le poids des mots, le choc des photos ».

**Consultez** l'aide-mémoire

Pour écrire un essai, voir pp. 298–301.

**B**

**Il existe tellement d'informations en ligne que parfois il est difficile de distinguer les vraies infos des canulars.\***

> **Lexique**
>
> un canular = *a hoax*

**2.3** Répondez oralement à ces questions en vous aidant des expressions utiles données.

**1** Pour quelle(s) raison(s) certaines images sont-elles changées ?

**2** D'après vous, qui décide de contrôler ces changements ?

**3** Cette pratique est-elle dangereuse ? Pourquoi ? / Pourquoi pas ?

**4** Comment peut-on distinguer la vraie information de celle qui est fausse ?

| **Phrases utiles** | |
|---|---|
| un trucage | diffuser une information sensible |
| une photo truquée / retouchée | divulguer |
| retoucher une photo | publier |
| corriger | censurer |
| effacer | donner une fausse idée de … |
| la transparence des médias | falsifier |
| la censure | |

# 3 Les faits divers

**3.1** Musique d'orgue
Lisez le texte ci-dessous puis répondez aux questions qui suivent.

1 Un prêtre en surplis*, dont les lunettes reflètent les feux des candélabres, bénit deux jeunes mariés qui échangent leurs anneaux.

L'assistance dans l'église est debout.

Au dernier rang, une main touche un homme à l'épaule pour qu'il se retourne.

En **lui** indiquant quelqu'un qui se trouve à plusieurs travées* en avant, elle lui donne un journal – *Le Soir de Marseille* – soigneusement plié sur un titre en première page.

Le journal circule de main en main jusqu'à Tony Mau, habillé de sombre, qui le prend, un peu surpris, et lui jette un coup d'œil.

À ses côtés, en manteau et châle de soie clairs, Mellie regarde elle aussi et son cœur s'arrête de battre.

## LE CAP-DES-PINS
## UN CADAVRE DÉCOUVERT SUR UNE PLAGE

2 Encore que l'évènement se soit passé où il habite, cela intéresse peu Tony Mau. Il se contente de rendre le journal avec un hochement de tête fataliste.

Mellie, elle, ne peut dissimuler son trouble. Heureusement, son mari se retourne à nouveau vers l'autel* et personne ne la regarde.

Et pourtant, oui.

Promenant instinctivement les yeux autour d'elle, avant même de s'être composé un visage, elle rencontre ceux d'un homme qu'on n'a pas vu encore et qui l'observe, debout près d'un pilier, à la fois attentif et prodigieusement détendu.

Il est brun, bâti en force sous un complet veston bleu marine, avec des traits burinés, barrés d'une moustache, et les yeux étirés d'un félin.

Malgré elle, Mellie soutient un instant son regard, qui ne la lâche pas. Et puis l'homme, ostensiblement, lui sourit. Un sourire à la fois chaleureux et inquiétant. [...]

3 Des coupes de cristal emplies de champagne sur un plateau ciselé.

On retrouve ce plateau, qu'un serveur promène parmi les invités du mariage, au moment où il ne reste plus, dessus, que deux verres.

On s'arrête devant un homme qui prend tranquillement les deux, un dans chaque main.

C'est l'inconnu de l'église. On est dans les jardins d'un grand hôtel du Lavandou, face à la mer, dans la clarté d'un bel après-midi. Des bouffées de musique s'échappent par les portes-fenêtres des salons. Il y a beaucoup de monde à l'extérieur, mais c'est toujours Mellie Mau que l'homme, de loin, continue de regarder.

Sébastien Japrisot, *Le passenger de la pluie*
© Éditions Deoël, 1992

### Lexique

un surplis = *a surplice*

une travée = (*here*) *a row* ; *a span* (*for a bridge*)

l'autel = *the altar*

## Questions

**1**  **a**  D'après la première section, pourquoi Tony et Mellie sont-ils à l'église ?

   **b**  À quoi se réfère le pronom « **lui** » ? (Section 1)

**2**  **a**  Qu'est-ce qui, venant du fond de l'église, est passé au-devant ?  (Section 1)

   **b**  Trouvez un synonyme de « regarde rapidement ». (Section 1)

**3**  **a**  Comment sait-on que Mellie est choquée par ce qu'elle a lu ? (Section 2)

   **b**  Relevez une phrase ou expression qui indique que l'homme de l'église est un inconnu. (Section 2)

**4**  Quels sont les traits caractéristiques de cet homme ? Donnez-en deux. (Section 2)

**5**  **a**  D'après la troisième section, qui prend les derniers verres de champagne ?

   **b**  Relevez une phrase qui décrit l'endroit de la réception. (Section 3)

**6**  Mellie appears to be very nervous and is acting suspiciously. Support your answer to this statement with reference to the text. (*50 words*)

  **3.2**  **Écoutez les extraits suivants puis répondez aux questions dans votre cahier.**

## Section A

**1**  What was the subject of the research?

**2**  What do the findings of the study suggest?

**3**  What percentage of families is concerned?

## Section B

**4**  How many people have bought the video game?

**5**  Name one thing the player has to do in the game.

**6**  What does the new version offer? (Two points)

## Section C

**7**  What site was recently occupied by Greenpeace activists?

**8**  What were they opposed to?

## Section D

**9**  What is the budget available to the Minister for Urban Affairs?

**10**  What part of the town will be affected by this new plan?

**11**  What is the Minister's objective?

## Section E

**12**  What did Japan launch last Friday?

**13**  What is the purpose of it?

**14**  How much did the project cost?

**3.3** Regardez la photo ci-dessous tirée de la campagne de prévention de la Sécurité routière en France. Répondez oralement aux questions qui suivent.

Consultez l'aide-mémoire

Pour les pronoms relatifs, voir pp 361–64.

1 Décrivez ce que vous voyez sur la photo.

2 Que pensez-vous du slogan ?

3 Les utilisateurs de smartphones ont peur de rater quelque chose quand ils sont au volant de leur voiture. Que pensez-vous de cette attitude ?

4 Quels conseils leur donneriez -vous pour résister à leur téléphone qui sonne ou vibre ?

5 67% des conducteurs de moins de 35 ans regardent leur smartphone lorsqu'il émet un son. Ce chiffre vous étonne-t-il ? Expliquez.

6 Les campagnes de prévention de la Sécurité routière sont-elles efficaces d'après vous ? Pourquoi ? / Pourquoi pas ?

| **Phrases utiles** | |
|---|---|
| Cette photo est choquante / frappante / troublante / triste. | être dépendant de … |
| | un réflexe |
| endommager | envoyer un SMS en conduisant |
| un débris | un moment d'inattention |
| en miettes | perdre le contrôle |
| être joignable à tout moment | mesurer les dangers de la route |
| éteindre | |

**3.4a** Regardez les statistiques ci-dessous à propos des accidents de la vie quotidienne. Donnez votre réaction à l'oral ou à l'écrit.

**3.4b** Par groupes de deux ou trois, donnez quelques exemples d'accidents pour chacune des catégories mentionnées. Notez vos réponses dans votre cahier.

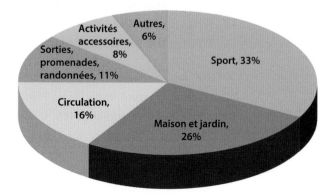

Activités accessoires, 8%

Autres, 6%

Sorties, promenades, randonnées, 11%

Sport, 33%

Circulation, 16%

Maison et jardin, 26%

## Un brin de causette

*Niall nous parle de l'Irlande et des Irlandais. Il nous raconte son expérience de la France jusqu'à maintenant et nous dit ce qu'il pense des Français. Quant à Rachel, elle discute avec Adeline de l'Europe et des sujets d'actualité qui la préoccupent.*

**Écoutez les extraits, puis répondez aux questions suivantes.**

**Un déjeuner à la française**

**Une visite en Croatie**

**Niall**

1 According to Niall, what traits are typical of Irish people? (Two points)

2 How is Ireland different from when Niall's grandparents were young?

3 In terms of the economy, why is Ireland successful?

4 How does Niall define French people?

5 What has he noticed about the French?

6 What are French people obsessed with, according to Niall?

7 Name two differences he notices on a daily basis.

8 What did he find difficult to get used to initially?

**Rachel**

1 Which country did Rachel visit with her school?

2 What would she like to do at university?

3 When did she go to Croatia with her family?

4 What was she interested in while there?

5 Why does she feel being part of the European Union is important? (Two points)

6 Name two benefits afforded to EU citizens.

7 What comment does she make about the euro?

8 How does she keep up to date with world news? (Two points)

# Préparation pour le bac

## 1 La production écrite

For Question 1 you need to give your opinion in around 90 words; for Questions 3 and 4, you only need to write around 75 words.

- Always read the question carefully, so you do not lose marks for going off the point.
- Always write an introduction and conclusion, and structure your essay with different paragraphs, skipping a line in between each of them.
- Remember to incorporate good grammar structures such as **si + imparfait + conditionnel**, or the subjunctive where possible.
- Use the vocabulary and structures on this page as a starting point for writing essays. You should also make small lists of vocabulary for each specific topic you may cover, such as *l'alcool, les technologies, le dopage, l'environnement*, etc.

### Le vocabulaire

**Introduction**

| | |
|---|---|
| Cette question se réfère / se rapporte au/à la/aux | *This question refers to* |
| Ce texte aborde le thème du/de la/des/de l' | *This text tackles the theme of* |
| évoque le sujet de | *mentions the subject of* |
| Ce qui nous préoccupe / Ce dont il est question ici c'est | *What we're dealing with here is* |
| Selon / D'après l'auteur | *According to the author* |
| Cela ne fait aucun doute que / qu'il y a | *There is no doubt that / that there is* |

**Starting to analyse the problem**

| | |
|---|---|
| La première constatation qui s'impose, c'est que | *The first comment to make is that* |
| En premier lieu, il convient d'examiner | *First of all, let's look at* |
| Examinons de plus près | *Let's take a closer look at* |
| La première question qui se pose, c'est de savoir | *The first question that arises is* |
| D'après ce document / ce graphique / cette image / ce texte / ces sondages | *According to this document / graph / picture / text / the polls* |

**Expressing your opinion**

| | |
|---|---|
| Je pense / crois / estime que | *I think / believe / reckon that* |
| Je dois dire que | *I must say that* |
| À mon avis / D'après moi / Selon moi | *According to me* |
| Il me semble que | *It seems to me that* |
| J'ai l'impression que | *I have the impression that* |
| J'approuve / Je désapprouve | *I agree / disagree* |
| Je me demande si | *I wonder if* |
| Je suis / ne suis pas d'accord avec (cette personne / le fait que + *subjonctif* …) | *I agree / disagree with (this person / the fact that …)* →|

| Je ne suis pas tout à fait du même avis que | *I am not quite of the same opinion as* |
| Je suis totalement opposé(e) à /à la/au/aux | *I am totally opposed to* |
| Je trouve inacceptable le fait que (+ *subjonctif*) | *I find it unacceptable that* |
| Il est inacceptable / impensable / inadmissible de dire / voir / penser que | *It is unacceptable / unthinkable / unacceptable to say / see / think that* |

## Criticising someone / something

| On ne fait rien / les gens ne font rien pour résoudre / supprimer | *Nothing is being done to solve / get rid of* |
| J'ai l'impression / le sentiment que les gens ignorent complètement ce problème | *I feel / have the impression that this problem is being completely ignored.* |
| Tout le monde est conscient de l'ampleur du/des problème(s) mais | *Everybody is aware of the extent of the problem(s), but* |
| Tout le monde se fiche de/du/de la/des | *Nobody cares about* |
| Rien n'est fait pour | *Nothing is done to* |
| Personne ne veut parler de ce problème | *Nobody wants to talk about this problem* |

## Comparisons

| Il en est de même pour | *The same is true of* |
| Cela rappelle | *That's reminiscent of* |
| En comparaison avec | *In comparison with* |
| Il n'y a rien de comparable entre | *There are no points of comparison between* |

## Giving advice / finding a solution

| Il est nécessaire (important / vital / urgent) de se battre contre | *It is necessary (important / vital / urgent) to fight against* |
| Certaines mesures devraient être adoptées par | *Measures should be taken by* |
| Il est temps de s'occuper / de se préoccuper de ce problème. | *It's about time we dealt with that problem.* |
| L'opinion / Le gouvernement devrait jouer un plus grand rôle dans | *The public / the government should be more concerned with* |
| Il faut réagir / intervenir à tout prix en ce qui concerne | *We/they must react / intervene immediately concerning* |
| Il est plus qu'important / nécessaire de trouver / d'adopter | *It is vitally important / necessary to find* |
| une solution à ce problème | *a solution to that problem* |
| Ce serait un grand pas en avant si l'on arrivait à (+ *infinitif*) / l'on pouvait (+ *infinitif*) | *It would be a big step forward if we / they managed to / could* |
| On ferait mieux de (+ *infinitif*) | *It would be better to* |
| Pour répondre aux besoins de | *In order to respond to the needs of* |
| Il faudrait augmenter / améliorer / interdire / supprimer | *It would be necessary to increase / improve / forbid / get rid of* |

## Conclusion

| | |
|---|---|
| Quelle conclusion tirer de ...? | *What conclusion may be drawn from ...?* |
| Je pense qu'il y a un peu d'espoir de (+ *infinitif*) | *I think there is little hope of* |
| Je pense qu'il y a peu de chance de (+ *infinitif*) | *I think there is little chance / prospect of* |
| Les problèmes dont il est question prouvent que | *The actual problems prove that* |
| Il semble donc que | *It seems clear that* |
| En définitive | *All in all* |
| Bref / En un mot | *In a word* |
| Devant ce problème / Face à ce problème, je me sens inutile / impuissant(e). | *I feel powerless to deal with that problem* |
| Avant tout, il faut être optimiste. | *Above all, one must remain optimistic.* |

## 2 Les mots de liaison

The following phrases will be of use for all writing activities as well as for the oral exam.
They will help you to present your arguments in a confident, fluent way.

| | |
|---|---|
| *above all / especially* | surtout |
| *according to* | d'après / selon |
| *actually* | en réalité |
| *as far as I'm concerned* | en ce qui me concerne |
| *besides* | de plus |
| *consequently* | par conséquent |
| *everywhere* | partout |
| *except* | sauf/excepté |
| *first* | d'abord |
| *first / to begin with* | tout d'abord |
| *however* | toutefois / cependant |
| *in the long run* | à la longue |
| *indeed* | en effet |
| *instead of* | au lieu de |
| *on the one hand* | d'une part |
| *on the other hand* | d'autre part |
| *rather than* | plutôt que |
| *so* | donc |
| *thus / in this way* | ainsi |
| *to tell the truth* | à vrai dire |
| *undoubtedly* | sans aucun doute |
| *unfortunately* | malheureusement |

## Exercice 1

**Complete these sentences in your copy with the appropriate expressions found here. Each one is used only once.**

> ainsi     plutôt que     par contre     au moins     tandis que
> sans     y compris     d'après     donc     presque

**1** Elle est partie ....... me dire au revoir.

**2** Il devrait s'entraîner de façon plus régulière, ....... il aurait plus de chances de gagner.

**3** Mon frère adore les vacances au soleil, ....... moi, je préfère celles à la montagne.

**4** Je ne suis pas encore prête, ....... je vous rejoindrai plus tard.

**5** Je vous paierai toutes les heures que vous avez faites, ....... les heures supplémentaires.

**6** Un peu de patience, nous sommes ....... arrivés.

**7** Ton père ne te demande pas la lune, tu pourrais ....... faire ton lit le matin.

**8** ....... le HCR, le nombre de réfugiés en Irak aurait diminué.

**9** Tu ferais mieux de chercher du travail ....... de rester là à ne rien faire toute la journée.

**10** Steven n'est pas très bon en maths. ....... sa sœur a d'excellents résultats.

## Exercice 2

**Make up sentences using each of the following phrases.**

> malheureusement     au lieu de     dès que     ensuite     cependant     tandis que
> à cause de     de même     malgré     par conséquent     au lieu de

## Exercice 3

**Complete each sentence with the correct word or expression from the choices given in brackets.**

**1** J'aimerais partir en vacances ....... je n'ai pas assez d'argent. (toujours / mais / sans)

**2** Elle n'a pas pu venir ....... elle avait trop de travail à finir. (car / toutefois / au lieu de)

**3** Nous avons cours tous les jours, ....... le mercredi après-midi. (par conséquent / donc / sauf)

**4** Ils préfèrent aller au ciné ....... d'aller boire un coup. (plutôt que / malgré / y compris)

**5** ....... demain soir, je suis occupée. Je suis invitée chez mon amie Sylvie. (avec / ensuite / malheureusement)

# 3 La compréhension orale

The aural exam lasts for 40 minutes and begins 15 minutes after the written component. It is divided into five sections: the first four sections are played three times; the fifth section is only played twice.

- Remember to read the paper carefully before the recording begins. For each question, underline key words so that you know what to listen out for.
- Answer in English and never leave blanks. Use your common sense if you're stuck, or simply guess the answer.
- The fifth section contains news items, so make sure that you are familiar with the vocabulary for topics such as: politics, accidents, the weather and sports, etc.
- Carefully revise all forms of numbers (times, dates, prices, phone numbers), as well as vocabulary for directions, pastimes, school subjects and professions, etc.

## A word about French pronunciation

A liaison in French pronunciation is where the (usually) silent final consonants of certain words can be heard when the following word begins with a vowel or mute H.

Consonants in liaisons sometimes change pronunciation slightly. For example, an S is pronounced like a Z when it is in a liaison.

**Compare :**

| Silent (s) | Liaison (z) |
|------------|-------------|
| vous | vous avez |
| les | les amis |

## Entraînez-vous pour le bac !

### Exercice 4

**Read the following sentences aloud. Do you notice the liaisons between some words?**

**Exemple :** Il arrive à Dijon dans deux ⤳ heures.

1 Sophie est allée en Espagne cet été.
2 Je te recommande ce restaurant sans hésitation.
3 On avait réservé notre billet en avril.
4 Nous habitons un pavillon situé à dix kilomètres du centre.
5 J'en ai pris trois, pourquoi ?
6 C'est ma dernière année.
7 Vous vous appelez comment ?
8 Ma tante vit aux États-Unis, à Los Angeles.
9 Tu es très égoïste.
10 Les chambres sont au premier étage.

## Exercice 5

**Read the following sentences, paying particular attention to the silent letters in bold. Don't forget the liaisons.**

1 Elle adore le**s** roman**s** policier**s**.
2 Je voudrai**s** un peti**t** peu de café.
3 Corinne **h**abite une maison jumelée.
4 Ton gran**d** frère étudie le commerce à la fac ?
5 Il**s** préfèren**t** aller au concert vendredi soir.
6 Marion prenai**t** souvent le train tô**t** le matin.
7 Mon ami Léo es**t** toujour**s** en retar**d** d'au moin**s** di**x** minute**s**.
8 Notre fils aura sep**t** ans en août.
9 Vous y croye**z**, vou**s** au**x** fantôme**s** ?
10 Je vais voyager pendant si**x** moi**s** en Europe du nor**d**.

# Grammaire

## 1 Le passif

In French, as in English, sentences can have a subject that is 'active' or 'passive'. This is called the 'voice' of the sentence and has to do with how the verb relates to the subject. In the 'active' form, the subject 'acts' (e.g. *Nicolas invite Claire*). In the 'passive' form, the subject is 'acted upon' (e.g. *Claire est invitée*).

In the second example, Claire is the subject, but isn't doing anything. Therefore the 'voice' of the sentence is passive. The passive form consists of the verb **être** plus the past participle.

| Active form | Passive form |
|---|---|
| J'invite Claire | Claire **est** invitée (*Claire is invited*) |
| J'ai invité Claire | Claire **a été** invitée (*Claire has been invited*) |
| J'avais invité Claire | Claire **avait été** invitée (*Claire had been invited*) |
| J'inviterai Claire | Claire **sera** invitée (*Claire will be invited*) |
| J'inviterais Claire | Claire **serait** invitée (*Claire would be invited*) |

Which tense should you use in the passive voice? First, check the tense of the verb in the active voice. Then, conjugate the verb **être** in the passive voice using that same tense.

**Exemples :** Nicolas *inviterait* Claire. (*The verb is in* le conditionnel.)

Claire *serait invitée* par Nicolas. (**serait** *is the conditional form of* être.)

The past participle always agrees with the subject of the verb as they are all conjugated with **être**. Add an **-e** if the subject is feminine and an **-(e)s** if it is plural.

| | | |
|---|---|---|
| **Exemples :** | Je suis invité**(e)** | Nous sommes invité**(e)s** |
| | Tu es invité**(e)** | Vous êtes invité**(e)s** |
| | Il est invité | Ils sont invités |
| | Elle est invitée | Elles sont invitées |

The passive is not used in French as much as in English and is often avoided by using **on**.

| | |
|---|---|
| **Exemples :** | On vous aime (*You are loved*) **rather than:** Vous êtes aimé(e). |
| | Ici, on parle français (*French is spoken here*) **rather than:** Ici, le français est parlé. |

Sometimes sentences in the passive in English cannot actually be translated into the passive in French, when there is no clear subject.

| | |
|---|---|
| **Exemple :** | *She was asked to leave* → On lui a demandé de partir. |

### Exercice 6

**Say which sentences are in the passive voice, and write out the form in your copy.**

1 La nouvelle sculpture sera inaugurée lundi par le maire.
2 Ils auront été reconduits à la frontière immédiatement.
3 Elle est partie samedi dans la soirée et elle est rentrée trois jours plus tard.
4 Dans la journée, les touristes ont visité une distillerie de whisky.
5 Le parfum a été lancé par le nouveau dirigeant du groupe.
6 Le président serait attendu par les journalistes juste à l'extérieur.

### Exercice 7

**Put these sentences into the passive voice.**

| | |
|---|---|
| **Exemple :** | Des chiens ont renversé des poubelles dans la rue. |
| | → Des poubelles ont été renversées dans la rue par des chiens. |

1 Michael a reçu une médaille pour le meilleur dessin !
2 La styliste a montré sa nouvelle collection en privé.
3 Il signera son nouveau roman à la Librairie du Pont demain.
4 L'année dernière, un violent orage avait détruit une partie du camping.
5 La chanteuse annulera sans doute certains de ses concerts.
6 On a retrouvé une dizaine de moutons dans un ravin.
7 Camille aurait perdu son téléphone pendant le match.

# 2 Le comparatif

The comparative is used to compare two people (or two groups of people) or two things / quantities. There are three kinds of comparison in French.

| | |
|---|---|
| **Superiority:** | plus … que (*more … than*, or e.g. *louder than*) |
| **Inferiority:** | moins … que (*less … than*) |
| **Equality:** | aussi … que (*as … as*) – with an adjective / adverb |
| | autant que (*as much as*) – with a verb / noun |

Comparisons can be made with adjectives, adverbs, verbs or nouns.

| | |
|---|---|
| **Adjective:** | John est plus / moins / aussi **timide** que David. |
| **Adverb:** | John travaille plus / moins / aussi **vite** que David. |
| **Verb:** | John **étudie** plus / moins / autant que David. |
| **Noun:** | John a plus / moins / autant de **CD** que David. |

---

Exceptions!

The adjectives **bon** and **mauvais** and the adverbs **bien** and **mal** have both regular and irregular forms for the comparative.

---

## Adjectives

| bon → | moins bon<br>aussi bon<br>meilleur(e)(s) (*better*) | mauvais → | moins mauvais(e)<br>aussi mauvais(e)(s)<br>pire / plus mauvais(e)(s) |
|---|---|---|---|
| **Exemple :** | Le pain au chocolat est meilleur que le croissant aux amandes. | **Exemple :** | L'équipe de France est pire / plus mauvaise que l'équipe d'Espagne. |

## Adverbs

| bien → | moins bien<br>aussi bien<br>mieux | mal → | moins mal<br>aussi mal<br>plus mal |
|---|---|---|---|
| **Exemple :** | Chris joue mieux au tennis que toi. | **Exemple :** | J'ai toujours aussi mal à la tête. |

**Complete the sentences using either plus, moins, autant or aussi.**

1 J'ai l'impression que c'est ....... court en passant par la côte : on gagnera presque vingt minutes !

2 D'après moi, le pull bleu te va ....... bien que le vert pâle.

3 Pascale a changé de numéro de téléphone : il est ....... facile à mémoriser.

4 Nous trouvons ce nouveau cinéma ....... confortable que l'autre !

5 Heureusement qu'à Londres, il n'y a pas ....... d'heures d'attente qu'à Boston.

6 Le mercredi soir, je finis ....... tard que d'habitude, vers les 22 heures. La journée est longue !

7 En général, il est ....... attentionné que son frère !

8 Ce nouveau magazine ne m'intéresse pas ....... que l'ancien en fait.

9 Jawad parle ....... de cinq langues différentes, c'est incroyable, non ?

10 L'arrêt du tramway est ....... loin de chez moi que l'arrêt du bus.

**Exercice 9**

**Maintenant à vous ! Write six sentences about the differences between a country you have visited or know about and your own country. Use comparative forms in each of your sentences.**

**Exemple :** Dans mon pays, en hiver, il fait beaucoup plus froid qu'au Maroc.

# 3 Le superlatif

The superlative is not used to compare two things, but to compare someone or something with the rest of a group and to identify them as the best, worst, etc. The superlative can be used with an adjective, an adverb or a noun.

| Adjective | Adverb |
|---|---|
| le plus fort / la plus forte<br>le moins fort / la moins forte<br>les plus forts / les plus fortes<br>les moins forts / les moins fortes | Il court le plus / le moins vite. |
| | **Noun** |
| | C'est ici qu'il y a le plus de / le moins de monde. |

**Exemples :** Éloïse est l'élève la plus sage de la classe.

Ces livres sont les moins intéressants de tous.

C'est ... qui can also be used with the superlative.

**Exemple :** C'est Éloïse qui est la plus sage de la classe.

To translate the idea of 'that I have ever seen / heard', French uses the subjunctive mood (see pg. 366–69):

**Exemple :** Versailles est le plus beau château qu'il ait jamais vu.

> **Exceptions!**
>
> The adjectives **bon** and **mauvais** and the adverbs **bien** and **mal** have the same exceptions as in the comparative forms.

## Adjectives

| | | |
|---|---|---|
| bon | → | le/la/les moins bon(ne)(s) <br> le/la/les meilleur(e)(s) |

| | | |
|---|---|---|
| mauvais | → | le/la/les moins mauvais(e)(s) <br> le/la/les plus mauvais(e)(s) = le/la/les pire(s) |

| **Exemple :** | C'est le meilleur film de l'année. |
|---|---|

| **Exemple :** | C'est le pire mensonge que j'aie jamais entendu ! |
|---|---|

## Adverbs

| | | |
|---|---|---|
| bien | → | le moins bien <br> le mieux |

| | | |
|---|---|---|
| mal | → | le moins mal <br> le plus mal |

| **Exemple :** | Entre François et Éric, c'est Éric qui parle le mieux espagnol. |
|---|---|

| **Exemple :** | C'est Jennifer qui joue le moins mal de toutes ses collègues. |
|---|---|

### Exercice 10

**Make sentences using the superlative. Watch out for the agreements.**

**Exemples :** Daft Punk (+) — connu — groupe de musique français.
Daft Punk est le groupe de musique français le plus connu à l'étranger.

1 Le vin (–) – cher – chez les producteurs – Espagne.
2 La France (+) – pays – visité – monde.
3 Le Vélib (+) – moyen de transport – efficace – à Paris.
4 Mlle Cariolet (–) – graphiste – enthousiaste – bureau.
5 Les films policiers (+) – devenir – populaire – genre de film.
6 Le complexe aquatique (+) – grand – de notre région.
7 Les séries françaises (–) – regardé – de l'Hexagone.
8 La voiture allemande (+) – bon – de l'année.
9 Le kangourou (+) – la nourriture – bizarre – essayer.
10 Mr Bendozzi (–) – voisin – sympa – quartier.

Read the table below, then write up to ten sentences using both the comparative and the superlative forms.

**Exemples :** **Comparatif :** Le salaire annuel est **meilleur** au Mexique qu'en Chine.

**Superlatif :** La France a **le plus de** jours de congés annuels.

| Pays | Jours de congés par an | Salaire moyen annuel (€) |
|---|---|---|
| Chine | 8 | 1 000 |
| États-Unis | 10 | 40 000 |
| France | 26 | 33 000 |
| Inde | 25 | 550 |
| Mexique | 14 | 6 000 |

# 4 Les adjectifs démonstratifs

The singular demonstrative adjectives **ce**, **cet** and **cette** can all mean either 'this' or 'that', depending on the context; the plural **ces** can mean 'these' or 'those'. They must agree in gender and number with the noun they modify.

| | Singular | Plural |
|---|---|---|
| **Masculine** | ce/cet | ces |
| **Feminine** | cette | ces |

**Exemples :** Ce garçon habite juste à côté de chez moi.

Cette montre n'est pas la mienne.

Cet homme achèterait le tableau pour un million d'euros.

Ces copies sont pleines de fautes d'orthographe.

**Ce** becomes **cet** in front of a masculine noun that begins with a vowel or mute h.

**Exemples :** Cet homme est mon oncle Robert.

Cet ami est vraiment super.

**Ces** is the only plural demonstrative adjective: **cettes** does not exist! In order to distinguish between 'this' and 'that', 'these' and 'those', you can attach the suffixes –ci (here) and –là (there) to the noun.

**Exemples :** Je préfère ce pantalon-**ci**. Il a l'air moins grand.

Cette femme-**là** n'a jamais rien compris.

Complete the sentences in your copy using ce, cette, cet or ces.

1 Je ne connais pas ....... boutique de la rue Françoise Dolto.

2 Ils veulent voyager dans ....... pays depuis toujours.

3 Nous ne souhaitions pas voir ....... homme maintenant.

4 Je dois rendre ....... magazine à Manon demain !

5 Elle va porter ....... ensemble pour la soirée d'adieu ?

6 ....... bottes sont maintenant trop petites pour moi. Je te les donne !

**Exercice 13**

Put these sentences in the singular form. Watch out for the agreements.

1 Ces livres sont vraiment trop lourds à porter.

2 Ces fleurs sentent super bon. Merci !

3 Ces artistes intéressantes sont de Bordeaux, je crois.

4 Ces appartements sont loués malheureusement. Désolé, madame !

5 Ces magasins se trouvent dans la rue principale sur votre gauche.

6 Ces étudiants sont en troisième année de droit.

**Exercice 14**

Put these sentences in the plural form. Watch out for the agreements.

1 Cette voiture est parfaite pour circuler en ville.

2 Cet homme prend son petit déjeuner tous les matins au café d'en face.

3 Ce repas de famille était une bonne idée : on a bien rigolé !

4 Cette semaine-là avait été très dure.

5 Ce bruit commence à m'énerver sérieusement : il est plus d'une heure du matin !

# 5 Les pronoms démonstratifs

Demonstrative pronouns (this one, that one, the ones, these, those) refer to a previously mentioned noun in a sentence. They must agree in gender and number with the noun(s).

|           | Singular | Plural |
|-----------|----------|--------|
| **Masculine** | celui    | ceux   |
| **Feminine**  | celle    | celles |

Each of the four demonstrative pronouns can refer both to something nearby or far away (e.g. **celui** can mean 'this one' or 'that one').

Demonstrative pronouns cannot stand alone; they must be used in one of the following constructions:

- **With an attachment:** as with demonstrative adjectives (**ce**, **cette**, **ces** and **cet**), you can distinguish between 'this one' and 'that one', 'these' and 'those' with the suffixes **-ci** (here) and **-là** (there).

  **Exemple :** | Quelle voiture préfères-tu ? **Celle-ci** ou **celle-là** ?
  *(Which car do you prefer? This one or that one?)*

- **In prepositional phrases**, usually introduced by **de**, **avec**, **à** …, to indicate possession or origin.

  **Exemples :** | Je n'arrive pas à me décider entre les deux cours. **Celui** de l'université de Cork est intéressant mais **celui** de Galway est moins long.
  *(I can't make up my mind between the two courses. The one in Cork University is interesting but the one in Galway is shorter.)*

  Tu préfères la maison au bord de la mer ou **celle** à la campagne ?
  *(Do you prefer the house by the sea or the one in the country?)*

- **Followed by a relative pronoun** (**qui**, *que*, *où* …)

  **Exemple :** | **Celui** qui a fait ça doit se dénoncer immédiatement.
  *(Whoever did that should own up immediately.)*

## Exercice 15

**Complete the sentences below using** celui, celle, ceux **or** celles.

1. ....... que tu vois là-bas, ce sont les copines de Magalie !
2. Ce vin blanc est délicieux. Je peux goûter ....... -ci, s'il vous plaît ?
3. ....... qui doivent descendre sur la place Jean Moulin, levez le doigt !
4. Cette petite jupe est trop chère ! ....... -là est à combien ?
5. Nous aimons beaucoup ces canapés : ....... qui est dans le coin est disponible en cuir ?
6. Il chante beaucoup de chansons, sauf ....... qui sont tristes !

## Exercice 16

**Complete the sentences below using** celui-ci, celui-là, celle(s)-ci, celle(s)-là, ceux-ci **or** ceux-là.

1. J'aime bien ces vernis à ongles-ci mais je déteste ........
2. Ne prends pas cette rue étroite. Prends ......., juste à droite !
3. Tu me commanderas ces livres-ci demain s'il te plaît, pas ....... d'accord ?
4. De tous ces groupes, c'est ....... que j'ai vraiment adoré.
5. Je vais prendre cette carte d'anniversaire-ci. ....... n'est pas appropriée pour son âge.
6. Elle doit acheter des chocolats : elle hésite entre ....... et ....... mais ils ont tous l'air excellents.

# 6 Les pronoms possessifs

Possessive pronouns are the words that replace a possessive adjective (**mon**, **ton** …) followed by a noun.

**Exemples :**  Ma maison est assez grande. **La tienne** est plus petite.

Mes élèves étaient très sages cette année alors que **les tiens** étaient plutôt bruyants.

In French, there are different forms depending on whether the noun is masculine or feminine, singular or plural.

|                   | masc. sing | fem. sing   | masc. plur | fem. plur     |
|-------------------|-----------|-------------|-----------|---------------|
| mine              | le mien   | la mienne   | les miens | les miennes   |
| yours (familiar)  | le tien   | la tienne   | les tiens | les tiennes   |
| his/her/its/one's | le sien   | la sienne   | les siens | les siennes   |
| ours              | le nôtre  | la nôtre    | les nôtres |              |
| yours (formal)    | le vôtre  | la vôtre    | les vôtres |              |
| theirs            | le leur   | la leur     | les leurs |               |

The important things to remember are that the possessive pronoun must agree in number and gender, and that the appropriate definite article must be used (**le**, **la**, **les**).

**Exemples :**  – Voici **mon** frère. – Enchanté. **Le mien** n'est pas encore arrivé.

Je déteste **ma** voiture ; **la tienne** est beaucoup plus confortable.

**Mes** parents sont en France. Où habitent **les vôtres** ?

**Cette** tasse – c'est **la tienne** ou **la mienne** ?

When the possessive pronoun is preceded by à or *de*, the preposition joins up with the definite article:

**Exemples :**  Tu parles à ton père ; je vais parler **au mien** (= à + *le mien*).

Ils sont fiers **de** leurs enfants et nous sommes fiers **des nôtres** (= *de* + *les nôtres*).

## Exercice 17

**Replace the words in brackets with a possessive pronoun.**

1  – Vous avez donné tous vos livres ? – Non, et toi, tu as vendu (tes livres) ?
2  La tempête a effrayé mes animaux mais les voisins des fermes à côté m'ont dit qu'elle n'avait pas apeuré (les animaux des voisins).
3  La directrice a aimé les photos de ma classe. A-t-elle aussi aimé (les photos de votre classe) ?
4  Elle adore la coiffure de Kate mais je pense qu'elle aimerait mieux (ta coiffure).
5  Il a perdu ses lunettes de soleil à la plage. Et vous, vous avez aussi perdu (vos lunettes) ?
6  J'ai passé mon baccalauréat l'année dernière. Mon frère cadet n'a pas encore passé (son baccalauréat).

**Translate the pronouns in brackets into French and write out the sentences in full in your copy.**

1 Ses histoires ne m'intéressent pas vraiment. (Yours) ....... sont plus drôles !

2 Oh, désolée, c'est votre place ? Non, c'est (his) .......

3 Ils sont à toi ces bonbons ? Oui, ce sont (mine) ........

4 Mon numéro du boulot a changé mais (yours) ....... est toujours le même.

5 C'est votre fils, Madame ? Non, c'est (hers) ........

6 Vos filles sont très sportives alors que (theirs) ....... sont plutôt artistiques.

7 Mes parents sont plus compréhensifs je pense. (Yours) ....... sont assez stricts.

8 Notre chien est chez le vétérinaire pour un oui pour un non. (Yours) ....... n'est jamais malade !

**Ressources supplémentaires en ligne**

Consultez le site **www.edco.ie/mosaique** pour tester plus amplement vos connaissances et pratiquer votre français en utilisant les ressources suivantes :

- activités auditives interactives
- activités grammaticales interactives
- entretiens sous forme de vidéos, avec fiches pédagogiques correspondantes.

# MODULE F

## Le mode de vie

## Table des matières

### Aide-mémoire

# 1 Être bien dans son corps

**1.1** Répondez oralement aux questions ci-dessous et notez vos réponses dans votre cahier.

1 Quel est votre plat préféré ? Décrivez-le.

2 Vous arrive-t-il de cuisiner chez vous ? Donnez des détails.

3 Que prenez-vous au petit déjeuner ?

4 Où prenez-vous votre repas du midi en semaine ? Donnez des détails.

5 Quand vous avez un petit creux, que préférez-vous manger ?

6 Vous êtes plutôt sucré ou salé ?

7 Vous arrive-t-il de sauter des repas ? Expliquez.

8 Bien manger pour vous, qu'est-ce que ça signifie ?

 **Au fait**

**Le goûter, c'est sacré !**

Le goûter ou « le quatre heures » est pris en fin d'après-midi une fois rentré de l'école ou du lycée. Il ressemble un peu au petit déjeuner avec la traditionnelle tartine de pain beurrée avec de la confiture. Parfois, il s'agit d'une tartine avec un morceau de chocolat, ou bien encore d'un pain au chocolat, d'un gâteau ou de biscuits. Comme boisson, un chocolat chaud, un verre de lait ou un jus de fruit.

**1.2** Lisez le texte puis dans votre cahier répondez aux questions qui suivent.

## Leur menu préféré : hamburgers, pizzas et coca ?

On les pense accros à la junk-food ? On se trompe ! « Ils aiment ça parce que c'est l'étendard* de leur génération, mais ce n'est pas la nourriture qu'ils préfèrent », assure la nutritionniste Dominique-Adèle Cassuto, auteur de *Qu'est-ce qu'on mange ? L'alimentation des ados de A à Z.* L'enquête Alim'Ados a même montré qu'ils étaient très attachés à la cuisine familiale !  →

Alors pourquoi est-il si difficile de les déloger du McDo ? Parce qu'ils en ont fait leur QG* : ils y mangent pour pas trop cher et peuvent y rester des heures avec leurs copains et une connexion wi-fi. « Il y a un vrai sentiment de liberté à manger hors du cadre familial ou scolaire », confirme le Dr Cassuto. Grâce à la nourriture, l'ado cherche également à transgresser les règles établies par ses parents et à exprimer son propre style. De toute façon, mieux vaut un ado qui mange un hamburger qu'un ado qui ne mange rien. « Les jeunes, surtout les filles, culpabilisent d'avoir faim alors que c'est tout à fait normal d'avoir de gros besoins à cet âge-là ! », rappelle Dominique-Adèle Cassuto. Mais qu'on se rassure, les jeunes savent très bien ce qui est bon ou mauvais pour eux. D'après une étude de l'INPES, en 2010, 39% des ados mangent des fruits tous les jours contre 31% en 2006. Même progression pour les légumes (ils sont 45% contre 42% à en consommer quotidiennement), alors qu'ils ne sont plus que 24% (contre 28%) à se jeter sur les sucreries.

© *Ça m'intéresse*, mai 2014, numéro 399

---

**Lexique**

un étendard = *a standard or a flag* ; (ici) un symbole
un QG = un quartier général = *HQ*

---

**Questions**

1 Trouvez au début de l'extrait un synonyme de « c'est faux ».
2 L'enquête Alim'Ados a prouvé que les adolescents …
   i) préfèrent manger au McDo
   ii) préfèrent manger à la cantine de leur lycée
   iii) aiment la cuisine préparée à la maison.
3 Pourquoi les jeunes aiment-ils manger au McDo ?
4 D'après l'article, manger un hamburger n'est pas le pire choix des ados : vrai ou faux ? Expliquez votre réponse.
5 Relevez une phrase qui montre que les adolescents savent ce qui est bon pour la santé.
6 Comment sait-on que les jeunes ne raffolent pas de bonbons, gâteaux ou barres chocolatées ?

 **1.3** **Écoutez ce reportage sur Kristin Frederick, la reine des plats à emporter façon américaine, puis répondez aux questions suivantes.**

1 How long are people willing to queue for one of Kristin Frederick's burgers?
2 What is so special about these burgers? (Two details)
3 What would Kristin like to do?
4 How many people currently work for her?
5 What comment does Paul-Émile make regarding the burgers?

© Le camion qui fume

**1.4** Répondez oralement aux questions ci-dessous et notez vos réponses dans votre cahier. Aidez-vous des phrases utiles données.

1 Avez-vous une alimentation équilibrée ? Diversifiée ? Expliquez.

2 Comment peut-on encourager les bonnes habitudes alimentaires ?

3 Pourquoi est-il important de connaitre l'origine et la provenance des aliments ?

4 Lors de la Semaine du Goût en France, de grands chefs offrent des shows culinaires aux étudiants dans un amphi de leur campus. Pensez-vous que ce soit une bonne idée ? Pourquoi ?

5 Quel atelier du goût proposeriez-vous dans votre lycée ou dans la maison des jeunes de votre quartier ?

**LA SEMAINE DU GOÛT®**
**du 13 au 19 octobre 2014**
...

La Semaine du Goût®, c'est l'occasion de célébrer et de réapprendre le goût partout en France ! Des milliers d'animations accessibles à tous dans les établissements scolaires, restaurants, associations, mairies, fermes et commerces.
**Alors bonne Semaine du Goût® !**
...

www.legout.com

© Le Public Système

**Consultez** l'aide-mémoire

Pour réviser le conditionnel présent, voir pp. 187–88.

**Au fait**

La Semaine du Goût existe depuis 1990 en France. Elle a été fondée par le critique gastronomique Jean-Luc Petitrenaud pour éduquer les plus jeunes au goût et aux bonnes habitudes alimentaires. Diverses manifestations sont proposées à travers toute la France.

**Phrases utiles**

| | |
|---|---|
| Il est essentiel / important que … | grignoter |
| Il faudrait que … | le grignotage |
| manger sucré / salé / gras | un plat à emporter |
| faire attention à … | une boisson gazeuse |
| éviter | un livre de recettes |
| faire / suivre un régime | un distributeur automatique de boissons |

**1.5** Écoutez ce reportage sur les tendances alimentaires actuelles puis répondez aux questions ci-dessous.

1 Name two food-related problems prevailing at the moment, according to the sociologist Jean-Pierre Poulain.
2 What percentage of French people are coeliac?
3 What special dietary requirements does Noglu cater for?
4 MOB is a new type of fast-food restaurant: how is it different to other places?
5 What word is used to describe 95% of the customers of MOB?
6 English people would let you know in advance if there was something they wouldn't eat. How would this be received in France?
7 What aspects of the French approach to food contribute to reducing obesity? (Two points)

 **1.6** Complétez le texte suivant avec les mots donnés ci-dessous.

> **fatigue    courir    pied    pleinement    meilleur    rouler    corps    peau**

Vous ne vous sentez pas bien dans votre (1) ....... ? Vous avez besoin de déstresser ? Alors, bougez pour avoir la pêche! Bouger, c'est bon pour le (2) ....... et l'esprit. Bouger, c'est monter les escaliers, danser, sauter à la corde, (3) ....... à vélo, faire une balade en forêt avec les copains ou (4) ....... sur la plage en écoutant de la musique. Le mouvement, c'est le (5) ....... moyen de bien faire fonctionner tout le corps. Quand nous bougeons, tout notre corps en profite. Par contre, l'inactivité, elle, provoque tout le contraire: la (6) ......., l'envie de ne rien faire et la perte de motivation.

  Faire de l'activité physique, c'est aussi l'occasion de se réaliser (7) ....... , de rencontrer d'autres personnes, de se faire des amis. Et tout ça pas seulement par le sport mais aussi à travers des activités culturelles comme le théâtre, la musique ou l'art. Bouger, c'est le (8) ....... !

*Patients*

**Lisez le texte suivant, extrait d'un livre autobiographique de Fabien Marsaud, alias Grand Corps Malade, la star du slam\* en France. Il a eu un accident très grave à 20 ans et est resté longtemps handicapé. Répondez aux questions qui suivent.**

1   Les deux premières semaines, toute sortie de ma chambre était forcément accompagnée. Que ce soit pour les soins ou la rééducation, on me poussait en brancard\* ou en fauteuil. Et comme, en plus, tous les repas se faisaient dans ma chambre avec un aide-soignant, je n'avais jamais de moment à moi en dehors des heures au lit.

Mais le moment est enfin venu pour moi de retrouver un peu d'autonomie. On vient de m'attribuer un bon gros fauteuil roulant électrique. La première fois qu'on m'installe dedans, je suis à la fois impressionné et excité, comme un môme à qui on a amené un cheval à dompter avant de le monter. Car si ce fauteuil est un symbole fort de mon immobilité, il va aussi me permettre de me remettre en mouvement. Je viens de passer près de deux mois au lit, alors si ce fauteuil prend soudain beaucoup de place dans la chambre, il va aussi en prendre beaucoup dans mon esprit.

2   Ça y est … j'ai mon fauteuil. Après deux petites séances avec l'ergothérapeute\* pour apprendre à le maîtriser et à le conduire, j'ai désormais le droit de me balader seul dans les couloirs.

Un kif\*! Je roule donc à fond, cheveux au vent (j'en rajoute à peine) avec, dans les oreilles, les bruits inoubliables du moteur électrique et du frottement des pneus sur le lino des couloirs. Un mois et demi que je n'avais pas eu le loisir de choisir mes destinations. Après les séances de kiné, je décide d'arpenter les méandres du centre de rééducation pour découvrir dans les moindres détails mon nouvel environnement.

3   Au rez-de-chaussée, il y a l'aile des TC – les traumatisés crâniens. Autant dire que ce n'est pas le couloir le plus glamour du bâtiment. Chez les traumatisés crâniens, il existe autant de cas différents qu'il y a d'individus. Ce sont des accidentés touchés au cerveau, et le cerveau est tellement complexe qu'aucun patient ne présente la même pathologie qu'un autre. […] Le couloir des TC, c'est un peu l'ambiance du clip « *Thriller* » de Michael Jackson, mais dans un couloir aseptisé.

Grand Corps Malade, Patients © Éditions Don Quichotte 2012

| **Lexique** |
| --- |
| le slam = *performance poetry competition* |
| en brancard = *stretcher* |
| l'ergothérapeute = *occupational therapist* |
| un kif (*familier*) = un plaisir |

**Questions**

1 a Dans la première section, relevez une phrase ou expression qui indique que Fabien est rarement seul.

  b Quel(s) sentiment(s) éprouve-t-il face à son nouveau fauteuil roulant? (Section 1)

2 a À quoi se compare-t-il une fois installé dedans ? (Section 1)

  b D'après la première section, Fabien considère son fauteuil comme …

    i) une perte d'espace dans sa chambre

    ii) un ami fidèle

    iii) un moyen d'être indépendant

    iv) plus confortable que son lit.

3 a Trouver un synonyme de « se promener ». (Section 2)

  b Relevez une phrase qui indique que Fabien se déplace à toute vitesse en fauteuil roulant. (Section 2)

4 Comment sait-on que les traumatisés crâniens sont des patients à part ? (Section 3)

5 Relevez une phrase qui montre que Fabien décrit les traumatisés crâniens avec une note d'humour malgré leurs situations complexes. (Section 3)

6 The narrator has a real sense of freedom once he gets his wheelchair. Support this statement with reference to the text. (*50 words*)

**Attention aux faux amis !**

une cure = *a spa treatment*　　　　　*a cure* = un remède

# 2 Être bien dans sa tête

**2.1**　**Lisez le texte suivant donnant des conseils aux parents dont l'adolescent stresse à l'approche du bac.**

### Bac en vue, je l'aide à se préparer

1 On a tendance à considérer cet examen comme une simple formalité, jusqu'au jour où notre petit chéri s'apprête à le passer ! On prend alors conscience des enjeux et on se demande comment l'aider … D'abord, gardons la tête froide et prenons de la distance : ce n'est pas nous qui allons passer le bac ! Ensuite, sachons nous adapter à ses besoins réels. Les conseils d'Annick Hansen, psychologue et coach scolaire.

### Il est sur-stressé

Il panique, enchaîne les insomnies et répète en boucle qu'il va échouer. [...] Certaines personnes ont besoin de se construire des scénarios catastrophe pour réussir à mobiliser toutes leurs ressources [...]. Mais là malheureusement votre ado semble en train de se laisser déborder par son stress. La machine s'est emballée, il ne contrôle plus rien [...]. Votre première réaction, légitime, est de le rassurer : « Mais si, tu vas y arriver. » [...] Conseillez-lui de faire un rétro-planning de ce qu'il doit réviser, des fiches, etc.

### 2 Il met la barre très haut

Pour lui, réussir le bac ne sera pas suffisant : il vise la mention, sinon rien ! [...] Pour se motiver, il a besoin d'un idéal très fort. Si ce niveau d'exigence élevé lui appartient en propre, cette « carotte » le fera avancer. Mais, s'il s'approprie un idéal qui n'est pas le sien, il risque de mal supporter le surcroît* de pression. [...] Essayez de le décentrer de son « obsession » scolaire : on est très fiers que tu aies réussi ton code de la route, que tu joues de la guitare ... Une manière subtile de lui dire qu'il existe un salut hors de la perfection scolaire.

### 3 Il refuse que vous vous en mêliez*

Difficile de décoder le discours souvent paradoxal d'un ado ! Lorsqu'il vous demande de rester à distance, est-il sincère ? Observez-le. Il bosse, n'a pas l'air trop stressé : faites-vous une raison, il n'a pas besoin de vous, au contraire ! Il souhaite passer cet examen à forte valeur symbolique tout seul. Comme un grand. Ne lui gâchez pas ce plaisir, contentez-vous de lui rappeler que vous êtes là au cas où ... il dort mal, se ronge les ongles ? Ces signes sont destinés inconsciemment à attirer votre attention, à réclamer votre soutien.

© *Femme Actuelle*, avril 2014, numéro 1 543

### Lexique

le surcroît de = *the extra*

se mêler = *to get mixed up in or involved in*; se mêler de = *to interfere in*

### Questions

1 a Dans la première section, relevez une phrase qui montre que les parents réalisent vite ce qu'on peut gagner ou perdre lors de l'examen.

b Trouvez une expression équivalente de « rester calme ». (Section 1)

2 a Donnez un exemple de « scénario catastrophe » mentionné. (Section 1)

b D'après la première section, comment les parents peuvent-il aider leur ado paniqué ?

3 a Trouvez un synonyme de « être exigeant ». (Section 2)

b Que souhaite obtenir un ado exigeant qui passe le bac ? (Section 2)

4 Dans la deuxième section, relevez un verbe au subjonctif.

5 a Trouvez une expression qui signifie que l'adolescent veut être considéré comme autonome. (Section 3)

b Comment les parents savent-ils que leur ado est stressé ? (Section 3)

6 Parents need to be discreet and supportive when their children are doing exams. Support this statement with reference to the text. (*50 words*)

**2.2** Répondez oralement aux questions suivantes.

1 À quels moments vous sentez-vous stressé(e) ?
2 Vous êtes comment quand vous êtes stressé(e) ?
3 Quelles réactions avez-vous ?
4 Vers quelle(s) personne(s) vous tournez-vous dans ces moments-là ?

### Phrases utiles

| | |
|---|---|
| être débordé(e) | ne pas être à la hauteur / ne pas y arriver |
| le stress des examens | le manque d'argent / un problème familial |
| l'intimidation | se sentir seul(e) / isolé(e) / ignoré(e) / mis(e) à l'écart |
| être intimidé(e) par | |
| la pression des études / des parents / des profs | être stressé(e) / déprimé(e) / fatigué(e) / nerveux(-euse) |
| être sous pression | avoir le cafard / se sentir mal/bien |
| perdre ses moyens | être tendu(e) / replié(e) sur soi |

**2.3** Lisez les commentaires ci-dessous, puis, répondez oralement ou par écrit aux questions qui suivent. Aidez-vous des phrases utiles de la page suivante pour formuler vos réponses.

**A** Moi, je me ronge les ongles, ça me déstresse ... mais pas assez. **Samuel**

**B** Je stresse à l'idée d'échouer au concours que je prépare depuis plus d'un an. Du coup, je me suis mise à la sophrologie* : c'est assez sympa et ça détend. **Vavi**

**E** J'écris chaque soir, sur un petit carnet, une phrase qui me rappelle les éléments positifs de ma journée. En faisant ça, on se rend compte que la vie n'est pas si pourrie* qu'elle en a l'air ! **Lucille**

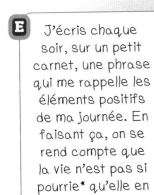

**D** Pour déstresser, il n'y a pas 36 remèdes : faire du sport, du footing par exemple, et parler. Mettre des mots sur les maux, ça fait du bien, et ça libère. **Yvann**

**C** Criez dans un coussin (ou une écharpe si vous êtes en cours) : ça fait hyper du bien ! Après, on se sent vidé de tout son stress. **Marion**

© Bayard Presse, *Phosphore*, mai 2014

### Lexique

la sophrologie = la thérapie de relaxation (*e.g. mindfulness*)
pourri(e) = *rotten*

## Questions

1 Vous reconnaissez-vous dans l'attitude d'un de ces adolescents ? Lequel ? Pourquoi ?

2 Par quoi êtes-vous stressé(e) ?

3 En général, comment gérez-vous votre stress au quotidien ?

### Phrases utiles

| | |
|---|---|
| se détendre / se relaxer / se reposer | quand j'ai un coup de cafard / blues, je … |
| s'amuser en (+ *participe présent*) | être de mauvaise / bonne humeur |
| se changer les idées en … | ça me donne envie de (+ *infinitif*) |
| profiter de … | se confier à … |
| passer son temps à … | se forcer à … |
| s'aménager du temps libre pour … | ne pas hésiter à … |
| pratiquer une activité | se sentir en décalage avec … |
| régulièrement / quotidiennement | en parler à … |
| quand ça ne va pas bien / je n'ai pas la pêche, je … | se renfermer / se replier sur soi … |
| | se réfugier dans … |
| lorsque je me sens stressé(e) / déprimé(e), je … | perdre confiance en soi |
| | pleurer |

**2.4** **Lors d'un micro-trottoir, une journaliste a demandé à des passants ce qu'ils faisaient pour être bien dans leur peau. Écoutez, puis écrivez leur réponse dans votre cahier.**

| Passant(e) | Que faites-vous pour être bien dans votre peau ? |
|---|---|
| 1 | |
| 2 | |
| 3 | |
| 4 | |
| 5 | |
| 6 | |

**2.5** Lisez le résumé du scénario du film ci-dessous, puis imaginez que Romain Faubert est votre oncle. Faites un récit d'environ 90 mots qui décrit votre réaction à sa tendance de se croire toujours malade.

**CinéClub : *Supercondriaque* (2014),
comédie française de Dany Boon**

Romain Faubert a tendance à se préoccuper de sa santé et de maladies, souvent imaginaires, de façon excessive. Son métier de photographe médical n'arrange rien à cette obsession et guide son style de vie au quotidien. Il a toujours peur de tomber malade et cela l'empêche de se faire des amis.

Son ami et médecin traitant, Dimitri Zvenska, l'encourage à sortir, faire du sport et trouver l'âme-sœur, afin qu'il puisse surmonter sa névrose.

Consultez
l'aide-mémoire

Pour le récit imaginaire, voir pp. 410–11.

**2.6** Écoutez ce reportage à propos de la consommation de médicaments en France, puis répondez aux questions suivantes.

1 What do some people in France want to see reformed?

2 What industry is currently being protected?

3 How much, on average, did each French person spend on prescription drugs in 2012?

4 What new way of dispensing prescription medicine is recommended?

5 What group of people is the reform going to be particularly important for?

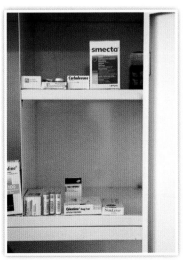

# Les addictions

## 1 Être accro aux substances

**1.1** Par groupes de deux ou trois, répondez oralement aux questions ci-dessous et partagez vos réponses avec l'ensemble de la classe. Notez vos réponses dans votre cahier.

**1** Pour chacun de ces produits dites les raisons possibles pour lesquelles les personnes en consomment.

**2** Quelles sont les conséquences sur la personne ? À court terme ? À long terme ?

**3** Qu'est-ce qui influence les jeunes dans leur consommation d'une de ces substances ?

**4** Les campagnes de prévention contre l'alcool, le tabac ou les drogues sont-elles efficaces ? Suffisantes ? Expliquez.

**5** Si cela ne vous dérange pas d'en parler, dites si vous avez déjà consommé l'un de ces produits ? Lequel ? À quelle occasion ?

  **1.2** Écoutez un extrait à propos de la cigarette électronique ou « vapoteuse », puis répondez aux questions dans votre cahier.

**1** How many French people have already tried e-cigarettes?

**2** How many feel that e-cigarettes help you to stop smoking?

**3** What are the other options available to those who want to stop smoking?

**4** What restriction is in place to protect non-smokers?

**5** Why did Sébastien want to stop smoking? (One point)

**6** How long did it take him to stop smoking completely?

**7** Why did Veronica start smoking cigarettes again after trying e-cigarettes? (One point)

**8** How many packets of cigarettes does she smoke now?

**1.3** Mettez-vous par groupes de trois ou quatre et donnez vos réactions aux questions suivantes en vous aidant des phrases utiles. Partagez vos idées avec le reste de la classe.

1 Que pensez-vous de la cigarette électronique ?
2 Est-elle aussi dangereuse que la cigarette traditionnelle ? Pourquoi ? / Pourquoi pas ?
3 Au final, est-ce un produit moins coûteux ?
4 Que conseilleriez-vous à un fumeur/une fumeuse qui veut l'utiliser ?
5 Connaissez-vous une personne qui utilise les vapoteuses ? Donnez des détails.

## Phrases utiles

| | |
|---|---|
| un fumeur / un non-fumeur | être nocif(-ive) |
| un vapoteur | un paquet de cigarettes |
| un gadget | un substitut nicotinique |
| un risque | tousser |
| la fumée | inhaler |
| des problèmes respiratoires | augmenter / diminuer / arrêter |
| produire de la vapeur | fumer comme un pompier |
| un produit irritant | le cancer des poumons / de la gorge |
| un arôme naturel / artificiel | |

**1.4** Lisez le texte ci-dessous, puis répondez aux questions qui suivent.

### Mon ado boit trop d'alcool

1 Les adolescents expérimentent l'alcool de plus en plus tôt, parfois dès la sixième, dans un square près du collège, et s'enivrent plus souvent. [...] Plus de la moitié des jeunes de 17 ans reconnaissent avoir bu plus de cinq verres d'affilée* au moins une fois le mois écoulé. Un phénomène inquiétant, que traduit la recrudescence des comas éthyliques aux urgences pédiatriques. [...]

Samedi soir, votre fils de 14 ans est rentré soûl d'une soirée « sans alcool », une bouteille de vodka à moitié vide dans le sac. À son âge, vous sirotiez* du jus d'orange [...] À 17 ans, 27,8% des adolescents ont connu plus de trois ivresses dans l'année, et 10,5%, au moins dix. Les filles s'alcoolisent davantage elles aussi, mais leur consommation reste inférieure à celle des garçons. Idem pour le *binge drinking*, qui consiste à boire un maximum de verres en un minimum de temps dans le but de « se mettre minable* ».  →

### Lexique

d'affilée = *in a row*

siroter = *to sip*

se mettre minable = *to get wasted*

**2** « L'adolescence est un âge où l'on explore ses possibles et ses limites », explique le psychiatre et psychanalyste Patrice Huerre, « mais c'est aussi une période de grande fragilité narcissique. Il convient de distinguer l'usage festif de l'alcool, destiné à faciliter les relations avec les pairs, ceux de l'autre sexe notamment, et l'alcoolisation ponctuelle importante […] qui commence comme un défi mais s'apparente à une 'défonce'.* Avec cette pratique de plus en plus répandue, l'adolescent recherche des sensations extrêmes pour se sentir exister. Plus qu'une réponse à la pression scolaire ou au pessimisme ambiant, j'y vois la conséquence d'une sur-stimulation précoce. Les enfants, dès le berceau, sont sollicités via des jouets de toute sorte, puis pris dans un tourbillon d'activités qui ne laisse aucune place à la rêverie. Intolérants à l'ennui, ils sont sans cesse en quête d'excitations sensorielles. »

**3** Ces ivresses peuvent avoir de graves conséquences, en termes de santé, mais aussi d'échec scolaire, de prises de risques, d'expositions de soi dégradantes sur Internet […] « La rencontre avec l'alcool est inévitable », admet Patrice Huerre. « Autant y préparer très tôt son enfant. Les parents peuvent lui apprendre à résister à la pression du groupe, puis à repérer ses limites, pour s'arrêter à temps. En cas de dérapage, ils doivent soutenir leur point de vue fermement, tout en exprimant leur inquiétude et, bien sûr, montrer eux-mêmes l'exemple. Il importe avant tout que l'adolescent se respecte lui-même, respecte les autres – en les incitant à moins boire, en ne les photographiant pas s'ils sont malades – et prévienne un adulte en cas de danger : le copain qui dort fait peut-être un coma éthylique … Les ivresses à répétition, quant à elles, sont à prendre très au sérieux et nécessitent de consulter. Elles expriment souvent une détresse intérieure et constituent un appel à l'aide. »

© *Psychologies*, Anne Lanchon, juillet–août 2013, numéro 331

---

**Lexique**

la défonce (*familier*) = *getting high / smashed*

---

Questions

**1 a** D'après la première section, comment sait-on que la majorité des adolescents consomment de l'alcool régulièrement ?

 **b** Relevez une phrase qui montre la différence d'attitude des générations quant à l'alcool. (Section 1)

**2** D'après la première section, les filles …

 i) boivent très peu

 ii) boivent autant que les garçons

 iii) boivent moins que les garçons

 iv) boivent plus que les garçons.

**3 a** En général, pourquoi consomme-t-on de l'alcool lors d'une fête ? (Section 2)

 **b** Trouvez une phrase ou expression qui indique qu'on ne laisse pas à un enfant le temps de s'ennuyer. (Section 2)

**4 a** Donnez une des conséquences sociales de l'abus d'alcool chez les jeunes. (Section 3)

 **b** Trouvez un synonyme de « dérive incontrôlée ». (Section 3)

**5 a** Relevez un verbe au gérondif. (Section 3)

 **b** Que devrait faire un adolescent au cas où une soirée tourne mal ? (Section 3)

**6** Taking risks with alcohol is part of growing up and is perhaps intensified by modern living. Support this statement with reference to the text. (*50 words*)

**1.5a** Répondez oralement aux questions suivantes.

1 Est-ce que vous buvez de l'alcool quand vous sortez ?
2 Quelles boissons consommez-vous ? Pourquoi ce choix ?
3 Connaissez-vous vos limites de consommation ?
4 D'après vous, la culture de la défonce à l'alcool est-elle un problème chez les jeunes ? Expliquez.
5 Pensez-vous que l'attitude des adolescents irlandais soit différente des autres Européens face à l'alcool?

 **1.5b** Lisez les commentaires ci-dessous, puis donnez votre réaction à l'un d'eux à l'écrit. (*75 mots environ*)

**B** 

## Courrier des lecteurs

« Je souhaiterais réagir par rapport à l'hésitation d'Alice qui ne sait pas si elle doit se rendre aux soirées du fait de l'alcool et des joints souvent présents. Il y a un an, Alice, j'avais exactement le même problème que toi. Et puis un jour, j'ai décidé de me forcer à aller au moins une fois en soirée. Et … j'ai adoré ! Moi non plus, je ne fume pas et je n'ai jamais bu une goutte d'alcool. Eh bien, personne ne m'a forcée … et personne ne te forcera ! Ne crois pas que boire est l'unique but des soirées, le but est surtout de passer un bon moment. »

© Bayard Presse, *Phosphore*, mai 2014

**A**

« Si, chez les adultes, la consommation d'alcool tend à régresser, chez les jeunes, elle est en constante augmentation. »

| Phrases utiles | |
|---|---|
| sensibiliser les jeunes | boire des alcools forts |
| les risques liés à l'alcool | une canette de bière |
| c'est comme un jeu | un alcopop ou prémix |
| le côté euphorisant | une soirée bien arrosée |
| un moyen de s'amuser / décompresser | faire la fête |
| rechercher des sensations fortes | être ivre / saoul(e) |
| la consommation de boissons alcoolisées | prendre une cuite* (*familier*) |
| faire des mélanges | |

**1.6** Lisez cette BD et donnez votre réaction oralement ou par l'écrit.

**1.7** Écoutez les faits suivants sur l'alcool, la cigarette et les drogues. Pour chacune des phrases, notez le nombre entendu.

1 L'alcool reste un problème de santé publique majeur: ....... décès par an sont liés à l'alcool.

2 En France, le pourcentage des jeunes âgés de ....... ans consommant régulièrement de l'alcool est presque égal à celui de la moyenne européenne avec ....... des garçons déclarant boire de l'alcool au moins ....... fois par semaine.

3 De plus en plus de jeunes se présentent aux urgences des hôpitaux très fortement alcoolisés ; ils y restent en moyenne de ....... heures à ....... heures, pour dégriser.

4 Selon les spécialistes des addictions, on voit maintenant des jeunes qui dès l'âge de ....... ans présentent de sérieux troubles fonctionnels au niveau du pancréas ou du foie ainsi que des cirrhoses.

5 Plus de ....... des Français estiment qu'il faudrait interdire totalement la consommation de tabac en France.

6 Une enquête menée dans ....... pays européens révèle que les adolescents français de ....... ans sont les premiers consommateurs européens de cannabis, avec ....... déclarant avoir fumé au moins une fois dans le courant du mois, contre ....... en moyenne en Europe.

7 La consommation de cocaïne touche plus particulièrement les jeunes adultes, notamment ceux appartenant à la tranche d'âge des ....... ans.

8 Environ ....... kilos d'héroïne ont été saisis par les douanes l'année dernière.

Consultez
l'aide-mémoire

Pour la production
écrite, voir, pp. 298–301.

**1.8** **Lisez cet article dans la presse sur l'utilisation thérapeutique du cannabis et notez vos impressions. (*75 mots environ*)**

Mis sur le marché français avec l'autorisation du ministère de la santé, le Sativex est un médicament fabriqué à partir d'extraits de cannabis et administré sous forme de spray buccal. Peu de risques donc de voir un usage détourné* du produit. Le Sativex est d'ores et déjà* 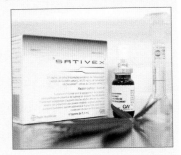 commercialisé dans plus d'une vingtaine de pays dont l'Allemagne, l'Italie et le Royaume-Uni, avec des résultats concluant après plusieurs mois de traitement. Ce médicament permet en effet d'atténuer* dans certains cas les raideurs* des muscles chez les personnes atteintes de la sclérose en plaques. Apporter aux malades une nouvelle solution thérapeutique est toujours bienvenue. À noter que la première prescription de Sativex devra être faite par un neurologue et un rééducateur hospitalier.

| **Lexique** | |
|---|---|
| détourner = *to misappropriate* | atténuer = diminuer |
| d'ores et déjà = *already* | une raideur = *a stiffness* |

## 2 Être ultra-connecté

**2.1** **Faites le psycho-test suivant à propos de l'utilisation de votre portable, puis consultez les résultats selon vos réponses.**

**1** Avez-vous déjà dépassé votre forfait ?

📷 Non, vous ne prenez que des cartes prépayées.

🎵 Ça vous arrive parfois.

💬 Tout le temps !

**2** Lorsque vous recevez un appel et que vous êtes entre amis ou en famille …

📷 vous éteignez votre portable et écouterez le message plus tard

🎵 vous vérifiez le numéro sur l'écran et ne décrochez que si cela vous semble urgent

💬 vous vous éloignez aussitôt pour répondre.

**3** Vous attendez un copain/une copine à qui vous avez donné rendez-vous.

📷 Vous attendez patiemment qu'il/elle arrive.

🎵 Vous envoyez quelques textos pour tuer le temps.

💬 Vous consultez les actus sur Facebook et Twitter.

→

**4** Vous avez votre portable sur vous …

   📷 pas toujours, car vous oubliez parfois de le prendre

   🎵 dans votre sac ou votre poche

   💬 constamment à la main pour ne pas manquer un SMS ou une notification.

**5** La nuit, lorsque vous êtes couché(e) …

   📷 votre portable est éteint

   🎵 votre portable est en train de se recharger

   💬 votre portable est allumé en mode vibreur, posé sur votre table de nuit.

**6** Vous changez de portable …

   📷 pas souvent, d'ailleurs celui que vous avez est un vieux modèle

   🎵 quand l'opérateur vous propose un renouvellement, ou qu'il y a une promotion

   💬 tout le temps – vous avez toujours le dernier modèle.

**7** Dans les transports ou lieux publics …

   📷 vous répondez rarement aux appels

   🎵 vous avez un kit mains libres basique pour répondre aux appels

   💬 vous avez une oreillette top design pour discuter au téléphone.

**8** Est-ce que vos parents pensent que vous passez trop de temps sur votre portable ?

   📷 Pas vraiment, en fait.

   🎵 Parfois ils vous demandent de l'éteindre.

   💬 C'est souvent la guerre avec vos parents par rapport au portable.

**9** Selon vous, les textos sont …

   📷 un bon moyen de faire des fautes d'orthographe

   🎵 pratique pour donner rendez-vous aux amis

   💬 un outil indispensable pour communiquer.

**10** Combien envoyez-vous de textos par jour ?

   📷 Environ cinq ou six.

   🎵 Un peu plus de dix.

   💬 Vingt ou plus.

### Résultats

**Vous avez un maximum de 📷 : le petit joueur !**

Vous n'êtes pas particulièrement accro au portable. Pour vous, cela reste un objet, que vous savez utiliser avec des limites. D'ailleurs, on a l'impression que si vous avez pris un portable, c'est plus sous le coup de la pression sociale que par réel besoin. Et s'il tombe un jour en panne, peut-être que vous ne vous en rachèterez pas d'autre …

**Vous avez un maximum de 🎵 : un compagnon indispensable.**

Vous auriez du mal à vous passer de votre portable mais il n'envahit encore pas trop votre quotidien. Attention toutefois, vous pouvez tomber dans l'excès de manière progressive: coup de fils et textos à répétition, connexion à internet … N'hésitez pas à vous mettre au vert de temps en temps en éteignant votre portable quelques heures ; il doit rester un outil pratique, et non un objet d'aliénation !

**Vous avez un maximum de 💬 : vous êtes un accro du portable !**

Votre portable est devenu une extension de votre corps ! Lorsqu'il n'y a pas de réseau, c'est un vrai drame. Attention, il va vraiment falloir décrocher car vous êtes en train de vous « déconnecter » du monde réel. Il faut retrouver le plaisir de communiquer face à face. Votre besoin d'être joignable à tout moment et votre impossibilité de ne pas pouvoir éteindre votre portable cache certainement une anxiété. Parlez-en autour de vous !

**2.2** **Par groupes de deux ou trois, répondez aux questions qui suivent.**

1 À votre avis, à quoi êtes-vous le plus accro ? Votre portable ? Les réseaux sociaux ? Les jeux vidéo ? Internet ? Expliquez les raisons.

2 Pour chacun d'entre eux, combien de temps y consacrez-vous ?

3 Quelles réactions ressentez-vous quand vous n'avez plus de réseau pour votre portable ou que vous n'avez pas accès à Internet ?

4 Que consultez-vous sur votre ordinateur portable ou votre tablette ?

5 Avez-vous un compte Twitter, Facebook ou autres ? Le(s) mettez-vous à jour régulièrement ? Donnez des détails.

6 Toutes les nouvelles technologies sont-elles indispensables à la vie actuelle ? Pourquoi ?

---

### Phrases utiles

| | |
|---|---|
| être accro à … | passer du temps à … |
| résister à … | se sentir |
| dépendre de … | vérifier |
| être privé(e) de … | être affecté(e) par … |
| être devenu(e) esclave de … | une accoutumance / une habitude / une dépendance |
| en l'absence de … | une tentation |
| ne pas pouvoir se passer de … | une tentation |
| arriver à (+ *infinitif*) … | Je suis un peu vieux jeu / je n'aime pas les gadgets. |
| avoir besoin de … | |
| consacrer XX heures par jour / semaine à … | Je suis plutôt calme. |

## Snapchat, l'appli reine des ados

1 Les fans de Snapchat parlent de leur jouet comme un vent de liberté soufflant sur les réseaux sociaux. Imaginez : des photos privées, envoyées à un proche, invisibles au reste du monde, souvent derrière un pseudonyme. Cerise sur le gâteau, les clichés s'autodétruisent au bout de quelques secondes. On devient vite accro. L'application explose. 760 millions de photos circulent déjà chaque jour. Avec une créativité sans limites. Au premier abord, Snapchat, c'est bien l'opposé de Facebook. D'un côté, un outil de communication intime avec des messages échangés qui passent sous le radar de la famille ou des « amis » éloignés [...]. De l'autre, un vieux réseau où s'accumulent des amis qui n'en sont pas vraiment: la tante éloignée, l'ancien et le nouveau collègue, cet inconnu croisé dans une soirée il y a quatre ans [...]

2 Les jeunes ne quittent pas LE réseau social « indispensable, vital » où tout le monde est inscrit. Mais les ados craignent Facebook pour ses obscures règles de confidentialité [...]. Sur Snapchat [...] « les jeunes s'envoient 80 photos par jour. Ils partagent un moment, qu'il soit fort ou insignifiant ». Une photo de passant dans la rue. La bouteille de Coca **qu'i**ls sont en train de boire. Le mur de leur chambre. Ils envoient des snaps à une personne. Parfois trois. Sept au grand maximum. Ils vivent Snapchat comme un élan libératoire. Les ados disent : « Sur Snapchat, personne ne te juge ». Dernière source de satisfaction : la visibilité. Sur Snapchat, l'envoyeur sait que son message va être lu. Pour voir la photo reçue, il faut garder le pouce appuyé sur l'écran, avant que la photo ne s'efface à jamais. C'est le contraire du message jeté dans les flots des timelines Facebook et Twitter, en espérant qu'il sera bien lu. Snapchat a gagné une manche dans la bataille de l'attention [...].

3 Inquiet de la montée en puissance du phénomène Snapchat, Facebook vient de lancer sa propre application de messages éphémères, baptisée Slingshot. « Pour moi, WhatsApp et Snapchat sont des enfants de Facebook », souligne André Gunthert. « On peut très bien avoir envie de commenter un événement sur Twitter pour interagir avec le plus grand nombre. Mais dans le même temps, on a aussi besoin d'outils plus intimes pour communiquer avec ses copains très proches, draguer » [...] Snapchat, à l'origine très privé, le devient de moins en moins. Prenez Nicolas Snoww, 17 ans au compteur et 47 000 photos échangées depuis son inscription il y a neuf mois sur Snapchat. [...] « Je poste plutôt des photos humoristiques, il y a du bouche-à-oreille dans les collèges, les lycées et sur les réseaux, et c'est comme ça que je me fais connaître », confie l'ado. Avec l'émergence d'une face publique de Snapchat, de nouvelles pratiques voient le jour. On ne chuchote plus son pseudo à quelques amis, on le rend accessible à tous en le plaçant en évidence sur son profil Twitter. Comme sur les autres réseaux sociaux, il devient important d'être en contact avec les bonnes personnes. Et anxiogène* de ne pas l'être. [...] Des marques commencent à investir le terrain de jeu de l'appli reine des ados. [...] Le jour où les stars distilleront leur confidence sur Snapchat n'est pas si loin. Tout comme l'apparition des tendances du moment, les mots-clés les plus recherchés, et la publicité. Ce jour-là, les fans de Snapchat se réveilleront avec un réseau social comme les autres.

© *Le Nouvel Observateur*, Aurélien Viers, juin 2014

**Lexique**

anxiogène = *anxiety-inducing*

### Questions

1 a Dans la première section, relevez une expression qui montre que la disparition des photos prises sur Snapchat est l'avantage de cette application.

  b Comment sait-on que Snapchat est une application extrêmement populaire ? (Section 1)

2 a Trouvez un synonyme du mot « privé ». (Section 1)

  b Avec qui, par exemple, se connecte-t-on sur Facebook ? (Section 1)

3 a Relevez une expression qui indique la raison principale pour laquelle les ados tournent le dos à Facebook. (Section 2)

  b À quoi se réfère le pronom relatif « que » ? (Section 2)

4 a Relevez une expression qui montre que Snapchat a remporté une victoire remarquée. (Section 2)

  b D'après André Gunthert, pourquoi est-il important d'avoir des applications comme WhatsApp et Snapchat quand on est ado ? (Section 3)

5 a Dans la troisième section, relevez un mot qui indique que les gens transmettent une information d'une personne à une autre.

  b Qui va être également attiré par l'application Snapchat ? (Section 3)

6 Snapchat is a very attractive app to teenagers for a number of reasons. Say what these reasons are, making reference to the text. (*50 words*)

 **2.4** **Écoutez ces reportages, puis répondez aux questions suivantes.**

#### Section A

1 How many French people use Facebook every day?

2 What prospect makes most young Americans anxious?

3 What are some French people unable to do?

4 What is being sold in great quantities since 2011? (Two points)

#### Section B

5 Why are more and more people disconnecting from social networks? (Two points)

6 What improved in Susan Maushart's life during the time she spent offline?

7 What kind of thing did she do at home? (One example)

8 How did she meet her friends?

 **2.5** **Donnez votre réaction à document ce à propos de la cyberdépendance.** (*75 mots environ*)

© Randy Glasbergen

*<< Chère Sabrina, comment vas-tu ? Ta mère et moi allons bien. Tu nous manques. S.V.P. ferme ton ordi et descend à la cuisine, on t'attend pour souper. Je t'aime, ton père. >>*

**3.1** **Répondez oralement aux questions suivantes.**

1 Connaissez-vous d'autres formes d'addiction ? Lesquelles ?

2 Quels sont les facteurs qui contribuent à la dépendance ?

3 Quelles sont les solutions pour pouvoir décrocher ?

4 Pensez-vous que les campagnes de sensibilisation soient insuffisantes ? Expliquez.

**3.2** **Écoutez deux extraits puis écrivez les réponses aux questions dans votre cahier.**

Nahel

1 What happened one morning to Nahel?

2 How long was he on sick leave for?

3 What does he say about his job? (Two points)

4 What was he doing while on holidays?

5 How has his life changed for the better?

Rolano

6 What age was Rolano when he started to play online?

7 How much did he and his friend win?

8 Where did he get his money from?

9 His college friend knows about his addiction. True or false?

**3.3** **Vous dépensez un argent fou en vêtements et tenez absolument aux marques. Vous êtes accro au shopping et à la mode. Vous êtes à vrai dire devenu dépendant(e). Que accro notez-vous dans votre journal intime ?** (*75 mots environ*)

**3.4** **Lisez le commentaire ci-dessous puis répondez oralement aux questions.**

## LE PARISIEN

« Révélée par *Le Parisien*, une étude montre que les jeunes de 18 à 34 ans dépensent en moyenne 184 euros par mois en jouant au poker et autres paris en ligne, soit 10% environ de leur salaire. »

© *Le Parisien*, 20 mars 2013

1 Que pensez-vous des chiffres indiqués par l'étude du *Parisien* ? Vous choquent-ils ? Pourquoi ? / Pourquoi pas ?

2 Connaissez-vous des jeunes qui jouent en ligne ?

3 Sur quel jeu parient-ils et combien d'argent misent-ils en général ?

4 Quels conseils pourriez-vous donner à un(e) ami(e) qui est en train de devenir accro aux jeux en ligne ?

# Les sciences et les progrès

## 1 Les développements scientifiques

 **1.1** Par groupes de deux ou trois, donnez pour chacune des catégories ci-dessous des exemples de développements ou réalisations scientifiques.

1. santé

2. environnement

3. vie quotidienne

4. numérique

1946 : Invention du premier ordinateur

1977 : Atari 2600 : La première console de jeu est née

1986 : IBM lance le premier ordinateur portable

1989 : Introduction de la GameBoy une console de jeux vidéos portable

1994 : La Playstation une nouvelle génération de jeux vidéos

2007 : Le premier Iphone voit le jour

2020 ?

 **1.2** Écoutez ce reportage à propos du « *jetpack* », machine au look futuriste devenue réalité. Répondez aux questions en anglais.

1 How many prototypes were created before the jetpack was ready to go on the market?

2 What speed can it reach?

3 What is the major breakthrough?

4 How is the jetpack in *Star Wars* described?

5 Apart from a lot of money, what else would you need to fly with a jetpack?

**1.3** Réagissez au commentaire suivant dans votre cahier en imaginant la vie dans le futur. (*90 mots environ*)

« Hier, j'ai vu un documentaire à la télé sur les nouvelles technologies qui existeront en 2035 : androïdes, intelligence artificielle et biotechnologie feront partie du quotidien. C'est à la fois fascinant et inquiétant. »

Karelle, 23 ans

**Consultez** l'aide-mémoire

Pour le récit imaginaire, voir, pp. 410-11.

**1.4** Écoutez des extraits à propos de nouvelles inventions puis répondez aux questions dans votre cahier.

### Section A

1 What is the new Volvo pilot project about?
2 When will the results of the project be launched?
3 What is the main restriction attached to the project?

### Section B

4 What are the dimensions in centimetres of the Ideum Multitouch Coffee Table? (Give two figures)
5 Name one thing people will be able to do with the table.
6 How much will it cost?

© Image courtesy of Ideum

### Section C

7 How is the Golfboard operated?
8 What is special about the wheels of the Golfboard?
9 Why are golf clubs investing in this new equipment?

**1.5** Lisez le texte ci-dessous à propos de Christine, présélectionnée pour partir vivre sur Mars puis répondez aux questions qui suivent.

1 Quand j'ai su que je faisais partie du millier de candidats restant en lice* pour coloniser Mars, je n'y ai pas cru. Le mail, je l'ai relu des dizaines de fois, tellement excitée à l'idée d'avoir franchi la première étape de la sélection. Moi, coiffeuse dans un petit village de l'Aude, j'allais peut-être devenir astronaute et inscrire mon nom dans l'histoire de la conquête spatiale. Et si mon destin de Terrienne, c'était ça? Un aller simple pour la planète rouge. La première fois que j'ai entendu parler de la mission Mars One […] je grignotais un morceau devant le journal télévisé.

2 Un ingénieur néerlandais cherchait des volontaires pour aller vivre sur Mars d'ici 2025. Des gens comme vous et moi, suffisamment motivés pour relever le défi. […] Dès le lendemain, j'ai mis ma sœur dans la confidence, pour qu'elle m'aide à répondre au questionnaire tout en anglais. Très vite, j'ai dû faire part de mon projet au reste de ma famille, et surtout à mes deux enfants, Gaëlle, 24 ans et Geoffrey, 17 ans. Leur première réaction a été l'étonnement puis la colère: « Tu vas nous abandonner pour un voyage sans retour sur Mars ? », se sont-ils écriés. […] Si tout le monde était aussi surpris, c'est que, au-delà de l'aspect hors du commun de l'expérience, je ne fais jamais rien pour moi. Pour la première fois depuis des années, je me suis sentie vibrer pour quelque chose. Ce rêve d'odyssée de l'espace m'a sortie de ma routine. […]

3 En 2025, j'aurai 57 ans. Mes enfants auront chacun leur situation. Évidemment, ce ne sera pas facile de laisser ma famille et mes petits-enfants derrière moi. J'y penserai le moment venu. En allant vivre sur Mars, je saisis l'opportunité de donner un nouveau sens à ma vie. Cette expédition représente pour moi la quête d'un monde meilleur où l'on respecterait davantage la nature que nous le faisons ici. Cela me permet d'envisager l'avenir avec optimisme. Bien sûr, j'ai un peu de mal à imaginer ce que sera ma vie là-bas. Il faudra déjà effectuer de sept à huit mois de voyage! […] Cela ne me fait pas peur. Je suis une fonceuse. C'est sans doute ce qui a intéressé le comité de sélection, qui cherche des gens au caractère bien trempé pour assumer la promiscuité sur la base habitable. […] Pour la deuxième étape de la sélection, j'ai dû faire toute une batterie d'examens très poussés (électrocardiogramme, tests d'efforts, d'acuité visuelle, etc.). Les critères sont très pointus. Et, au final, je suis apte.

© *Femme Actuelle*, avril 2014, numéro 1 543

**Lexique**

rester en lice = *to remain in competition*

## Questions

1 a Dans la première section, relevez une phrase qui indique que Christine n'arrivait pas à réaliser la nouvelle de sa sélection.

  b Quel est le métier de Christine? (Section 1)

2 Trouvez un synonyme de « mangeais quelque chose ». (Section 1)

3 a D'après la deuxième section, qu'est-ce que Christine a dû faire dans un premier temps?

  b Dans la deuxième section, la famille de Christine …

    i) était plutôt ravie pour elle d'avoir été sélectionnée

    ii) était choquée par la nouvelle

    iii) a pensé que c'était une blague

    iv) n'a pas vraiment réagi à la nouvelle.

4 Relevez une phrase qui montre que Christine est enthousiasmée par cette future nouvelle vie. (Section 2)

5 a Trouvez un verbe au conditionnel présent. (Section 3)

  b Relevez une expression qui indique que Christine est quelqu'un de dynamique. (Section 3)

6 Christine sees her selection to go and live on Mars as a great life-changing experience for herself and the world as a whole. Support this statement with reference to the text. (*50 words*)

 **1.6** **Suite à l'activité précédente, répondez oralement aux questions ci-dessous.**

1 Où vous voyez-vous en 2025 ?

2 Quand vous pensez au futur, quelle image vous vient à l'esprit ?

3 Aimeriez-vous tentez l'expérience de vivre sur Mars comme Christine ? Pourquoi ? / Pourquoi pas ?

4 Qu'est-ce qui vous manquerait le plus ?

5 Pensez-vous qu'il soit important de conquérir l'espace ? Expliquez.

 **Au fait**

Suivez les actualités du projet Mars One en regardant les pages Facebook de Christine et les autres Français qui sont présélectionnés pour partir sur la planète Mars.

# 2 Les progrès médicaux

 **2.1** **Écoutez deux extraits sur des avancées au niveau médical, puis répondez aux questions dans votre cahier.**

### Section A

1 When did the first autonomous artificial heart implant happen?

2 What are the main advantages of this new invention? (Two points)

3 By how many years can it prolong a patient's life?

4 What two items must the patient wear in order for the implant to be monitored?

5 How long did the first patient survive after his operation?

6 What country are the two inventions from?

7 What is special about the new toothbrush?

8 How much does the toothbrush cost?

9 What is special about the T-shirt created by Fuji Spinning Company?

10 After 30 washes, the T-shirt loses its special feature. True or false?

**2.2** **Répondez oralement aux questions ci-dessous et notez vos réponses dans votre cahier.**

1 Vous intéressez-vous aux progrès scientifiques ? Pourquoi ? / Pourquoi pas ?

2 Quels sont les domaines qui devraient être prioritaires en matière de recherche ?

3 Qui devrait financer ces recherches ? Pour quelle(s) raison(s) ?

4 Avez-vous une carte de donneur ?

5 Certains progrès médicaux posent-ils des problèmes moraux ? Lesquels ? Pourquoi ?

**2.3** **Lisez le début des phrases (1–7) à propos de la chirurgie esthétique. Puis trouvez la fin correspondante à chaque phrase (a–g).**

1 La chirurgie esthétique n'a jamais été aussi accessible, …

2 Nez tordu, trop large, trop long, la rhinoplastie est …

3 Le Botox est utilisé en injections locales par tous ceux et celles …

4 Dans notre société où l'image du corps prend une place de plus en plus importante, …

5 Chaque intervention chirurgicale comporte certains risques ou complications pour le patient, à savoir …

6 Tout chirurgien doit remettre un devis détaillé de l'intervention qu'il va réaliser à son patient avant …

7 Quinze jours minimum sont légalement nécessaires entre la remise du dossier au patient et la date de l'opération …

a … d'effectuer une opération de chirurgie esthétique d'un coût supérieur à 300 euros ou comportant une anesthésie générale.

b … qui veulent paraître plus jeunes et atténuer temporairement leurs rides.

c … le rejet d'implants, le changement sensoriel dans ou autour de la zone traitée ou encore une décoloration de la peau.

d … afin de donner un temps de réflexion au patient dans le cas où il/elle changerait d'avis.

e … très certainement l'une des opérations les plus populaires, notamment chez les stars.

f … implants mammaires, liposuccion, collagène pour avoir des lèvres charnues et greffe de cheveux, tout est possible.

g … que ce soit pour une chirurgie réparatrice ou une opération purement esthétique.

**2.4** Par groupes de deux ou trois, répondez oralement aux questions qui suivent.

Questions

1 Pour quelles raisons certaines personnes ont-elles recours à la chirurgie esthétique ?

2 Pour certaines personnes, cette pratique est devenue une vraie addiction. Qu'en pensez-vous ?

3 La photo est-elle choquante ? Pourquoi ?

4 Il est facile de se procurer pour pas cher des kits de Botox sur Internet. Seriez-vous tenté(e) ? Pourquoi ? / Pourquoi pas ?

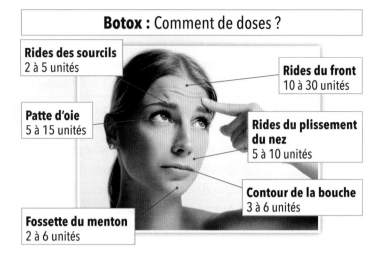

**Botox :** Comment de doses ?

**Rides des sourcils**
2 à 5 unités

**Rides du front**
10 à 30 unités

**Patte d'oie**
5 à 15 unités

**Rides du plissement du nez**
5 à 10 unités

**Contour de la bouche**
3 à 6 unités

**Fossette du menton**
2 à 6 unités

**Phrases utiles**

| | | |
|---|---|---|
| corriger / remodeler | se faire refaire (le nez, etc.) | le visage figé |
| tricher | un traitement au Botox | artificiel |
| injecter / réinjecter | une dose | s'accepter tel qu'on est |
| diminuer les muscles | une ride | |
| paralyser les expressions | un visage plus lisse / détendu | |

**2.5** Lisez le petit article et le commentaire ci-dessous, puis choisissez l'un d'eux pour donner votre opinion par écrit. Aidez-vous des phrases utiles données. (*75 mots environ*)

A L'œil bionique, Argus 2, est composé d'électrodes implantés dans la rétine et d'une paire de lunettes équipée d'une caméra miniature, le tout relié à un ordinateur de poche. Ce système qui permet aux aveugles de recouvrer légèrement la vue est disponible dans plusieurs pays européens pour la somme de 90 000 euros. Que pensez-vous de cette avancée technologique qui va changer la vie de milliers de personnes?

B Aujourd'hui, on vit mieux et plus longtemps grâce aux incroyables progrès de la science.

**Phrases utiles**

| | |
|---|---|
| je dois dire que … | une opération |
| peut-on vraiment … | un progrès en électronique / robotique |
| une avancée révolutionnaire | améliorer la vie au quotidien |
| un problème de santé | tout comme l'implant … |
| la biotechnologie | un prix prohibitif |
| la recherche | comparé à … |

# 3 Les seniors

**3.1** Seul(e) ou par groupes de deux ou trois, lisez le texte de la chanson « Mémé »*
de l'artiste français Barcella, puis répondez aux questions ci-dessous.

**Mémé**

*Refrain :*

1  On a mis Mémé en maison d'retraite
Il faut dire qu'on ne savait plus trop qu'en faire
On a mis Mémé un p'tit peu d'côté
En attendant d'avoir à la mettre en terre

Elle en a fait des choses
Pour les élever ses cinq enfants
Vu qu'le Pépé était parti un peu trop tôt
Elle en a fait d'l'arthrose
Et elle en a pris des calmants*
Si vous saviez tout ce qu'elle a porté sur son dos
Elle en a fait des concessions
Elle a pris sur elle-même
Elle en a fait des communions,
Des messes et des baptêmes
Elle connait l'historique
De la famille, c'est bien utile
Quand on l'embrasse elle crie
Mémère Cécile

*(Refrain)*

2  Elle s'est construite elle-même avec ses mains
Et force de courage, partant de rien
Elle est dev'nue doyenne de la famille
Elle nous a tous évité la famine
Elle a élevé la mère qui m'a élevé
Elle a aimé la femme qui m'a aimé
Elle nous a tout donné sans réfléchir
Et pour la remercier, on la vire*

*(Refrain)*

Elle n'était pourtant pas très difficile
Elle passait ses journées sur ses tricots*
Avec un p'tit peu d'fil, avec une aiguille
Elle nous faisait des édredons* tout chauds
Mémé, elle est aussi douée au Scrabble
Elle était imbattable, oui, très douée
Dotée d'un avantage incontestable :
Fan de Julien Lepers* invétérée   →

## Lexique

Mémé = *Granny*

un calmant = *a painkiller*

virer = *to expel / dismiss*

le tricot = *knitting*

un édredon = *a quilt, an eiderdown*

Julien Lepers = *TV game show presenter*

**3** Moi, j'suis sûr que la Mémé

Dans sa maison d'retraite

Doit se dire qu'on s'est un peu débarrassés

Elle doit se dire « Pépé

T'as vu comment qu'y m'traitent

Après tout l'amour que j'leur ai donné »

Le pire dans cette histoire

C'est qu'je n'peux pas la contredire

La vie n'est pas toujours de tout repos

Je voulais que tu saches,

Mémère Cécile, moi je t'admire

Je pense à toi, ici tu reposes (bis)

Je pense à toi et je sais qu'on t'a mis, Mémé,

En maison d'retraite

Mais faut dire qu'on ne savait plus trop quoi faire

On t'a mis Mémé un p'tit peu d'côté

Et cela me laisse un drôle de goût amer

C'est comme ça, que voulez-vous que j'vous dise

Nous, on a fait ce qu'on a pu

C'est triste, hein, mais c'est la vie.

« Mémé », paroles et musique de Barcella et Olivier Urbano. *Charabia* (2012)

## Questions

**1 a** Trouvez une phrase qui indique que le mari de Mémé est décédé. (Section 1)

   **b** Trouvez une expression synonyme de «a assumé ses responsabilités ». (Section 1)

**2 a** Comment sait-on que Mémé n'aime pas qu'on lui fasse la bise. (Section 1)

   **b** Trouvez une expression qui signifie « commencer avec peu de choses ». (Section 2)

**3 a** Relevez l'expression qui montre que Mémé est la plus âgée de la famille. (Section 2)

   **b** Comment sait-on que Mémé est très forte au Scrabble? (Section 2)

**4** Trouvez un synonyme de « incurable ». (Section 2)

**5 a** Mémé pense qu'elle a été abandonnée. Vrai ou faux ? (Section 3)

   **b** Trouvez un synonyme de « dire le contraire de ». (Section 3)

**6** It is clear that the narrator in the song admires his grandmother and is sad about her being in a nursing home. Support this statement with reference to the text. (*50 words*)

**3.2** Par groupes de deux ou trois personnes, répondez aux questions suivantes.

1 Avez-vous encore vos grands-parents maternels/paternels ?

2 Quel âge ont-ils ?

3 Travaillent-ils toujours ou sont-ils à la retraite ? Expliquez.

4 Où habitent-ils : dans leur propre maison, chez vous ou dans une maison de retraite ?

5 Quand les voyez-vous en général ? Leur rendez-vous souvent visite ?

6 Quelles activités font-ils ? Partagez-vous des activités avec eux ? Lesquelles ?

7 Pensez-vous que les personnes âgées soient parfois délaissées par leur famille ?

| **Lexique** |
| --- |
| Mes grands-parents sont toujours vivants. |
| Mon grand-père/ma grand-mère est décédé(e) en … |
| être à la retraite |
| être actif(-ive) |
| être dépendant / indépendant |
| un(e) retraité(e) |

**3.3** Lisez le passage ci-dessous, extrait de *Les vieilles* de Pascale Gautier, puis répondez aux questions qui suivent.

1 La télé est à fond. L'immeuble entier en profite. C'est Mme Rousse qui est sourde comme un pot. Elle est gentille à part ça, Mme Rousse. Elle est vieille depuis si longtemps ! Tous les mardis, elle va au salon de coiffure « Chez Josée ». Un salon minuscule, à l'abri des intempéries et des métamorphoses. Josée aux cheveux rouges coiffe avec application toute une kyrielle d'octogénaires qui viennent chez elle parce qu'elles se sentent en confiance et parce qu'elles sont toujours venues là. Mme Rouby expliquait ça l'autre jour pendant que Josée lui faisait sa permanente.* Quand on est toujours allée chez quelqu'un, on a du mal à changer, c'est bête mais c'est comme ça. Mme Rousse, donc, a les cheveux en casque permanenté bleu-violet. →

| **Lexique** |
| --- |
| une permanente = *a perm* |

**Pascale Gautier**
Les vieilles

folio

**2** Aujourd'hui est le jour des amies. Elle a acheté une tarte aux pommes à la pâtisserie Miale, sorti les assiettes à dessert en porcelaine de Limoges et préparé le thé. Elle ne sait pas qui viendra. C'est chaque fois la surprise. La salle à manger de Mme Rousse est de toute beauté. Des rideaux roses tricotés main ornent les trois fenêtres qui donnent sur la rue Jean-Eymard.

Une tapisserie bleu azur décorées d'oiseaux blancs qui volent dans tous les sens contre les murs. Un lustre façon bronze qui doit peser trois tonnes reste bizarrement accroché au plafond et menace la table en bois massif qui est pile dessous. Mme Rousse est une amie des arts. Chaque année, le 15 août, des artistes locaux à la retraite exposent leurs œuvres à la salle des fêtes. Chaque année, Mme Rousse achète une toile et la fixe sur la tapisserie aux oiseaux blancs. Cela fait un mélange de couleurs idéal pour vous donner la migraine.

**3** La télé est sise* sur le petit meuble qui jouxte la table en bois massif. Impossible de la rater. C'est ce qui agace Mme Rouby. On ne s'entend pas chez Mme Rousse, il y a toujours le poste qui braille. Mme Rousse n'en a cure, le bruit la berce. Enfant, elle vivait au bord d'une nationale ou des hordes de camions, nuit et jour, sans jamais s'arrêter, bombaient comme des malades. […] La télé à son âge, c'est pour le plaisir. Même Mitsou pense comme elle. D'ailleurs, il est passé où, celui-là ? Elle est installée sur sa chaise et attend. Les publicités s'en donnent à cœur joie. On dirait des cigales* qui, dans les bois, sur un arbre, font entendre leur voix charmante. Mme Rousse entend leur doux bourdonnement et ne s'étonne même plus.

Pascale Gautier, *Les vieilles* © Éditions Gallimard

## Lexique

être sise (*archaic*) = *to be located*

une cigale = *a cicada*

## Questions

1 a Dans la première section, relevez une phrase qui indique que Mme Rousse entend très mal.

  b Quelle est la clientèle du salon de coiffure « Chez Josée » ? (Section 1)

2 Dans la première section, Mme Rouby préfère aller « Chez Josée » parce que …

    i) c'est moins cher qu'ailleurs

    ii) Josée lui fait la couleur qu'elle veut

    iii) elle a l'habitude d'y aller depuis toujours

    iv) Josée est toujours gentille avec elle.

3 a Relevez une phrase qui indique que Mme Rousse n'est pas sûre du nombre d'invitées à venir. (Section 2)

  b Comment sait-on que le chandelier dans la salle à manger est très lourd ? (Section 2)

4 Trouvez un synonyme de « exactement ». (Section 2)

5 a Dans la troisième section, relevez une phrase qui montre que le son de la télévision est très fort.

  b Trouvez un verbe conjugué à l'imparfait. (Section 3)

6 Mme Rousse's life is full of rituals and habits. Support this statement with reference to the text. (*50 words*)

**3.4** Lisez les deux phrases ci-dessous puis donnez votre réaction à l'une d'elles à l'écrit. (*75 mots environ*)

**A** Une enquête récente révèle que les 18–24 ans sont bien moins actifs que les 55–64 ans.

**B** Les seniors sont indispensables à la transmission du savoir.

**3.5** Écoutez un reportage sur quelques retraités, ainsi qu'un entretien avec la styliste française, Chantal Thomass. Puis répondez aux questions.

### Section A

1 What did Phillipe do once he retired?

2 What did Françoise learn to do?

3 How old is Roselyne?

4 What is she planning to do in November? (Two points)

### Section B

5 What comment does Chantal Thomass make about getting older?

6 What is she keen to do?

7 According to her, what does it mean to age well?

8 What makes her happy?

# Les technologies et la communication

## 1 Le téléphone portable

**1.1** Lisez les textos suivants (1–10), puis trouvez la signification de chacun (a–j).

**1**
Slt ! tu vi1
2m1 o ciné ?

**2**
B1sur. 1TreC.
CaKel H ?

**10**
SDR.
Kwa29 ?

**3**
T 1viT ce
WE. en + Mat
vi1 STVCQJVD

**9**
PLPP OQP
j'tapL ASAP

**4**
1posib G rdv
avk maL 7AP

**8**
C D6D J vé
HT 1 Kdo.
Ta 1ID ?

**5**
MDR. jtM.

**7**
Dak ALP JV

**6**
Je deco.
Je re 1mn

a D'accord ! À la prochaine, j'y vais.

b Je suis de retour. Quoi de neuf ?

c Impossible : j'ai rendez-vous avec Maëlle cet après-midi.

d Salut ! Tu viens demain au cinéma ?

e T'es invité(e) ce week-end. En plus, Matthieu vient si tu vois ce que je veux dire !

f C'est décidé ! Je vais acheter un cadeau. T'as une idée ?

g Bien sûr. Je suis intéressé(e). C'est à quelle heure ?

h Je ne suis pas libre pour parler. Je suis occupé(e). Je t'appelle dès que je peux.

i Je me déconnecte. Je reviens dans une minute.

j Mort de rire. Je t'aime.

**1.2** **Lisez le texte suivant puis répondez aux questions dans votre cahier.**

## Mais que font-ils le nez collé à leur portable ?

1 Ils envoient des textos […] et se connectent aux réseaux sociaux. Facebook ? Pas seulement. Si 80% des 13–19 ans y ont un compte, les plus âgés d'entre eux préfèrent des outils où ils ne risquent pas de croiser leurs parents, voire … leurs grands-parents.

**Facebook :** c'est un peu leur couverture. Ils s'y mettent en scène et y mesurent leur popularité aux nombres de likes reçus en retour d'un post. Mais pas question d'y raconter sa vie privée. Sauf sur Facebook Messenger.

2 **WhatsApp :** cette messagerie instantanée est en plein boom. Ils l'utilisent pour discuter en petit comité. Sur le même modèle, ils sont aussi sur WeChat, Viber […], ChatOn, Kik ou KakaoTalk.

**Snapchat :** c'est l'application en vogue. Elle leur permet d'envoyer des photos personnalisées, de manière instantanée, à un seul ou quelques amis. Officiellement, ces photos restent visibles une à dix secondes à l'écran, avant de s'autodétruire. Sauf qu'en réalité, on peut en faire une capture d'écran […] et les conserver …

3 **Instagram :** cette application leur sert à partager des photos et des vidéos. Elle permet d'appliquer des filtres pour les personnaliser, avant de les publier sur Twitter ou Facebook.

**Skype :** ils utilisent ce logiciel pour téléphoner gratuitement, et surtout pour se voir par webcam interposée. Certains restent connectés même quand ils sont seuls, histoire de se filmer en permanence, à la manière d'une émission de téléréalité.

4 **Twitter :** on y suit les faits et gestes de ses people préférés et on l'utilise pour échanger autour d'une passion commune, ou commenter « en live » ses impressions pendant un match ou une émission type *The Voice*.

**Skyrock :** ce réseau social leur sert à héberger leur blog, une pratique qui reste très prisée chez les 10–14 ans.

**Line :** sur cette messagerie instantanée on utilise les émoticônes, ces petits smileys expressifs dont les ados raffolent, pour tchatter.

© *Ça m'intéresse*, mai 2014, numéro 399

### Questions

**1** Pourquoi est-ce que certains jeunes ne sont pas trop fans de Facebook ? (Section 1)

**2** Les ados utilisent Facebook pour exposer leur vie aux autres. Vrai ou faux ? Justifiez votre réponse. (Section 1)

**3** Citez une expression qui indique que WhatsApp se développe considérablement. (Section 2)

**4** Que deviennent les photos prises sur Snapchat ? (Section 2)

**5** Trouvez une expression qui indique que l'on peut transformer ses propres photos sur Instagram. (Section 3)

**6** Pour quelle raison les ados utilisent-ils Skype, autre que celle de communiquer gratuitement avec la webcam? (Section 3)

**7** Relevez un synonyme de « partager son opinion ». (Section 4)

**8** Les 10–14 ans aiment bien avoir un blog. Vrai ou faux ? Justifiez votre réponse. (Section 4)

 **1.3** **Répondez oralement aux questions suivantes.**

**1** Avez-vous un portable ? De quel type s'agit-il ?

**2** Depuis quand en avez-vous un ?

**3** D'après vous, à quel âge est-il nécessaire d'avoir un portable ? Pourquoi ?

**4** Comment l'utilisez-vous ?

**5** Vous avez un abonnement ou un forfait ? Pourquoi ce choix ?

**6** Votre portable vous coûte combien par semaine / mois ?

**7** Pourriez-vous vivre sans téléphone portable ? Pourquoi ? / Pourquoi pas ?

 **Attention aux faux amis !**

un mobile = *a motive* (*also, a mobile phone*)
*a mobile* = un portable (*also,* un mobile)

 **1.4** **Écoutez les témoignages de trois personnes de générations différentes sur l'utilisation de leur portable.**

**Jiyan**

**1** When did Jiyan get his first mobile phone?

**2** What does he use his mobile for? (Two points)

**3** What does he say about sending text messages?

**Mireille**

**4** Who gave Mireille her new mobile phone?

**5** What does she use her phone for? (Two points)

**6** How many contacts does she have on her phone?

**Djemilla**

**7** When does Djemilla use her mobile phone?

**8** What does she find difficult to do?

**9** What numbers are saved on her phone?

**1.5** Lisez les deux documents ci-dessous puis donnez votre réaction à l'un d'entre eux par écrit. (*75 mots environ*)

**Consultez** l'aide-mémoire

Pour la negation, voir pp. 118-21 ; pour les mots de liaison, voir pp. 300-301.

**A** « Le 3 avril 1973 était passé le premier appel depuis un portable. Le Motorola Dynatac 8000 est mis en vente en 1983 après dix ans d'essai. Il fait 25 cm sans l'antenne, pèse 783 grammes et coûte 7 000 euros. Il faut dix heures de charge pour une heure de communication. »

© *Géo Ado*, juin 2013, Éditions Milan

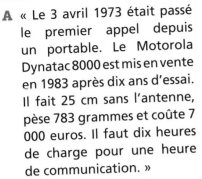

**B** Un peu moins d'un lycéen sur dix n'a pas de portable. En voici les raisons:

- Ils n'en ont pas l'utilité.
- Cela coûte trop cher.
- Leurs parents ne veulent pas.

# 2 La culture numérique

**2.1** Répondez oralement aux questions suivantes.

1 Avez-vous accès à un ordinateur ou une tablette ?
2 Où l'utilisez-vous le plus ? Chez vous ou au lycée ? Pourquoi ?
3 Pour quelles raisons l'utilisez-vous ?
4 Combien d'heures passez-vous sur votre ordinateur / tablette par jour ?
5 Pourriez-vous vous en passer pour une semaine ? Pourquoi ? / Pourquoi pas ?
6 Pensez-vous que la connexion réseau sans fil devrait être accessible gratuitement partout ? Pourquoi ? / Pourquoi pas ?

**2.2** Écoutez deux extraits sur les téléchargements, puis répondez aux questions dans votre cahier.

**Section A**

1 How many young adults use their mobile phones to watch or listen to illegal downloads?
2 For whom do 21% of them download music and video games?
3 Few of them know if what they download is legal or not. True or false?
4 Name one outcome mentioned in the text of illegally downloading content.

**Section B**

5 What is it highly recommended to do when downloading music?
6 What is it illegal to do with CDs?
7 What is it legal to do with video games?
8 What number of e-books is available illegally?

**2.3** Lisez les paragraphes, puis complétez-les avec les mots manquants ci-dessous.

réseaux  apprendrez  utilisez  profils  tape

domaine  partage  suffisants  entretiens  contact

Comment trouver la bonne personne pour vous aiguiller dans votre orientation, ou pour vous aider à trouver votre stage de rêve ? Un bon conseil : boostez vos réseaux !

**Tournez-vous vers les « anciens » :** se mettre en (1) ....... avec des professionnels à la retraite vous permettra d'apprendre beaucoup de choses sur les avantages et inconvénients du métier qui vous intéresse. (2) ....... également les liens familiaux. Le beau-frère d'un ami est pilote ? Demandez-lui de vous mettre en contact pour voir si ce métier correspond à vos attentes.

**Soignez votre profil :** quand on veut en savoir plus sur quelqu'un, on (3) ....... son nom sur Internet : les liens associés à votre nom ainsi que les (4) ....... sociaux vont donner une première image positive ou négative, qui permettra aux recruteurs de faire un tri avant les (5) .......

**Cherchez un correspondant :** sélectionnez des (6) ....... en fonction de l'âge et des centres d'intérêt et envoyez le plus de messages possibles afin d'entamer une correspondance avec d'autres étudiants. Ainsi vous (7) ....... le jargon, vous partagerez des playlists, et qui sait, vous rencontrerez peut-être votre futur employeur ou un(e) futur(e) petit(e) ami(e) !

**Multipliez les comptes :** les réseaux sociaux ne sont parfois pas (8) ....... ! Inscrivez-vous à des réseaux de (9) ....... d'images, par exemple. Des réseaux sociaux professionnels vous permettront aussi de contacter des personnes travaillant dans le (10) ....... qui vous intéresse.

**2.4** Lisez le texte de la chanson « Carmen » du compositeur et interprète belge Stromae, puis répondez aux questions sur la page suivante.

## Carmen

**1** L'amour est comme l'oiseau de Twitter,
On est bleu de lui seulement pour 48h.
D'abord on s'affilie ensuite on se *follow*
On en devient fêlé* et on finit solo.
Prends garde à toi
Et à tous ceux qui vous *like*
Les sourires en plastique sont souvent des
    coups d'*hashtag*.
Prends garde à toi.
Ah! Les amis, les potes ou les *followers*.
Vous faites erreur, vous avez juste la côte.

*Refrain :*
Prends garde à toi, si tu t'aimes
Garde à moi, si je m'aime
Garde à nous, garde à eux
Garde à vous, et puis chacun pour soi.
Et c'est comme ça qu'on s'aime, s'aime, s'aime.
Comme ça consomme, somme, somme, somme.

**2** L'amour est enfant de la consommation.
Il voudra toujours, toujours, toujours plus de choix.
Voulez-vous voulez-vous des sentiments tombés du camion
L'offre et la demande pour unique et seule loi.
Prends garde à toi
Mais j'en connais déjà les dangers moi
J'ai gardé mon ticket et s'il faut, je vais l'échanger moi.
Prends garde à toi.
Et s'il le faut j'irai m' venger moi.
Cet oiseau de malheur, je le mets en cage, je le fais chanter moi.

*(Refrain)*

Un jour t'achètes.
Un jour tu aimes.
Un jour tu jettes.
Mais un jour tu paies.
Un jour tu verras
On s'aimera,
Mais avant,
On crèvera* tous
Comme des rats.

| Lexique |
|---|
| fêler = *to crack* |
| crever = *to burst; also slang for to die* |

« Carmen » de Stromae, paroles et musique de
Paul Van Haver. *Racine Carrée* (Mosaert, 2013)

## Questions

**1** Trouvez l'expression belge qui signifie « être amoureux de ». (Section 1)

**2** Dans la première section, trouvez un synonyme de …

  i) faire attention à

  ii) s'inscrire à

  iii) être très populaire.

**3** Dans la deuxième section, trouvez un synonyme de …

  i) volé ou détourné

  ii) un porteur de mauvaise nouvelle

  iii) faire du chantage à quelqu'un.

**4** D'après vous, à quoi est comparé le réseau social Twitter ?

**5** Quels sont les dangers de communiquer ou de rencontrer quelqu'un via les réseaux sociaux ?

 **2.5** **Lisez le texte ci-dessous puis répondez aux questions qui suivent.**

**1** – Tu vois, je n'y pensais plus jusqu'à ce que …

  – Je lise ton blog.

  – Pardon ?

  – C'est exactement ça. Jusqu'à ce que je lise ton blog. Au début, bien sûr, c'était juste de la curiosité. Un truc lamentable, une envie de savoir. Faut dire que vous êtes bizarres, aussi, les ados, vous écrivez des choses intimes sur Internet et vous ne supportez pas que ça puisse être lu par indiscrétion ! Si vous voulez vraiment vous exprimer discrètement, vous n'avez qu'à prendre un bon vieux carnet et écrire à la main !

  – Et être lu exclusivement par des parents indiscrets ? Aucun intérêt. Au fait, comment tu t'es procuré l'adresse du blog ?

  – Par Clément. Mais il n'y est pour rien.

  – Qui ça ?

  – Clément Dupuis. Un de mes anciens élèves. Tu sais il est en première S dans ton lycée.

  – Mais je le connais à peine !

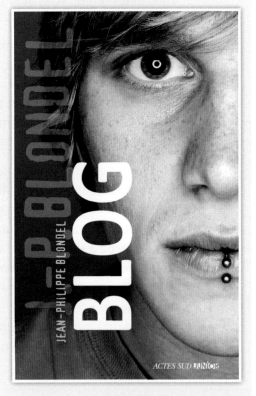

**2** – J'imagine. C'est ça, le virtuel, non ? Être en contact avec le monde entier par des canaux détournés. En tout cas, il m'a envoyé un mail avec des photos de classe qui dataient de quand il était en primaire. Il avait oublié le prénom de certains de ces camarades et ça l'agaçait, il m'a joint les photos pour que je l'aide à tagger les élèves. J'ai retrouvé tous les noms manquants et, en retour de mail, il m'a donné le lien qui conduisait à son blog, où les clichés étaient publiés, avec les commentaires des élèves […]. Je crois vraiment qu'il ne s'est pas rendu compte des ramifications. →

C'est ça, le hic,* dans tout ce réseau informatique : les ramifications, les implications, les conséquences. Personne ne vous en a jamais vraiment parlé parce que, pour l'instant, tout le monde est simplement fasciné. Hypnotisé. Moi comme les autres. [...]

3 J'ai surfé de blog en blog pendant presque une heure – je suis tombé sur celui de ton pote Bastien. J'imaginais que le tien serait dans sa liste de préférences. J'ai hésité longtemps. Je me suis répété que je ne devais pas aller plus loin. Je ne me suis pas écouté. J'ai sauté le pas. À ma décharge, je crois vraiment que tout le monde aurait fait comme moi. C'est humain. C'est nul, mais c'est humain.

Jean-Philippe Blondel, *Blog* © Actes Sud, France, 2010

## Lexique

le hic = *the snag / glitch*

### Questions

**1 a** Dans la première section, trouvez un verbe au subjonctif.

  **b** Pour quelle raison le père a-t-il lu le blog de son fils ? (Section 1)

**2 a** Trouvez un synonyme de « privées ». (Section 1)

  **b** Comment sait-on que Clément n'est pas responsable de la découverte du blog par Philippe, le père. (Section 1)

**3 a** Pourquoi Clément a-t-il contacté le père du narrateur ? (Section 2)

  **b** Relevez une phrase qui montre que Clément n'a pas pensé aux conséquences de sa demande. (Section 2)

**4** D'après le père, comment sont les gens face à la ferveur d'Internet ? (Section 2)

**5 a** Relevez une expression qui indique comment Philippe est arrivé sur le blog de son fils. (Section 3)

  **b** Trouvez une expression qui montre que le père s'est finalement décidé à lire le blog. (Section 3)

**6** The narrator's dad thinks that neither his son nor anyone else is thinking of the consequences of what they post online. Support this statement with reference to the text. (*50 words*)

**2.6** Écoutez ces extraits de blogueurs passionnés puis répondez aux questions suivantes.

Eva, 16 ans

1 What does Eva blog about?
2 How does she get her ideas?

Sasha, 17 ans

3 Where does Sasha get her inspiration?
4 Who did she get through to via her blog?

Valentin, 15 ans

5 How old was Valentin when he started his first blog?
6 What does he like about blogging?

**2.7** Répondez oralement aux questions ci-dessous.

1 Avez-vous votre propre blog ? Quel en est le sujet ?
2 Pour quelle(s) raison(s) avez-vous décidé de commencer à écrire un blog ?
3 Combien de billets de blog écrivez-vous par mois environ ?
4 Consultez-vous souvent des blogs ? Pourquoi ? / Pourquoi pas ?
5 Mettez-vous des commentaires sur les blogs ? Pourquoi ? / Pourquoi pas ?

**2.8** Qui se ressemble s'assemble

Écoutez ce reportage sur les rencontres sur le Net, puis répondez aux questions ci-dessous.

Section A

1 How many dating websites are there in France?
2 What proportion of subscribers claim to have had a relationship with someone they've met on such a website?
3 According to the report, what is the advantage of Internet dating compared to going to a friend's party?

Section B

4 Why did Lisa use the Internet to meet someone?
5 What comment does she make about the two people she met online?
6 What does she have in common with Cédric? (Two points)

**2.9** Mettez-vous par groupes de deux ou trois. Allez sur un moteur de recherche en ligne et tapez « Derrière la porte » et « net écoute » pour trouver cette vidéo interactive à propos de cyber-harcèlement. Regardez la vidéo et, pour l'épisode choisi, répondez aux questions ci-dessous oralement ou à l'écrit.

*Derrière la porte* met en scène une famille avec deux adolescents un soir à la maison. La sœur et son frère se lèvent de table et vont chacun dans leur chambre pour se connecter sur Internet. Il y a cinq scénarios mettant en scène des situations auxquelles peuvent être confrontés les ados, via leur ordinateur ou leur portable.

À la fin de chaque scène, l'image se fige et la personne visionnant le film doit choisir la suite de l'aventure de l'ado, en cliquant sur l'une des options proposées. Ce choix suscite une nouvelle scène qui à son tour génère de nouveaux choix. La fin de l'histoire résulte uniquement des décisions choisies par le participant, à savoir vous.

### Questions

1 Quelle proposition avez-vous choisie ?

2 Pourquoi avez-vous choisi cette option ?

3 Quel(s) sentiment(s) avez-vous en regardant cet épisode ?

4 Quand avez-vous réalisé que la situation présentée peut comporter un risque ?

5 Pouvez-vous vous imaginer à la place de cet/cette adolescent (e) ? Pourquoi ? / Pourquoi pas ?

*Derrière la porte* est un film interactif organisé par l'association e-enfance pour la prévention du cyber-harcèlement.

**2.10** Lisez les questions ci-dessous, puis donnez votre opinion à l'écrit en vous aidant des phrases utiles.

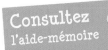

Consultez l'aide-mémoire

Pour le conditionnel présent, voir pp. 187–88.

1 À votre avis, quels sont les principaux dangers d'Internet ?
2 Que peut-on faire pour éviter le cyber-harcèlement ?
3 En cas de cyber-harcèlement, que feriez-vous ?

**Phrases utiles**

| | | |
|---|---|---|
| faire confiance à … | montrer | une vidéo-agression |
| être crédule / naïf(-ive) | se faire passer pour … | échanger des informations / détails |
| être méfiant(e) / se méfier | un(e) inconnu(e) | naviguer / surfer sur le Net |
| accepter une invitation | un(e) utilisateur(-rice) | critiquer |
| la messagerie instantanée | un paramètre de publication | attaquer |
| télécharger | | dénoncer |
| partager | la vie privée / publique | restreindre l'accès |
| | utiliser un pseudonyme | |

**2.11a** Lisez le script du film *Lost memories*, court-métrage de science-fiction de François Ferracci réalisé en 2012. Répondez oralement ou par écrit aux questions ci-dessous.

© Reprinted by permission of Agence Angy & Co on behalf of François Ferracci

« J'oublierai jamais ce jour-là. 10 octobre 2020 à 17h12. 92ème poste, 5 000 vues. On était tellement bien, tellement heureux mais … j'ai rien vu venir. J'ai perdu sa trace. On a perdu notre mémoire. »

« Un orage électromagnétique a anéanti l'intégralité des données numériques de la planète. Méls, photos, vidéos, données boursières, gouvernementales, militaires, administratives. Le chaos a envahi la plupart des capitales. Des émeutes inimaginables se déroulent en ce moment même à New York, Beijing, New Delhi, Paris, Le Caire … »

« Que te reste-t-il à toi dans cette ère digitale qui n'est plus ? »

« J'ai perdu notre mémoire. »

*Lost memories* par François Ferracci (2012)

**Questions**

1 D'après vous, où se trouve le narrateur ?
2 Avec qui est-il ?
3 Que fait-il ce jour-là ?
4 Quelle nouvelle entend-il tout à coup ?
5 Quelles sont les conséquences de cette nouvelle ?

Module F | 4 | Les technologies et la communication

356

**2.11b** Et maintenant allez sur un moteur de recherche en ligne et tapez « Lost memories » et « Vimeo » pour trouver cette vidéo et donnez votre réaction au film.

1 Pensiez-vous que ce film serait différent ? Comment ?
2 Pensez-vous que ce film montre une certaine réalité? Un futur proche ?
3 Comment imaginez-vous la suite de cette histoire ?

**Consultez** l'aide-mémoire

Pour réviser les verbes au futur, voir pp. 182–187.

# 3 La publicité

**3.1** Regardez ces affiches publicitaires françaises et répondez aux questions posées à l'oral.

1 Par quelles publicités êtes-vous attiré(e) ? Pourquoi ?
2 En général, êtes-vous influencé(e) par les affiches ou spots publicitaires ?
3 Pensez-vous que la publicité soit envahissante ? Pourquoi ?
4 Est-il possible d'ignorer les publicités à l'heure actuelle ?

**Phrases utiles**

| | |
|---|---|
| diffuser | promouvoir un produit |
| afficher | une marque |
| acheter / consommer | un consommateur |
| transmettre un message | la société de |
| distribuer un prospectus | consommation |

**3.2** Écoutez les extraits, puis répondez aux questions dans votre cahier.

**Section A**

1 What is France famous for, according to the report?
2 Name one thing that is being advertised.
3 What is Sao Paulo's approach to this form of advertising?
4 How many billboards were affected?

Module F | 4 | Les technologies et la communication

357

5 Who did Jean talk to before deciding to have a billboard installed?

6 Name one factor that affects the rental price.

7 What can the house owner ask the advertising agency to do?

8 How much does Jean earn per year from his billboard?

**Consultez**
l'aide-mémoire

Pour écrire une demande de réclamation, voir pp. 248-49 ; pour écrire un email, voir pp. 411-12.

**3.3** **Votre tante vous demande d'écrire un email de plainte en français au syndicat de copropriété. Voici les instructions qu'elle vous a laissées.**

- Say that you are writing to complain about the letterbox always being full of ads

- You are wondering if the property agency could do something about this problem

- Suggest that they could provide each resident with a 'no junk mail' sticker

- Ask when the next residents' meeting is. (*75 words*)

**3.4** **Regardez les slogans publicitaires (1–8) puis associez chacun d'entre eux à l'une des catégories ci-dessous (a–h).**

| | | | |
|---|---|---|---|
| 1 | « La vie est une histoire vraie » | a | une compagnie de télécommunication |
| 2 | « Faire du ciel le plus bel endroit de la terre » | b | des produits de beauté |
| 3 | « Et le monde est à vous» | c | un supermarché |
| 4 | « C'est ceux qui en parlent le moins qui en mangent le plus » | d | un magasin de sport |
| 5 | « À qui le tour ? » | e | une fédération de jeux de hasard |
| 6 | « Tous unis contre la vie chère » | f | des frites surgelées |
| 7 | « Parce que vous le valez bien » | g | un magazine « people » |
| 8 | « À fond la forme » | h | une compagnie aérienne |

# Aide-mémoire

## Un brin de causette

*Rachel parle de son utilisation du téléphone portable avec Jassim et aussi des nouvelles technologies. Niall, lui, raconte à Tifaine ce qu'il fait pour rester en forme et il donne son opinion sur la consommation d'alcool chez les jeunes.*

**Écoutez les extraits, puis dites si les phrases ci-dessous sont vraies ou fausses.**

**Quoi de neuf ?**

**À vos marques !**

Rachel

1 Rachel spends about €50 a month on her mobile phone.

2 She is addicted to her phone.

3 She has her own computer at home.

4 She will get an iPad when she goes to university.

5 Her parents worry about cyberbullying.

6 During break time, her classmates automatically switch on their mobiles.

7 Her parents don't allow her to use her phone at home at the weekend.

8 Rachel thinks that the more you are connected, the less you communicate.

Niall

1 This year, Niall does less sport than usual.

2 He goes running twice a week along the canal.

3 He hopes to do a triathlon next year with his friends.

4 In terms of food, his guilty pleasures are fizzy drinks and crisps.

5 He sometimes goes to fast-food restaurants for his lunch.

6 Niall doesn't drink any alcohol when he goes out.

7 For some of his friends, getting drunk is a game.

8 He doesn't think it's difficult to change attitudes to alcohol.

# Préparation pour le bac

## La compréhension écrite

The two reading comprehensions count for 120 marks out of 400. One is usually an extract from a newspaper or magazine article, and the other is an extract from a novel.

- There are six questions for each comprehension: each question is worth 5 points.
- A number of the questions use the terms 'Citez', 'Trouvez', 'Relevez' or 'Cherchez'. These require you to 'quote', 'find', 'pick out' or 'look for' respectively.
- You will sometimes have to change the pronoun 'je' or 'nous' in the text to 'il/elle' or 'ils/elles' in your answer and make necessary changes to your verbs, pronouns or adjectives.

> **Exemple :** **Question :** Pourquoi est-ce que la narratrice a arrêté de travailler ?
>
> **Texte :** J'ai arrêté de travailler lorsque j'ai eu mon troisième enfant …
>
> **Réponse :** Elle a arrêté de travailler parce qu'elle a eu son troisième enfant.

- Try not to give too much or too little information. Know what you're looking for: **un mot** is just one word, **une expression** is the relevant part of the sentence and **une phrase** is the whole sentence.
- A grammar question is often asked – you should be sure to know the grammatical terms.
- Question 6 is in English so you must answer it in English. It asks you to give an overall opinion about the text. Refer to the text to explain what happens or is said in it. You can quote directly from the text, but this isn't compulsory.
- Finally, remember to read the questions very carefully; look for hints in the wording of the questions. With the questions in mind, read the text very carefully, slowly and several times. Attempt all questions: NEVER leave a question unanswered.

### Le vocabulaire

Here is a list of expressions that can often appear in reading comprehension questions:

| |
|---|
| Au début de cet extrait … |
| Citez une expression … |
| Relevez des mots qui montrent / qui indiquent … |
| Relevez deux verbes qui évoquent … |
| Relevez une raison pour laquelle … |
| Trouvez dans le texte / Trouvez des mots qui décrivent … |
| Trouvez le substantif auquel se réfère le pronom « le ». |
| Pour le pronom en italique, relevez le mot auquel il se réfère … |
| Trouvez un synonyme de … |
| Trouvez un élément qui prouve que … |
| Trouvez une phrase / expression qui veut dire … |

# Grammaire

## 1 Les pronoms relatifs qui, que, où, dont, lequel

Relative pronouns are used to join two related phrases or sentences.

### Qui

The relative pronoun **qui** refers to a person or a thing already mentioned and which is the subject of the verb that follows it in the sentence. **Qui** means both 'who' and 'that/which'.

**Exemples :** Les élèves font du bruit. **Ces élèves** n'auront pas de récré.

→ Les élèves **qui** font du bruit n'auront pas de récré.
(*The pupils who are making noise will not have any break.*)

La route mène chez moi. **Elle** est en travaux.

→ La route **qui** mène chez moi est en travaux.
(*The road which leads to my house is under repair.*)

### Que

The relative pronoun **que** also refers to a person or a thing already mentioned and which is the direct object of the verb that follows it in the sentence. **Que** means both 'that/which' and 'whom'.

**Exemples :** J'achète des fleurs dans ce magasin. **Elles** ne durent jamais très longtemps.

→ Les fleurs **que** j'achète dans ce magasin ne durent jamais très longtemps.
(*The flowers that I buy in that shop never last very long.*)

Tu vois les garçons là-bas. **Ils** sont dans ma classe.

→ Les garçons **que** tu vois là-bas sont dans ma classe.
(*The boys that/whom you see over there are in my class.*)

A rule-of-thumb method for deciding whether to use **qui** or **que** is to use **qui** if the next item in the sentence is the verb. If it is not, use **que**. Try the following examples:

**Exemples :** 
- Les élèves ....... ont fini peuvent partir.
- Les personnes ....... nous avons rencontrées venaient des quatre coins du monde.

### Où

When the thing being referred to is a place or a time, the relative pronoun to use is **où**. It means 'where', 'to which' or 'when'.

**Exemples :** J'habite **dans cet immeuble**. Il vient d'être refait à neuf.

→ L'immeuble **où** j'habite vient d'être refait à neuf.
(*The block of flats where I live has been entirely renovated.*)

Ma sœur reviendra d'Australie en juin. Je passerai mes examens d'anglais **le trois juin**.

→ Le jour **où** elle reviendra d'Australie, je serai en train de passer mes examens d'anglais.
(*The day she comes back from Australia I will be sitting my English exams.*)

## Dont

The relative pronoun **dont** refers to the object of a verb introduced by the preposition **de**. It can mean 'of whom', 'of which', 'about whom', 'about which' or 'whose'.

**Exemple :**

Il parle **de ces élèves-là**. Ces élèves viennent de recevoir un prix en science.
→ Les élèves **dont** il parle viennent de recevoir un prix en science.
(*The pupils whom he is talking about have just been awarded a prize in science.*)

**Dont** can also refer to the object of a noun or an adjective introduced by the preposition **de**.

**Exemples :**

Cette maison a été vendue la semaine dernière. Il est propriétaire **de cette maison**.

→ Cette maison, **dont** il est le propriétaire, a été vendue la semaine dernière.
(*This house, which he owns, was sold at an auction last week.*)

Florence viendra à ma soirée d'anniversaire. Je suis amoureux **d'elle**.

Florence, **dont** je suis amoureux, viendra à ma soirée d'anniversaire.
(*Florence, whom I am in love with, will come to my birthday party.*)

### Exercice 1

**Complete the sentences using** qui, que, qu' **or** où.

1 Elle s'est fait voler le portable ....... je lui avais offert pour Noël !

2 J'ai perdu le papier ....... j'avais laissé sur la table du salon. Tu l'as vu quelque part ?

3 Nous irons là ....... tu veux !

4 Chantes-tu vraiment dans la chorale ....... est passée à la télé il y a un mois environ ?

5 Ils sont partis au moment ....... je suis arrivé !

6 Vous choisissez toujours des endroits ....... sont difficiles d'accès.

7 Elle se souvient du jour ....... nous avons pris le ferry pour l'Angleterre ! Ah ! Le stress !

8 J'aime bien le collier ....... tu portes. Tu l'as acheté où ?

9 La rue ....... est situé l'hôtel donne sur la mer. C'est très beau, tu verras.

10 La fille ....... tu vois là-bas, c'est ma sœur !

**Link the sentences as in the example below by using the relative pronoun dont.**

**Exemple :**     C'est une actrice très célèbre ! J'ai oublié le nom de cette actrice.

               → Cette actrice, **dont** j'ai oublié le nom, est très célèbre !

1.   Le centre aquatique est immense, tu verras ! Je connais le directeur du centre.
2.   La jeune femme a été admise d'urgence à l'hôpital. Je suis l'ami de cette femme.
3.   Les enfants ont vu le film d'animation. Tu m'avais parlé de ce film.
4.   Jean-Pierre a une fille pilote de ligne ! Il est en très fier.
5.   Facebook est une invention géniale ! Je ne pourrais plus du tout me passer de Facebook !
6.   Sophie a trouvé un chaton dans le jardin. La patte du chaton est cassée.
7.   Les meilleurs pains au chocolat sont à L'Épi doré. J'ai très envie de pains au chocolat.
8.   Son grand-père aura 84 ans en avril prochain. Elle est très proche de lui.

> To revise the use of **lequel** as an
> interrogative pronoun, see pp. 257–58.

## Lequel

**Lequel** or one of its variations replaces an indirect object referring to a thing or a person after a preposition. If the object of the preposition is a person, it is more common to use **qui**.

**Exemples :**     Le stylo **avec lequel** j'ai écrit cette lettre ne marche plus.
               (*The pen with which I wrote this letter no longer works.*)

               L'auberge **dans laquelle** j'ai passé une nuit n'était pas propre.
               (*The hostel in which I spent a night was not clean.*)

               La personne **avec laquelle** / **avec qui** j'ai dîné s'appelle Martine.
               (*The person with whom I had dinner is called Martine.*)

Just like the interrogative pronoun, the relative pronoun **lequel** has four basic forms (**lequel, laquelle, lesquels, lesquelles**) – it has to agree in gender and number with the noun it replaces.

**Exemples :**     Le train par **lequel** je suis arrivé avait une heure de retard.

               La laine avec **laquelle** j'ai fait ce pull a coûté très cher.

               Les nouveaux maillots avec **lesquels** ils ont joué sont sponsorisés par une association locale.

               Les équipes contre **lesquelles** elles ont joué étaient mieux entraînées.

In addition, **lequel** has several contracted forms when used with verbs + **à** or verbs + **de**.

| à + lequel | | |
|---|---|---|
| | **Singular** | **Plural** |
| **Masculine** | auquel | auxquels |
| **Feminine** | à laquelle | auxquelles |

| de + lequel | | |
|---|---|---|
| | **Singular** | **Plural** |
| **Masculine** | duquel | desquels |
| **Feminine** | de laquelle | desquelles |

**Exemples :**  Les étudiants **auxquels** / **à qui** j'enseigne l'espagnol passeront un examen cette année. (*The students to whom I teach Spanish will sit an exam this year.*)

La maison à coté de **laquelle** j'habite est inoccupée actuellement.
(*The house that I live beside is currently unoccupied.*)

### Exercice 3

**Translate the English pronouns in brackets into French.**

1 Le livre (*to which*) il a fait référence est maintenant à la bibliothèque.
2 Les meubles (*of which*) nous tenons beaucoup nous viennent de ma mère.
3 Voici les photos (*by which*) le scandale est arrivé !
4 C'est le garçon (*with whom*) je suis sortie vendredi soir !
5 Le directeur (*to whom*) elle a écrit un mél est en congé pour le moment.
6 Les fleurs (*to which*) je pense sont plus originales, en fait.
7 L'hôtel (*in which*) vous êtes descendus était comment ?
8 La bande (*with which*) je traîne est composée de quatre filles et trois garçons !
9 Le mur (*on which*) nous avons mis le tableau se trouve dans le hall d'entrée.
10 Je te présente Marilyn (*without whom*) cette exposition n'aurait pas pu avoir lieu !

## 2 Les verbes suivis de l'infinitif

Remember that some verbs are followed by an infinitive: some need just the infinitive, others need **de** + infinitive, and others need **à** + infinitive. Note that the lists below are not complete.

**Exemples :**  Il voulait manger une crêpe. (*He wanted to eat a pancake.*)
Elle a arrêté de jouer du piano. (*She stopped playing the piano.*)
Ils ont continué à faire du bruit pendant une heure.
(*They kept on making noise for one hour.*)

| Verbes suivis de l'infinitif | |
|---|---|
| adorer / aimer (*to like to*) | pouvoir (*to be able to*) |
| aller (*to go*) | préférer / aimer mieux (*to prefer*) |
| compter (*to intend to*) | savoir (*to know*) |
| devoir (*to have to*) | sembler/paraître (*to seem to*) |
| espérer (*to hope*) | vouloir (*to want to*) |
| falloir (*to be necessary to*) | il vaut mieux (*it is better / preferable to*) |
| oser (*to dare to*) | |

## Verbes suivis de « de » + l'infinitif

| | |
|---|---|
| accepter de (*to agree to*) | éviter de (*to avoid doing*) |
| il s'agit de (*it is about*) | finir de (*to stop doing*) |
| arrêter/cesser de (*to stop doing*) | manquer de (*to fail to / nearly to do*) |
| avoir envie de (*to feel like doing*) | menacer de (*to threaten to*) |
| avoir peur de (*to be afraid of*) | mériter de (*to deserve to*) |
| avoir raison de (*to be right to do*) | offrir de (*to offer to*) |
| avoir tort de (*to be wrong to do*) | oublier de (*to forget to*) |
| choisir de (*to choose to*) | permettre de (*to allow to*) |
| décider de (*to decide to*) | refuser de (*to refuse to*) |
| s'efforcer de (*to strive to*) | rêver de (*to dream about*) |
| entreprendre de (*to undertake to*) | risquer de (*to be liable to*) |
| envisager de (*to think of*) | il suffit de (*it is enough to / all one has to do is*) |
| essayer de (*to try to*) | |

## Verbes suivis de « à » + l'infinitif

| | |
|---|---|
| aider à (*to help to*) | commencer à (*to begin to*) |
| s'amuser à (*to amuse oneself / while away the time doing*) | consister à (*to consist of*) |
| | continuer à (*to continue to*) |
| apprendre à (*to learn to*) | hésiter à (*to hesitate to*) |
| arriver à (*to manage to*) | passer son temps à (*to spend time doing*) |
| avoir de la peine / des difficultés / du mal à (*to have difficulty in doing*) | penser à (*to think about doing*) |
| | perdre son temps à (*to waste time doing*) |
| avoir tendance à (*to tend to*) | se préparer à (*to prepare to*) |
| se borner à (*to limit oneself to doing*) | renoncer à (*to give up doing*) |
| chercher à (*to try to*) | réussir à (*to succeed in doing / manage to*) |

### Exercice 4

**Complete the following sentences.**

1 Dans mon travail, il faut …
2 Elle a encore des difficultés à …
3 Je perds mon temps à …
4 Ils ont totalement refusé de …
5 Après les examens, on a tendance à …
6 Vendredi soir, tu évites de …
7 Vous comptez … ?
8 Tu parais … Ça va ?
9 Ce week-end, elles ont envie de …
10 Parfois, j'ai un peu de mal à …

# 3 Le subjonctif au présent

To form the present subjunctive of a regular verb, take the **nous** form of the present tense, drop the **–ons** and add the following endings: **–e / –es / –e / –ions / –iez / –ent**.

| parler |
| --- |
| que je parle |
| que tu parles |
| qu'il/elle/on parle |
| que nous parlions |
| que vous parliez |
| qu'ils/elles parlent |

| finir |
| --- |
| que je finisse |
| que tu finisses |
| qu'il/elle/on finisse |
| que nous finissions |
| que vous finissiez |
| qu'ils/elles finissent |

| descendre |
| --- |
| que je descende |
| que tu descendes |
| qu'il/elle/on descende |
| que nous descendions |
| que vous descendiez |
| qu'ils/elles descendent |

## Exercice 5

**Form the subjunctive of the regular verbs below and use it with the pronoun given.**

1 entendre (je)
2 finir (nous)
3 aider (elle)
4 jouer (vous)
5 punir (tu)

6 réfléchir (on)
7 répondre (tu)
8 quitter (je)
9 prétendre (nous)
10 grandir (ils)

If there are two stems within the verb (as in many irregular verbs like **boire**), the **nous** and **vous** stems are the same in both tenses (**buv–**), whereas the third plural indicative provides the stem for the other persons (**boiv–**).

**Exemples :**

| Indicative | Subjunctive |
| --- | --- |
| nous **buv**ons | que je **boiv**e |
| vous **buv**ez | que tu **boiv**es |
| ils/elles **boiv**ent | qu'il/elle/on **boiv**e |
| | que nous **buv**ions |
| | que vous **buv**iez |
| | qu'ils/elles **boiv**ent |

There are some exceptions in the formation of the subjunctive too, but only a few.

| aller |
|---|
| j'aille |
| tu ailles |
| il/elle/on aille |
| nous allions |
| vous alliez |
| ils/elles aillent |

| être |
|---|
| je sois |
| tu sois |
| il/elle/on soit |
| nous soyons |
| vous soyez |
| ils/elles soient |

| pouvoir |
|---|
| je puisse |
| tu puisses |
| il/elle/on puisse |
| nous puissions |
| vous puissiez |
| ils/elles puissent |

| valoir |
|---|
| je vaille |
| tu vailles |
| il/elle/on vaille |
| nous valions |
| vous valiez |
| ils/elles vaillent |

| avoir |
|---|
| j'aie |
| tu aies |
| il/elle/on ait |
| nous ayons |
| vous ayez |
| ils/elles aient |

| faire |
|---|
| je fasse |
| tu fasses |
| il/elle/on fasse |
| nous fassions |
| vous fassiez |
| ils/elles fassent |

| savoir |
|---|
| je sache |
| tu saches |
| il/elle/on sache |
| nous sachions |
| vous sachiez |
| ils/elles sachent |

| vouloir |
|---|
| je veuille |
| tu veuilles |
| il/elle/on veuille |
| nous voulions |
| vous vouliez |
| ils/elles veuillent |

**Exercice 6**

**Form the subjunctive of the irregular verbs below and use it with the pronoun given. Beware of the exceptions!**

1 venir (il)
2 reconnaître (nous)
3 mettre (elle)
4 aller (vous)
5 voir (tu)

6 détruire (on)
7 partir (tu)
8 avoir (je)
9 écrire (nous)
10 ouvrir (ils)

The subjunctive usually expresses a mood and is used with certain notions of fear, desire, surprise, and so on. Most often, it is introduced by **que** (that).

| Verbes ou expressions de volonté exprimant un ordre, un besoin, un conseil ou une nécessité | |
|---|---|
| aimer mieux que (*to like better / to prefer that*) | vouloir que (*to want that*) |
| désirer que (*to desire that*) | il est nécessaire que (*it is necessary that*) |
| empêcher que (*to prevent*) | il est normal que (*it is normal that*) |
| exiger que (*to demand that*) | il est important que (*it is important that*) |
| préférer que (*to prefer that*) | il est temps que (*it is time that*) |
| proposer que (*to propose that*) | il est utile / inutile que (*it is useful / useless that*) |
| souhaiter que (*to wish that*) | il faut que (*it is necessary that*) |
| suggérer que (*to suggest that*) | il vaut mieux que (*it is better that*) |

## Verbes ou expressions d'émotion ou de sentiment exprimant la peur, la joie, la colère, le regret, la surprise ou d'autres sentiments

| | |
|---|---|
| avoir peur que (*to be afraid that*) | il est dommage que (*it is too bad that*) |
| craindre que (*to fear that*) | il est bon que (*it is good that*) |
| être content(e) que (*to be happy that*) | il est étonnant que (*it is amazing that*) |
| être désolé(e) que (*to be sorry that*) | il est honteux que (*it is shameful that*) |
| être étonné(e) que (*to be amazed that*) | il est rare que (*it is rare that*) |
| être surpris(e) que (*to be surprised that*) | il est regrettable que (*it is regrettable that*) |
| regretter que (*to regret that*) | |

## Verbes ou expressions de doute, de possibilité et d'opinion

| | |
|---|---|
| douter que (*to doubt that*) | il n'est pas clair que (*it is not clear that*) |
| il n'est pas certain que (*it is not certain that*) | il est douteux que (*it is doubtful that*) |

## Les conjonctions suivies du subjonctif

| | |
|---|---|
| à condition que / pourvu que (*provided that*) | de peur que* (*for fear that*) |
| à moins que* (*unless*) | en attendant que (*while, until*) |
| afin que (*so that*) | jusqu'à ce que (*until*) |
| avant que* (*before*) | pour que (*so that*) |
| bien que (*although*) | quoi que (*whatever, no matter what*) |
| de crainte que* (*for fear that*) | sans que (*without*) |

* These conjunctions are followed by the **ne** expletive – i.e. the **ne** is needed only for the structure of the sentence. It is not to be confused with a negative form.

**Exemple :** Tenez-vous correctement avant que le proviseur **n'**arrive.
(*Behave properly before the principal arrives.*)

The following conjunctions do not take the subjunctive because they express facts which are considered certain:

| | |
|---|---|
| ainsi que (*just as, so as*) | pendant que (*while*) |
| alors que (*while, whereas*) | puisque (*since, as*) |
| après que (*after, when*) | quand (*when*) |
| lorsque (*when*) | tandis que (*while, whereas*) |
| parce que (*because*) | |

## Croire (*to believe*) and penser (*to think*)

These verbs take the subjunctive when they are made negative or used as a question; they take the indicative when used in the affirmative.

**Exemple :**   Penses-tu qu'**il soit** sympa ? Oui, je pense qu'**il est** sympa.

The subjunctive is also used after a superlative. (See pp. 306–308.)

**Exemple :**   C'est le meilleur record que **j'aie** jamais réalisé.

---

**Exercice 7**

**Change the verb in brackets to either the present indicative or the subjunctive mood as appropriate.**

1  Après que je (finir) mon sandwich, j'enverrai un email à Sébastien.
2  Il est normal que tu (être) fatigué !
3  Étant donné que tu (vouloir) pas m'aider, je n'irai pas au match dimanche.
4  Il est temps qu'il (comprendre) quand même !
5  Avant que nous (partir), j'aimerais bien boire un café.
6  Elle est surprise que nous (téléphoner) tard?
7  C'est vraiment le pire film que nous (avoir) jamais vu !
8  Je vous laisse rentrer plus tôt pour que vous (se reposer) avant l'examen.
9  Pendant que vous (répéter) pour le concert, je vais faire un petit tour.
10  Vous proposez qu'elle (aller) où exactement ?

# 4 Le participe présent

**Le participe présent** is formed by adding **–ant** to the same stem used in the imperfect tense (i.e. the **nous** form of the present tense, minus the **–ons** ending).

| –er verbs | –ir verbs | –re verbs |
|---|---|---|
| parlant | finissant | vendant |
| arrivant | obéissant | rendant |

Only three verbs have an irregular stem:

- avoir → **ayant**
- être → **étant**
- savoir → **sachant**

The present participle can be used like any English verb ending in –ing.

**Exemple :**   **Étant** en retard pour le cinéma, j'ai téléphoné à Céline.

It can be used as an adjective.

**Exemples :**   Hier, j'ai vu un film vraiment très **émouvant**. Tu devrais le voir.

Le thème de la conférence a l'air **intéressant**. Je pense que je vais y aller.

To express two actions happening simultaneously, French grammar uses a verbal mode called **gérondif**. It is made of the preposition **en** + present participle and it conveys one of the following ideas:

- By doing something …

    **Exemple :** En **écoutant** la radio, tu es au courant de ce qui se passe dans le monde.

- Upon/on doing something / when you do something …

    **Exemple :** En **arrivant**, elle s'est aperçue qu'elle avait oublié son manteau.

- While doing something …

    **Exemple :** Il s'est cassé le bras en **essayant** de peindre le plafond.

### Exercice 8

**Change the following sentences using a present participle to replace the section underlined.**

**Exemples :** <u>Comme j'avais</u> un peu faim, je me suis acheté un croissant à la boulangerie.

**Ayant** un peu faim, je me suis acheté un croissant à la boulangerie.

1 <u>Comme il partait</u> plus tôt que prévu, il en a profité pour m'accompagner.
2 <u>Comme je savais</u> que tu étais en réunion, j'ai préféré attendre pour te contacter.
3 <u>Comme nous voulions</u> leur faire une surprise, nous n'avions rien dit !
4 <u>Comme elle était</u> fatiguée, elle m'a demandé de la laisser dormir jusqu'à midi !
5 <u>Comme on pensait</u> qu'il allait faire beau, nous sommes partis la journée en montagne.
6 <u>Comme j'étais en avance</u>, j'ai pu prendre mon temps.
7 <u>Comme nous étions déjà allés</u> à la piscine, nous avons préféré aller au cinéma.
8 <u>Comme vous aviez mis</u> la radio un peu fort, vous ne nous avez pas entendu arriver !

### Exercice 9

**Replace the words underlined with en plus a present participle.**

**Exemple :** Je suis tombé <u>alors que je jouais</u> au foot. → Je suis tombé en jouant au foot.

1 Vous pourriez vous relaxer <u>si vous alliez</u> nager à la piscine, non ?
2 Tu seras plus vite arrivée <u>si tu passes</u> par Dijon.
3 Elles ont couru aussi vite qu'elles ont pu <u>quand elles ont vu</u> le bus de loin !
4 Je suis tombé nez à nez avec mon voisin <u>alors que j'ouvrais</u> la porte de l'immeuble.
5 Vous avez des sièges plus confortables <u>quand vous voyagez</u> en première classe !
6 <u>Au moment où elle montait</u> dans le taxi, elle les a vus sortir de l'aéroport.

You have decided to go on holidays with your friends for a few days and stay in an apartment. Your parents are against it. Write three sentences in which you discuss the advantages of the holidays with friends and three sentences in which your parents voice their opinion about it. For each sentence, use a present participle.

**Exemples :**  Moi : **En partant** avec mes amis, je pourrai me décompresser.

Parent :  **En voyageant** seul(e), tu ne sauras pas comment te débrouiller.

# 5 Le pronom on

The pronoun **on** is similar to 'one' in English but is much more widely used in French. Always singular, it can be translated as 'we' or as 'people in general'.

**Exemples :**  **On** (= *we*) va régulièrement au ciné mais ma petite amie n'aime pas les comédies.

En France, **on** (= *people*) boit du vin à chaque repas.

**On** is also used to avoid using a passive voice and therefore avoid the difficulty of translating sentences such as 'I was told to come back later': **On** (= *someone*) *m'a dit de revenir plus tard*.'

To revise the passive voice, see pp. 303–304.

When **on** stands for **nous**, the adjective or past participle that follows it has to agree.

**Exemple :**  Samedi dernier, Edel et moi, **on** est **allés** à un concert. Le lundi, **on** était **fatigués**.

But if **on** stands for people in general, there is no agreement.

**Exemple :**  Dans le sud de la France, **on** est **habitué** à avoir des températures très élevées l'été.

Use **l'on** after **et**, **où**, **que** and **si** in formal French.

**Exemple :**  En Haïti, le choléra risque de se répandre rapidement **si l'on** n'agit pas tout de suite.

Note that **on** and not **l'on** is used before words starting with an l.

**Exemple :**  Les lettres arriveront à temps **si on les** envoie maintenant.

**Read these sentences and say whether on stands for 'we' or 'people in general'.**

1 On part à la plage dans deux minutes. Tu viens avec nous ?
2 Lorsqu'on conduit sur l'autoroute, la limite de vitesse est de 120km/h.
3 Chez moi, on n'a même pas de télévision !
4 Quand on est sorti au restaurant, il y avait un monde fou en ville.
5 On travaille de longues heures dans mon service.
6 En France, on commence les cours à huit heures le matin !
7 On sera de retour vers les trois heures.
8 On a bien rigolé hier soir !

**Ressources supplémentaires en ligne**

Consultez le site **www.edco.ie/mosaique** pour tester plus amplement vos connaissances et pratiquer votre français en utilisant les ressources suivantes :

- activités auditives interactives
- activités grammaticales interactives
- entretiens sous forme de vidéos, avec fiches pédagogiques correspondantes.

# MODULE G
## Les inégalités

**Égalité**
tous et toutes
concernés,
tous et toutes
responsables.

## Table des matières

# Les pays en développement

## 1 Changer le monde

**1.1** Lisez le texte ci-dessous puis répondez aux questions dans votre cahier.

**1** « Le monde va changer de base », disait *l'Internationale* : c'est fait. Pendant quatre siècles, ce qui était neuf, visible et important pour la majeure partie de l'humanité, en bien et en mal, s'est déroulé dans le nord et l'ouest du monde. […] La scène a basculé. C'est maintenant le Pacifique qui tient ce rôle de Mare Nostrum de la modernité. Tout ou presque se passera désormais dans le Sud et l'Est, en Afrique, en Chine, à Singapour ou à Bombay. […]

Qui détient aujourd'hui l'influence, le pouvoir, l'imagination ? Qui tient entre ses mains l'avenir de la planète ? […] L'avenir se lève à l'est : nous avons réuni les stars de demain, celles et ceux qui incarnent, dans l'économie, les médias, la culture ou la recherche, le basculement planétaire.

**2 Rencontre avec les 50 qui vont changer le monde :**

Du patron coréen de Samsung aux actrices vedettes de « Ghallywood », l'industrie du cinéma ghanéen ; du scénariste danois de *Borgen*, la série politique au succès mondial, à l'entrepreneur milliardaire nigérian, ami de Bill Gates et symbole du dynamisme du continent noir ; du patron taïwanais du géant Foxconn, qui produit le matériel électrique que l'on retrouve dans la majorité des appareils vendus dans le monde, au célèbre médecin indien qui fait

de la chirurgie cardiaque *low-cost* à Bangalore ; de la reine des médias d'Abou Dhabi à la syndicaliste vedette du Bangladesh, en passant par le cyber-prêcheur canadien qui mobilise sur son site 25 millions de membres contre les multinationales […] →

**3** Parmi les objectifs du millénaire formulés en l'an 2000, on avait placé la réduction par moitié de la pauvreté dans le monde pour l'année 2015. Échéance utopique, promesse vaine, avait-on aussitôt dit. L'objectif a été atteint en 2012 ! L'espérance de vie de l'humanité a bondi en quelques décennies* à 70 ans, soit 80 ans pour les pays riches et 60 ans pour les pays pauvres [...] Une immense classe moyenne est née au sud et à l'est, qui atteint les standards de vie des Occidentaux et qui portera forcément, au fil du développement, des valeurs semblables en matière d'ouverture, d'échanges et de libertés publiques [...] L'élévation du niveau d'éducation, le recul de la misère, la revendication d'autonomie portée par les classes moyennes, tout cela nourrit un espoir raisonnable.

© *Le Nouvel Observateur,* Laurent Joffrin, septembre 2013

> **Lexique**
>
> une décennie = *a decade*

**1 a** Dans la première section, relevez une expression qui indique le côté positif et négatif.

  **b** Trouvez un adverbe. (Section 1)

**2** Relevez une phrase qui montre que l'ordre du monde a totalement changé. (Section 1)

**3 a** Trouvez un synonyme pour « une personne célèbre ». (Section 2)

  **b** Trouvez un synonyme pour « une personne extrêmement riche ». (Section 2)

**4 a** D'après la deuxième section, où est fabriqué une grande partie des composants électroniques ?

  **b** Comment sait-on que la date butoir pour diminuer la pauvreté a été dépassée ? (Section 3)

**5 a** Quelle est l'espérance de vie moyenne de l'humanité ? (Section 3)

  **b** Relevez une phrase qui montre qu'un grand changement social a lieu au sud et à l'est.

**6** The world is changing and there are great signs of hope in developing countries. Support this statement with reference to the text. (*50 words*)

**1.2** Par groupes de deux ou trois, lisez le texte ci-dessous, puis répondez aux questions.

### CinéClub : *Sur le chemin de l'école* (2013), un film documentaire de Pascal Plisson

Samuel, Zahira, Jackson et Carlito vivent aux quatre coins du monde et partagent la même soif d'apprendre. Ils savent que seule l'éducation scolaire est la promesse d'un meilleur avenir. Ainsi, chaque jour, ils partent, motivés, sur le chemin de l'école.

- Samuel, 13 ans, vit en Inde et chaque jour, ses deux jeunes frères le poussent en fauteuil roulant jusqu'à l'école.
- Zahira, 12 ans, habite dans les montagnes marocaines, et rejoint à pied son internat le lundi matin avec deux amies.
- Jackson, 11 ans, vit au Kenya et part à l'école accompagné de sa sœur Salomé tous les matins à travers la savane.
- Carlito, 11 ans, et sa petite sœur Mika traversent les plaines de Patagonie à cheval pour aller à l'école.

#### Questions

1 À votre avis, quelles sont les conditions de vie de ces enfants ?
2 Combien de kilomètres parcourent-ils pour aller à l'école ?
3 Combien de temps mettent-ils pour y arriver ?
4 À quels problèmes peuvent-ils être confrontés sur leur parcours ?
5 Comment est leur école, d'après vous ?
6 D'après vous, que sont-ils devenus depuis le tournage du film ?

**1.3** Répondez oralement aux questions suivantes en vous aidant des phrases utiles ci-contre.

1 D'après vous, quels sont les pays émergents à l'heure actuelle ?
2 Comment ces pays sont-ils sortis de la pauvreté ?
3 L'aide internationale aux pays en développement est-elle comme une goutte d'eau dans l'océan ?
4 Aimeriez-vous participer à une action humanitaire internationale ? Pourquoi ? / Pourquoi pas ?

## Phrases utiles

| | |
|---|---|
| investir | des capitaux étrangers |
| améliorer | renverser le rapport de force Nord–Sud |
| construire | recevoir une aide |
| s'en sortir | un pays industrialisé |
| une hausse | un puits |
| une baisse | l'eau potable |
| la croissance mondiale | |

**1.4** Écoutez l'extrait suivant, puis répondez aux questions dans votre cahier.

### Section 1

**1** What organisation did President Higgins visit?

**2** What's the objective of the Digital School in a Box project?

**3** What can be connected to the solar panels?

**4** Name one country in which the project has already been put into place.

© Michele Sibloni/UNICEF

### Section 2

**5** Since when has Irish actor Liam Neeson been involved in charity work?

**6** Why did he decide to collaborate with UNICEF? (Two points)

**7** What do some children not have access to?

**8** How does the UNICEF director describe Liam Neeson?

**1.5** En classe, répondez oralement aux questions suivantes.

**1** Que pensez-vous de l'action de Liam Neeson ?

**2** Pensez-vous que cela puisse avoir un impact réel ?

**3** Connaissez-vous d'autres personnes célèbres ou des personnes de votre entourage qui agissent contre la pauvreté / la faim dans le monde ?

**4** Est-ce le rôle des célébrités d'utiliser leur notoriété pour des actions sociales et humanitaires ? Pourquoi ? / Pourquoi pas ?

**1.6** Lisez les commentaires de Hanae, Maxime et Salma puis donnez votre opinion par écrit. (*75 mots environ*)

« En seconde, notre prof d'histoire-géo nous a proposé d'aller en Argentine aider une école pour enfants handicapés. Toute l'année, on s'est mobilisés pour récolter de l'argent. Nous avons acheté des tables, des chaises, des ballons, des radiateurs et même un fauteuil roulant pour un enfant! L'école n'avait tellement rien qu'on s'est sentis utiles, et le contact avec les enfants a été génial. » **Hanae**

« L'autre jour, on a fait une collecte pour envoyer des cahiers et des crayons dans un pays d'Afrique, mais je ne sais pas si c'est utile. Comment savoir où sont les vrais besoins ? » **Salma**

« Moi, ce qui me ferait envie, c'est de partir au bout du monde faire de l'humanitaire, mais je suis trop jeune … » **Maxime**

© Bayard Presse, *Phosphore*, Gwénaëlle Boulet, octobre 2013

### Phrases utiles

| | |
|---|---|
| sensibiliser l'opinion | une insuffisance |
| se sentir utile | le seuil de pauvreté |
| tenter de changer quelque chose | la surpopulation |
| combattre | le développement durable |
| manquer de … | |

**1.7** Répondez oralement aux questions ci-dessous.

1 Avez-vous déjà participé à une association humanitaire en faveur d'un pays en développement ?
2 Pourquoi avez-vous décidé d'y participer ?
3 Pouvez-vous décrire le projet ?
4 Qui l'a organisé ?
5 Souhaiteriez-vous faire plus ? Pourquoi ? / Pourquoi pas ?

**Consultez** l'aide-mémoire

Pour le passé composé, voir pp. 123–27 ; pour l'imparfait, voir pp. 127–28.

**Attention aux faux amis !**

des fournitures = *supplies*　　　　*furniture* = des meubles

**1.8a** Écoutez ce témoignage de Manon, 16 ans, Jeune ambassadrice de l'UNICEF. Répondez aux questions ci-dessous.

© UNICEF

### Section 1

**1** How did Manon become aware of the UNICEF Young Ambassadors?

**2** Why did she decide to get involved?

**3** What did she have to do to become a Young Ambassador?

**4** For how long was she able to commit to the programme?

### Section 2

**5** Name one task you could be asked to do.

**6** What did they do in her town to raise funds?

**7** What event did they organise at her school?

**8** How much money did they collect?

 **1.8b** Vous aimeriez participer à un projet de volontariat international et décidez d'écrire une lettre à l'association Solidarités Jeunesses, 10 rue du 8 mai 1945, 75010 Paris, France.

- Introduce yourself and say that you are learning French.
- Give the reason why you would like to do voluntary work.
- Mention the voluntary work you did last summer.
- Ask about the organisation's membership fees and about accommodation for volunteers.
- Say when you will be available over the summer months. (*75 words*)

Solidarités Jeunesses

**Consultez** l'aide-mémoire

Pour écrire un demande d'emploi, voir pp. 114-17.

# 2 Quelques difficultés malgré tout

 **2.1a** Par groupes de deux ou trois, associez chacun des mots ci-dessous (1–10) à l'une des définitions données (a–j).

| | | | |
|---|---|---|---|
| 1 | la famine | a | Une période de manque d'eau qui affecte la flore, la faune et appauvrit les sols. |
| 2 | la sécheresse | b | L'incapacité ou la difficulté à lire, écrire ou compter. |
| 3 | un conflit armé | c | Un nombre trop élevé de personnes par rapport aux ressources et infrastructures d'un lieu donné. |
| 4 | l'analphabétisme | d | Le manque presque total de ressources alimentaires dans un pays ou une région, aboutissant à la souffrance voire la mort de la population. |
| 5 | la surpopulation | e | Le fait de devoir de l'argent à une personne ou un organisme. |
| 6 | la corruption | f | L'ensemble des moyens utilisés pour obtenir des avantages d'une autorité ou d'une personne. |
| 7 | une épidémie | g | L'action d'exploiter de façon excessive les ressources naturelles. |
| 8 | l'endettement | h | Le combat entre deux groupes ou deux pays qui se disputent un droit et pour ce faire utilisent des armes diverses. |
| 9 | la surexploitation | i | Le fait qu'une personne soit privée de liberté et soit forcée de travailler dans des conditions extrêmes. |
| 10 | l'esclavage | j | Le développement et la propagation rapide d'une maladie contagieuse et infectieuse dans une population. |

 **2.1b** Choisissez deux ou trois des mots de l'exercice précédent, puis pour chacun d'entre eux, essayez de trouver les causes du problème.

**Exemple :**
L'analphabétisme

- Les parents manquent de moyens financiers pour envoyer leur(s) enfant(s) à l'école.
- L'enfant est obligé de travailler pour aider sa famille.
- L'école est trop loin.

 **2.2** Écoutez les cinq extraits suivants puis, dans votre cahier, trouvez de quel pays il s'agit, le problème évoqué et complétez les informations manquantes.

| Where? | What is the problem? | What do the figures refer to? |
|---|---|---|
| 1 | | |
| 2 | | |
| 3 | | |
| 4 | | |
| 5 | | |

**2.3** Choisissez un des sujets suivants et donnez votre opinion en écrivant.
(*75 mots environ*)

**A** Plus d'un tiers de la population mondiale n'a toujours pas accès aux médicaments essentiels.

**B** Les bidonvilles prolifèrent dans le monde entier, abritant dans des conditions précaires environ un milliard de personnes – soit un tiers de la population urbaine mondiale.

**2.4** Lisez ce texte extrait du roman *Le Charme des après-midi sans fin* de Dany Laferrière, puis répondez aux questions qui suivent.

**1** Rico m'a dit que la fête se fera chez Nissage, samedi après-midi. Je le savais déjà par ma cousine Didi.

– N'en parle à personne, me lance Rico en se dirigeant vers le marché.

La mère de Rico vend des robes au marché. Des robes qu'elle confectionne elle-même. Ses clients sont pour la plupart des paysans des environs de Petit-Goave.* Ils descendent en ville vendre leur café et remontent quelquefois avec une robe pour leur femme. La mère de Rico coud de jolies robes, simples et colorées, qu'elle étale par terre, juste devant elle. Je la vois toujours assise sur une minuscule chaise. Il arrive qu'un client réclame la robe qu'elle est en train de terminer. Dans ce cas, elle demande au client d'aller faire un tour et de revenir dans une dizaine de minutes, le temps de faire l'ourlet. Des fois quand le tissu manque, la mère de Rico n'hésite pas à ajouter un morceau de tissu de couleur différente. […] Heureusement qu'elle ne demande pas trop cher pour ses robes bariolées. Cela permet aux paysans les moins fortunés de rapporter quelque chose à leur femme.

**2** Rico va retrouver sa mère chaque jour après l'école. Elle lui achète tout de suite, chez sa commère* Victoire, un plat assez copieux (banane, hareng, maïs moulu, pois rouges en sauce) qu'il doit manger sur place avant de rentrer à la maison faire ses devoirs. Du marché jusqu'au pied du morne Tapion où Rico habite, cela représente une bonne demi-heure de marche par la grand-route. Mais Rico préfère longer la mer, et il lui faut alors quarante-cinq minutes pour arriver à la maison. Sa mère n'en sait rien puisqu'elle ne quitte le marché que vers six heures du soir.

→

**Lexique**

Petit-Goave = ville située au sud-ouest de Port-au-Prince, en Haïti
une commère = *a gossip*

**3** Rico déteste manger au marché. Il a peur d'être vu par quelqu'un qu'il connaît. Un élève de sa classe ou, pire encore, une fille. La honte, quoi ! Alors, il mange toujours très vite, et parfois quand je l'accompagne, il s'arrange pour me refiler une bonne part de son plat. Moi, je n'ai pas ce problème. J'adore manger ainsi, au marché, au milieu de tout ce monde. Je suis moi-même étonnée de me voir engloutir toute cette nourriture (la mère de Rico ne lésine pas sur la quantité), alors qu'à la maison, Da doit se fâcher pour que j'avale la moindre bouchée. À vrai dire, je crois que je passerais ma vie sans manger, si c'était possible.

Dany Laferrière, *Le Charme des après-midi sans fin* © Éditions du Rocher

### Questions

**1 a** Dans la première section, relevez un verbe au gérondif présent.

   **b** D'après la première section, sur le marché, les paysans de la région …

      i) vont au café pour discuter

      ii) vendent des épices

      iii) échangent des meubles

      iv) achètent des vêtements.

**2 a** Relevez un synonyme de « faire une petite promenade ». (Section 1)

   **b** Comment sait-on que les robes faites par la mère de Rico sont bon marché ? (Section 1)

**3 a** Que fait Rico sur le marché après l'école ? (Section 2)

   **b** Relevez une phrase qui montre que Rico prend un chemin différent pour rentrer chez lui. (Section 2)

**4** D'après la troisième section, pour quelle raison Rico mange-t-il vite son déjeuner ?

**5 a** Trouvez une expression qui indique que la mère de Rico est généreuse quant au déjeuner. (Section 3)

   **b** Comment sait-on que la narratrice ne mange pas beaucoup chez elle ? (Section 3)

**6** Rico and the narrator have different attitudes to life at the market. Support this statement with reference to the text. (*50 words*)

# Les discriminations

## 1 Vive la différence

**1.1** Par groupes de deux ou trois, répondez oralement aux questions ci-dessous.

1. Pouvez-vous donner une définition de « discrimination » ?
2. Quelles sont les formes de discrimination ?
3. Pourquoi une personne a-t-elle une attitude discriminatoire ?
4. Comment peut-on changer les mentalités ?
5. Quelle personne à vos yeux représente le mieux la tolérance ?

**1.2** Donnez votre réaction à l'un des documents ci-dessous.

**A**

**Égalité**
tous et toutes concernés, tous et toutes responsables.

Votre comportement envers autrui compte.

© Commission européenne/JPH Woodland

**B**

Une enquête réalisée par la Fédération Française des Associations de Chiens guides d'aveugles indique que dans 15% des lieux publics – à savoir restaurants, commerces et administrations – les chiens-guides et leurs maîtres ne sont pas acceptés. Ceci représente pour eux au moins une difficulté d'accès par semaine, ce qui va à l'encontre de la loi.

**1.3** Écoutez ces extraits sur différentes formes de discrimination puis répondez aux questions dans votre cahier.

**Ninon**

1. Give two details about Ninon's style.
2. What happens when she is in town or out?
3. What is the situation in school?
4. How does she feel about it all?

### Agathe

**5** How did Agathe's boss react to her being pregnant?

**6** Why did she feel stressed?

**7** What changes did Agathe encounter when she was back from her maternity leave?

### Serdar

**8** For how long has Serdar been unemployed?

**9** Why, does he think, he can't find work?

**10** According to recruitment agencies, what skills do the over-fifties not have?

**11** What is illegal, according to Serdar?

**1.4a** Dans ce film, Gabrielle et Martin sont tous deux handicapés intellectuels et font partie de la chorale Les Muses de Montréal. Répondez oralement aux questions ci-dessous.

**1** Pouvez-vous décrire l'affiche du film ?

**2** Quelle impression vous donne-t-elle du film ?

**3** Pouvez-vous imaginer le scénario ?

**4** D'après vous, à quelle(s) difficulté(s) vont être confrontés Gabrielle et Martin ?

**5** Aimeriez-vous voir ce film ? Pourquoi ? / Pourquoi pas ?

CinéClub : *Gabrielle* (2013), drame sentimental québecois réalisé par Louise Archambault

Gabrielle Marion-Rivard    Alexandre Landry    Mélissa Désormeaux-Poulin

Les Films Christal    une production micro_scope

# gabrielle

un film de Louise Archambault

Prix du Public UBS

tiff

Meilleur acteur

© Christal

**1.4b** Allez sur un moteur de recherche en ligne et tapez « Gabrielle » et « bande-annonce » pour trouver la bande-annonce de ce film. Puis donnez votre réaction oralement ou par écrit.

**1.4c** Vous êtes Gabrielle/Martin. Vous aimeriez être autonome plutôt que de vivre dans une résidence d'accueil. Vous souhaiteriez habiter seul(e) dans un appartement mais votre famille s'y oppose. Que notez-vous dans votre journal intime ? (*75 mots environ*)

# 2 Le racisme

**2.1** Lisez ce texte extrait du roman *Des hommes* de Laurent Mauvignier, puis répondez aux questions.

1 Monsieur le maire, monsieur le maire, vous vous souvenez la première fois que vous avez vu un Arabe ? Monsieur le maire, vous vous souvenez ? Est-ce que vous vous souvenez ?

Est-ce qu'on se souvient ? Que quelqu'un ?

Est-ce qu'on se souvient de ça ?

Quoi, qu'est-ce que tu dis ?

Est-ce que quelqu'un ?

Qu'est-ce que tu dis ?

Rien.

Et à ce moment-là, ce dont je me suis souvenu – enfin, pas un souvenir, pas déjà, mais une image devant moi, presque aussi vraie et réelle que le froid et la neige : un matin de printemps – au printemps soixante-dix-sept ou soixante-dix-huit –, des gens estomaqués à l'Intermarché, stoppant net leurs provisions, surpris uniquement de voir si près d'eux un couple dont l'extraordinaire tenait à une djellaba* vert anis et un foulard bleu clair, des mains recouvertes de henné.

Rien d'autre.

2 C'était la première fois qu'on voyait des étrangers ici. Et ce qu'on n'avait pas imaginé, ça avait été cette petite minute d'étonnement pour tous ceux-là, nos femmes, parents, amis qui, des années auparavant, nous avaient attendus pendant des mois et avaient lu nos lettres, vu nos photos, et qui se demandaient bien eux, quelles têtes ils avaient *en vrai*, de l'autre côté de la mer.

Oui, les premiers jours, les premiers mois, cette drôle de découverte et de curiosité.

Et puis, pour nous autres, ça avait été comme de revoir surgir des morts ou des ombres comme elle savent parfois revenir, la nuit, même si on ne le raconte pas, on le sait bien, tous […]. On a parlé de tout et de rien, de la bourriche* annuelle, de la loterie à organiser, du prochain banquet et du méchoui.* Parce que tous les ans, on faisait un méchoui.

3 Mais pas un mot sur Chefraoui quand il avait débarqué avec toute sa petite famille, pas même pour se demander d'où il venait, plutôt Kabyle* ou quoi, rien, on n'a pas demandé. On aurait pu. Et même parler avec lui on aurait pu, dire,

Ah oui, je connais par-là, c'est beau par là.

Mais non, ça non plus, on ne l'a pas fait.

Sauf qu'on y pensait, c'est sûr, mais comme d'une pensée dont il aurait fallu avoir honte, dont on avait honte comme de voir surgir une part de nous, la vieille histoire de notre jeunesse.

Laurent Mauvignier, *Des hommes* © Les Éditions de Minuit, 2009

---

### Lexique

| | |
|---|---|
| **une djellaba** = un vêtement traditionnel porté par les hommes et femmes d'Afrique du nord | **un méchoui** = cuisine traditionnelle d'Afrique du nord : agneau ou mouton entier cuit au barbecue |
| **une bourriche** = un panier de forme allongée | **Kabyle** = un groupe ethnique natif de Kabylie dans le nord de l'Algérie |

**Questions**

1 a À qui s'adresse le narrateur ? (Section 1)

  b Dans la première section, trouvez un synonyme de « choqués ».

2 Pour quelle raison certaines personnes arrêtent-elles de faire leurs courses dans le supermarché ? (Section 1)

3 a Comment sait-on que les habitants n'avaient jamais rencontré de gens venant d'ailleurs ? (Section 2)

  b Relevez un verbe au plus-que-parfait. (Section 2)

4 Trouvez une expression qui montre qu'ils ont discuté de plusieurs choses. (Section 2)

5 a D'après la troisième section, le narrateur …

   i) connaissait Chefraoui

   ii) était un ami d'enfance de Chefraoui

   iii) a totalement ignoré Chefraoui

   iv) avait honte pour Chefraoui.

  b Comment sait-on que le narrateur a séjourné en Kabylie ? (Section 3)

6 The narrator regrets that he wasn't more welcoming to foreigners in his community. Support this statement with reference to the text. (*50 words*)

 **2.2** **En classe, répondez oralement aux questions suivantes.**

1 Quelles sont les différentes formes de racisme qui existent ?

2 À votre avis, quel groupe de personnes est le plus exposé au racisme ? Pourquoi ?

3 Comment peut-on lutter contre les actes racistes ?

4 Connaissez-vous une personne qui a été victime d'un acte raciste ? Donnez des détails.

5 Quelle est la situation en Irlande vis-à-vis du racisme ?

| **Phrases utiles** | |
|---|---|
| un(e) immigré(e) / étranger(-ère ) / réfugié(e) | la tolérance / l'intolérance |
| | être intolérant(e) |
| être victime de | une attaque contre |
| être la cible de | être raciste |
| la discrimination | avoir peur de |
| l'immigration | être responsable de |

 **2.3a** **Regardez la vidéo de la chanson « Lorsqu'ils essayèrent » du rappeur Abd Al Malik (allez sur un moteur de recherche en ligne et tapez le titre de la chanson et le nom du chanteur). Puis, par groupes de deux ou trois, répondez aux questions ci-dessous.**

1 Que montrent les reportages à la télé ?

2 À quelle époque cela se passe-t-il d'après vous ?

3 Quels évènements internationaux peut-on voir ?

4 Quel incident tragique a eu lieu ?

5 D'après vous, qui était Malik Oussekine ?

**2.3b** Réécoutez la chanson puis complétez le texte avec les mots entendus.

Il y avait plein de gens autour, des gens qu'avaient leur propre histoire.

Ils étaient (1) ....... au tout début des années 80 alors ils étaient pleins d'espoir

Ça allait changer après mais ça, ils le savaient pas encore

Ils étaient tristes y'en a même qui (2) .......

Mais vu la situation ils étaient au fond quand même forts

Lorsqu'ils essayèrent de réanimer Malik

Et pour écharpe y'en a qui portaient le keffieh palestinien

Sur leur T-Shirt (3) ....... Touche pas à mon pote,* ils étaient saints

(Syn)thétisaient jeunes de cité toute une pensée révolutionnaire en fredonnant Bob Marley

Pour ceux qui pensaient international

Ou Renaud* Banlieue Rouge pour ceux qui connaissaient quelques bribes de l'Internationale

Lorsqu'ils essayèrent de réanimer Malik

Au Dakar (4) ....... s'en vont et d'autres s'en viennent

Voguant sur des océans couleur sable télévisuel

C'était le tout début de ces jeunes ambitieux qu'ont dit à nos grands frères

Et nos grandes sœurs: « On s'occupe de tout, vous inquiétez de rien! »

Toutes les grandes villes de France s'appelaient alors Lyon ou Vaulx-en-Velin

Certaines actions devinrent directes (5) ....... parce que pour certains le propos était devenu vain

Lorsqu'ils essayèrent de réanimer Malik

Des fois ça craint, ça crise t'as des gens qu'ont (6) .......

C'était l'époque où des chanteurs se réunissaient et chantaient : On est le monde ... On est un

Bonhomie* solidaire dissimule les fissures de l'être

Être ... ou ne pas être ... en vie

Lorsqu'ils essayèrent de réanimer Malik

Il y avait plein de gens autour de lui, des jeunes gens qui voulaient faire l'Histoire

Ils trouvaient cette manif'* universitaire (7) ....... comme Kafka ou Beckett faut croire

Ça allait changer après parce que la vie c'est plus vrai que (8) ....... encore

Ils étaient tristes de le voir inanimé comme ça sur le sol ils pleuraient tous

Mais vu le dramatique de la situation ils étaient tous quand même forts

Lorsqu'ils essayèrent de réanimer Malik

Et pour couronner le tout la nuit vrombissait chevauchée par une sorte de (9) ....... à moto

Comme un faible écho de cette nuit cousine germaine* où il plut des cristaux

(To)talitaire pensée fasciste la bête immonde peut prendre de subtiles formes

Pour ceux qui ont peur de leurs jeunes, pour ceux qui se rendent pas compte qu'on est tous juste (10) .......

Lorsqu'ils essayèrent de réanimer Malik

Au placard nos pères et mères rangèrent leurs roses* et leurs rêves

Mais pas tout de suite cela se fit progressivement d'illusions en désillusions

Toutes les grandes villes de France allaient bientôt s'appeler (11) .......

Et oui, lorsqu'ils essayèrent de réanimer Malik

Et que celui-ci ... ne se réveilla pas

« Lorsqu'ils essayèrent », paroles et musique de Abd Al Malik. *Dante* (Atmosphériques, 2008)

**Lexique**

| | |
|---|---|
| Touche pas à mon pote = (voir explication à la page suivante) | une manif = une manifestation = *a demonstration* |
| Renaud = chanteur français très populaire dans les années 80 | une cousine germaine = *a first cousin* |
| la bonhomie = *affability* | la rose est le symbole du parti socialiste français |

**2.3c** Relevez les verbes au passé simple dans le texte de la chanson.

**Au fait**

« Touche pas à mon pote » est un slogan créé par SOS Racisme en 1985 pour promouvoir l'intégration des jeunes gens d'origine étrangère et spécialement maghrébine en France, afin de vivre dans une société antiraciste et respectueuse des différences.

Consultez
l'aide-mémoire
Pour le passé simple,
voir pp. 412-13.

 **2.4** Choisissez l'une des trois situations ci-dessous, puis écrivez un récit (imaginaire ou réel) sur ce qui est arrivé. (*90 mots environ*)

**1** En sortant d'un magasin, vous voyez des jeunes adolescents se moquer d'une femme voilée.

**2** Vous venez d'assister à un match de foot où vous avez entendu des fans crier des injures racistes à un joueur.

**3** Dans le tramway, des jeunes qui n'ont pas de ticket commencent à insulter le contrôleur d'origine africaine.

 **2.5** Donnez votre réaction à l'un des documents ci-dessous. (*75 mots environ*)

**A** « J'ai subi le harcèlement de mes camarades tout au long du collège. Tous les matins, c'est avec la peur au ventre que j'entrais dans l'établissement : l'angoisse des insultes, des coups parfois … la raison de tout ça ? Ma petite taille sûrement, mes bonnes notes sans doute, et surtout ma couleur de peau. Noire ? Mate ? Non. Blanche. Mais pour les élèves de mon ancien collège, c'était une raison d'insultes, et ma scolarité a été rythmée par les 'Sale Blanche' ou encore 'Crève,* sale Française'. »

© Bayard Presse, *Phosphore*, mai 2012

**B** « Sur cent messages postés sur les réseaux sociaux, deux en moyenne sont racistes », estime Jérémie Mani, président de Netino […] Ce modérateur pour un grand nombre de médias, chargé de bloquer ce genre de propos, assiste en direct à la « libéralisation, de plus en plus franche et violente, de la parole sur les réseaux sociaux ».

© *Le Nouvel Observateur*, novembre 2013, numéro 2 558

**Lexique**
crever (*familier*) = mourir ; éclater

**2.6** **Lisez ce texte sur les Roms en France puis complétez-le avec les mots suivants.**

> libres    émigrent    doivent    eux    utilisé    majorité    condition
> vie    victimes    scolarisation    pauvreté    vivre

La Roumanie et la Bulgarie (d'où viennent la (1) ....... des Roms) sont membres de l'Union européenne depuis 2007. Leurs citoyens sont donc (2) ....... de se déplacer dans les 28 pays de l'Union, d'y séjourner sans (3) ....... pendant moins de trois mois. [...] Comme tous les Européens, au-delà de trois mois, les Roms (4) ....... prouver qu'ils disposent d'un emploi ou de ressources suffisantes pour faire (5) ....... leur famille [...].

Longtemps peuple d'esclaves, les Roms sont toujours (6) ....... de discriminations dans leur pays d'origine et là où ils (7) ....... . En France et en Europe, les chiffres montrent la difficulté d'accès à l'emploi, à la santé, au logement ou à la (8) ....... des enfants. [...] Le problème de l'intégration n'est pas ethnique [...] mais dû à leurs conditions de (9) ....... : 90% des Roms vivant dans les pays de l'Union vivent sous le seuil de (10) ....... [...] La France demande aux pays d'origine d'intégrer les Roms chez (11) ....... . Des aides européennes existent mais la Roumanie n'en a (12) ....... que 6%, signe d'un manque de volonté politique. [...]

© Bayard Presse, *Phosphore*, décembre 2013

# 3 Le sexisme

**3.1** Débat en classe : par groupes de deux ou trois, sélectionnez un des faits ci-dessous, puis présentez votre opinion à l'ensemble de la classe.

| Hommes | Femmes |
|---|---|
| • 6,7% d'hommes sont salariés à temps partiel | • 17,8% des femmes sont salariées à temps partiel |
| • 85,3% des ambassadeurs sont des hommes | • 14,7% sont ambassadrices |
| • 63,1% des licenciés de fédérations sportives sont des hommes | • 36,9% des licenciés de fédérations sportives sont des femmes |
| • Les hommes font 1h37 de tâches domestiques par jour | • Les femmes font 3h34 de tâches domestiques par jour |
| • 96,7% des détenus en prison sont des hommes | • 3,3% des détenus en prison sont des femmes |

© *Le Nouvel Observateur*, 6 mars 2014, numéro 2 574

**3.2a** Écoutez un extrait sur Helena Costa, l'entraîneuse de foot du club de Clermont, puis répondez aux questions dans votre cahier.

1 Helena Costa is the first woman to train a French football club. True or false?
2 What diploma does she have?
3 What did Helena do in Qatar?
4 How is her nomination perceived in Clermont?
5 What comment did Anthony Lippini make about her appointment?
6 Why did Helena resign as a coach? (Give one reason)

**3.2b** En classe, répondez oralement aux questions suivantes.

1 Que pensez-vous de ce qui est arrivé à Helena Costa ?
2 Est-ce que sa décision vous surprend ? Pourquoi ? / Pourquoi pas ?
3 À votre avis, pourquoi est-il difficile pour une femme de s'imposer dans certains postes ?
4 Y a-t-il des métiers où vous aimeriez voir plus de femmes ?
5 Comment peut-on changer les mentalités en matière de sexisme ?

**3.3** Choisissez l'un des documents ci-dessous puis donnez votre opinion à l'écrit. (*75 mots environ*)

**A**

« Les femmes qui cherchent à être égales aux hommes manquent d'ambition. »

**B**

ELLE DIT QU'ELLE EST INGÉNIEUR !

© Atoine Chereau

# L'immigration

## 1 La France plurielle

 **1.1** **Par groupes de deux ou trois, répondez aux questions ci-dessous en classe.**

1 Y a-t-il des personnes immigrées dans votre famille, votre quartier ou votre lycée ?

2 Si oui, de quelle nationalité sont-elles ?

3 Habitent-elles en Irlande depuis longtemps ?

4 D'après vous, pour quelles raisons une personne décide-t-elle d'émigrer ?

5 Qu'est-ce que les immigrés apportent à leur pays d'accueil ?

6 Donnez des exemples de l'influence des immigrés sur la vie et la culture irlandaises.

7 À quels problèmes est-ce que les immigrés peuvent-ils parfois être confrontés ?

8 Est-ce que, parmi les personnes immigrées que vous connaissez, certaines ont eu des problèmes à s'intégrer en Irlande ? Pourquoi ? / Pourquoi pas ?

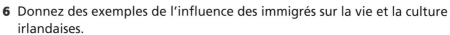

### Phrases utiles

| | |
|---|---|
| Il/elle vient de/d' … | Ils ont des problèmes en matière de … |
| Il/elle est originaire de/d' … | Les pays qui les accueillent sont … |
| Il/elle est de nationalité … | accueillir à bras ouverts … |
| La majorité / la plupart d'entre eux … | refuser de … |
| Il/elle habite ici depuis … | s'intégrer / être intégré(e) |
| Il/elle a quitté / fui son pays parce que … | une société mixte / pluriculturelle |
| Les immigrés sont confrontés au/à la/à l' /aux … | |

 **Au fait**

C'est par besoin de main-d'œuvre que les premiers ouvriers étrangers sont venus en France des pays voisins à partir de 1851. Ils étaient en effet originaires d'Italie, de Belgique, de Suisse, d'Espagne et d'Allemagne.

*Le récit se situe en 1965, trois ans après l'indépendance de l'Algérie. Le jeune narrateur est né en France. Avec ses parents, des immigrés d'Algérie, ses frères et ses sœurs et une vingtaine d'autres familles algériennes, il habite dans la banlieue lyonnaise, dans un petit bidonville, appelé le « Chaâba ». La plupart des familles qui y habitent ont fui la pauvreté et la guerre en Algérie pour trouver en France la prospérité et la liberté. (Le Gone du Chaâba a été adapté au cinéma en 1997 par Christophe Ruggia.)*

1 Pendant que je remplis ma fiche de renseignements, le prof descend dans les rangs pour ramasser les papiers de ceux qui ont déjà fini. Il parvient à mon rang, penche* sa tête par-dessus mon épaule pour voir mon nom. Je me retourne. Et, à cet instant, lorsque nos regards se croisent, se mélangent, je sens qu'il y a au fond de cet homme quelque chose qui me ressemble et qui nous lie. Je ne saurais dire quoi. Il retourne à son bureau, scrute* les fiches et les visages correspondants, commente parfois un léger détail, demande des précisions complémentaires. Puis il me fixe : ma fiche est entre ses mains. Je déteste ces situations ou l'on est obligé de tout dire de soi. Ça y est, il va me poser des questions.

   – Comment se prononce votre prénom en arabe ? demande-t-il sur un ton amical.

   Je me sens vidé* d'un coup. Heureusement que les Taboul* ne sont pas dans la classe, sinon qu'aurais-je répondu ? Que je n'étais pas arabe ? Peut-être y a-t-il d'autres Taboul autour de moi ?

2 Le prof attend une réponse. Comment lui dire que je n'ai pas envie de dévoiler ma nature à tous ces élèves qui sont maintenant en train de m'observer comme une bête de cirque ? J'ai envie de **lui** dire : « Je ne suis pas celui que vous croyez, mon bon monsieur », mais c'est impossible. J'ai la sensation qu'il sait déjà tout de mon histoire. Je réponds malgré tout :

   – On dit Azouz, m'sieur.

   – Vous êtes algérien ? ! ...

   – Oui, m'sieur, dis-je timidement.

   Maintenant, je suis pris au piège.* Plus d'issue possible.

   – De quelle région êtes-vous ?

   – De Sétif, m'sieur. Enfin, je veux parler de mes parents. Moi, je suis né à Lyon, à l'hôpital Grange-Blanche. Mon voisin immigré de Paris a le nez collé à mes lèvres. Depuis le début, il m'écoute, attentif. J'ai envie de lui crier: « Maintenant, tu sais tout. T'es content ? Alors arrête de me regarder comme ça. »

   – Vous habitiez à Villeurbanne ? poursuit M. Loubon.

   – Oui.

   – Où exactement ?

   – Avenue Monin, m'sieur.

   – Dans les chalets du boulevard de ceinture ?

→

**3** Intrigué par l'intuition du prof, effrayé par l'idée qu'il connaît le Chaâba, la saleté dans laquelle je vivais lorsque j'étais petit, je réponds que j'habitais effectivement dans les chalets. Ça fait plus propre.

– Et pourquoi vos parents ont-ils déménagé ?

– Je ne sais pas, m'sieur.

Puis dans ma tête : « Il est bien curieux, çui-la* ! »

Un silence de quelques secondes s'abat sur la classe. Je me dis que maintenant je ne pourrais plus jamais cacher mes origines sarrasines,* qu'Emma* pourra venir m'attendre à la sortie du lycée. Puis je réalise qu'elle ne viendra plus jamais. Le mal est déjà fait.

M. Loubon reprend la parole, pour se présenter cette fois :

– Moi aussi j'habitais en Algérie. À Tlemcen. C'est près d'Oran. Vous connaissez ?

– Non, m'sieur. Je ne suis jamais allé en Algérie.

– Eh bien, vous voyez : moi je suis français et je suis né en Algérie, et vous, vous êtes né à Lyon mais vous êtes algérien.

Azouz Begag, *Le Gone du Chaâba* © Éditions du Seuil, 1986, n.e., 2005, *Points* 2005

## Lexique

| |
|---|
| un gone = un petit garçon (français parlé de la ville de Lyon) |
| se pencher = s'incliner, aller en avant |
| scruter = examiner attentivement |
| se sentir vidé = ne plus avoir de force, d'énergie |
| Taboul = le nom de famille de deux frères qui sont dans la classe d'Azouz |
| un piège = a trap |
| çui-là (*familier*) = abréviation pour celui-là |
| sarrasine = qui qualifie les musulmans d'Orient, d'Afrique ou d'Espagne au Moyen Âge |
| Emma = « maman » en arabe |

## Questions

**1 a** Trouvez la phrase montrant qu'Azouz se sent proche de son professeur. (Section 1)

  **b** Quelle phrase montre qu'il n'aime pas se présenter ? (Section 1)

**2 a** Trouvez une phrase qui signifie « je ne veux pas révéler ». (Section 2)

  **b** À quoi ou à qui se réfère le pronom « **lui** » ? (Section 2)

**3** Dans la deuxième section, Azouz est énervé par …

    i) son professeur M. Loubon    iii) la pauvreté de ses parents

    ii) ses camarades de classe    iv) l'attitude de son voisin de classe.

**4 a** Pourquoi le narrateur a-t-il honte de dire qu'il habitait dans le Chaâba ? (Section 3)

  **b** Relevez la phrase indiquant que le professeur pose trop de questions. (Section 3)

**5 a** Trouvez un adverbe dans la troisième section.

  **b** Quelle phrase indique que la classe est silencieuse ? (Section 3)

**6** From his attitude and his answers, Azouz seems to be reluctant to talk about his origins. Refer to the text to support this statement. (*50 words*)

**Écoutez deux témoignages, puis répondez aux questions ci-dessous.**

### Section 1

1 According to Alice Belaïdi, what does she owe her parents?
2 Where is her dad from?
3 How old was she when she played 'Mireille' on stage?
4 How does the stage director explain the negative reaction of some locals to Alice playing 'Mireille'?
5 How did Alice herself react to their attitude?

### Section 2

6 Where did Fei Fang study French literature and culture?
7 While in France, what did she find difficult?
8 What did Fei Fang apply for?
9 How long has Qingyuan Xie been living in France?
10 Name two observations he made about France.

  **Donnez votre réaction au commentaire suivant. (*75 mots environ*)**

**Consultez** l'aide-mémoire

Pour les pronoms relatifs, voir pp. 361–64.

« Je m'appelle Javier et je suis né en France, ainsi que mes enfants. Mes parents, eux, sont espagnols, de Valladolid, et ils sont venus en France en 1950 pour fuir la dictature de Franco. Ils se sont d'abord installés à Paris puis sont descendus plus tard dans la région de Toulouse. Je ne comprends pas quand j'entends des gens dire « rentre dans ton pays ! » parce que moi, je suis chez moi ici. La France, c'est mon pays. » **Javier, 65 ans**

  **Écoutez des statistiques sur l'immigration en France, puis répondez aux questions dans votre cahier.**

1 What is the second-largest source of immigration in France?
2 What percentage of immigrants are migrating to be reunited with their families?
3 How many people became French citizens last year?
4 Where do a third of newcomers to France settle?
5 Where do newcomers mainly originate from?
6 How does France compare with the UK in terms of immigration?
7 What do 28 per cent of immigrants suffer from?

# 2 Les réfugiés

**2.1** En classe, répondez oralement aux questions suivantes.

1 Le 20 juin est la journée mondiale des réfugiés, y avez-vous déjà participé ? Pourquoi ? / Pourquoi pas ?

2 Quels organismes s'occupent de l'accueil des réfugiés en Irlande ?

3 Avez-vous déjà fait un stage ou du bénévolat pour une de ces associations ? Expliquez.

4 Comment peut-on faciliter l'accueil des réfugiés en Irlande ?

5 À quels problèmes les réfugiés sont-ils exposés lorsqu'ils arrivent en Irlande ou dans n'importe quel autre pays ?

| **Phrases utiles** | |
|---|---|
| accueillir / expulser / déporter | faire une demande pour pouvoir… |
| être déporté(e) / expulsé(e) / évacué(e) | la naturalisation / être naturalisé(e) |
| être / se sentir déraciné(e) | être sans papier / sans passeport / sans carte d'identité |
| avoir des droits | |
| une terre d'asile / d'accueil | un titre de séjour |
| un demandeur d'asile | un camp / un centre pour réfugiés |
| | être placé(e) dans un foyer |

**2.2** Lisez le fait suivant à propos du nombre de réfugiés à travers le monde puis donnez votre réaction à l'écrit. (*75 mots environ*)

« D'après un rapport du Haut-Commissariat pour les réfugiés, plus de cinquante millions de personnes sont déplacées à travers le monde pour cause de conflits armés et de crises. »

**2.3** Écoutez deux extraits sur la situation sur l'île de Lampedusa, puis répondez aux questions dans votre cahier.

### Section 1

1 Where is Lampedusa located?
2 Where do most refugees come from?
3 What are they trying to escape from?
4 What do they hope to find in Europe?
5 What happened on 3 October?

### Section 2

6 What did Guillaume want to do this year?
7 What comment does he make about passing by refugees in his town?
8 What kind of stories did they tell him when they met?
9 Why did they choose to come to France?
10 What was Guillaume moved by?

**2.4** Lisez ce texte à propos de Thierno, arrivé seul en France à l'âge de 15 ans, puis répondez aux questions.

1 Thierno n'a que 15 ans lorsqu' il arrive à Strasbourg depuis la Guinée. S'il est parti, ce n'est ni par choix, ni pour profiter du système. C'est pour sauver sa vie. Le 28 septembre 2009, il manifeste contre le régime en place dans le stade de Conakry, la capitale, au côté de sa mère, militante politique. Le rassemblement tourne soudain au bain de sang. […] « Un premier coup de feu a retenti hors du stade. Puis des militaires sont entrés et ont tiré sur des gens. Mon réflexe a été de me cacher sous les gradins.* » L'instinct de survie. […] Ce jour-là, la mère de Thierno a disparu … et il ne l'a jamais revue : « Je préfère me dire qu'elle a réussi à s'échapper. »

Découvert, Thierno est emmené dans un camp de prisonniers. Quelques jours plus tard, aidé par un militaire, il s'échappe avec un autre jeune, Aboubakar.

2 Ils doivent absolument s'enfuir pour éviter les ennuis : « On est partis dans le vide, vers le port. » Pendant un mois, tous les deux vivent dans les cales* d'un bateau, sans savoir où cela les mène. De temps en temps, un homme leur apporte à manger. Le navire finit par accoster en Grèce : « Je ne savais même pas où c'était, je n'avais jamais entendu parler de ce pays. » Aboubakar, devenu son « ange gardien », leur trouve de faux papiers. Direction Paris, puis Strasbourg. « On voulait ensuite aller en Allemagne, car on nous avait dit que les immigrés étaient mieux traités. →

Module G | 3 | L'immigration

Mais au guichet de la gare, nous n'avions pas assez d'argent. Aboubakar m'a demandé de l'attendre le temps de régler ce problème. M'a-t-il laissé tomber ou a-t-il été arrêté ? En tout cas, il n'est jamais revenu. »

En plein hiver, Thierno se retrouve donc seul, sans argent, sans papier, à errer dans les rues de Strasbourg. [...] Quand il aborde les gens avec son français approximatif, la plupart sont aimables mais ne lui prêtent pas attention. Jusqu'à ce qu'un homme prenne le temps d'écouter son histoire et l'oriente vers Thémis, une association d'accès aux droits pour les moins de 18 ans. [...]

**3** Les premières démarches sont difficiles. Enfin, l'association lui annonce qu'elle lui a trouvé un foyer. Peu à peu, Thierno est scolarisé et s'adapte à son environnement. [...] Aujourd'hui encore, le combat de Thierno est permanent pour se faire une place dans la société et, surtout, pour avoir des papiers, car sa carte de séjour ne lui garantit pas de pouvoir rester en France à long terme. La seule solution est d'obtenir le droit d'asile : « Je suis allé à l'Ofpra (Office français de protection des réfugiés et apatrides), mais ma demande a été refusée. » [...] Thierno a la rage. « La haine », comme il dit. « Ces choses que vous regardez à la télé dans votre canapé, je les aies vues en vrai, et on me dit que je raconte des salades ! » Thierno ne veut pas retourner en Guinée. Il rêve juste que sa mère le retrouve un jour [...].

© Bayard Presse, *Phosphore*, Delphine Jung, octobre 2013

> ### Lexique
>
> un gradin = *a row of seats* ; les gradins = *the terraces*
> la cale d'un bateau = *the hold*

## Questions

**1 a** D'après la première section, pour quelle raison Thierno a-t-il quitté son pays ?
  **b** Trouvez un synonyme pour « un massacre ». (Section 1)

**2** Relevez une phrase qui indique que Thierno a perdu sa mère lors des évènements. (Section 1)

**3 a** D'après la deuxième section, une fois en France, Thierno ...
  i) part avec Aboubakar en train pour l'Allemagne
  ii) essaie de se procurer des papiers
  iii) perd Aboubakar de vue
  iv) est traité d'immigré par les gens.
  **b** Relevez une expression qui montre que Thierno a des difficultés à s'exprimer. (Section 2)

**4 a** Trouvez un verbe au présent du subjonctif. (Section 2)
  **b** D'après la troisième section, comment sait-on que Thierno va au lycée ?

**5 a** Que doit faire Thierno pour pouvoir rester en France de façon permanente ? (Section 3)
  **b** Relevez une expression qui indique que les autorités françaises pensent que Thierno ment. (Section 3)

**6** Thierno has great survival skills and met kind people throughout his ordeal. Support this statement with reference to the text. (*50 words*)

**2.5** Allez sur un moteur de recherche en ligne et tapez « Les derniers aventuriers » pour écouter cette chanson du groupe français La Rue Kétanou, puis répondez aux questions.

### Les derniers aventuriers

Ils nous arrivent d'aussi loin que
   viennent les revenants,
Ils ont du sang sur les mains et
   c'est leur propre sang,
Ils ressemblent à ces armes qu'ils
   n'ont pas chargées,
Ils ressemblent à leurs femmes qu'ils
   ont abandonnées, à l'espérance,
Ils ont pris les frontières à
   contre sens.

Ils ont grimpé un mât de cocagne* qui perce le brouillard,
Ils ont soulevé des montagnes et trouvé un passage,
Ils ont connu l'écume blanche des océans dans une barque,
Entre la rage et la chance d'avoir su franchir le cap de bonne espérance,
Ils ont pris les frontières à contre sens.

Ils viennent frapper à nos paupières, nous livrer d'étranges nouvelles,
Paraît qu'en crachant sur nos frères, on crache* sur nous-mêmes,
Ce sont les derniers aventuriers, des réfugiés sans refuges,
On les appelle les sans-papiers et nos juges les jugent, désespérance,
Les frontières n'ont pas de sens.

« Les derniers aventuriers », paroles et musique de La Rue Kétanou. *À Contresens* (LRK/L'Autre Distribution, 2009)

### Lexique

un mât de cocagne = *a greasy pole*
cracher = *to spit*

### Questions

1 Trouvez dans le premier paragraphe un synonyme de :
    i) fantômes
    ii) espoir
    iii) dans la direction contraire.

2 Relevez dans le deuxième paragraphe :
    i) un phénomène météo
    ii) un moyen de transport
    iii) un sentiment éprouvé.

3 Trouvez dans le troisième paragraphe une expression équivalente de :
    i) réveiller
    ii) les personnes qui n'ont pas de preuve d'identité
    iii) le fait de perdre espoir.

**2.6** Mettez-vous par groupes de deux ou trois, puis allez sur un moteur de recherche en ligne et tapez « Sophie Bachelier » et « films » pour trouver son site web. Choisissez l'un des documentaires qu'elle a réalisés à propos de réfugiés vivant dans un camp de transit.

Présentez ensuite vos impressions au reste de la classe en vous aidant des questions ci-dessous.

**1** Qui peut-on voir sur cette vidéo ?

**2** Comment cette personne est-elle arrivée dans ce camp de transit ?

**3** Depuis quand est-elle là ?

**4** Que peut-on voir dans la vidéo ?

**5** Quelles sont les conditions de vie dans le camp ?

**6** À quel danger les personnes du camp sont-elles confrontées ?

**7** Qu'espère cette personne ?

**2.7** Vous lisez ce témoignage dans un magazine français et décidez d'écrire une lettre à le rédaction. (*75 mots environ*)

> J'ai manifesté en octobre contre l'expulsion de Leonarda vers son pays d'origine. Ce n'était pas pour sécher* les cours mais pour faire entendre ma voix, dans la rue, le seul espace où les lycéens peuvent s'exprimer et montrer qu'ils ont une opinion. C'est humiliant et surtout injuste d'expulser une fille qui étudiait ici, qui était intégrée, qui parlait français.
> **Maïa, 17 ans**
>
> © Bayard Presse, *Phosphore*, décembre 2013

**Lexique**

sécher les cours = ne pas aller en cours

Write a letter to the magazine *Phosphore*, in which you:

- say that you read their interesting article about Leonarda in your French class last week
- agree with Maïa and point out you thought that the expulsion was unfair
- mention that you did a presentation about your class of a similar case that happened in your brother's school three months ago
- ask the magazine if in their next issue they could publish a small reply to Maïa
- tell them that you really like their magazine and that your French has improved thanks to it. (*75 words*)

# 3 L'opposition à l'immigration

 **3.1** Écoutez ce reportage sur le déjumelage de certaines villes et villages suite à la victoire du Front national en France.

1 Where is the town of Beaucaire located?
2 How many inhabitants are there in Beaucaire?
3 What are the origins of the twinning between Farciennes and Beaucaire?
4 When did the twinning start?
5 What does the mayor of Farciennes want to fight against?
6 How many members of the *Front national* have been elected in the last local elections?

**3.2** Répondez oralement aux questions ci-dessous.

1 Avez-vous entendu parler du Front national, le parti d'extrême droite français ? À quelle occasion ?
2 Connaissez-vous le programme politique de ce parti ?
3 Existe-t-il un parti ou groupe politique similaire en Irlande ?
4 Pour quelle(s) raison(s) décide-t-on d'adhérer à un tel parti ?

**3.3** Dans votre cahier, donnez votre réaction à l'un des deux sujets suivants.
(*75 mots environ*)

A

« Je veux que l'on impose aux migrants à s'imposer à nos codes et nos valeurs. Des cours de Français pour les parents qui maîtrisent mal notre langue seront obligatoires. » **Marine Le Pen**

B

# La précarité

## 1 Les situations précaires

**1.1** Reliez les acronymes suivants (1–8) avec leur définition (a–h). Notez les réponses dans votre cahier.

**1** Un CES : Contrat Emploi Solidarité

**2** Un CDD : Contrat à Durée Déterminée

**3** Un SDF : Sans Domicile Fixe

**4** Un HLM : Habitation à Loyer Modéré

**5** Un CHU : Centre d'Hébergement d'Urgence

**6** Le SMIC : Salaire Minimum Interprofessionnel de Croissance

**7** L'ARE : Allocation d'aide au Retour à l'Emploi

**8** La CAF : Caisse d'Allocations Familiales

**a** Tout salarié de plus de 18 ans doit recevoir ce revenu minimum.

**b** Ce logement est réservé à des familles ou des personnes isolées qui se trouvent, pour une raison ou pour une autre, sans abri. Le séjour dure d'une nuit à plusieurs semaines.

**c** Cet organisme distribue une aide financière à caractère familial ou social.

**d** C'est la somme versée aux personnes inscrites comme demandeurs d'emploi et involontairement privées d'emploi.

**e** Ce contrat de travail ne peut être utilisé que dans des cas et conditions exceptionnelles par un employeur.

**f** Ce contrat permet de faciliter le retour à l'emploi de personnes ayant des difficultés d'intégration en leur offrant une formation et un savoir-faire.

**g** Ce type de logement est destiné aux personnes ayant des revenus modestes.

**h** C'est une personne qui vit, de façon temporaire ou prolongée, dans la rue ou parfois dans un foyer d'accueil.

**1.2** Écoutez trois extraits, puis répondez aux questions dans votre cahier.

### Martin

1 How long has Martin been unemployed?
2 What is his profession?
3 Why did he refuse a job he was offered? (Two points)
4 What is he hoping to get in the near future?

### Kim Mai

5 What is Kim Mai's family situation?
6 Give two details about her work.
7 What won't she be able to do this year?
8 Where will her daughter go in July?

### André

9 For what reason does André go to the food bank?
10 How did he initially feel about it?
11 Why did he decide to become a volunteer?
12 What does he do as a volunteer?

**1.3** Lisez ce texte à propos de No, jeune sans-abri à Paris, puis répondez aux questions.

1 Je ne sais pas finalement ce qui l'a décidée à accepter. Je suis revenue quelques jours plus tard, elle était devant la gare, en face de l'antenne de police il y a un vrai campement de sans-abri, avec des tentes, des cartons, des matelas et tout, elle était debout, elle discutait avec eux. Je me suis approchée, elle me les a présentés d'abord, la mine solennelle, droite comme un i, Roger, Momo et Michel, puis main tendue vers moi : Lou Bertignac, qui vient pour m'interviewer. Momo s'est marré,* il n'avait plus beaucoup de dents. Roger m'a tendu la main et Michel s'est renfrogné.

2 Roger et Momo voulaient que je les interviewe aussi, ça les faisait rire, Roger a approché son poing comme un micro sous le menton de Momo, alors Momo, ça fait combien de temps que t'as pas pris un bain, moi, je n'étais pas à l'aise mais j'essayais de faire bonne figure, j'ai expliqué que c'était pour le lycée (qu'ils n'aillent pas s'imaginer qu'ils allaient passer au journal de vingt heures) et que l'enquête portait uniquement sur les femmes.

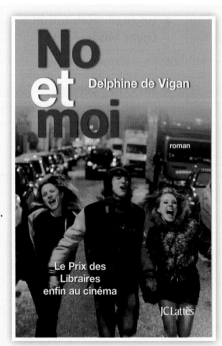

No et moi

Delphine de Vigan

roman

Le Prix des Libraires enfin au cinéma

JC Lattès

→

Roger a dit que tout ça c'était la faute aux toquards* du gouvernement […].

Nous nous sommes dirigées vers le café, No et moi, je lui ai dit qu'ils étaient sympas, ses copains, elle s'est arrêtée et m'a répondu : dehors, on n'a pas d'amis. Le soir quand je suis rentrée, j'ai noté la phrase dans mon cahier.

**3** Nous prenons rendez-vous d'une fois sur l'autre, parfois elle vient, parfois elle ne vient pas. J'y pense toute la journée, j'attends la fin des cours avec impatience, dès que la sonnerie retentit, je me précipite dans le métro, avec toujours cette peur de ne pas la revoir, cette peur qu'il lui soit arrivé quelque chose.

Elle vient d'avoir dix-huit ans, elle a quitté à la fin du mois d'août un foyer d'urgence dans lequel elle a été accueillie pendant quelques mois, tant qu'elle était encore mineure, elle vit dans la rue mais elle n'aime pas qu'on le dise, il y a des mots qu'elle refuse d'entendre, car si elle se fâche elle ne dit plus rien, elle se mord la lèvre et regarde par terre. Elle n'aime pas les adultes, elle ne fait pas confiance. Elle boit de la bière, se ronge les ongles, traîne derrière elle une valise à roulettes qui contient toute sa vie […].

Delphine de Vigan, *No et moi* © Éditions Jean-Claude Lattès, 2007

### Lexique

se marrer (*familier*) = rire
un toquard (*familier*) = une personne incapable (*a loser*) ; se dit aussi d'un mauvais cheval

### Questions

**1** a Où est-ce que No a donné rendez-vous à Lou ?  (Section 1)

b Relevez une expression qui indique que No avait un air sérieux. (Section 1)

**2** a Relevez une phrase qui montre que l'un des sans-abris est accueillant envers Lou. (Section 1)

b D'après la deuxième section, Roger et Momo …

i) se moquent gentiment de Lou

ii) aimeraient être interviewés par Lou

iii) aiment regarder les informations

iv) ignorent Lou.

**3** a Trouvez une expression qui montre que Lou est un peu nerveuse. (Section 2)

b Relevez un verbe au subjonctif présent. (Section 2)

**4** a Pourquoi No ne considère-t-elle pas Roger, Momo et Michel comme ses copains ? (Section 2)

b D'après la troisième section, comment sait-on que Lou a hâte de revoir No ?

**5** a Pour quelle raison No ne loge-t-elle plus dans le foyer d'urgence ? (Section 3)

b Relevez une phrase qui indique un signe de mécontentement chez No. (Section 3)

**6** Lou is keen to be friends with No and is constantly afraid of losing contact with her. Support this statement with reference to the text. (*50 words*)

**1.4** Par groupes de deux ou trois, discutez oralement ou à l'écrit des faits suivants.

**Consultez**
l'aide-mémoire

Pour vous aider à décrire des photos, voir p. 244.

> Dans l'ensemble de l'Union européenne, 57 millions de personnes vivent en dessous du seuil de pauvreté, 31 millions dépendent d'une aide sociale. Plus de 17 millions occupent des logements insalubres et précaires. 2,7 millions de sans-abris nomadisent au gré de solutions de fortune (amis, parents, meublés, services sociaux) et 1,8 million recourent à des centres d'hébergement. Les femmes et les jeunes (18–25 ans) forment un nombre croissant de SDF – sans domicile fixe.
>
> © Innovation en Europe: Recherche et Résultats

**1.5** Par groupes de deux ou trois regardez cette photo. Puis répondez aux questions qui suivent.

1 Décrivez cette photo en détail.
2 Quelle est votre réaction en voyant cette image ?
3 Décrit-elle la réalité de certains jeunes ? Expliquez.
4 Comment, à votre avis, des jeunes se retrouvent-ils dans cette situation précaire ?
5 Quelle(s) solution(s) existe-il pour leur venir en aide ?

**1.6** Lisez le paragraphe suivant, puis en classe répondez aux questions oralement ou à l'écrit.

En février 2014, Iseult Ward et Aoibheann O'Brien ont créé l'application pour téléphone portable, Foodcloud, permettant à différentes entreprises tels les supermarchés, restaurants ou cafés d'afficher au jour le jour leur surplus en nourriture. Les œuvres caritatives impliquées reçoivent alors un texto les en informant et les bénévoles viennent récupérer la nourriture pour ensuite la redistribuer à ceux dans le besoin. Ces deux étudiantes avaient été choquées par le gaspillage de nourriture ainsi que par le manque d'infrastructure permettant la redistribution des aliments en surplus. Ainsi, ce système de redistribution est moins cher pour les entreprises, aucun produit alimentaire n'est gaspillé et les personnes en difficulté économique en bénéficient.

### Questions

1 Avez-vous déjà entendu parler de cette initiative ? Donnez des détails.
2 Seriez-vous prête à encourager votre restaurant / supermarché / épicerie local(e) à y participer ? Pourquoi ? / Pourquoi pas ?
3 Comment vous y prendriez-vous pour les encourager ?
4 Par groupes de deux ou trois, imaginez une initiative similaire. Que proposeriez-vous ?

## 2 La solidarité

**2.1a** Lisez ce témoignage de Célia, 17 ans, bénévole, puis répondez aux questions qui suivent oralement ou à l'écrit.

Depuis trois ans, en novembre, je participe à une collecte alimentaire, afin d'aider les associations qui agissent auprès des familles les plus démunies. Cela prend un samedi par an, ce n'est pas compliqué, mais ça aide déjà un peu. Le principe est simple : avec un petit groupe de bénévoles, nous allons dans un supermarché, juste devant les caisses, et nous distribuons des petits sachets plastiques aux gens qui entrent dans le magasin, pour expliquer les principaux besoins des

associations : pâtes, riz, conserves, gel douche, couches pour les bébés … Quand les gens sortent, ils nous donnent ce qu'ils ont acheté pour la collecte. On les stocke dans des cartons, puis, toutes les deux heures, un camion de l'association vient ramasser ce qu'on a collecté. Cela permet ensuite de constituer des colis alimentaires que les associations distribuent. Bon, en hiver, il faut bien penser à mettre un bonnet, des gants et une bonne paire de chaussettes car on se caille* un peu, mais c'est une expérience très riche.

© Bayard Presse, *Phosphore*, 2013

**Lexique**

se cailler (*familier*) = avoir froid

**Questions**

1 Célia fait du bénévolat …

    i) chaque samedi de novembre

    ii) tous les trois samedi

    iii) chaque année, en novembre.

2 Son action consiste à …

    i) acheter des aliments pour l'association

    ii) donner des sacs aux personnes faisant leurs courses

    iii) distribuer des tracts pour l'association.

3 Quels types de produits recommande-t-elle aux clients de donner ?

4 L'association …

    i) vient récupérer les produits récoltés régulièrement

    ii) demande certains produits à la direction du supermarché

    iii) redistribue tout de suite les produits sur place.

5 Contre quoi Célia doit-elle bien s'équiper ?

 **2.1b** Écoutez le commentaire de Célia sur son expérience, puis répondez aux questions.

1 From Célia's experience, who are the most generous people?

2 Who did she meet on one occasion? (Two details)

3 Why does she not have time to do more voluntary work?

4 What does she say about her experience?

 **2.2** Par groupes de deux ou trois, répondez aux questions suivantes en classe.

1 À votre avis, qui a le plus besoin d'aide en Irlande ? Pourquoi ?

2 Quels sont les moyens utilisés par les associations pour venir en aide aux plus démunis ?

3 Êtes-vous bénévole dans une association caritative ? Donnez des détails.

4 Avez-vous déjà participé à une action de solidarité dans votre lycée ou votre quartier ? Expliquez.

5 Est-ce important pour vous de donner de votre temps pour aider les autres ? Pourquoi ? / Pourquoi pas ?

| **Phrases utiles** | |
|---|---|
| participer à … | aider |
| être impliqué(e) dans … | être solidaire |
| être membre de … | faire du volontariat / du bénévolat |
| une œuvre / une association caritative | faire une bonne action |
| être confronté au/à la … | apporter de l'aide |
| être dans la misère | s'occuper de … |
| le manque de … | une expérience |

**2.3** Écoutez Samir parler de son projet de volontariat avec Élise, puis répondez aux questions dans votre cahier.

1 What is Samir so happy about?
2 Where will he go and for how long?
3 Which disadvantaged group will he be working with?
4 What will his work consist of? (Give one example)
5 What are the main criteria to be selected as a volunteer?
6 How long will his training last?
7 What is he looking forward to? (Give two points)

**2.4** Lisez les paragraphes suivants à propos de diverses actions de bénévolat proposées par des associations caritatives, puis répondez aux questions.

La Croix-Rouge, c'est plus de 27 000 jeunes qui s'engagent pour soulager la souffrance, là où elle est. Pour se former à l'urgence et au secourisme, lutter contre les addictions, prévenir le sida, rendre visite à des personnes isolées, échanger entre cultures …

Proposez à votre classe de devenir « classe solidaire » de l'opération Pièces Jaunes, qui a lieu tous les ans en janvier, pour améliorer la vie des enfants et des ados à l'hôpital. Depuis 2004, 56 Maisons des adolescents, qui aident les ados en souffrance, ont ainsi été financées.

Rejoignez le Conseil de jeunes de votre mairie. Vous pourrez ainsi améliorer la politique jeunesse de votre ville et mener les actions qui vous tiennent à cœur : collecte de don de sang, réduction des inégalités, lutte contre la violence, dialogue intergénérationnel.

© Bayard Presse, *Phosphore*, Gwénaëlle Boulet, octobre 2013

**Questions**

1 À quelle action aimeriez-vous vous joindre ? Pourquoi ce choix ?
2 En quoi consisterait votre action ?
3 Comment cette action pourrait-elle changer votre vie et la vie des autres ?

**2.5** Next summer, you want to go to France to work for a charity. You write a message to the organisation *Jeune et bénévole* via the contact page on their website, in which you say that:

- you are a Leaving Certificate student who will be sitting his/her exams next June
- you would like to find a charity that works with primary school children aged six to nine
- you would possibly like to work outdoors
- you worked as a lifeguard last summer in your local swimming pool and have a diploma in life-saving
- last winter, you volunteered with homeless people in your area and found this work to be very rewarding.

**Consultez** l'aide-mémoire

Pour écrire un message, voir pp. 411-12.

# Aide-mémoire

# Un brin de causette

*Niall parle avec Shaina de l'aide humanitaire que ses camarades et lui ont apportée aux enfants de Brasov pendant leur année de transition. Rachel parle avec Renaud de la situation des immigrés et plus généralement de l'immigration en Irlande.*

**Écoutez les deux extraits, puis répondez aux questions ci-dessous.**

**Du bénévolat en Roumanie**

**Irlande – une société diversifée**

### Niall

1 What did Niall do when he heard of the Romanian project?
2 How many from his school went?
3 What did their voluntary work consist of? (Two points)
4 What did Niall find difficult? (Two points)
5 How many hours a day did he work?
6 What comment does he make about his host family? (Two points)
7 Who did he meet in the evenings?
8 What is he planning to do this summer?
9 Why does he feel it is important to do voluntary work?

### Rachel

1 What is a recent occurrence in Ireland compared with France?
2 Since when has there been immigration to Ireland?
3 Where do many immigrants to Ireland come from? (Two points)
4 According to Rachel, why do people immigrate to Ireland?
5 What happens to some immigrants?
6 How does Rachel feel about it?

# Préparation pour le bac

## 1 Le récit imaginaire

**Le récit imaginaire** can be one of two options given in Question 1 of the **Production Écrite** section of the paper, which is compulsory. You will be asked to write at least 90 words. The story can be real or imaginary, and the question is often about yourself.

The main tenses you need when writing an imaginative story are: **le passé composé** (pp. 123–27) and **l'imparfait** (pp. 127–28), but you may also need **le plus-que-parfait** (pp. 249–51) and **le passif** (pp. 303–306).

### Le vocabulaire

The following expressions may be useful.

| When the event happened |
|---|
| Ça s'est passé quand … |
| Cet évènement s'est passé lorsque j'avais 12 ans. |
| À ce moment-là, j'étais en train de … |
| Je venais de rentrer chez moi … |
| J'étais sur le point de m'endormir quand tout à coup … |
| J'étais très jeune. |
| Il faisait jour/nuit. |

| Expression of feelings | |
|---|---|
| heureux | avoir peur de |
| fier/fière de… | être mal à l'aise |
| confus(e) | étonné(e) |
| soulagé(e) | surpris(e) |

| To connect sentences | |
|---|---|
| ensuite | finalement / enfin |
| puis | soudain |
| après | tout à coup |
| alors | |

| Conclusion |
|---|
| Je me souviendrai toujours de … |
| Cet évènement restera dans ma mémoire … |
| Je n'oublierai jamais cette personne / cette journée. |
| Ce fut une journée / un moment inoubliable ! |

## Exercice 1

**Vous avez assisté aux Jeux olympiques. Racontez la cérémonie d'ouverture et comment, un jour, en rentrant à votre hôtel, vous avez rencontré votre sportif/sportive préféré(e). (*90 mots environ*)**

## Exercice 2

**Le week-end dernier, vous êtes allé(e) faire des courses au centre commercial de votre quartier. Alors que vous sortiez d'un magasin, vous avez entendu une femme hurler. Racontez ce qui s'est passé. (*90 mots environ*)**

# 2 Email / message / fax

Writing an email is a popular choice for students when it appears on the paper – usually as one of the options in Question 2. The message or email may be formal or informal. You can use **Cher/Chère** + **tu** (*ton*, *ta*, *tes*, *te* …) if you are writing to a friend, but use **Madame/Monsieur** + **vous** (*votre*, *vos*, *vous* …) if you are writing to an adult (such as your penpal's mother or father, a neighbour, a teacher, an employer, etc.).

You must write around 75 words.

For **emails**, remember to use the following headings:

| | |
|---|---|
| **À :** | Lycée Jean Zay |
| **De :** | M./Mme Bouzier, secrétaire |
| **Date :** | le 10 mars |
| **Objet :** | Voyage scolaire en France |

For **messages**, write the date and time in the top right-hand corner. Remember, the 24-hour clock is used in French.

| | |
|---|---|
| **Exemple :** | le 10 mars, 15h30 |

## Exercice 3

Your village / town is organising a little party for a group of French tourists visiting your area soon. You have been asked to email the person in charge of the group in French. In your email, you:

- introduce yourself and say that you are looking forward to the group's visit
- say that someone will meet the group at the airport
- say the group will stay with Irish families for the duration of their stay
- mention that you have planned visits to one or two tourist attractions outside your village / town
- ask if any of the group has any dietary or other requirements. (*75 words*)

## Exercice 4

Students from the Lycée Paul Claudel in Reims have written to your school. They want to hear about sports played by young people in Ireland. You email them back in French, making the following points:

- say that your teacher has asked you to reply to their enquiry, and that you are delighted to do so
- say what sport you play the most, when you began playing it and what level you have reached at this point
- say that you are on a team in your school and describe what you like and dislike about being on the team
- describe how playing sports can be good for your wellbeing and the ways it has kept you balanced during a stressful year
- ask them to email you, telling you about the sports played in their school. (*75 words*)

# Grammaire

## 1 Le passé simple

Le passé simple is not used in spoken French or in letter writing; it is only found written in stories, articles and novels. Like le passé composé, it describes completed actions in the past. Leaving Cert. students are required only to recognise this tense.

To form le passé simple, take the root of the verb and add the following endings:

| parler | finir | rendre |
|---|---|---|
| je parlai | je finis | je rendis |
| tu parlas | tu finis | tu rendis |
| il/elle/on parla | il/elle/on finit | il/elle/on rendit |
| nous parlâmes | nous finîmes | nous rendîmes |
| vous parlâtes | vous finîtes | vous rendîtes |
| ils/elles parlèrent | ils/elles finirent | ils/elles rendirent |

Write the following sentences in le passé simple (past historic tense).

1 J'(ouvrir) la porte mais il (décider) de ne pas entrer.

2 Le poète (écrire) une dizaine de poèmes pour sa femme.

3 Il (abandonner) sa voiture au milieu d'un champ.

4 Autrefois, elles (descendre) une fois dans cet hôtel, il y a très longtemps de cela.

5 On (organiser) une grande fête pour son départ.

6 Vous (réussir) à partir en vacances au mois d'août.

7 Nous (chanter) jusqu'à la fin de la nuit.

Read the following sentences and make a note of the past historic verbs.

1 Il croyait que nous allions venir un samedi mais en réalité nous ne vînmes que le dimanche.

2 Les enfants coururent jusqu'à la grille pour dire au revoir à leurs parents mais ceux-ci ne firent aucun signe de la main.

3 Elle lut un chapitre entier d'un livre qu'elle venait d'acheter.

4 Ils furent surpris de la réaction du voisin mais ont finalement accepté sa décision.

5 Grâce à sa générosité, nous pûmes partir en voyage de noces.

6 Quand tu devins célèbre, plus personne ne te résista.

# 2 Le discours indirect

Indirect speech is used to report what someone has said and it works very much the same way as in English.

| **Exemples :** | **Direct speech:** | « **Je pars** deux mois dans le sud de la France. » *(I'm going to the south of France for two months.)* |
| | **Indirect speech:** | Il a dit qu'**il partait** deux mois dans le sud de la France. *(He said that he was going to the south of France for two months.)* |

Some tenses must change when using reported speech.

| • *Présent → Imparfait* | Michael a dit : « **Je suis** anxieux à cause des examens. » |
| | Michael a dit qu'il était anxieux à cause des examens. |

| • *Futur → Conditionnel* | « **Elle gagnera** trois cents euros par semaine. » |
| | Luc a dit qu'**elle gagnerait** trois cents euros par semaine. |

- *Passé composé → Plus-que-parfait*

> Justine a dit : « **J'ai fait** une salade d'endives comme entrée. »
>
> Justine a dit **qu'elle avait fait** une salade d'endives comme entrée.

- *Impératif → Infinitif (or subjonctif)*

> « **Arrête** de faire du bruit ! », dit Christelle.
>
> Christelle lui a dit d'**arrêter** de faire du bruit.
>
> (*Or with the subjunctive*: Christelle a demandé qu'**il arrête** de faire du bruit.)

Some tenses do not change though.

- *Imparfait*

> Il a dit : « **J'étais** heureux de revoir Sandra. »
>
> Il a dit qu'**il était** heureux de revoir Sandra.

- *Conditionnel*

> La petite fille a dit : « **J'aimerais** appeler ma maman tout de suite pour la rassurer. »
>
> La petite fille a dit qu'**elle aimerait** appeler sa maman tout de suite pour la rassurer.

- *Plus-que-parfait*

> « **J'étais allé** à Cuba juste une semaine avant l'ouragan. »
>
> Il a dit qu'**il était allé** à Cuba juste une semaine avant l'ouragan.

- *Conditionnel passé*

> « D'après la police, les deux adolescents **seraient partis** sans prévenir personne. »
>
> Le journaliste a dit que d'après la police, les deux adolescents **seraient partis** sans prévenir personne.

Don't forget to link sentences together with **que** (that), as it is often omitted in English.

**Exemple :** Elle a dit **qu'**elle allait bien. (*She said (that) she was fine.*)

When reporting a simple question, **si** is used.

**Exemple :** Fred a demandé : « Tu quittes la France définitivement ? »

Il lui a demandé **si** elle quittait la France définitivement.

When using question words (**quand**, **comment**, **pourquoi**, etc.), the inversion of the verb and the pronoun is dropped.

**Exemple :** Sa famille a demandé : « Comment **vivras-tu** sans argent ? »

Sa famille lui a demandé comment **il vivrait** sans argent.

Que, qu'est-ce que and qu'est-ce qui change to ce que and ce qui.

**Exemples :** « **Que** feras-tu le jour où tu gagneras au loto ? »

Elle lui a demandé **ce qu**'il ferait le jour où il gagnerait au loto.

« **Qu'est-ce qui** a provoqué l'accident de l'airbus A320 ? »

Les enquêteurs se demandent **ce qui** a provoqué l'accident de l'airbus A320.

When you are working with prepositions of time, some changes occur also.

| Direct speech | | Indirect speech |
|---|---|---|
| ce soir | → | ce soir-là |
| ce matin | → | ce matin-là |
| hier | → | la veille |
| aujourd'hui | → | ce jour-là |
| demain | → | le lendemain |
| la semaine prochaine | → | la semaine suivante |

## Exercice 7

**In your copy, write the following sentences of direct speech as sentences in indirect speech.**

1 « Je vais chercher ma fille à l'école. » Elle a dit …

2 « Elle a perdu son porte-monnaie dans le bus. » Elle a déclaré …

3 « Qu'est-ce que vous dites ? » Je lui ai demandé …

4 « Chéri ! Nous sommes invités au restaurant dimanche midi. » Il lui a dit …

5 « Ils projettent de partir pendant un mois au Népal. » Ils ont annoncé …

6 « Hier, je me suis couché vers les deux heures du matin ! » Il a ajouté …

## Exercice 8

**Now change these sentences into direct speech.**

1 Ils ont demandé à venir plus tôt si c'était possible. « Nous … ? »

2 Il a annoncé lors de la réunion qu'il démissionnait de son poste. « Je … »

3 Elle a avoué qu'elle s'était mise en colère sans raison. « Je … »

4 Elle a demandé à sa fille si elle préférait manger plus tard. « Tu … ? »

5 La jeune fille au pair a demandé à Norah de mettre ses jouets dans le coffre. « … ! »

6 Elles ont promis qu'elles seraient raisonnables. « Nous … »

### Ressources supplémentaires en ligne

Consultez le site **www.edco.ie/mosaique** pour tester plus amplement vos connaissances et pratiquer votre français en utilisant les ressources suivantes :

- activités auditives interactives
- activités grammaticales interactives
- entretiens sous forme de vidéos, avec fiches pédagogiques correspondantes.

# Table des verbes

| | **Présent** | **Futur** | **Conditionnel** | **Imparfait** |
|---|---|---|---|---|
| **Regular –er verbs** | | | | |
| **donner** *to give* | je donne | je donnerai | je donnerais | je donnais |
| | tu donnes | tu donneras | tu donnerais | tu donnais |
| | il/elle/on donne | il/elle/on donnera | il/elle/on donnerait | il/elle/on donnait |
| | nous donnons | nous donnerons | nous donnerions | nous donnions |
| | vous donnez | vous donnerez | vous donneriez | vous donniez |
| | ils/elles donnent | ils/elles donneront | ils/elles donneraient | ils/elles donnaient |
| **Regular –ir verbs** | | | | |
| **finir** *to finish* | je finis | je finirai | je finirais | je finissais |
| | tu finis | tu finiras | tu finirais | tu finissais |
| | il/elle/on finit | il/elle/on finira | il/elle/on finirait | il/elle/on finissait |
| | nous finissons | nous finirons | nous finirions | nous finissions |
| | vous finissez | vous finirez | vous finiriez | vous finissiez |
| | ils/elles finissent | ils/elles finiront | ils/elles finiraient | ils/elles finissaient |
| **Regular –re verbs** | | | | |
| **vendre** *to sell* | je vends | je vendrai | je vendrais | je vendais |
| | tu vends | tu vendras | tu vendrais | tu vendais |
| | il/elle/on vend | il/elle/on vendra | il/elle/on vendrait | il/elle/on vendait |
| | nous vendons | nous vendrons | nous vendrions | nous vendions |
| | vous vendez | vous vendrez | vous vendriez | vous vendiez |
| | ils/elles vendent | ils/elles vendront | ils/elles vendraient | ils/elles vendaient |
| **Reflexive verbs** | | | | |
| **se laver** *to wash oneself* | je me lave | je me laverai | je me laverais | je me lavais |
| | tu te laves | tu te laveras | tu te laverais | tu te lavais |
| | il/elle/on se lave | il/elle/on lavera | il/elle/on se laverait | il/elle/on se lavait |
| | nous nous lavons | nous nous laverons | nous nous laverions | nous nous lavions |
| | vous vous lavez | vous vous laverez | vous vous laveriez | vous vous laviez |
| | ils/elles se lavent | ils/elles se laveront | ils/elles se laveraient | ils/elles se lavaient |
| **Irregular verbs** | | | | |
| **avoir** *to have* | j'ai | j'aurai | j'aurais | j'avais |
| | tu as | tu auras | tu aurais | tu avais |
| | il/elle/on a | il/elle/on aura | il/elle/on aurait | il/elle/on avait |
| | nous avons | nous aurons | nous aurions | nous avions |
| | vous avez | vous aurez | vous auriez | vous aviez |
| | ils/elles ont | ils/elles auront | ils/elles auraient | ils/elles avaient |

| Passé composé | Impératif | Passé simple | Subjonctif au présent |
|---|---|---|---|
| j'ai donné | | je donnai | que je donne |
| tu as donné | donne | tu donnas | que tu donnes |
| il/elle/on a donné | | il/elle/on donna | qu'il/elle/on donne |
| nous avons donné | donnons | nous donnâmes | que nous donnions |
| vous avez donné | donnez | vous donnâtes | que vous donniez |
| ils/elles ont donné | | ils/elles donnèrent | qu'ils/elles donnent |
| | | | |
| j'ai fini | | je finis | que je finisse |
| tu as fini | finis | tu finis | que tu finisses |
| il/elle/on a fini | | il/elle/on finit | qu'il/elle/on finisse |
| nous avons fini | finissons | nous finîmes | que nous finissions |
| vous avez fini | finissez | vous finîtes | que vous finissiez |
| ils/elles ont fini | | ils/elles finirent | qu'ils/elles finissent |
| | | | |
| j'ai vendu | | je vendis | que je vende |
| tu as vendu | vends | tu vendis | que tu vendes |
| il/elle/on a vendu | | il/elle/on vendit | qu'il/elle/on vende |
| nous avons vendu | vendons | nous vendîmes | que nous vendions |
| vous avez vendu | vendez | vous vendîtes | que vous vendiez |
| ils/elles ont vendu | | ils/elles vendirent | qu'ils/elles vendent |
| | | | |
| je me suis lavé(e) | | je me lavai | que je me lave |
| tu t'es lavé(e) | lave-toi | tu te lavas | que tu te laves |
| il/elle/on s'est lavé(e) | | il/elle/on se lava | qu'il/elle/on se lave |
| nous nous sommes lavé(es) | lavons-nous | nous nous lavâmes | que nous nous lavions |
| vous vous êtes lavé(e)s | lavez-vous | vous vous lavâtes | que vous vous laviez |
| ils/elles se sont lavé(e)s | | ils/elles se lavèrent | qu'ils/elles se lavent |
| | | | |
| j'ai eu | | j'eus | que j'aie |
| tu as eu | aie | tu eus | que tu aies |
| il/elle/on a eu | | il/elle/on eut | qu'il/elle/on ait |
| nous avons eu | ayons | nous eûmes | que nous ayons |
| vous avez eu | ayez | vous eûtes | que vous ayez |
| ils/elles ont eu | | ils/elles eurent | qu'ils/elles aient |

# Table des verbes

| | Présent | Futur | Conditionnel | Imparfait |
|---|---|---|---|---|
| **aller** *to go* | je vais | j'irai | j'irais | j'allais |
| | tu vas | tu iras | tu irais | tu allais |
| | il/elle/on va | il/elle/on ira | il/elle/on irait | il/elle/on allait |
| | nous allons | nous irons | nous irions | nous allions |
| | vous allez | vous irez | vous iriez | vous alliez |
| | ils/elles vont | ils/elles iront | ils/elles iraient | ils/elles allaient |
| **boire** *to drink* | je bois | je boirai | je boirais | je buvais |
| | tu bois | tu boiras | tu boirais | tu buvais |
| | il/elle/on boit | il/elle/on boira | il/elle/on boirait | il/elle/on buvait |
| | nous buvons | nous boirons | nous boirions | nous buvions |
| | vous buvez | vous boirez | vous boiriez | vous buviez |
| | ils/elles boivent | Ils/elles boiront | ils/elles boiraient | ils/elles buvaient |
| **connaître** *to know* | je connais | je connaîtrai | je connaîtrais | je connaissais |
| | tu connais | tu connaîtras | tu connaîtrais | tu connaissais |
| | il/elle/on connaît | il/elle/on connaîtra | il/elle/on connaîtrait | il/elle/on connaissait |
| | nous connaissons | nous connaîtrons | nous connaîtrions | nous connaissions |
| | vous connaissez | vous connaîtrez | vous connaîtriez | vous connaissiez |
| | ils/elles connaissent | ils/elles connaîtront | ils/elles connaîtraient | ils/elles connaissaient |
| **courir** *to run* | je cours | je courrai | je courrais | je courais |
| | tu cours | tu courras | tu courrais | tu courais |
| | il/elle/on court | il/elle/on courra | il/elle/on courrait | il/elle/on courait |
| | nous courons | nous courrons | nous courrions | nous courions |
| | vous courez | vous courrez | vous courriez | vous couriez |
| | ils/elles courent | ils/elles courront | ils/elles courraient | ils/elles couraient |
| **croire** *to believe* | je crois | je croirai | je croirais | je croyais |
| | tu crois | tu croiras | tu croirais | tu croyais |
| | il/elle/on croit | il/elle/on croira | il/elle/on croirait | il/elle/on croyait |
| | nous croyons | nous croirons | nous croirions | nous croyions |
| | vous croyez | vous croirez | vous croiriez | vous croyiez |
| | ils/elles croient | ils/elles croiront | ils/elles croiraient | ils/elles croyaient |
| **devoir** *to have to* | je dois | je devrai | je devrais | je devais |
| | tu dois | tu devras | tu devrais | tu devais |
| | il/elle/on doit | il/elle/on devra | il/elle/on devrait | il/elle/on devait |
| | nous devons | nous devrons | nous devrions | nous devions |
| | vous devez | vous devrez | vous devriez | vous deviez |
| | ils/elles doivent | ils/elles devront | ils/elles devraient | ils/elles devaient |

| Passé composé | Impératif | Passé simple | Subjonctif au présent |
|---|---|---|---|
| je suis allé(e) | | j'allai | que j'aille |
| tu es allé(e) | va | tu allas | que tu ailles |
| il/elle/on est allé(e) | | il/elle/on alla | qu'il/elle/on aille |
| nous sommes allé(e)s | allons | nous allâmes | que nous allions |
| vous êtes allé(e)s | allez | vous allâtes | que vous alliez |
| ils/elles sont allé(e)s | | ils/elles allèrent | qu'ils/elles aillent |
| | | | |
| j'ai bu | | je bus | que je boive |
| tu as bu | bois | tu bus | que tu boives |
| il/elle/on a bu | | il/elle/on but | qu'il/elle/on boive |
| nous avons bu | buvons | nous bûmes | que nous buvions |
| vous avez bu | buvez | vous bûtes | que vous buviez |
| ils/elles ont bu | | ils/elles burent | qu'ils/elles boivent |
| | | | |
| j'ai connu | | je connus | que je connaisse |
| tu as connu | connais | tu connus | que tu connaisses |
| il/elle/on a connu | | il/elle/on connut | qu'il/elle/on connaisse |
| nous avons connu | connaissons | nous connûmes | que nous connaissions |
| vous avez connu | connaissez | vous connûtes | que vous connaissiez |
| ils/elles ont connu | | ils/elles connurent | qu'ils/elles connaissent |
| | | | |
| j'ai couru | | je courus | que je coure |
| tu as couru | cours | tu courus | que tu coures |
| il/elle/on a couru | | il/elle/on courut | qu'il/elle/on coure |
| nous avons couru | courons | nous courûmes | que nous courions |
| vous avez couru | courez | vous courûtes | que vous couriez |
| ils/elles ont couru | | ils/elles coururent | qu'ils/elles courent |
| | | | |
| j'ai cru | | je crus | que je croie |
| tu as cru | crois | tu crus | que tu croies |
| il/elle/on a cru | | il/elle/on crut | qu'il/elle/on croie |
| nous avons cru | croyons | nous crûmes | que nous croyions |
| vous avez cru | croyez | vous crûtes | que vous croyiez |
| ils/elles ont cru | | ils/elles crurent | qu'ils/elles croient |
| | | | |
| j'ai dû | | je dus | que je doive |
| tu as dû | dois | tu dus | que tu doives |
| il/elle/on a dû | | il/elle/on dut | qu'il/elle/on doive |
| nous avons dû | devons | nous dûmes | que nous devions |
| vous avez dû | devez | vous dûtes | que vous deviez |
| ils/elles ont dû | | ils/elles durent | qu'ils/elles doivent |

# Table des verbes

| | Présent | Futur | Conditionnel | Imparfait |
|---|---|---|---|---|
| **dire** *to say / to tell* | je dis | je dirai | je dirais | je disais |
| | tu dis | tu dirai | tu dirais | tu disais |
| | il/elle/on dit | il/elle/on dira | il/elle/on dirait | il/elle/on disait |
| | nous disons | nous dirons | nous dirions | nous disions |
| | vous dites | vous direz | vous diriez | vous disiez |
| | ils/elles disent | ils/elles diront | ils/elles diraient | ils/elles disaient |
| **écrire** *to write* | j'écris | j'écrirai | j'écrirais | j'écrivais |
| | tu écris | tu écriras | tu écrirais | tu écrivais |
| | il/elle/on écrit | il/elle/on écrira | il/elle/on écrirait | il/elle/on écrivait |
| | nous écrivons | nous écrirons | nous écririons | nous écrivions |
| | vous écrivez | vous écrirez | vous écririez | vous écriviez |
| | ils/elles écrivent | ils/elles écriront | ils/elles écriraient | ils/elles écrivaient |
| **être** *to be* | je suis | je serai | je serais | j'étais |
| | tu es | tu seras | tu serais | tu étais |
| | il/elle/on est | il/elle/on sera | il/elle/on serait | il/elle/on était |
| | nous sommes | nous serons | nous serions | nous étions |
| | vous êtes | vous serez | vous seriez | vous étiez |
| | ils/elles sont | ils/elles seront | ils/elles seraient | ils/elles étaient |
| **faire** *to make / to do* | je fais | je ferai | je ferais | je faisais |
| | tu fais | tu feras | tu ferais | tu faisais |
| | il/elle/on fait | il/elle/on fera | il/elle/on ferait | il/elle/on faisait |
| | nous faisons | nous ferons | nous ferions | nous faisions |
| | vous faites | vous ferez | vous feriez | vous faisiez |
| | ils/elles font | ils/elles feront | ils/elles feraient | ils/elles faisaient |
| **lire** *to read* | je lis | je lirai | je lirais | je lisais |
| | tu lis | tu liras | tu lirais | tu lisais |
| | il/elle/on lit | il/elle/on lira | il/elle/on lirait | il/elle/on lisait |
| | nous lisons | nous lirons | nous lirions | nous lisions |
| | vous lisez | vous lirez | vous liriez | vous lisiez |
| | ils/elles lisent | ils/elles liront | ils/elles liraient | ils/elles lisaient |
| **mettre** *to put* | je mets | je mettrai | je mettrais | je mettais |
| | tu mets | tu mettras | tu mettrais | tu mettais |
| | il/elle/on met | il/elle mettra | il/elle/on mettrait | il/elle/on mettait |
| | nous mettons | nous mettrons | nous mettrions | nous mettions |
| | vous mettez | vous mettrez | vous mettriez | vous mettiez |
| | ils/elles mettent | ils/elles mettront | ils/elles mettraient | ils/elles mettaient |

| Passé composé | Impératif | Passé simple | Subjonctif au présent |
|---|---|---|---|
| j'ai dit | | je dis | que je dise |
| tu as dit | dis | tu dis | que tu dises |
| il/elle/on a dit | | il/elle/on dit | qu'il/elle/on dise |
| nous avons dit | disons | nous dîmes | que nous disions |
| vous avez dit | dites | vous dîtes | que vous disiez |
| ils/elles ont dit | | ils/elles dirent | qu'ils/elles disent |
| | | | |
| j'ai écrit | | j'écrivis | que j'écrive |
| tu as écrit | écris | tu écrivis | que tu écrives |
| il/elle/on a écrit | | il/elle/on écrivit | qu'il/elle/on écrive |
| nous avons écrit | écrivons | nous écrivîmes | que nous écrivions |
| vous avez écrit | écrivez | vous écrivîtes | que vous écriviez |
| ils/elles ont écrit | | ils/elles écrivirent | qu'ils/elles écrivent |
| | | | |
| j'ai été | | je fus | que je sois |
| tu as été | sois | tu fus | que tu sois |
| il/elle/on a été | | il/elle/on fut | qu'il/elle/on soit |
| nous avons été | soyons | nous fûmes | que nous soyons |
| vous avez été | soyez | vous fûtes | que vous soyez |
| ils/elles ont été | | ils/elles furent | qu'ils/elles soient |
| | | | |
| j'ai fait | | je fis | que je fasse |
| tu as fait | fais | tu fis | que tu fasses |
| il/elle/on a fait | | il/elle/on fit | qu'il/elle/on fasse |
| nous avons fait | faisons | nous fîmes | que nous fassions |
| vous avez fait | faites | vous fîtes | que vous fassiez |
| ils/elles ont fait | | ils/elles firent | qu'ils/elles fassent |
| | | | |
| j'ai lu | | je lus | que je lise |
| tu as lu | lis | tu lus | que tu lises |
| il/elle/on a lu | | il/elle/on lut | qu'il/elle/on lise |
| nous avons lu | lisons | nous lûmes | que nous lisions |
| vous avez lu | lisez | vous lûtes | que vous lisiez |
| ils/elles ont lu | | ils/elles lurent | qu'ils/elles lisent |
| | | | |
| j'ai mis | | je mis | que je mette |
| tu as mis | mets | tu mis | que tu mettes |
| il/elle/on a mis | | il/elle/on mit | qu'il/elle/on mette |
| nous avons mis | mettons | nous mîmes | que nous mettions |
| vous avez mis | mettez | vous mîtes | que vous mettiez |
| ils/elles ont mis | | ils/elles mirent | qu'ils/elles mettent |

# Table des verbes

| | Présent | Futur | Conditionnel | Imparfait |
|---|---|---|---|---|
| **ouvrir**<br>*to open* | j'ouvre | j'ouvrirai | j'ouvrirais | j'ouvrais |
| | tu ouvres | tu ouvriras | tu ouvrirais | tu ouvrais |
| | il/elle/on ouvre | il/elle/on ouvrira | il/elle/on ouvrirait | il/elle/on ouvrait |
| | nous ouvrons | nous ouvrirons | nous ourvririons | nous ouvrions |
| | vous ouvrez | vous ouvrirez | vous ourvririez | vous ouvriez |
| | ils/elles ouvrent | ils/elles ouvriront | ils/elles ouvriraient | ils/elles ouvraient |
| **partir**<br>*to leave* | je pars | je partirai | je partirais | je partais |
| | tu pars | tu partiras | tu partirais | tu partais |
| | il/elle/on part | il/elle/on partira | il/elle/on partirait | il/elle/on partait |
| | nous partons | nous partirons | nous partirions | nous partions |
| | vous partez | vous partirez | vous partiriez | vous partiez |
| | ils/elles partent | ils/elles partiront | ils/elles partiraient | ils/elles partaient |
| **pouvoir**<br>*to be able to* | je peux | je pourrai | je pourrais | je pouvais |
| | tu peux | tu pourras | tu pourrais | tu pouvais |
| | il/elle/on peut | il/elle/on pourra | il/elle/on pourrait | il/elle/on pouvait |
| | nous pouvons | nous pourrons | nous pourrions | nous pouvions |
| | vous pouvez | vous pourrez | vous pourriez | vous pouviez |
| | ils/elles peuvent | ils/elles pourront | ils/elles pourraient | ils/elles pouvaient |
| **prendre**<br>*to take* | je prends | je prendrai | je prendrais | je prenais |
| | tu prends | tu prendras | tu prendrais | tu prenais |
| | il/elle/on prend | il/elle/on prendra | il/elle/on prendrait | il/elle/on prenait |
| | nous prenons | nous prendrons | nous prendrions | nous prenions |
| | vous prenez | vous prendrez | vous prendriez | vous preniez |
| | ils/elles prennent | ils/elles prendront | ils/elles prendraient | ils/elles prenaient |
| **recevoir**<br>*to receive* | je reçois | je recevrai | je recevrais | je recevais |
| | tu reçois | tu recevras | tu recevrais | tu recevais |
| | il/elle/on reçoit | il/elle/on recevra | il/elle/on recevrait | il/elle/on recevait |
| | nous recevons | nous recevrons | nous recevrions | nous recevions |
| | vous recevez | vous recevrez | vous recevriez | vous receviez |
| | ils/elles reçoivent | ils/elles recevront | ils/elles recevraient | ils/elles recevaient |
| **savoir**<br>*to know* | je sais | je saurai | je saurais | je savais |
| | tu sais | tu sauras | tu saurais | tu savais |
| | il/elle/on sait | il/elle/on saura | il/elle/on saurait | il/elle/on savait |
| | nous savons | nous saurons | nous saurions | nous savions |
| | vous savez | vous saurez | vous sauriez | vous saviez |
| | ils/elles savent | ils/elles sauront | ils/elles sauraient | ils/elles savaient |

| Passé composé | Impératif | Passé simple | Subjonctif au présent |
|---|---|---|---|
| j'ai ouvert | | j'ouvris | que j'ouvre |
| tu as ouvert | ouvre | tu ouvris | que tu ouvres |
| il/elle/on a ouvert | | il/elle/on ouvrit | qu'il/elle/on ouvre |
| nous avons ouvert | ouvrons | nous ouvrîmes | que nous ouvrions |
| vous avez ouvert | ouvrez | vous ouvrîtes | que vous ouvriez |
| ils/elles ont ouvert | | ils/elles ouvrirent | qu'ils/elles ouvrent |
| | | | |
| je suis parti(e) | | je partis | que je parte |
| tu es parti(e) | pars | tu partis | que tu partes |
| il/elle/on est parti(e) | | il/elle/on partit | qu'il/elle/on parte |
| nous sommes parti(e)s | partons | nous partîmes | que nous partions |
| vous êtes parti(e)(s) | partez | vous partîtes | que vous partiez |
| ils/elles sont parti(e)s | | ils/elles partirent | qu'ils/elles partent |
| | | | |
| j'ai pu | | je pus | que je puisse |
| tu as pu | | tu pus | que tu puisses |
| il/elle/on a pu | | il/elle/on put | qu'il/elle/on puisse |
| nous avons pu | | nous pûmes | que nous puissions |
| vous avez pu | | vous pûtes | que vous puissiez |
| ils/elles ont pu | | ils/elles purent | qu'ils/elles puissent |
| | | | |
| j'ai pris | | je pris | que je prenne |
| tu as pris | prends | tu pris | que tu prennes |
| il/elle/on a pris | | il/elle/on prit | qu'il/elle/on prenne |
| nous avons pris | prenons | nous prîmes | que nous prenions |
| vous avez pris | prenez | vous prîtes | que vous preniez |
| ils/elles ont pris | | ils/elles prirent | qu'ils/elles prennent |
| | | | |
| j'ai reçu | | je reçus | que je reçoive |
| tu as reçu | reçois | tu reçus | que tu reçoives |
| il/elle/on a reçu | | il/elle/on reçut | qu'il/elle/on reçoive |
| nous avons reçu | recevons | nous reçûmes | que nous recevions |
| vous avez reçu | recevez | vous reçûtes | que vous receviez |
| ils/elles ont reçu | | ils/elles reçurent | qu'ils/elles reçoivent |
| | | | |
| j'ai su | | je sus | que je sache |
| tu as su | sache | tu sus | que tu saches |
| il/elle/on a su | | il/elle/on sut | qu'il/elle/on sache |
| nous avons su | sachons | nous sûmes | que nous sachions |
| vous avez su | sachez | vous sûtes | que vous sachiez |
| ils/elles ont su | | ils/elles surent | qu'ils/elles sachent |

# Table des verbes

| | Présent | Futur | Conditionnel | Imparfait |
|---|---|---|---|---|
| **sortir**<br>*to go out* | je sors | je sortirai | je sortirais | je sortais |
| | tu sors | tu sortiras | tu sortirais | tu sortais |
| | il/elle/on sort | il/elle/on sortira | il/elle/on sortirait | il/elle/on sortait |
| | nous sortons | nous sortirons | nous sortirions | nous sortions |
| | vous sortez | vous sortirez | vous sortiriez | vous sortiez |
| | ils/elles sortent | ils/elles sortiront | ils/elles sortiraient | ils/elles sortaient |
| **tenir**<br>*to hold* | je tiens | je tiendrai | je tiendrais | je tenais |
| | tu tiens | tu tiendras | tu tiendrais | tu tenais |
| | il/elle/on tient | il/elle/on tiendra | il/elle/on tiendrait | il/elle/on tenait |
| | nous tenons | nous tiendrons | nous tiendrions | nous tenions |
| | vous tenez | vous tiendrez | vous tiendriez | vous teniez |
| | ils/elles tiennent | ils/elles tiendront | ils/elles tiendraient | ils/elles tenaient |
| **venir**<br>*to come* | je viens | je viendrai | je viendrais | je venais |
| | tu viens | tu viendras | tu viendrais | tu venais |
| | il/elle/on vient | il/elle/on viendra | il/elle/on viendrait | il/elle/on venait |
| | nous venons | nous viendrons | nous viendrions | nous venions |
| | vous venez | vous viendrez | vous viendriez | vous veniez |
| | ils/elles viennent | ils/elles viendront | ils/elles viendraient | ils/elles venaient |
| **vivre**<br>*to live* | je vis | je vivrai | je vivrais | je vivais |
| | tu vis | tu vivras | tu vivrais | tu vivais |
| | il/elle/on vit | il/elle/on vivra | il/elle/on vivrait | il/elle/on vivait |
| | nous vivons | nous vivrons | nous vivrions | nous vivions |
| | vous vivez | vous vivrez | vous vivriez | vous viviez |
| | ils/elles vivent | ils/elles vivront | ils/elles vivraient | ils/elles vivaient |
| **voir**<br>*to see* | je vois | je verrai | je verrais | je voyais |
| | tu vois | tu verras | tu verrais | tu voyais |
| | il/elle/on voit | il/elle/on verra | il/elle/on verrait | il/elle/on voyait |
| | nous voyons | nous verrons | nous verrions | nous voyions |
| | vous voyez | vous verrez | vous verriez | vous voyiez |
| | ils/elles voient | ils/elles verront | ils/elles verraient | ils/elles voyaient |
| **vouloir**<br>*to want* | je veux | je voudrai | je voudrais | je voulais |
| | tu veux | tu voudras | tu voudrais | tu voulais |
| | il/elle/on veut | il/elle/on voudra | il/elle/on voudrait | il/elle/on voulait |
| | nous voulons | nous voudrons | nous voudrions | nous voulions |
| | vous voulez | vous voudrez | vous voudriez | vous vouliez |
| | ils/elles veulent | ils/elles voudront | ils/elles voudraient | ils/elles voulaient |

| Passé composé | Impératif | Passé simple | Subjonctif au présent |
|---|---|---|---|
| je suis sorti(e) | | je sortis | que je sorte |
| tu es sorti(e) | sors | tu sortis | que tu sortes |
| il/elle/on est sorti(e) | | il/elle/on sortit | qu'il/elle/on sorte |
| nous sommes sorti(e)s | sortons | nous sortîmes | que nous sortions |
| vous êtes sorti(e)(s) | sortez | vous sortîtes | que vous sortiez |
| ils/elles sont sorti(e)s | | ils/elles sortirent | qu'ils/elles sortent |
| | | | |
| j'ai tenu | | je tins | que je tienne |
| tu as tenu | tiens | tu tins | que tu tiennes |
| il/elle/on a tenu | | il/elle/on tint | qu'il/elle/on tienne |
| nous avons tenu | tenons | nous tînmes | que nous tenions |
| vous avez tenu | tenez | vous tîntes | que vous teniez |
| ils/elles ont tenu | | ils/elles tinrent | qu'ils/elles tiennent |
| | | | |
| je suis venu(e) | | je vins | que je vienne |
| tu es venu(e) | viens | tu vins | que tu viennes |
| il/elle/on est venu(e) | | il/elle/on vint | qu'il/elle/on vienne |
| nous sommes venu(e)s | venons | nous vînmes | que nous venions |
| vous êtes venu(e)(s) | venez | vous vîntes | que vous veniez |
| ils/elles sont venu(e)s | | ils/elles vinrent | qu'ils/elles viennent |
| | | | |
| j'ai vécu | | je vécus | que je vive |
| tu as vécu | vis | je vécus | que tu vive |
| il/elle/on a vécu | | il/elle/on vécut | qu'il/elle/on vive |
| nous avons vécu | vivons | nous vécûmes | que nous vivions |
| vous avez vécu | vivez | vous vécûtes | que vous viviez |
| ils/elles ont vécu | | ils/elles vécurent | qu'ils/elles vivent |
| | | | |
| j'ai vu | | je vis | que je voie |
| tu as vu | vois | tu vis | que tu voies |
| il/elle/on a vu | | il/elle/on vit | qu'il/elle/on voie |
| nous avons vu | voyons | nous vîmes | que nous voyions |
| vous avez vu | voyez | vous vîtes | que vous voyiez |
| ils/elles ont vu | | ils/elles virent | qu'ils/elles voient |
| | | | |
| j'ai voulu | | je voulus | que je veuille |
| tu as voulu | veuille/veux | tu voulus | que tu veuilles |
| il/elle/on a voulu | | il/elle/on voulut | qu'il/elle/on veuille |
| nous avons voulu | veuillons/voulons | nous voulûmes | que nous voulions |
| vous avez voulu | veuillez/voulez | vous voulûtes | que vous vouliez |
| ils/elles ont voulu | | ils/elles voulurent | qu'ils/elles veuillent |

# Carte du monde francophone

Voici les pays membres de l'Organisation de la Francophonie. Vous noterez des pays membres tels que l'Albanie et la Bulgarie ainsi que l'absence de certains pays francophones tels que l'Algérie.

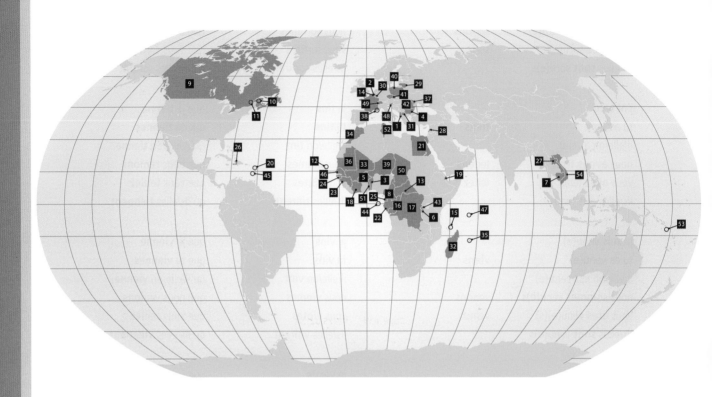

1. République d'Albanie
2. Royaume de Belgique
3. République du Bénin
4. République de Bulgarie
5. Burkina Faso
6. République du Burundi
7. Royaume du Cambodge
8. République du Cameroun
9. Canada
10. Province du Nouveau-Brunswick
11. Province de Québec
12. République du Cap-Vert
13. République centrafricaine
14. Communaute française de Belgique
15. République fédérale islamique des Comores
16. République du Congo
17. République démocratique du Congo
18. République de Côte d'Ivoire

19. République de Djibouti
20. Commonwealth de Dominique
21. République arabe d'Égypte
22. République gabonaise
23. République de Guinée
24. République de Guinée-Bissau
25. République de Guinée équatoriale
26. République d'Haïti
27. République démocratique populaire du Laos
28. République libanaise
29. Lituanie
30. Grand-Duché de Luxembourg
31. Ancienne république yougoslave de Macédoine
32. République de Madagascar
33. République du Mali
34. Royaume du Maroc
35. République de Maurice
36. République islamique de Mauritanie

37. République de Moldavie
38. Principauté de Monaco
39. République du Niger
40. République de Pologne
41. République tchèque
42. République de Roumanie
43. République du Rwanda
44. République démocratique de Saint-Thomas-et-Prince
45. Sainte-Lucie
46. République du Sénégal
47. République des Seychelles
48. République de Slovénie
49. Confédération suisse
50. République du Tchad
51. République togolaise
52. République tunisienne
53. République de Vanuatu
54. République socialiste du Vietnam

# La liste des titres : CDs du professeur et de l'élève

🎧 CDs du professeur

## CD 1

### Module A

**Unité 1 : Salut, c'est moi !**

| | | |
|---|---|---|
| **1.2** | page 2 | Tracks 2-5 |
| **1.5** | page 3 | Tracks 6-10 |
| **2.5** | page 6 | Tracks 11-15 |
| **4.1** | page 8 | Tracks 16-19 |

**Unité 2 : La famille**

| | | |
|---|---|---|
| **1.3** | page 13 | Tracks 20-21 |
| **2.2** | page 15 | Tracks 22-23 |
| **2.4** | page 16 | Tracks 24-25 |

**Unité 3 : Chez moi**

| | | |
|---|---|---|
| **1.2** | page 24 | Tracks 26-30 |
| **2.2** | page 25 | Track 31 |
| **3.2b** | page 29 | Tracks 32-35 |

**Unité 4 : Mon quartier**

| | | |
|---|---|---|
| **1.5** | page 33 | Tracks 36-37 |
| **3.2** | page 39 | Track 38 |

**Aide-mémoire**

| | | |
|---|---|---|
| Niall | page 41 | Track 39 |
| Rachel | page 41 | Track 40 |

### Module B

**Unité 1 : Mes potes**

| | | |
|---|---|---|
| **1.3** | page 67 | Tracks 41-42 |
| **1.7** | page 70 | Tracks 43-45 |
| **2.4** | page 74 | Tracks 46-47 |

**Unité 2 : Que faire de son temps libre ?**

| | | |
|---|---|---|
| **1.3** | page 77 | Tracks 48-49 |
| **2.2** | page 79 | Tracks 50-53 |
| **2.4** | page 81 | Track 54 |
| **3.2** | page 83 | Tracks 55-57 |
| **4.1** | page 87 | Tracks 58-61 |
| **4.4** | page 88 | Track 62 |
| **5.2** | page 91 | Track 63 |
| **5.4** | page 91 | Tracks 64-66 |

**Unité 3 : Le sport**

| | | |
|---|---|---|
| **1.2** | page 95 | Tracks 67-68 |
| **2.3** | page 97 | Tracks 69-71 |
| **3.2** | page 101 | Tracks 72-73 |
| **4.2** | page 102 | Tracks 74-75 |

**Unité 4 : L'argent**

| | | |
|---|---|---|
| **1.3** | page 105 | Tracks 76-80 |
| **2.3** | page 107 | Tracks 81-83 |

## CD 2

### Module B

**Unité 4 : L'argent**

| | | |
|---|---|---|
| **3.2** | page 108 | Track 2 |
| **4.2** | page 111 | Tracks 3-5 |

**Aide-mémoire**

| | | |
|---|---|---|
| Rachel | page 113 | Track 6 |
| Niall | page 113 | Track 7 |

### Module C

**Unité 1 : Mon lycée**

| | | |
|---|---|---|
| **1.1b** | page 133 | Track 8 |
| **4.1** | page 138 | Tracks 9-12 |
| **7.1** | page 145 | Tracks 13-15 |
| **7.4** | page 147 | Tracks 16-21 |
| **8.2** | page 148 | Tracks 22-23 |

**Unité 2 : Après le bac**

| | | |
|---|---|---|
| **1.3** | page 151 | Tracks 24-26 |
| **2.2** | page 155 | Tracks 27-29 |
| **2.5** | page 157 | Track 30 |
| **3.2** | page 159 | Track 31 |
| **3.4** | page 159 | Tracks 32-34 |

**Unité 3 : Le français**

| | | |
|---|---|---|
| **1.1** | page 163 | Tracks 35-36 |
| **1.7** | page 165 | Tracks 37-39 |
| **2.1** | page 166 | Tracks 40-42 |

**Unité 4 : La francophonie**

| | | |
|---|---|---|
| **1.3** | page 171 | Track 43 |
| **2.2** | page 172 | Track 44 |

**Aide-mémoire**

| | | |
|---|---|---|
| Niall | page 177 | Track 45 |
| Rachel | page 177 | Track 46 |

### Module D

**Unité 1 : Les vacances**

| | | |
|---|---|---|
| **1.3** | page 202 | Tracks 47-50 |
| **1.9** | page 206 | Tracks 51-53 |
| **2.2** | page 206 | Tracks 54-56 |
| **2.5** | page 208 | Tracks 57-59 |

**Unité 2 : Détente et évasion !**

| | | |
|---|---|---|
| **1.1** | page 210 | Tracks 60-61 |
| **1.4** | page 212 | Track 62 |
| **2.2** | page 215 | Tracks 63-64 |

## CD3

### Module D

**Unité 2 : Détente et évasion !**

| | | |
|---|---|---|
| **2.4** | page 216 | Tracks 2-4 |

**Unité 3 : Le tourisme**

| | | |
|---|---|---|
| **1.3** | page 220 | Tracks 5 6 |
| **2.1** | page 222 | Tracks 7-8 |
| **2.4** | page 223 | Track 9 |

**Unité 4 : L'environnement**

| | | |
|---|---|---|
| **1.2** | page 226 | Tracks 10-13 |
| **1.6** | page 229 | Tracks 14-17 |
| **2.2** | page 230 | Tracks 18-20 |
| **2.6** | page 233 | Track 21 |
| **3.5** | page 237 | Track 22 |

**Aide-mémoire**

| | | |
|---|---|---|
| Rachel | page 243 | Track 23 |
| Niall | page 243 | Track 24 |

### Module E

**Unité 1 : L'Irlande**

| | | |
|---|---|---|
| **1.3** | page 261 | Track 25 |
| **1.4** | page 261 | Tracks 26-27 |
| **2.4** | page 264 | Tracks 28-29 |

**Unité 2 : La France**

| | | |
|---|---|---|
| **1.4b** | page 270 | Tracks 30-33 |
| **1.8b** | page 274 | Track 34 |
| **2.1** | page 275 | Tracks 35-36 |

**Unité 3 : L'Europe**

| | | |
|---|---|---|
| **1.2** | page 280 | Tracks 37-38 |
| **2.3** | page 287 | Track 39 |

**Unité 4 : Les actualités**

| | | |
|---|---|---|
| **1.4** | page 292 | Track 40 |
| **3.2** | page 295 | Tracks 41-45 |

**Aide-mémoire**

| | | |
|---|---|---|
| Niall | page 297 | Track 46 |
| Rachel | page 297 | Track 47 |

## CD4

### Module F

**Unité 1 : La santé**

| | | |
|---|---|---|
| **1.3** | page 315 | Track 2 |
| **1.5** | page 317 | Track 3 |
| **2.4** | page 322 | Tracks 4-9 |
| **2.6** | page 323 | Track 10 |

## 🎧 CDs de l'élève

### CD1

## Module A

## Module B

## Module C

## Module G

## Module D

### CD2

## Module D

## Module E

## Module F

## Module G

# Acknowledgements

For images, cartoons, texts and songs, thanks to:

Actes Sud, Agence Angy & Co, Aka Publishing, Alamy, Atelier Kevin Abosch (Reprinted by permission. All rights reserved), Atlético Music, Atoine Chereau, Au diable vauvert, Bago Films – Fidelite Films – Wild Bunch – TF1 Filsm Production – France 2 Cinema, Bayard Presse, BMG, Brigitte Lacombe/Vanity Fair France, Ça m'intéresse, Christal, Claire Brétecher, Closer, Closer Teen, Commission européenne/JPH Woodland, Disco Soupe, Édition CLE International, Éditions Delphine Montalant, Éditions Deoël, Éditions Don Quichotte, Éditions du Rocher, Éditions du Seuil, Éditions Gallimard, Éditions Jean-Claude Lattès, Éditions Le Sorbier, Éditions Robert Laffont, Éditions Stock, Éric Luyckx, Femme Actuelle, Fête de la Musique, Fiona Meehan, Folimage, Fondation Nicolas Hulot, Food Cloud, François Ferracci, Free Images/Nadia Meslem, Géo Ado, Getty Images, Ideum, Innovation en Europe: Recherche et Résultats, Intermarché, iStock, Jennifer Farley (www.Laughing-Lion-Design.com), Jeune et bénévole, La Croix, Le camion qui fume, Le Dilettante, Le Figaro, Legende Films – Gaumont – France 2 Cinema, Le joli mois d l'Europe, Le Livre de Poche, Le Nouvel Observateur, Le Parisien, Le Public Système, Les Éditions de Minuit, Les Inrockuptibles, Libella, Libération, Librairie Plon, LRK/L'Autre Distribution, L'Usine Nouvelle, Marc Fletcher Photography, Marion Caujolle, Martiprod Editions, Michele Sibloni/UNICEF, Motown/Universal, myredje, NASA, NHF/CLMBBDO, Paris Match, Pièces Jaunes , Psychologies, Randy Glasbergen, Rex Features, Riff Cohen, SASI Group (University of Sheffield) and Mark Newman (University of Michigan), Scott Harben, Shutterstock, Solidarités Jeunesses, SONY France, Télérama, those three reps, TNS-Sofres, UNICEF, Voisins Solidaires, Warner Chappell Music France, Winds/E.Guionet, Worldmapper Project

# NOTES